# PAREM OS RELÓGIOS

# KRISTAN HIGGINS

# PAREM OS RELÓGIOS

Tradução

ALEXANDRE BOIDE

pa ra le la

Copyright © 2021 by Kristan Higgins

A Editora Paralela é uma divisão da Editora Schwarcz S.A.

*Grafia atualizada segundo o Acordo Ortográfico da Língua Portuguesa de 1990, que entrou em vigor no Brasil em 2009.*

TÍTULO ORIGINAL Pack Up the Moon

CAPA Anthony Ramond

FOTO DE CAPA Padrão floral: iStock; cartas: CSA Images/ Getty Images

ILUSTRAÇÃO DE MIOLO Martina v/ Shutterstock

PREPARAÇÃO Antonio Castro

REVISÃO Luís Eduardo Gonçalves e Luiz Felipe Fonseca

Dados Internacionais de Catalogação na Publicação (CIP)
(Câmara Brasileira do Livro, SP, Brasil)

Higgins, Kristan
  Parem os relógios / Kristan Higgins ; tradução Alexandre
Boide. — 1ª ed. — São Paulo : Paralela, 2023.

  Título original: Pack Up the Moon.
  ISBN 978-85-8439-343-5

  1. Ficção norte-americana I. Título.

23-160404                                    CDD-813

Índice para catálogo sistemático:
1. Ficção : Literatura norte-americana    813

Cibele Maria Dias – Bibliotecária – CRB-8/9427

Todos os direitos desta edição reservados à
EDITORA SCHWARCZ S.A.
Rua Bandeira Paulista, 702, cj. 32
04532-002 — São Paulo — SP
Telefone: (11) 3707-3500
editoraparalela.com.br
atendimentoaoleitor@editoraparalela.com.br
facebook.com/editoraparalela
instagram.com/editoraparalela
twitter.com/editoraparalela

*Este livro é dedicado a Charlene Marshall.*
*Guerreira. Educadora. Fodona.*

# 1

## LAUREN

*Oito dias restantes*
14 DE FEVEREIRO

Papai,

Eu estou morrendo, meu marido vai ficar viúvo, e este foi o ano mais maravilhoso da minha vida.

Quanta surpresa, né?

Nas últimas semanas... nos últimos meses... estou sentindo tudo mudar. Lembra da vez em que nós viajamos de avião para a Califórnia e voltamos de carro? Acho que eu tinha dez anos. Lembro que conseguia sentir que estávamos chegando à Costa Leste, deixando todos aqueles milhares de quilômetros para trás, cada vez mais perto de casa, apesar de ainda termos um longo caminho pela frente. Dava para sentir. Era óbvio que estávamos cada vez mais perto.

É assim que estou ultimamente.

Mas também ando ocupada demais para pensar muito nisso. Como Red diz em Um sonho de liberdade, *ocupar-se de viver, ou ocupar-se de morrer*. Eu escolhi a primeira opção.

Cada pessoa recebe um diagnóstico de doença terminal de forma diferente. Eu queria dominar o meu como se ele fosse um cavalo de corrida, pai. E acho que fiz isso. Não digo que ficar doente foi a melhor coisa que me aconteceu, porque também não sou idiota. Mas sem dúvida isso foi uma parte inegavelmente importante da minha vida... e eu amo a minha vida. Mais do que nunca.

Escrever para você foi uma forma de mantê-lo vivo na minha vida depois da sua morte, pai. Você já se foi há oito anos, mas continuei sentindo sua presença comigo. É isso o que eu quero para Josh. Elaborei um plano, que concluí hoje. E parece bem apropriado que tenha sido no nosso aniversário de três anos de casamento. Quero que hoje seja um grande dia para Josh, quero fazê-lo rir, quero fazê-lo se sentir amado até não poder mais, porque acho que não vamos chegar ao nosso quarto aniversário.

Nós temos muita, muita sorte. Não importa o que vem pela frente, nem quando.

É bem fácil chorar e até entrar em pânico por causa desse tipo de coisa. Mas então olho ao meu redor e vejo tudo o que tenho, tantas alegrias... e isso me faz deixar de lado todo o resto. De verdade. Nunca fui tão feliz na minha vida.

Obrigada por tudo, papai. Nos vemos em breve.

*Lauren*

# 2

## JOSHUA

### 14 DE FEVEREIRO

No dia em que completou três anos de casamento, Joshua Park voltou para sua casa em Providence, Rhode Island, depois de uma reunião em Boston com uma empresa de equipamentos médico-hospitalares. Ele conseguiu vender seu projeto e estava feliz por não precisar mais lidar com toda aquela gente, e mais ainda por poder voltar para casa, para sua esposa.

Ele parou na floricultura para pegar as três dúzias de rosas brancas que havia encomendado. As flores eram um complemento aos chocolates, comprados na loja favorita de sua mulher e escondidos em casa, ao relógio com pulseira de couro, a um pijama de seda azul, e a dois cartões, um meloso, um engraçado. Ele não pegava leve com aniversários, não mesmo.

Joshua destrancou a porta do apartamento e encontrou a casa no breu, a não ser por uma trilha de velas pelo corredor. Havia pétalas de rosas espalhadas pelo chão. Ora, ora, ora. Pelo jeito ele não era o único que tinha passado na floricultura. Pedrita, a cachorra do casal, estava dormindo no sofá de barriga para cima.

"Isso é obra sua?", ele perguntou para ela, que abanou o rabo, sem abrir os olhos.

Ele tirou os sapatos e o casaco, que estava molhado por causa da neve derretida. Com o buquê na mão, atravessou devagar o corredor em direção ao quarto, saboreando o momento, deixando de lado a preocupação por ela ter saído de casa em meio ao mau tempo. A expectativa corria em suas veias. A porta do quarto estava entreaberta, e dava para ver que havia mais velas lá dentro. Ele abriu a porta com um sorriso já se espalhando pelo rosto.

Sua mulher estava deitada de bruços na cama, usando apenas um laço vermelho em torno da cintura, amarrado na parte inferior das costas. Estava com o queixo apoiado nas mãos e os joelhos dobrados de um jeito que os calcanhares quase tocavam sua bela bunda.

"Feliz Dia dos Namorados", ela falou com uma voz insinuante.

"Feliz aniversário de casamento." Ele se apoiou no batente da porta para desfrutar a visão — sua esposa (aquela palavra ainda fazia seu coração palpitar), com o cabelo ruivo escuro caído sobre os ombros, a pele lisa brilhando sob a luz das velas.

"Adivinha qual é o seu presente", ela falou.

"Não faço ideia."

"Começa com 'muito' e termina com 'sexo'."

"Era bem o que eu queria." Ele afrouxou a gravata. "Você não está cansada?", ele perguntou.

"Pareço cansada? Ou alguém que está prestes a transar até não aguentar mais?"

Ele deu risada. "Com certeza a segunda opção." Ele foi até a cama, ajoelhou e a beijou com todo o amor, gratidão, tesão e felicidade do mundo.

"Você está com gosto de chocolate", ele falou, se inclinando um pouco para trás. "Tsc, tsc."

"É culpa minha se você me deixou sozinha em casa com bombons de caramelo salgado da Fran's?", ela rebateu. "Acho que nós dois sabíamos que isso ia acabar acontecendo."

"Mas estava escondido."

"Não muito bem. Em uma caixa de sapato na prateleira de cima do closet? Qual é. Isso é coisa de amador."

"Você tem o faro de uma cachorra."

"Isso, fala sacanagem que eu gosto", ela disse, rindo. "Vamos lá. Vem desembrulhar o seu presente e fazer amor com a sua mulher."

"Sim, senhora", ele respondeu, passando as mãos pela pele sedosa dela. Nossa, como era bom ser casado. Ele amava Lauren, adorava seu quarto e sua cama, e o fato de ela ter feito o esforço de acender velas, espalhar pétalas de rosas pela casa e esperá-lo usando só um laço verme-lho. Ela estava com o cheiro de amêndoa e laranja do gel de banho. Tinha pintado as unhas dos pés de vermelho. Tudo para ele.

"Sou o homem mais sortudo do mundo", ele murmurou contra o pescoço dela.

"Eu digo o mesmo. Só que mulher, em vez de homem", ela respon-deu, e começou a rir. Quando se beijaram de novo, os dois estavam sor-rindo.

*Apaixonados* não era só uma palavra. Era a forma como eles viviam, envolvidos pelo manto quente e macio da adoração mútua, e naquele momento, naquela noite, nada mais importava. Eles eram intocáveis, imortais. Ele continuaria a amá-la por toda a vida e sabia disso, com cer-teza absoluta, e ela o amaria pelo que restava da sua.

Não importava se isso era muito ou pouco tempo.

# 3

## JOSHUA

*Doze dias depois*
26 DE FEVEREIRO

Era estranho procurar pela esposa no funeral dela?

Mas era o que ele estava fazendo. Ficava olhando ao redor à procura de Lauren, esperando que ela aparecesse e dissesse o que falar para toda aquela gente, o que fazer durante a cerimônia. Onde pôr as mãos. Como retribuir os abraços.

Ela saberia. Era esse o problema. Ela sabia *tudo* sobre esse tipo de coisa — pessoas, por exemplo. Como lidar com o mundo. No velório da noite anterior, Lauren saberia dizer o que ele deveria falar quando os amigos dela apertassem sua mão ou o abraçassem, deixando-o desconfortável, tenso e suado. Um problema clássico de quem pertence ao espectro. Ele não gostava de aglomerações. Não queria abraçar ninguém além de sua mulher. Que estava morta.

Ela teria lhe falado o que vestir naquele dia. No fim, acabou usando seu único terno. O mesmo que vestiu quando pediu a mão dela e que usou no casamento, três anos antes. Era de mau gosto usar o terno do casamento no funeral da esposa? Ele deveria ter posto uma gravata diferente? A mãe e a irmã dela se incomodariam com isso?

Aquele banco era duro como pedra. Ele detestava cadeiras de madeira. Ou bancos. Enfim.

Donna, a mãe de Lauren, estava aos prantos, um som que ecoava pela igreja. A mesma onde Josh e Lauren haviam se casado. Se tivessem filhos, seriam batizados ali também? Josh era basicamente ateu, mas Lauren queria que a igreja fizesse parte da vida deles, então tudo bem.

Só que ela estava morta.

Fazia quatro dias. Cento e doze horas e vinte e três minutos desde que Lauren tinha morrido, talvez alguns segundos a mais ou a menos. Foram os dias mais longos de sua vida, mas também parecia ter acontecido havia apenas alguns instantes.

A irmã de Lauren, Jen, estava fazendo o discurso fúnebre. Provavelmente um ótimo discurso, porque ele ouvia as pessoas ora rindo, ora chorando. Josh não conseguia absorver o que ela dizia. Ficou só olhando para as próprias mãos. Quando Lauren pôs a aliança no seu dedo no dia do casamento, ele não conseguia parar de olhar para aquilo. Sua mão parecia mais completa com aquela aliança ali. Era só um anel simples de ouro, mas dizia algo sobre ele. Uma coisa boa e importante. Ele não era só um homem... era um marido.

Ou melhor, *fora* um marido. Agora era um viúvo. Alguém totalmente inútil.

Não fazia diferença que fosse um engenheiro biomédico com vários diplomas e uma ótima reputação no ramo da tecnologia nos cuidados à saúde. Ele tinha dois anos e um mês para encontrar uma cura para a fibrose pulmonar idiopática, uma doença que ia enchendo os pulmões de cicatrizes aos poucos, sufocando as partes saudáveis e as impedindo de respirar. E fracassou. Não que uma cura fosse fácil ou algo que alguém tivesse conseguido encontrar antes. Os únicos aparelhos disponíveis no mercado serviam para levar ar aos pulmões, fortalecer os músculos do peito ou drenar o muco, e o problema de Lauren não tinha a ver com isso.

Ele não conseguiu dar um jeito na situação. Não conseguiu projetar nada nem encontrar um ensaio clínico que tentasse desfazer aquelas merdas de tecidos fibrosos e cicatrizes. Desde o dia do diagnóstico, ele vinha se dedicando a descobrir algo que pudesse salvar sua mulher. Não apenas retardar o progresso da doença — para isso ela tomou remédios já existentes e dois medicamentos experimentais, além de tentar ervas medicinais chinesas e uma dieta orgânica sem carne vermelha.

Não. O trabalho de Josh não o ajudou a descobrir — ou criar — alguma coisa que pudesse curá-la. Restabelecê-la. Mantê-la viva.

Ele não tinha sido capaz.

Uma foto dela em tamanho grande foi colocada no altar. Havia sido tirada no primeiro ano de casamento, durante a viagem dos dois a Paris pouco antes do Natal. Antes que eles soubessem. O cabelo ruivo dela era soprado pelo vento para longe do rosto, e o sorriso era cheio de diversão, amor e alegria. Ele olhava para aquela foto agora, ainda perplexo com o fato de ter se casado com ela. Lauren era sem dúvida areia de mais para seu caminhãozinho.

Quando se conheceram pela primeira vez, ele a insultou.

Graças a *Deus* teve outra chance. Não que Deus existisse. Caso contrário, ela ainda estaria viva. Quem seria capaz de levar alguém como ela aos vinte e oito anos? Um Deus misericordioso? Nem fodendo.

Parecia impossível acreditar que ela tinha ido embora para sempre. Não. Era mais a cara de Lauren, que adorava brincadeirinhas infantis como se esconder no box e assustá-lo enquanto escovava os dentes, pregar a peça mais épica de todos os tempos — saltar de trás do altar e dizer: "Bu! Estava só brincando, lindo!", e depois rir e abraçá-lo e contar que tudo o que aconteceu nos últimos anos foi apenas um teste. Na verdade, nunca havia ficado doente.

Por outro lado, ela já tinha sido cremada.

Pelo jeito, Jen havia terminado de falar, porque desceu do altar da igreja e estava parada diante dele.

"Obrigado, Jen", ele agradeceu sem emoção. Sua mãe, sentada ao seu lado, o cutucou de leve, e ele levantou e abraçou a cunhada. Ex-cunhada? Isso não parecia justo. Ele gostava da ideia de que era parte da família de Jen e Darius, o marido dela, isso sem falar nas duas crianças. Inclusive quase gostava de Donna, sua sogra, que, depois de um péssimo início, tinha sido ótima mais perto do fim. Quando Lauren estava morrendo de fato.

Agora, sua esposa era um monte de cinzas em um saco guardado em um recipiente de metal. Ele estava esperando que a urna especial que encomendou chegasse da Califórnia. Depois disso ele faria uma mistura com um preparado de solo orgânico e plantaria uma árvore no vaso de bambu, e Lauren se tornaria um corniso. Cemitérios não eram sustentáveis, apesar de bonitos, ela tinha dito. "Além disso, quem não ia querer ser uma árvore? É melhor que virar compostagem."

Ele quase podia ouvir a voz dela.

Todos começaram a sair da igreja. Josh ficou esperando na frente da porta. Sua mãe lhe deu o braço e não saiu do seu lado. "Aguente firme, querido", ela murmurou. Ele assentiu. Os dois viram quando Ben e Sumi Kim, os melhores amigos e vizinhos de sua mãe, foram até o altar e ficaram diante da foto de Lauren. Ben se curvou até a altura da cintura, depois se ajoelhou e encostou a testa no chão. Ele se levantou em seguida e repetiu o movimento enquanto Sumi chorava baixinho.

Josh precisou cobrir os olhos por um momento em meio àquela reverência, um gesto de partir o coração. Lauren adorava o casal Kim, que eram basicamente segundos pais para Josh. Ben era a figura mais próxima de um pai que ele já teve na vida. Claro que Lauren os adorava. Ela adorava a maioria das pessoas, e o sentimento era recíproco.

Os Kim se aproximaram e o abraçaram. Josh estava com os três adultos que o criaram, todos impotentes diante de sua perda.

Ninguém era capaz de ajudá-lo.

"Você vai superar isso, filho", Ben falou, olhando-o bem nos olhos. "Eu sei que parece que não, mas vai, sim."

Josh assentiu. Ben não costumava mentir. Ele apertou seu ombro e balançou a cabeça. "Você não está sozinho, Josh."

Ora. Era uma ideia reconfortante, mas ele estava sozinho, sim, isso era óbvio. Sua mulher tinha morrido.

"Vamos embora, então?", o homem mais velho sugeriu. Como sua mãe, Ben era bom em orientar Josh sobre o que fazer em eventos sociais. Mas não tanto quanto Lauren.

Um pânico se espalhou dolorosamente pelo seu corpo. O que ele faria sem ela?

"Vamos, querido", sua mãe chamou.

Verdade. Ele não tinha respondido. "Tá", Josh disse. Parecia errado, por algum motivo, ir embora daquela igreja. Encerrar o funeral.

Depois da cerimônia, houve um almoço. Eram tantas flores, apesar dos pedidos de Lauren a esse respeito, e doações destinadas ao Hope Center, seu lugar favorito em Providence, sua cidade natal. Seus colegas de trabalho no Pearl Churchwell Harris, o escritório de arquitetura onde ela era projetista de espaços públicos, estavam todos lá — Bruce, que foi um ótimo chefe para Lauren, chorando como se tivesse perdido a própria filha; Santino e Louise, que faziam caminhadas com ela para manter sua capacidade pulmonar; aquela cretina da Lori Cantore, que perguntou se poderia ficar com a sala de Laure *dois anos atrás*, uma verdadeira ave de rapina que teve a cara de pau de aparecer no funeral depois de só infernizá-la em vida. Ele se imaginou agarrando aquele bracinho fino e a arrastando para fora, mas não queria torná-la o centro das atenções. O funeral era de Lauren, afinal de contas.

E havia tantos outros amigos de Lauren — Asmaa, do centro comunitário; Sarah, sua melhor amiga desde a infância; Mara, da Escola de Design; Charlotte Abusada, a solteirona grudenta que morava no primeiro andar do prédio e, Josh tinha quase certeza, dava em cima dele desde que se conheceram, sendo casado ou não. Pessoas da infância de Lauren, da época de colégio e faculdade, professores, colegas de sala, a diretora da escola onde ela fez o ensino fundamental.

Algumas pessoas até vieram por causa de Josh, por terem lido o obituário de Lauren. Não eram exatamente amigos... ele não tinha muitos. Lauren era sua amiga. Sua melhor amiga. A família dela o recebeu bem, mas ele era só um membro fantasma àquela altura. Um amputado, sem ela por perto.

Uma mulher baixinha e robusta com cachos grisalhos se aproximou. "Sinto muito pela sua perda", ela disse. Ele olhou para sua mãe, que deu de ombros discretamente.

"Hã... você conhecia Lauren?", ele perguntou.

"Não. Eu trabalho para você. Sou Cookie Goldberg. Sua assistente virtual."

"Ah! Oi. Hã... certo." Cookie morava em Nova York. Long Island. Eles nunca tinham se encontrado pessoalmente, mas se viam pelo Zoom e o Skype com certa frequência.

"Pois é, enfim, eu... que merda. Sinto muito por você, Joshua. Estou com o coração partido." Sua voz rouca ficou embargada, e ela pareceu um pouco surpresa com as próprias palavras. "Certo. Eu tenho que pegar a estrada de volta, a distância é longa. Me liga se precisar de alguma coisa."

Ela se virou e foi embora.

"Ela trabalha para você, e mesmo assim não conseguiu reconhecê-la? Você só tem uma funcionária, Josh", sua mãe o repreendeu em tom gentil.

"Nem passou pela minha cabeça que ela estaria aqui", ele falou, voltando a sentar.

Josh não comeu, ou talvez sim. Darius, o marido de Jen, lhe deu uma taça de vinho, esquecendo que ele não bebia. Enfim, Josh viu Octavia. Ela ainda era sua sobrinha? Ele era só o viúvo de sua tia morta. Ainda tinha alguma relação com ela e com Sebastian? Ainda era o tio Josh?

Sebastian, de quatro anos, chorava sem parar, apesar dos esforços de Darius para consolá-lo. O menino tinha idade suficiente para entender que a tia Lauren nunca mais ia voltar. Josh o invejava. Não havia um pingo de raiva ali. Ele estava chorando da maneira que Josh queria: sem reservas, angustiado, horrorizado.

"Me liga se precisar de alguma coisa", disse Charlotte Abusada, com um brilho inquietante nos olhos azul-claros. Ela lhe entregou um papel. Era seu celular. Quando fez menção de abraçá-lo, Josh estendeu a mão. Um momento constrangedor. Lauren teria dado um jeito de fazer a situação parecer engraçada, mas acabou sendo só constrangedora mesmo. Charlotte levantou uma sobrancelha, mas Josh não soube como interpretar o gesto. Ele pegou o pedaço de papel, guardou no bolso e sentou, mas aquilo o incomodava. Parecia uma traição, então ele o amassou e jogou embaixo da mesa com um pedido de desculpas silencioso para o pessoal da limpeza. *Essa gente*, ele os imaginou dizendo. *Jogando lixo no chão, como um bando de animais.*

Ele agachou e começou a procurar de novo o papel. "O que você está fazendo?", sua mãe ralhou.

"Stephanie", Josh ouviu uma mulher dizer. "Eu sinto *muito*! Ela era um amor de menina. Hm... cadê o Joshua?"

O papel estava um pouco além de seu alcance. Ele se esticou todo, ouvindo sua cadeira cair atrás de si, pegou o bilhete e ficou de pé. Ajeitou a cadeira. "Oi", ele disse para a amiga de sua mãe.

"Joshua, você lembra da Nina, né? Do laboratório?"

Sua mãe tinha trabalhado no Hospital de Rhode Island por trinta anos. Ele não lembrava daquela mulher. "Sim", mentiu, apertando a mão dela.

Ela o puxou para um abraço, e ele fez uma careta. "Sinto muito pela sua perda, querido", a mulher disse.

"Obrigado." Ele ficou parado de pé por mais alguns instantes, então foi para o banheiro jogar o papel no lixo. Não queria o celular de Charlotte Abusada nem o de ninguém. Só queria que sua esposa não estivesse morta.

O rosto que viu no espelho era quase irreconhecível. Josh ergueu a mão para se certificar de que estava mesmo lá. Aquilo só podia ser um sonho, não? Tateando embaixo da mesa à procura de um pedaço de papel, no meio de um monte de gente que na verdade não conhecia... só faltava perceber que não estava vestido e acordar ao lado de sua mulher na cama. Ele a abraçaria com força e sentiria o cheiro do cabelo dela, que responderia com um sorriso sem abrir os olhos.

Mas ele ainda estava no banheiro, contemplando seu rosto no espelho.

Sarah, a melhor amiga de Lauren, estava à sua espera quando ele saiu. "Você está bem?"

"Não."

"Eu também não." Os olhos dela estavam cheios de lágrimas. Ela segurou e apertou sua mão. "Essa porra toda é um pesadelo."

"Pois é."

"Você comeu alguma coisa?"

"Sim", ele respondeu, apesar de não lembrar.

Sarah o acompanhou de volta para a mesa. Pessoas falaram com ele. Algumas choraram.

Josh só olhava para a mesa. É possível que tenha dito alguma coisa a alguém. Mas no fim isso não fazia diferença, né?

Mais tarde, Darius o levou de volta para casa, na antiga fábrica transformada em edifício residencial. "Quer que eu entre com você, meu amigo?", ele perguntou no estacionamento.

"Não, não. Eu... acho que prefiro ficar sozinho."

"Entendi. Escuta só, Josh. Eu estou do seu lado nessa, ouviu? A qualquer hora do dia e da noite. Nós casamos com duas irmãs. Somos da mesma família, e para sempre. Como irmãos."

Josh assentiu. Darius era um cara alto, com uma pele de um tom bem escuro, então ele duvidava que alguém pudesse acreditar que eram irmãos, mas era uma ideia reconfortante. "Obrigado, Darius."

"Isso foi foda, cara." A voz dele ficou embargada. "Eu sinto muito mesmo. Ela era... era incrível."

"Sim."

"Amanhã te escrevo para ver como você está. Vê se tenta dormir um pouco, certo?"

"Sim. Obrigado."

Ele subiu a escada sentindo as pernas pesadas. Nos seis dias anteriores, tinha ficado na casa da mãe, encontrando algum conforto na familiaridade da casa onde cresceu, em seus cheiros e sua mobília. Lauren, cuja mãe era uma mulher um tanto dramática, gostava do jeito tranquilo da sua, entendia a devoção que tinha pelo único filho, admirava Stephanie por tê-lo criado sozinha. Lauren era mais que uma nora para sua mãe; era a filha que Stephanie nunca teve.

Tinha sido. Lauren tinha sido.

Minha nossa. Ele precisava mudar os tempos verbais dali para a frente. Josh destrancou o apartamento e entrou. Não tinha ido mais lá desde que Lauren foi internada... quando foi isso? Seis dias antes? Oito? Uma vida toda.

As luzes sobre a ilha da cozinha estavam acesas, com seu brilho suave, assim como a lâmpada fraca do abajur ao lado da poltrona de leitura. Alguém tinha ido até lá. O lugar estava impecável. As almofadas que Lauren comprou bem ajeitadas no sofá. Um buquê de tulipas amarelas sobre a ilha da cozinha, bem no meio, obscenamente alegres. Os cobertores que Lauren usava, por estar sempre com frio, estavam dobrados, um deles estendido sobre o encosto do sofá.

Estava tão silencioso.

Pedrita, sua pastora-australiana brincalhona, ficou com Jen desde a internação de Lauren; Josh tinha esquecido de pedi-la de volta. Enfim. Um dia a mais não ia fazer diferença.

Josh foi ao banheiro. Os aparatos médicos de Lauren — seu cilindro de oxigênio, seu oscilador torácico de alta frequência — não estavam mais lá. Josh tinha concordado com isso, pelo que lembrava vagamente. Em doar para alguém que precisasse ou coisa do tipo. Os frascos de remédio que ficavam na mesinha de cabeceira, o Vick VapoRub... tudo isso tinha ido embora.

Fibrose pulmonar idiopática. As três palavras condenatórias. Uma doença terminal. Uma doença que normalmente afetava pessoas mais velhas, mas que às vezes atacava pacientes jovens também. Uma doença com expectativa de sobrevida de três a cinco anos.

Lauren acabou se encaixando na estimativa mais baixa.

A cama estava perfeitamente arrumada, como Lauren costumava deixar antes que até as tarefas mais leves exigissem demais dela. Ele sempre tentava deixar do jeito como ela fazia, mas nunca conseguia, e isso a fazia sorrir. Os travesseirinhos floridos e inúteis estavam todos no lugar.

Como se ela tivesse passado por lá.

Josh pegou uma calça jeans e um moletom do MIT para vestir. Na cozinha, tirou as tulipas do vaso e jogou no lixo, despejou a água na pia e descartou o vaso na lixeira de reciclagem. Recolheu o terno, a camisa, as meias e até a cueca, e levou até o jardinzinho no andar de cima do apartamento. Pela primeira vez, não se preocupou com seu medo de altura. Gostou de sentir o sopro do ar frio e úmido.

Uma gaivota estava pousada sobre um dos postes do gradil de ferro que cercava o jardim, o observando, com as penas balançando sob a brisa.

Ele ligou a churrasqueira a gás no fogo mais alto.

Então pôs fogo nas roupas que usou no funeral da esposa. E ficou lá por um bom tempo depois que viraram cinzas e a neve começou a cair.

# 4

## LAUREN

*Três meses restantes*
20 DE NOVEMBRO

Papai,

Como vão as coisas no Além? Por favor, me diga que você consegue voar. Eu vou ficar muito decepcionada se não puder voar. E queria poder salvar pessoas também. Sabe aqueles relatos que dizem: "Não sei como aquele caminhão não me acertou! Pensei que fosse morrer!"? Espero que seja isso que nos aguarde, porque seria o máximo, não?

Acabamos de voltar de Cape Cod. Fica tudo bem tranquilo por lá na baixa temporada, e eu estava ficando meio melancólica e sentindo muito frio. Caminhar na praia não é tão divertido com o vento empurrando você para trás, sabe? Quer dizer, é legal, mas exaustivo também.

Sebastian fez quatro anos, pai! Josh e eu demos para ele o maior caminhão de brinquedo que conseguimos encontrar, um que fazia um monte de barulhos de buzina e motor, e ele ADOROU. Octavia tem seis meses e já tem dois dentinhos, mais afiados que navalhas, mas tão lindinhos. A baba que sai da boca daquela criança seria capaz de acabar com a seca em muitos países pequenos. Sério mesmo. Eu não fazia ideia de que um ser humano fosse capaz de produzir tanta saliva.

A mamãe está bem. Mas sabe como é. Vive sempre triste e não entende a ideia de "ver o lado bom das coisas". Mesmo assim, acho que você vai gostar de saber que janto com ela toda terça-feira, só nós duas, porque... bom, porque a mamãe vai precisar desse tempinho para servir como lembrança mais tarde.

Depois deste verão em Cape Cod, eu acabei piorando. Não estou muito mal, mas... bom, agora não dá mais para negar os efeitos da FPI. Preciso ficar no cilindro de oxigênio quase o tempo todo, além de tirar um cochilo toda tarde sem o menor pudor na salinha que Bruce arrumou para mim. Estou trabalhando bastante de casa também. Em minha defesa, posso dizer que não estou fazendo corpo mole. Estou deixando minha marca, pai, como você gostaria que eu fizesse. Mas um resfriado me derrubou por duas semanas, e passei cinco dias no hospital por causa de mais um colapso pulmonar e uma pneumonia leve. Pelo menos não precisei ser intubada dessa vez. Vou te falar uma coisa. Você e a mamãe não deveriam ter economizado nos meus pulmões. Deveriam ter escolhido um modelo Usain Bolt. Os meus são daqueles comprados em liquidação de porta de loja.

Quando eu estava no hospital, a dra. Bennett mencionou a possibilidade de um transplante de pulmão, e pensei que Josh fosse ter um infarto. Ele precisou sair do quarto e ficou mudo por uma hora depois que voltou... ele se fecha em si mesmo quando as coisas não estão bem.

A questão, pai, é que quando você faz um transplante de pulmão um outro reloginho é acionado. Um transplante de pulmão é como... ah, é como os trezentos de Esparta resistindo ao ataque dos gregos. Eles são heroicos e corajosos, e você até acha que vão conseguir vencer, mas não é isso o que acontece. Por algum motivo, pulmões transplantados não funcionam tão bem quanto outros órgãos. Não é exatamente uma cura. No site da Clínica Mayo, que é a minha referência na internet, está escrito que: "Embora algumas pessoas já tenham vivido dez anos ou mais depois de um transplante pulmonar, apenas metade dos pacientes que se submetem ao procedimento permanece viva após cinco anos".

Então eu tenho cinquenta por cento de chance de viver cinco anos com pulmões novos. O que está longe de ser ótimo. É assustador pensar que essa pode ser a minha melhor opção.

Ultimamente, tenho sentido a diferença. Josh entende a parte dos números — fluxo de espirometria, volume pulmonar, oximetria de pulso, difusão pulmonar. Ele sabe quando estou cansada e cuida bem de mim, mas eu não posso dizer: "Como foi aquela conversa por telefone com Singapura, querido? Aliás, eu não estou conseguindo respirar direito hoje". Entendo por que Josh está obcecado em encontrar uma cura — realmente parece existir alguma coisa capaz de dar um jeito nisso. Eu imagino o "material fibrótico", como diz a dra. Bennett, como um emaranhado de lã. De lã cor-de-rosa. Da cor daqueles xaropes sabor morango. Por que não teria como uma pequena escavadeira entrar lá e tirar tudo e me devolver os meus pulmões? Um lança-chamas microscópico capaz de queimar essa coisa sem estragar a parte boa?

Também estou contente por ter tido essa primavera e esse verão. Me senti melhor em Cape Cod e consegui passar um bom tempo com meus amigos, e olhando para o mar. Tem alguma coisa em ficar perto do mar que faz você pôr sua vida em perspectiva. É reconfortante, resumindo.

Eu não quero me concentrar no fato de estar doente, mas isso é parte do meu dia a dia. Tenho algumas cartas na manga, graças à terapia pulmonar — prender o ar no peito, soltar, repetir o processo. Visualizar os brônquios rosados saudáveis se expandindo e se contraindo. Mas até as coisas mais simples estão ficando difíceis, papai. Tomar banho virou uma tarefa exaustiva. Minhas caminhadas na hora do almoço com Santino e Louise lá no trabalho estão cada vez mais curtas. É vergonhoso, apesar de saber que é uma bobagem minha pensar assim. Mas eu tenho vinte e oito anos, e dar uma volta no quarteirão já acaba comigo.

Tenho um plano de gasto de energia para a maior parte dos dias — se tomo banho e raspo as pernas, vou precisar de vinte minutos de descanso. Quando quero ver Sebastian e Octavia, preciso de um cochilo antes e de outro depois, e provavelmente vou precisar ficar de repouso no dia seguinte também. No trabalho, planejo minhas idas ao banheiro; são mais ou menos trinta degraus, e, se esperar demais e precisar ir correndo, demoro dez minutos para recuperar o fôlego e fazer minha respiração voltar ao normal.

Está mais difícil segurar Octavia no colo, e meus braços ficam tremendo, mas não posso simplesmente desistir. Quando vou ler para Sebastian, preciso passar os olhos na página e planejar as pausas para respirar, porque ele fica aflito quando me vê sem ar... ele é muito inteligente, papai. Sabe que estou doente e está com medo, e é horrível vê-lo chorar, um menino tão bonzinho. Então me esforço quando estou com ele. Ah, pai, você iria gostar tanto dele! É um anjinho. Bom, um diabinho às vezes também, mas um anjo na maior parte do tempo. Eu não me aguento. Sou apaixonada pelos dois.

Enfim, a vida está mudando, e sei que não vai voltar mais ao que era antes. Essa é a parte mais desgraçada da FPI — toda vez que perco mais um pouco da minha função pulmonar para o tecido fibroso e as cicatrizes, é uma coisa *permanente. Isso é uma merda, mas não posso perder tempo ficando amargurada. Minha nossa! É a última coisa que quero. Quando fico com medo, me apego a Josh ou penso na nossa sorte por termos encontrado um ao outro. Meio bobo, né? E sabe o que ele acha, pai? Acha que o sortudo é ele. Sério mesmo. Ele me adora. Me ama e me valoriza, como prometeu no dia do nosso casamento.*

*Bom, eu preciso parar por aqui. Amo você, pai. Continue olhando por mim, tá? Fico contente por ter você aí. Não que eu não amasse os meus avós (por favor, mande lembrança aos quatro para mim). É que você é o meu pai, e sei que vai estar à minha espera quando chegar a hora.*

*Com amor,*
*Lauren*

Pedrita, espertinha, havia aprendido a pegar o controle remoto. Se Lauren estava no sofá, Pedrita ficava lá também, como uma bola de pelos marrons e brancos sedosos, enroladinha nos pés sempre frios dela. "Como é que a gente fazia antes de ter essa cachorra?", Lauren perguntou para Josh.

"Está falando de quando *eu* era o amor da sua vida?", ele retrucou com um sorriso enquanto cozinhava.

"Era mesmo? Ou eu só estava esperando pela Pedrita?", ela disse, e Josh deu risada. Fazê-lo rir era tão difícil quanto ganhar uma medalha olímpica, Lauren pensou enquanto acariciava a cabeça de Pedrita. O tipo de inteligência dele não deixava muito espaço para o senso de humor, então aquele riso... aquelas piadinhas de vez em quando, significavam muito. "Não é mesmo, Pedrita?", ela murmurou. "Você vai precisar aprender a ser mais divertida, mocinha."

"Antes de comer", ele falou, desligando o fogão. "Tenho um presente para você."

"Oba! É um cavalo?"

"Hã... não. Mas é uma coisa bem divertida, e você pode *inclusive* montar nela."

Ela esperou enquanto ele ia até o escritório. Um instante depois, apareceu empurrando uma...

Uma scooter elétrica para pessoas com mobilidade reduzida.

Sua garganta se fechou na mesma hora. *Não chora, não chora, não chora*, ela disse para si mesma, mas seus punhos estavam cerrados. Ela não deveria precisar disso! Não tinha nem trinta anos! Deveria ter ganhado um cavalo. Ou uma moto.

Ele estava sorrindo, mas era possível notar o eco da tristeza em seus olhos escuros. Josh sabia que era um presente deprimente.

Mas também sabia que ela precisava.

Tudo bem. Foi uma coisa bem pensada. Eles poderiam fazer mais coisas daquela maneira.

Então ela abriu um sorrisão para Josh que, depois de um instante, se tornou sincero. "Essa aí é uma scooter bem sexy", ela comentou.

"Por favor, me diga que vai usar roupas de couro quando andar nela."

"Claro! De couro vermelho, aliás." Ela desceu do sofá para ver melhor. De forma nada surpreendente, era um modelo top de linha e, para algo que na prática era uma cadeira de rodas, até que era bem aerodinâmica, de frente até parecia uma moto. Josh sabia que isso ajudaria na questão da vergonha. O amor que sentia pelo marido a deixou com lágrimas nos olhos — que ela deixaria rolar. Ela beijou Josh no pescoço e o abraçou. "Eu adorei. O nome dela vai ser Godzilla. Toda moto precisa de um nome. Vamos lá estrear essa coisa."

Ela montou na scooter e apertou o botão de ir para a frente, caindo na risada quando começou a se mover. Em meio aos pulos e latidos de Pedrita, Lauren fez um círculo completo. "Legal! É bem divertido, querido! Vem, experimenta."

Ele fez isso. Atravessou o corredor, tentou manobrar para voltar e ficou entalado e os dois riram até perderem o fôlego.

A partir daquele momento, se tornou *mesmo* mais fácil sair por aí e passear ao ar livre. A triste realidade de precisar de uma scooter era amenizada pela facilidade de locomoção. Sarah foi até sua casa uma noite, decorou o encosto do assento com corações e deu para ela uma buzina de ar para matar de susto os pedestres sem consideração.

Lauren e Josh procuraram pelos melhores lugares para passear em Providence — os caminhos de cascalho do Blackstone Boulevard, o Centro Botânico do Roger Williams Park, o India Point Park, o campus bonito do Providence College. Ficar ao ar livre fazia Lauren se sentir menos inválida, apesar de estar presa a um cilindro de oxigênio e montada em uma scooter. Ela sempre adorou o frio (que também tornava respirar mais fácil). Godzilla lhe permitia ficar mais tempo passeando, o que era uma vantagem. Ela adorava acelerar o máximo possível e depois voltar para onde estavam Josh ou Jen e as crianças, dizendo para andarem mais rápido. Sebastian adorava andar no seu colo, e, afinal, por que Lauren chegou a pensar que uma scooter seria uma admissão de fracasso? Godzilla a fazia ser ainda mais bacana aos olhos do sobrinho, e nada era capaz de superar isso.

Em um fim de tarde, com Lauren encapotada com casaco, cachecol, gorro e luvas, tudo de lã cor-de-rosa, eles caminharam/dirigiram pelo Blackstone Boulevard, admirando aquelas casas lindas e as decorações de Natal. Uma figura conhecida veio correndo na direção deles, com o rabo de cavalo loiro balançando atrás da cabeça. "Sarah!", Lauren gritou. "Oi!"

"Oi!" Sarah parou ao seu lado. "Como estão as coisas?"

"Tudo ótimo! Você está toda fitness!" Sarah estava parecendo a Mulher-Gato, vestida com roupas pretas de corrida dos pés à cabeça.

Sarah sorriu. "E a Godzilla, como está?"

"Incrível. Quer dar uma volta?"

"Quero!"

Lauren desceu e tirou seu cilindro portátil de oxigênio do cestinho da Godzilla. "Vai em frente. Vou aproveitar para caminhar um pouquinho."

"Até mais, otários!", Sarah falou antes de acenar e sair a toda a velocidade. "Isso é incrível!", ela gritou por cima do ombro.

"Agora nós podemos andar como duas pessoas normais", Lauren disse, segurando a mão de Josh.

"Pessoas normais são superestimadas", ele falou. "Mas isto aqui é ótimo mesmo."

Fazia um tempo desde que não saíam por aí de mãos dadas sem nenhum destino em mente. A noite agradável de outono caiu sobre eles, trazendo um cheiro de madeira queimada e folhas secas, além de um toque de frio no ar.

"Eu adoro essa casa", Josh comentou, parando diante de uma residência espaçosa no estilo vitoriano. As luzes estavam acesas do lado de dentro, e o jardim da frente, decorado com muito bom gosto para as festas de fim de ano, com cordões de minúsculas lâmpadas brancas meticulosamente enrolados em torno de algumas árvores. Parecia um cartão de Natal, um lugar aconchegante, chique e acolhedor. Lauren desconfiava que seu marido tivesse parado para que ela pudesse descansar e se sentiu grata por isso. *Devagar e sempre, devagar e sempre, enchendo os pulmões o máximo possível.*

"Que tipo de casa a gente deveria comprar?", ela perguntou.

"Acho que uma dessas seria legal."

"Mas na cidade?"

"Onde você quiser, querida."

A ideia de que ela não viveria por tempo o bastante para escolher uma casa passou por sua cabeça na velocidade de um beija-flor — em um momento estava lá e, no instante seguinte, não mais. "Eu gosto dessa", Lauren disse. "Ou aquela de tijolinhos. Bem impressionante, como o meu marido genial merece."

"Aquela é bem grande mesmo. Dá para ter uns dez filhos ali."

"Dez, é? Você fala isso porque é homem. A gente teria que adotar alguns."

"Por mim tudo bem." Ele a beijou, e ela o abraçou com força, com a boca dele encaixada perfeitamente na sua.

"Podem parar com isso, pombinhos", Sarah falou. "Estão querendo me deixar com inveja, é?"

"Por que não jantamos juntos?", Lauren sugeriu. "Nós três. E pode sair da Godzilla. Ela já está sentindo minha falta, e se você quebrar alguma coisa eu te mato." A fadiga estava pesando naquela noite, mas ela ainda não queria ir para casa.

As duas trocaram de lugar, e eles tomaram o caminho do Declan's, um bar irlandês na Hope Street. Enquanto os dois iam caminhando na sua frente, em meio à escuridão cada vez maior, um pensamento surgiu na cabeça de Lauren. Algum dia, talvez, poderia ser Sarah segurando a mão de Josh. Ela poderia ser a mulher dele. Seria bom saber que Josh teria uma mulher bonita, amorosa e inteligente como segunda esposa... alguém que a conhecia e que entenderia que Josh sempre amaria Lauren, cada dia um pouco mais.

Ela revirou os olhos para si mesma e acelerou a Godzilla um pouco mais. *Hoje não, Satanás. Hoje não.*

# 5

## JOSHUA

*Três (ou quatro?) semanas depois do funeral de Lauren*
MARÇO

Por uma sequência de dias que pareceram todos iguais depois do funeral da esposa, Joshua Park, bacharel em engenharia industrial (o melhor da turma), com mestrado em design médico (idem) e doutorado em engenharia mecânica, assistia à televisão. Não os programas de sempre — *The Great British Bake Off* e *Star Trek*, a série original —, mas aqueles de culinária que envolviam corridas desenfreadas pelo supermercado e ter que fazer um prato usando carne de cobra e melancia. E séries documentais sobre batalhas antigas. E sobre garimpeiros procurando ouro no Alasca. E sobre pessoas que limpavam casas de acumuladores compulsivos.

Ele estava bem. Estava tudo bem. Aqueles programas lhe davam sono, e a intenção era exatamente essa. Um torpor o dominava, e era uma sensação bem-vinda.

Ele comia. Ou então ficava sem comer. Era um extremo ou outro — uma pizza inteira de uma vez e depois sofrer com uma indigestão pelas doze horas seguintes, ou vários dias sem comida, cuja passagem era percebida apenas por causa de seu celular; ele tinha programado um alarme para o horário de alimentar Pedrita, para a cachorra não morrer de fome. Sua própria alimentação parecia irrelevante. Antes de começar a namorar Lauren e quando os dois começaram a sair juntos, ele era assim — desestruturado, comendo apenas para se manter vivo, e não por prazer. Isso deixava Lauren maluca. No terceiro encontro, ela já começou a organizar sua vida.

Então que fizesse isso de novo. Que ela voltasse e pusesse as mãos na massa outra vez.

Ele olhou ao redor do apartamento e ficou horrorizado com a bagunça. Lauren odiaria aquilo. Ela era — tinha sido — uma pessoa organizadíssima e detestaria ver sua casa naquele estado. Só depois de quarenta e cinco minutos de arrumação ele se deu conta de que estava fazendo a faxina por causa dela. Para o caso de Lauren voltar.

Quando as pessoas ligavam, ele dizia que estava bem. Aguentando firme. Tentando seguir em frente. Mas ficava olhando para a porta o tempo todo, assim como Pedrita. A pobre cachorra não entendia por que sua dona não voltava. Pedrita dormia com eles, mas Josh não conseguia nem cogitar a possibilidade de usar a cama que dividira com a esposa. Pedrita e ele agora ficavam no quarto de hóspedes, no fim do corredor.

Ele não queria trabalhar. Não se importava com o que estava acontecendo no mundo ou no país. Desligou os computadores e programou uma resposta automática para os e-mails, informando que ficaria indisponível por alguns dias em razão de uma morte na família.

Jen, Darius e as crianças foram até lá no dia seguinte ao funeral para levar Pedrita. O pequeno Sebastian correu pelo apartamento inteiro, abrindo portas, olhando debaixo do sofá, dentro dos armários. "Cadê a tia?", ele quis saber. "Ela está escondida? Ela *não* morreu! Não mesmo! Está escondida!" Depois disso, caiu no choro, aos berros. Josh sabia exatamente como era aquela sensação. Darius foi embora, levando os filhos e pedindo desculpas.

O luto compartilhado, Josh descobriu, era pior que o solitário. A dor que ele sentia era destruidora — fisicamente agoniante, o deixava dobrado ao meio, com as mãos na cabeça como se tivesse levado um soco no estômago.

Mas ver Jen escondendo o rosto com uma toalha ao chorar no banheiro ou cheirando uma blusa que Lauren costumava usar com frequência dilacerava seu coração e depois o moía como cacos de vidro. Ver Donna, sua sogra, acariciando uma foto de Lauren, com o queixo tremendo, parecendo vinte anos mais velha de uma hora para outra, o deixava sem chão. Já sua mãe, com o rosto inchado de tanto chorar, tentava disfarçar as lágrimas limpando as bancadas da cozinha. Ben, apertando seu ombro, sem conseguir dizer uma palavra, desviou os olhos marejados quando viu uma foto de Lauren no dia do casamento. Ele tinha sido o padrinho.

Com certeza. Ficar sozinho sem dúvida era a melhor alternativa. Sem a família por perto, fosse a sua ou a dela, aquilo não parecia tão real. Quando ficava sentado com Pedrita no sofá no início da noite, com todas as luzes apagadas, era possível fingir que Lauren entraria pela porta a qualquer momento.

Era exaustivo. Como nadar em um poço de piche. Ele se preocupava com Donna e Jen, que já haviam sofrido muito com a morte de Dave, o pai de Lauren. E se preocupava com sua mãe, que nunca acreditara que Josh encontraria alguém e ficou muito feliz por estar errada, e agora tinha um filho viúvo de trinta anos. E se preocupava com Pedrita, que poderia acabar morrendo de tristeza. E se preocupava com a própria morte, se perguntando se seria o fim — nada de Além, nada de pós-vida, nada de reencontro — ou se valia a pena arriscar a sorte.

Em suma, sua vida estava arruinada.

Ele despertava no meio da noite para ver como ela estava, estendendo o braço para o outro lado da cama, preocupado com sua respiração, e então percebia que ela estava morta. Levantava de manhã e esquentava a água para preparar um chá para ela. Uma noite, chegou a chamá-la no corredor antes de se dar conta do que estava fazendo. Às vezes ele acordava se perguntando se seus anos de casado não haviam sido só um sonho.

Morta. Era uma palavra inapelável. Dura. Implacável. Feia e fria.

Desde o diagnóstico, cuidar dela se tornou seu trabalho. Bom, ele tinha concluído o projeto de um dispositivo médico e vendido para a Johnson & Johnson, mas passou a maior parte do tempo tentando salvá--la. Leu todos os artigos acadêmicos sobre FPI que conseguiu encontrar. Conversou com especialistas, fundações, pacientes e pesquisadores do ramo farmacêutico, e essa busca desesperada por um outro tipo de prognóstico consumia horas e horas de seus dias.

E também havia os cuidados em si. Cozinhar para ela, fazer as tarefas domésticas, comprar os remédios, levá-la às dezenas de consultas, discutir com a operadora do seguro-saúde. Passear com ela, fazer sua terapia respiratória, monitorar sua saturação de oxigênio. Acompanhá-la ao banheiro quando os remédios provocavam desarranjos intestinais tão intensos que ela ficava fraca demais até para se equilibrar sozinha no vaso sanitário. Nos meses anteriores, ele a ajudou a tomar banho quase todos os dias. E precisava garantir que os medicamentos fossem tomados na hora certa. E que ela estivesse recebendo oxigênio suficiente. E se alimentando bem. E dormindo o quanto precisava, e que estivesse se sentindo feliz, entretida, amada.

Ele sentia falta de cada segundo de tudo isso. Cortaria um braço para poder voltar a esse tempo.

Estava perdido. Completa e irremediavelmente perdido. O Josh que era marido de Lauren não existia mais, e tudo o que restava era... isso.

Pedrita era o único motivo para ele sair de vez em quando do apartamento. Às vezes, quando estava cansado demais para encarar o mundo lá fora, ia com ela até o terraço e a deixava cagar por lá mesmo. Não que se orgulhasse disso, vendo sua cachorra fazer cocô onde ele e Lauren tinham passado tantas noites gostosas — ela sentada perto da beirada, ele, mais distante, já que tinha medo de altura —, mas nem a culpa conseguia fazê-lo se esforçar mais. A gaivota que o tinha visto queimar o terno do funeral parecia estar sempre lá, julgando-o. Azar. Era inverno, e estava um frio dos diabos. Ou talvez fosse primavera. Ele não sabia. E não fazia diferença.

A "urna viva" chegou — a terra, os nutrientes, a muda. Ele nem se lembrava de ter feito o pedido, mas provavelmente fez. Ela havia marcado aquela página no navegador de seu notebook. Joshua ficou parado diante da bancada, olhando para o kit, para as cinzas da esposa, e então começou a trabalhar.

Lauren adorava plantas. Tinha vasos com temperos e flores no terraço, e cestos pendurados na casa que alugaram em Cape Cod. O apartamento era cheio de plantas, o que o fez lembrar que elas provavelmente precisavam ser regadas. Josh olhou ao redor. Não. Era tarde demais. Pareciam todas mortas.

Enquanto seguia as instruções da embalagem, misturando sua esposa com o adubo e a terra fornecidos pela empresa que fabricava a urna viva, se sentiu quase alegre. Conseguiu imaginá-la chegando em casa. "O que você está fazendo, querido?"

"Plantando a sua árvore."

"Ah! Legal! Cuidado para não comprimir as raízes."

"Pode deixar, amor", ele disse em voz alta. Pedrita levantou a cabeça para olhá-lo.

*Esta* planta não morreria. Se isso acontecesse, ele se mataria. De repente em pânico, ligou o notebook e comprou um medidor que monitorava a umidade do solo, o pH, a exposição à luz solar e o nível de nitrogênio, fósforo e potássio. Leu a respeito das condições ideais para o crescimento dos cornisos. O ambiente ideal no apartamento seria o quarto do casal.

Isso significava que precisaria entrar lá.

E foi isso o que fez, sem passar nem um segundo a mais que o necessário, e então dormiu no sofá, desejando sonhar com ela.

Desde sua morte isso acontecia com frequência. Em um dos sonhos, ele chegava em casa e Lauren estava arrumando a cozinha. "Só voltei por um tempinho", ela explicou. "Nossa, que bagunça!" Ou então ela estava na casa da mãe, e ele aparecia no momento em que ela estava prestes a subir para o sótão. "Lauren!", ele falava, e ela corria para seus braços e o abraçava, aos risos.

O pior dos sonhos foi quase uma réplica exata das horas finais no hospital, uma lembrança que Josh, quando acordado, tinha se proibido de revisitar. No sonho, porém, ela sentava na cama perto do fim e dizia: "Estou melhor! E *você*, como está?".

A crueldade de despertar logo depois fez Josh sentir como se tivesse levado uma pancada no peito com um taco de beisebol. Por que Deus lhe deu aquele sonho? Josh foi criado como cristão — de uma vertente luterana —, mas a religião não prosperou dentro dele. Naqueles dias, no entanto, era difícil resistir à tentação de pôr a culpa em alguém. Sua vontade era dar um chute no saco de Deus. *Obrigado por nada. Eu sabia que você não existia.*

Jen escrevia todos os dias. Era a única pessoa que Josh conseguia tolerar, e mesmo assim só porque Lauren a amava muito. Darius o procurava de tempos em tempos, perguntando se queria companhia ou sair um pouco de casa. Donna ligava, e deixava mensagens chorosas na caixa postal, mas ele não respondia. No fim, Jen pediu para a mãe dar um pouco mais de espaço para ele, o que Donna tomou como uma ofensa pessoal, mas Josh nem sequer tinha energia para se preocupar com isso.

Um dia, quando sentiu que seu cabelo estava grudento, foi tomar um banho e ficou embaixo do chuveiro sem nem conseguir determinar se a água estava quente ou fria demais. Por que estava ali mesmo? Ah, sim, higiene. O xampu e o gel de banho de Lauren continuavam na prateleira. Ele abriu a tampa, cheirou e quando viu estava deitado no chão do box, destruído pela dor de tê-la perdido, e os sons que escapavam de sua boca eram assustadores e irrefreáveis. No fim acabou dormindo lá mesmo, exausto e exaurido, e só acordou quando a água ficou gelada. Lauren teria ficado horrorizada de vê-lo caído ali. Tudo bem. Ela que aparecesse, então, e dissesse: "Meu Deus, Josh, o que você está *fazendo*? Reage, bobão!". Ela adorava dizer isso para ele, sempre com uma voz brincalhona e amorosa.

Ele se pegou olhando para as fotos emolduradas dos dois que Lauren havia pendurado pelo apartamento. No casamento. No Havaí. Na noite de Ano-Novo, quando eles deram uma festa, a primeira vez que Josh fez isso. Lauren carregando Sebastian de cavalinho. Com a mãe no dia do aniversário dela. Com a família no casamento. Os dois em Paris. Os dois no Caribe. O dia em que pegaram Pedrita. Com Octavia no colo no hospital.

Saber que não seria capaz de frear a doença dela e aceitar o fato eram duas coisas bem diferentes. Ele não era o garoto prodígio da Faculdade de Design de Rhode Island? Da Universidade Brown? Não tinha feito uma porra de um doutorado no MIT? Não tinha vendido nove patentes de dispositivos médico-hospitalares na década anterior, e cinco deles já estavam no mercado? Ele era reconhecidamente um gênio, mas seu propósito na vida era ser o marido dela, protegê-la, e nisso havia fracassado. Simplesmente fracassado.

Precisava comer alguma coisa, pensou, desviando os olhos das fotos. Em vez disso, deitou no sofá e dormiu.

Lauren estava andando na praia, bem à frente dele. Estavam em Cape Cod, mas os golfinhos que viram no Havaí saltavam no mar, e ela corria para ver melhor, e ele não conseguia alcançá-la, porque tropeçava na areia o tempo todo. As pedras à beira d'água se chocavam ritmicamente, e o vestido de verão cor-de-rosa de Lauren se tornou um pontinho distante, e o som das pedras estava mais alto, batendo sem parar, latindo...

Ele acordou em um sobressalto. Pedrita estava latindo, e tinha alguém batendo na porta. "Quieta", ele falou asperamente para a cachorra, que obedeceu, o que o fez se sentir cruel e insensível.

As batidas na porta pararam. "Josh? É a Sarah."

Que merda. Ele não queria ver ninguém. Principalmente Sarah, que era saudável até demais. Por que não foi ela que acabou com...

"Josh? É importante..."

Ele se forçou a levantar, o cobertor se emaranhando nas pernas. "Er, não é um bom momento", ele disse, se aproximando da porta para poder ser ouvido. Sua voz soou estranha até a seus próprios ouvidos.

"Eu sei. Mas abre a porta mesmo assim."

"Você não pode voltar, hã... na semana que vem?"

"Não."

Ele se apoiou contra a porta e passou a mão no rosto.

"Joshua. Abre a porta ou eu vou chamar uma ambulância e dizer que você está doente e sozinho em casa."

Ela trabalhava como assistente social, então ele imaginou que poderia muito bem fazer isso.

"Josh. Eu te ligo quase todo dia, e você não atendeu nenhuma vez. Abre a porta, por favor. Você não é o único que passou o último mês de luto."

Nossa. Fazia *um mês* que sua mulher tinha morrido? Parecia uma década. Parecia três segundos.

Quando ele abriu a porta, Sarah recuou um pouco, mas em seguida o abraçou. Ele deu um tapinha em seu ombro, desejando que ela parasse com aquilo.

"Você está com um cheiro horrível", ela comentou, abraçando-o com mais força.

"Desculpa", ele disse, dando um passo para trás.

Ela entrou e agachou para fazer um carinho em Pedrita. "Oi, querida! Que saudade de você!" Pedrita abanou o rabo alegremente, o que deixou Josh um tanto ressentido. Aquela era a cachorra de *Lauren*. Era ela que devia estar lhe fazendo carinho, chamando de querida.

Era um absurdo, ele sabia.

Sarah ficou de pé, enxugou os olhos e olhou ao redor. "Ai, nossa."

Ele tinha fechado as cortinas para bloquear a vista e o sol. Havia embalagens de comida pronta espalhadas por toda parte, algumas cheias, outras vazias. Ele reparou em uma de pizza embaixo da mesa de centro, com a borda roída. Pedrita devia ter comido. Ele só torceu para que não tivesse feito isso porque estava passando fome.

"Tá." Sarah pôs as mãos nos quadris. "Bom... por que você não vai tomar um banho enquanto eu dou uma arrumada aqui? Posso abrir as janelas, arejar um pouco o apartamento."

"Eu ia dormir um pouco agora."

"Para o chuveiro, Josh." Ele abriu a boca para protestar, mas, se sentindo sem forças, se arrastou pelo corredor até o banheiro.

Não tinha gostado muito de Sarah quando os dois foram apresentados. Ela era amiga de Lauren desde o fundamental, mas Josh se perguntou se esse seria o caso se elas tivessem se conhecido depois de adultas. Sarah mostrava um certo incômodo, um ressentimento sutil contra Lauren, que era visível como um caquinho de vidro na areia. Ele detectou logo de cara e continuou vendo aquilo toda vez que se encontravam, durante o noivado, e até no casamento. Ela sempre agiu como a decência mandava, mas estava na cara que tinha inveja de Lauren.

Por outro lado, como não teria? Sua esposa sempre tinha sido a estrela mais brilhante de qualquer céu.

Mas, depois do diagnóstico, Sarah se portou de forma impecável. Foi uma amiga perfeita para Lauren. E uma grande ajuda até para Josh.

Ele tomou seu banho, esfregando distraidamente o sabão pelo corpo, vestiu roupas limpas e voltou para a sala. Sarah tinha aberto as cortinas e as janelas, e jogado no lixo várias embalagens de comida e caixas de pizza. Estava se sentindo bem à vontade ali, ele reparou. Naquele momento, estava usando aquele esfregão esquisito para recolher pelos de cachorros. Swiffer, era o nome. O fato de Sarah saber onde tudo ficava o irritou.

Mas era preciso admitir que tinha *um bocado* de pelos de cachorro naquele esfregão. Sarah o removeu, jogou no lixo e substituiu por outro com rapidez e eficiência.

Ele sentou no sofá. "O que é tão importante assim, Sarah?" Ah. Ela estava enxugando os olhos. Verdade. Tinha perdido a melhor amiga, então não custava nada tratá-la um pouco melhor. Lauren iria querer isso. "Estou contente de rever você", ele mentiu.

Ela respirou fundo e soltou o ar com força, e então se deixou desabar na poltrona à sua frente. Pedrita sentou ao lado dela, choramingando um pouco, o que deixou Josh se sentindo um pouco culpado.

"Para começo de conversa, essa cachorra está ficando meio gordinha", ela comentou.

"Pois é, eu... acho que estou exagerando na dose da comida."

"Talvez ela precise passear mais."

Ele assentiu, olhando para o chão. Pedrita merecia um tratamento melhor, isso era verdade.

"Não é fácil estar aqui sem ela." A voz de Sarah estava um pouco trêmula.

"Pois é." Ele vasculhou seu cérebro em busca de algo para dizer. "E você, como está?"

"Na merda. Me sentindo sozinha. Arrasada. Sabe como é."

"Sei."

Sarah puxou o cabelo comprido para um dos lados do ombro. Era loiro. Ao que parecia, as loiras valorizavam seus cabelos mais do que tudo, sempre chamando atenção para eles. Mas era bem bonito mesmo, ele achava. O de Lauren era de um tom de ruivo bem escuro e reluzente. Ele não sabia a cor certa do cabelo de Lauren. Castanho-acobreado? Borgonha? Setter irlandês? Era bem mais interessante que um simples loiro. Para ele, pelo menos.

Sarah ergueu a mão até os olhos e, com a ponta dos dedos, enxugou mais lágrimas. Ele lhe passou uma caixa de lenços de papel que estava sobre a mesa.

"Obrigada", ela disse. Depois de secar os olhos e assoar o nariz, enfiou o lenço na bolsa. "Tem uma coisa que eu preciso falar, Josh", ela avisou. "Lauren me pediu para fazer uma coisa por você."

O quê? Limpar a casa? Virar sua melhor amiga? Não, obrigado. Ele não queria nenhum envolvimento com Sarah. E que Deus o ajudasse se ela quisesse ir morar no apartamento... ou cozinhar para ele, ou, ah, nossa, se oferecer para ter um filho seu. Jesus, o que ela queria?

Sarah enfiou a mão na bolsa e sacou um envelope, e de repente Josh sentiu seu coração bater convulsionado, porque aquela era a caligrafia de sua mulher.

*Josh, nº 1*

"É dela, claro. Então vou deixar aqui e ir embora, tá bem? Não sei do que se trata, mas ela falou que estaria tudo explicado. Eu sou só a mensageira." Ela enxugou os olhos de novo. "Eu... a gente se vê."

"Ah, sim, tá. Obrigado." Ele não conseguia tirar os olhos do envelope. Suas mãos tremiam.

"Vê se passeia mais com a Pedrita", ela falou, e então se foi, fechando a porta atras de si, e o som de seus saltos ecoou pelas escadas.

Na verdade, ele não deveria abrir aquilo imediatamente, Josh pensou enquanto rasgava o envelope. Poderia ser melhor guardar para mais tarde. Ele estava hiperventilando um pouco.

*Calma, calma, isso é a última coisa que você vai ter dela, então vai com calma.*

Era um bom conselho. Ele deveria ouvir a si mesmo. Josh respirou fundo, como Lauren costumava fazer, e soltou o ar aos poucos. Pedrita foi sentar ao seu lado, e ele parou um pouco para acariciar sua cabeça e sentir suas orelhas macias.

Agora era um bom momento para ler? Ou ele deveria esperar? Impossível. Ele precisava ouvi-la dentro de sua mente. As lágrimas já começavam a se acumular em seus olhos.

Certo. Então ele leria. Agora. Se conseguisse fazer as mãos pararem de tremer. Ele desdobrou a folha, e a visão da caligrafia dela no papel foi de cortar o coração.

*Meu Josh,*

*Oi, querido! Tudo bem com você? Eu sinto muito, muito mesmo, por ter morrido. Ah, Joshua, pode acreditar. Mas acho que isso você já sabe. Espero que meu fim não tenha sido tão ruim. Espero não ter morrido na privada.*

*Eu te amo. Já te disse isso? É verdade. Eu te amo demais.*

*Então, querido, é o seguinte. Estou sentindo que posso não ter muito tempo pela frente. Espero estar errada, e que você esteja lendo isso aos noventa e sete anos, mas acho difícil. Por favor, saiba que eu resisti o quanto pude, porque adorei cada dia que passei ao seu lado. Cada dia mesmo.*

*Eu não consegui me conformar com a ideia de deixar você atravessar esse primeiro ano viúvo sem a minha ajuda. Sou uma pessoa mandona, como nós dois sabemos. Então escrevi algumas cartas para você, uma para cada mês desse primeiro ano, cada uma com uma tarefa diferente. Você sabe que eu adoro fazer listas. Sarah vai entregar essas cartas para você.*

Josh fechou os olhos. *Ah, obrigado. Muito obrigado, Lauren. Obrigado mesmo.* Ele ainda era capaz de ouvi-la. Ela deveria estar ao seu lado. Na verdade, *ainda* estava, em certo sentido. Ele apertou a carta junto ao peito e abaixou a cabeça por um instante. Em seguida limpou os olhos com a manga e continuou lendo.

*Espero que isso não seja demais para a sua cabeça, Josh. Não precisa ler se não quiser. Talvez seja uma coisa meio mórbida.*

"Não é", ele falou. "Não mesmo."

*Você pode jogar tudo fora ou pedir para Sarah queimar, tanto faz. Mas acho que não vai fazer isso. Eu acho — e espero — que isso pode ajudar, querido. A verdade é que eu nunca superei o sentimento de culpa por ter ficado doente. Tanto por mim como por você. Nos últimos meses, enquanto escrevia essas cartas, senti como se ainda pudesse cuidar de você. E isso me deixou feliz, porque te amo muito.*

*Então, em cada carta, vou passar uma tarefa que você precisa fazer, porque (ora essa) eu morri tragicamente e estou vigiando você de lá.*

De lá. Do Além. Era uma coisa que ela sempre dizia. Ele sorriu. E torceu para que estivesse vigiando mesmo. Assim se sentiria menos sozinho.

*Só para você saber, estou escrevendo no pátio do nosso hotel maravilhoso nas ilhas Turcas e Caicos, e você está dormindo no quarto. Consigo até escutar seu ronco. Até seu ronco é lindo. Não sei como você consegue, mas é mesmo. Você com certeza vai ganhar um tratamentozinho especial daqui a uns quinze minutos. Essas férias estão sendo as MELHORES. Obrigada, querido, por proporcionar à minha vida tantos momentos lindos.*

*Muito bem, de volta ao presente, ou ao seu presente, acho.*

*Como é o primeiro mês, vou pegar leve, porque imagino que você ainda esteja sofrendo. Caso já tenha casado com outra, prefiro nem saber. Mas estou imaginando você em um apartamento imundo, sem banho, sem fazer a barba, como um adolescente patético querendo parecer um homem barbado.*

"Errada você não está", ele disse.

*Está pronto? Está? Ótimo!*
**Vá ao supermercado!!!**
*E aí, ficou empolgado? Escuta só. Se te conheço bem, tem um monte de legumes e verduras estragados na gaveta da geladeira, virando uma gosma verde. O leite está parecendo queijo cottage. Fora os restos de comida e os frios com cheiro de chulé. Tem bastante comida na geladeira, mas você não está comendo. Mal saiu de casa desde que eu morri. Então ande logo! Tome um banho! Faça a barba. Escove os dentes. Vá ao supermercado e pare de comer comida pronta em cima da pia. Reage, bobão!*
*Eu te amo. Te amo. Te amo.*
*Você consegue. E meio que precisa. Como disse o grande Morgan Freeman: ocupar-se de viver, ou ocupar-se de morrer.*

*Com amor,*
*Lauren*

"Não vem com *Um sonho de liberdade* para cima de mim", ele falou com uma risada, que lhe soou áspera e desconhecida.

Dominado por uma empolgação repentina, ele pulou do sofá. Sua mulher havia lhe dado uma tarefa a realizar, e era isso que Josh faria. Como é que estava o tempo? Quente, é verdade — Sarah tinha aberto as janelas. Era sábado? Ele poderia ir à feira de produtores locais com Pedrita em vez do supermercado? Onde estava seu celular para ver a data?

Mas era preciso começar do início e limpar a geladeira primeiro. O leite estava pastoso e nojento. Na verdade, todos os laticínios. Fatias nojentas de peito de peru — nossa, que cheiro. Ela estava certa. Tinha coisas que ele pediu e não comeu, alguns potes plásticos com comida feita pela sra. Kim, tudo muito velho ou então um completo mistério. Ele encheu um saco de lixo em velocidade recorde.

Lauren também tinha razão sobre os legumes e as verduras. Tudo havia sido comprado quando ela ainda estava viva. Alimentos folhosos suspostamente melhoravam sua imunidade. "Vão se foder", ele disse para um espinafre gosmento e uma abobrinha liquefeita. Ele abriu os armários e viu o pote de cúrcuma, que segundo diziam fazia bem para a saúde. Também estavam lá as vitaminas e os suplementos chineses. As mentiras, as esperanças.

Nada daquilo a tinha salvado, então ele mandou para o lixo. Mentirosos. Falsos profetas. Vendedores de curas milagrosas. Seu bom humor voltou à estaca zero.

Não. Não. Lauren tinha deixado para ele uma carta com uma tarefa, e ainda havia mais pela frente, uma dúzia delas, e isso era tão *incrível*, uma dádiva tão grande, que Josh não estragaria tudo pensando que ela estava morta.

Com aquela carta, ela ainda estava viva.

Dez minutos depois, Pedrita já estava na coleira. Não era sábado... era terça, então nada de feira, mas tudo bem, porque ele podia pegar o carro e ir até o Stop & Shop, o mercado favorito de Lauren. Ela detestava o Whole Foods, e nunca entendeu qual era a do Aldi. Mas primeiro sairia com Pedrita, porque ela precisava se exercitar, e só então iriam passear de carro, que era o que ela mais gostava de fazer.

Pedrita foi saltitando alegremente diante dele enquanto caminhavam pela rua até o parque. O tempo estava ameno, entre dez e quinze graus, e o sol brilhava forte. Tinha gente por toda parte, e talvez as pessoas o reconhecessem como o cara com a cachorra marrom e branca, o cara com a mulher do cilindro de oxigênio. Talvez alguém o tivesse cumprimentado, mas ele estava animado demais para perceber.

*Ocupar-se de viver, ou ocupar-se de morrer.* Rá. Agora eles iam ver.

Ele voltou para o estacionamento do prédio. "Quer dar um passeio?", perguntou para a cachorra. "De carro?"

Pedrita respondeu com uma sequência de sons quase humanos, com o rabo peludo balançando sem parar e as belas orelhas triangulares em posição de alerta máximo.

"Vamos lá, então." Ele abriu a porta do carro, e ela pulou para dentro. Josh deu a partida, abriu o vidro só o suficiente para ela pôr a cabeça para fora sem ter como pular pela janela. O dia estava *lindo*. Agradável e ensolarado. As árvores estavam ligeiramente avermelhadas, com os brotos voltando a surgir. Pois é. A primavera já tinha chegado mesmo.

No Stop & Shop, ele estacionou e levantou um pouco mais o vidro para impedir Pedrita de lamber quem passasse junto ao carro, mas deixando uma fresta para entrar ar fresco. Josh pegou um carrinho e começou a circular pelos corredores. Rúcula, brócolis, repolho, tomate, vagem, pimentão vermelho, pimentão amarelo, laranjas, gengibre, alho. Cereal matinal, que era uma coisa razoavelmente nutritiva. Manteiga de amendoim, que combinava com tudo. Macarrão, claro, por que não? Pão. Salmão, que era saudável e Lauren adorava. Peito de frango. Toalhas de papel, das macias de que Lauren gostava. Desinfetante, porque eles precisavam se certificar de que nada ficasse contaminado por germes...

Ah. Verdade. Os germes agora não eram mais uma preocupação tão grande. E não havia mais um *eles*. Josh não estava mais fazendo compra para *eles*. E nunca mais faria.

Era só ele. Essa constatação o deixou até zonzo.

"Com licença. Com licença. Amigo? Você pode abrir passagem?"

Josh piscou algumas vezes. Tinha alguém querendo passar, porque ao que parecia ele havia parado bem no meio do corredor.

"Ah, sim. Desculpa." Era uma mãe com uma criancinha pequena na cadeira do carrinho e outra mais velha, talvez de uns cinco anos, sentada no meio das compras.

Pela primeira vez, ele percebeu que jamais teria filhos. Pelo menos não com Lauren. Ele sempre manteve a esperança de que, se o progresso da FPI fosse freado, ela continuaria viva por mais algumas décadas, por isso nunca desistiu da ideia de ser pai. Tudo era possível. Ela só tinha vinte e oito anos. Ainda havia tempo para surgir um tratamento que pudesse pôr a doença em um estágio de estagnação permanente ou então até uma cura.

Mas o tempo tinha acabado. A possibilidade de ter filhos não existia mais. Não haveria nenhuma memória genética de Lauren nem a possibilidade de ver seu sorriso no rosto de uma criança, de ouvir uma risada que era idêntica à dela.

A criança menor olhou para ele e começou a chorar.

"Desculpa", ele repetiu, e dessa vez de fato se moveu.

Por que estava ali? Precisava ir para casa. De alguma forma, tinha que dar um jeito de acondicionar as compras na sacola, pagar, voltar para o carro — ele tinha chegado até lá dirigindo, certo? — e voltar para o apartamento.

"Oi, Josh", disse uma voz suave. Era Yolanda, sua gerente favorita daquele supermercado, que sempre usava brincos com o nome dela escrito. Lauren costumava conversar com ela sobre seus filhos, sabia em que série cada um estava na escola e os esportes que praticavam. Como ela conseguia fazer aquilo? Como sabia tanta coisa sobre os filhos de Yolanda? As pessoas simplesmente se abriam com ela. Confiavam nela. Em comparação com Lauren, ele era um nada. Era como uma porta, enquanto ela tinha sido uma flor. Isso estava claro até pelo nome dela. Lauren Rose Carlisle Park.

Yolanda inclinou a cabeça, e o brinco roçou seu ombro. "Está tudo bem?"

"Ela morreu", ele respondeu.

"Ah, querido", Yolanda falou, abrindo os braços, e quando percebeu Josh estava com a cabeça no ombro dela, sentindo seu corpo todo rígido, e o rosto dolorido pelo esforço para segurar o choro. "Eu sinto muito. Ela era um amor."

Ele se afastou antes que acabasse desmoronando. E meneou a cabeça.

"Pode deixar que eu passo as suas compras, querido. Vamos lá." Yolanda abriu um caixa que estava fechado e começou a passar os produtos.

Ele não tinha levado as sacolas de compras. Estavam no carro, mas ir buscá-las parecia o equivalente a correr uma maratona. Josh ficou imóvel, olhando para o chão, enquanto Yolanda empacotava tudo. "Deu 159,23."

"Como?"

"Você precisa pagar, querido. Trouxe a carteira?"

Ele não sabia. Levou a mão ao bolso de trás. "Hã... não. Acho que esqueci." Josh sentiu sua mente se fechar, suas energias se esvaírem.

Yolanda abriu um sorriso triste. "Certo. Pode deixar que eu te cubro desta vez. Você me paga de volta na próxima. Se cuida, Josh. Não deixe de se cuidar."

"Obrigado", ele murmurou.

Quando chegou em casa, ele enfiou as sacolas na geladeira, deu água para Pedrita e foi para o quarto de hóspedes. Deitou na cama de roupa e tudo, se cobriu e torceu para conseguir sonhar com a esposa de novo.

# 6

## LAUREN

*Oito meses restantes*
5 DE JUNHO

Papai,

Aconteceu bastante coisa desde a última vez que escrevi.

Quando Josh e eu voltamos do Caribe, em março, e logo depois que Octavia nasceu, em abril, tive outra pneumonia. Não sei como. Todo mundo desinfeta tudo hoje em dia, e Josh e eu ainda passamos Clorox em todas as coisas que entram em casa. Mesmo assim, dois dias depois de chegarmos, tive febre e calafrios. Minha saturação de oxigênio estava péssima, então ligamos para a dra. Bennett, que nos mandou ir para o hospital.

Precisei ser intubada. Não foi nada legal, pai. Eu detestei, porque tive que ficar sedada, né? Isso me rouba tempo de vida. Além disso, Josh e Jen ficam morrendo de preocupação, assim como todo mundo. Eu perdi quatro dias, mas nós conseguimos curar a pneumonia, pelo menos.

Estou tomando Ofev, um dos únicos remédios capazes de retardar a progressão da FPI. Só como alimentos orgânicos há dois anos, estou tomando aquelas ervas chinesas e fazendo exercícios, mas mesmo assim a dra. Bennett falou que a minha função pulmonar estava "abaixo do que gostaríamos", o que pareceu ser um péssimo sinal. Ainda por cima, eu perdi peso, graças a um efeito colateral dos remédios... uma diarreia que parece uma praga do Velho Testamento, pai. Sei que você não deve querer saber disso, mas para quem mais eu posso contar? A dra. Bennett introduziu outro medicamento, que interrompeu a perda de peso, mas que me dá tontura.

A bombinha com corticoide facilita um pouco a respiração, mas também me provoca insônia.

E, toda vez que perco um pouco mais da minha função pulmonar, não tem mais volta. A FPI é gananciosa que só ela.

Stephanie, que é a melhor sogra do mundo, me deu uma luminária de sal do Himalaia, que dizem ajudar com a respiração. É preciso tentar de tudo, não é mesmo? Ela também é uma defensora das propriedades mágicas do Vick VapoRub, que, vamos ser sinceros, é mesmo um remédio milagroso. Eu adoro aquele cheiro. Ela falou para eu esfregar no peito à noite. A sra. Kim endossou a ideia, então deve funcionar, porque ela teve quatro filhos e é enfermeira, portanto sabe tudo.

Às vezes, preciso dormir na poltrona, porque ficar deitada não me faz bem, mas detesto ficar longe de Josh. Ele (obviamente) comprou um travesseiro triangular para me deixar mais confortável na cama.

Sou apaixonada por ele, pai. Josh é tudo o que um marido deveria ser. Protetor, divertido, gentil, atencioso, lindo (isso não é necessário, mas NÃO vou reclamar do fato de ele ter o rosto anguloso como o de um deus nórdico e um sorriso que me faz ovular. Desculpa, desculpa, acabei exagerando na informação, eu sei). Mas quero que você saiba como ele é. Que eu não poderia estar em melhores mãos ou com uma pessoa melhor.

O trabalho está ótimo. Comecei a projetar o design da ala infantil de uma biblioteca, e tem coisa mais legal que isso? Todo mundo no escritório é incrível: Santino, Louise e eu fazemos umas caminhadas curtas depois do almoço, andando bem devagar, e Bruce é extremamente flexível com os meus horários. Ah, e você vai adorar isso: Lori Cantore, a única funcionária chatinha de lá, pediu a Bruce para ficar com a minha sala "mais para a frente". É a segunda vez que ela pede! Dá para acreditar? Eu falei: "Eu ainda estou aqui, Lori. Sinto te informar". Bruce a dispensou pelo restante do dia e falou para ela parar com essa palhaçada se não quiser perder o emprego. Ele é o melhor chefe de todos! Mesmo assim, eu detesto essa mulher. Antes de ficar doente, fazia um esforço para encontrar alguma coisa boa nela, mas agora esquece. Ela é uma cretina e não merece consideração nenhuma da minha parte. Pode ser que eu tenha pegado uma lata de coca diet dela e jogado o que sobrou no chão perto da mesa dela uma noite dessas. É o tipo de coisa grudenta que não sai nem esfregando com sabão.

*Enfim, o problema de estar doente é que a dra. Bennett, a pneumologista mandona, me disse que acha melhor eu evitar aeroportos e hotéis por enquanto.*

*Isso é um tremendo balde de água fria, pai. Viajar é uma das poucas coisas que quase me fazem esquecer que estou doente. E é um respiro para Josh também, pelo menos por um tempinho. Ele está obcecado atrás de uma cura. Eu entendo. Se fosse ele que estivesse doente, eu faria a mesma coisa. Mas — e está aí a grande questão — preciso que ele dê um tempo disso de vez em quando, caso contrário viro só uma pessoa doente precisando de uma solução. E eu prefiro ser a mulher dele.*

*Então, quando viajamos, ele pode parar um pouco de tentar inventar um removedor microscópico de tecido fibroso que pode ser inserido nos meus pulmões, ou de ligar para todos os hospitais que conduzem ensaios clínicos em busca de um medicamento experimental. Quando viajamos, podemos ser um casal feliz com algumas preocupações em termos de saúde. Nós vínhamos conversando sobre conhecer o máximo de parques nacionais que for possível — Zion e Yellowstone, e talvez Denali, porque o ar puro e frio poderia ajudar a curar os meus pulmões.*

*A dra. Bennett desaconselhou isso. Por ora, segundo ela.*

*Então imagina o que o meu marido fez, pai? Alugou uma casa deslumbrante em Cape Cod por um ano inteiro! E com cinco quartos, para Jen, Darius e as crianças também poderem ficar lá! Tem uma cozinha digna de chef, uma varanda telada e três deques de madeira, e fica em um penhasco bem de frente para o mar. Uma tempestade mais forte pode botar tudo abaixo, mas, para os nossos propósitos, é um lugar perfeito. Uma casa na praia. Quem poderia imaginar que eu teria tanta sorte? Vamos para lá na semana que vem, e eu mal posso esperar.*

*Seu genro está fazendo um trabalho incrível, pai. Eu queria que você soubesse disso.*

*Com amor,*
*Lauren*

A casa em Cape Cod deixou Lauren apaixonada, e não só pela beleza do lugar, mas também por seu marido outra vez... e também pela ideia do que poderiam *fazer* ali.

No primeiro fim de semana de junho, eles foram para lá e ficaram sentados no deque, olhando para o mar de mãos dadas. Pedrita foi sentar quase em cima dela, ignorando o fato de que não era mais filhote. O dia estava aberto e ensolarado, tão pacífico e cheio de vida... o rugido suave das ondas, as rajadas ocasionais de vento, pássaros cantando e piando nas árvores. O ar tinha cheiro de lilases e de sal e de folhas de pinheiros, e se pudesse ser engarrafado ninguém nunca mais precisaria tomar antidepressivos na vida.

"Isso é bem mais a nossa cara", ela comentou.

Josh olhou para ela, com o sol reluzindo em seus cabelos pretos. Ele podia ficar bronzeado em questão de minutos com aquela pela morena, que herdou de seu misterioso pai. "Como assim?"

"Bom... aqui nós não temos consultas médicas. Nem aquela papelada toda atravancando a bancada..."

"Atravancando, sra. Park?"

"Dr. Park, você é um bagunceiro."

"Estou melhorando. Aquela coleira de choque funcionou muito bem."

Ela deu uma risadinha e apertou a mão dele. "Você entendeu o que eu quis dizer. Não é a nossa vida de sempre, cheia de compromissos e obrigações. Somos só eu, você e Pedrita. Sem nenhuma rotina a cumprir." Ela se inclinou para mais perto e o beijou de leve. "Obrigada. Eu amei."

"Eu sei que não poder viajar foi um baque para você."

"Ah. Isso aqui é tão bom quanto. Até melhor." Ainda que a possibilidade de nunca mais poder viajar fosse dolorosa, certamente era compensada por aquela vista, pelo azul profundo do Atlântico, pelo céu aberto lá em cima. "Não quero perder tempo lamentando o que não posso ter quando tenho tudo isso. Você. Jen, as crianças, e a dona Pedrita aqui."

"Ocupar-se de viver, ou ocupar-se de morrer."

Ela deu risada de novo. "Não vem com *Um sonho de liberdade* para cima de mim."

"Tem certeza de que você vai ficar bem?", ele perguntou durante o jantar naquela noite. Josh precisaria pegar um avião para Sacramento para uma reunião no dia seguinte, e Lauren estava até contente com isso. Eles não passaram quase tempo nenhum longe um do outro desde o casamento, a não ser pelo congresso de três dias sobre dispositivos médico-

-hospitalares a que ele comparecia todo ano, e por uma viagem de fim de semana para Vermont que ela fez com Jen. Lauren queria ficar sozinha ali, perto do mar, naquela linda casa, sendo despertada pelo nascer do sol, olhando as nuvens enquanto bebia café, com Pedrita ao seu lado. "Eu ficaria bem mais tranquilo se Jen estivesse aqui. Ou a sua mãe."

Lauren fez uma careta. "Jen acabou de ter bebê, e a minha mãe ia chorar toda vez que olhasse para minha cara e me dizer o quanto isso está sendo difícil para ela. Não, não, obrigada. Eu vou ficar bem, lindo. Já liguei para o corpo de bombeiros avisando exatamente onde fica a casa, caso aconteça alguma emergência. Sarah vai vir na quarta, e você chega na sexta. Relaxa."

"Eu não sei relaxar."

Ela sorriu para ele e levantou da cadeira. "Vamos para a cama, bonitão. Eu vou te relaxar. *E* limpar a cozinha depois."

"Hoje é meu dia de sorte." Ele levantou e a envolveu nos braços, e ela se sentiu, como sempre, no melhor lugar do mundo. Colada no pescoço dele, sentindo seu cheiro bom, passando as mãos em suas costas esguias, sentindo-as deslizar pelos músculos dele. Quando Josh a beijou, foi de um jeito bem lento e carinhoso, e ela sentiu seu corpo todo reagir, desde um arrepio na nuca até um friozinho na barriga.

Eles ainda tinham isso. O desejo, a atração, o carinho, o tesão... e o amor, aquela luz dourada que parecia os envolver e proteger do mundo exterior.

Quando ele foi embora, no dia seguinte, Lauren saboreou a visão daquela casa, passando de cômodo em cômodo e olhando maravilhada para o mar. Pedrita, que levava a sério sua herança genética de pastora-australiana, não saía de seu encalço. Por volta das três horas, elas tiraram um cochilo, e, quando acordou, Lauren checou sua saturação de oxigênio e constatou que estava um pouco baixa. Depois de pôr a cânula no nariz e abrir o cilindro de oxigênio, foi sentar no deque com um cobertor nos ombros e bebeu um pouco de vinho enquanto ouvia o barulho do mar.

Fazia um ano e meio que tinha recebido o diagnóstico. Parecia mais. Quando olhava para trás, ela conseguia perceber que a FPI já estava lá *anos* antes de a dra. Bennett dar um nome para o que a afligia. Portanto, presumindo que havia começado quando ela estava com mais ou menos vinte e três anos, quando se lembra de ter sentido falta de ar sem nenhum motivo aparente pela primeira vez, ela já vinha convivendo com a doença fazia cinco anos.

A expectativa de sobrevida da maioria das pessoas que sofria de FPI era de três a cinco anos. Mas ela era jovem e não tinha nenhum outro problema de saúde, além de ser uma ótima paciente, que obedecia a todas as ordens médicas e ainda fazia um pouco mais — ioga, meditação, exercícios, alimentação saudável, ervas medicinais chinesas, terapia respiratória. Havia razões de sobra para acreditar que ainda teria muitos *anos* pela frente. Que ela e Josh poderiam voltar para algumas semanas naquela casa em todos os verões. Que poderiam comemorar seu aniversário de trinta anos ali, *e* os quarenta também. Ela havia ficado amiga de Charlene, uma jovem que conheceu no fórum de pacientes de FPI, e Char tinha acabado de voltar da Austrália, onde nadou com os golfinhos na Grande Barreira de Coral. Pois é.

Uma gaivota veio seguindo a corrente de vento e pousou em um dos postes do gradil do deque. Pedrita inclinou a cabeça, mas não latiu.

Gaivotas eram lindas. Lauren nunca entendeu por que as pessoas as chamavam de ratos alados (ela achava que esse título pertencia aos pombos). Não, as gaivotas eram aves impressionantes, que voavam como nenhuma outra, mergulhavam, pescavam, quicavam sobre a água. Tranquilas e destemidas. Se tivesse que escolher um Patrono, a gaivota certamente seria uma opção. Talvez parte de sua experiência no Além poderia ser viver como uma gaivota por um dia.

Ela só percebeu que estava chorando quando uma lágrima caiu na cabeça de Pedrita. Seu aniversário de quarenta anos? A quem estava tentando enganar?

Mas talvez... talvez conseguisse chegar aos trinta.


Ela começou a trabalhar remotamente com mais frequência. E, apesar de Lauren sempre ter adorado seu emprego, passou a amá-lo ainda mais. Tinha dois projetos em mãos naquele momento: o primeiro era a tarefa simples, mas satisfatória, de criar um mirante em um pequeno terreno que a prefeitura de Providence havia comprado em College Hill. Embora fosse apenas um círculo de mais ou menos nove metros de diâmetro, tinha vista para o belíssimo domo do capitólio estadual e para os telhados de alguns quarteirões de residências históricas. Ela pretendia incluir alguns bancos, um labirinto de arbustos para incentivar a população a passar algum tempo naquele pequeno parque e uma estrutura elevada de pedra no centro. O outro projeto era uma nova ala da biblioteca do centro da cidade, que era um pouco mais complexo. Bruce, o Poderoso e Generoso, tinha acabado de lhe passar aquele trabalho, e ela estava à espera de que o estudo de uso ficasse pronto para orientar seu trabalho de design.

Lauren queria deixar sua marca. Foi esse o conselho que seu pai havia dado quando ela tinha dezessete anos e não sabia o que fazer da vida. "Seja o que for que você escolher, siga o seu coração e deixe sua marca", ele disse, segurando sua mão. "Se decidir ser bartender, seja uma com quem todo mundo adora conversar, que inventa os melhores drinques e faça as pessoas se sentirem em casa. Se for cabeleireira, faça todas as clientes se sentirem bem com sua aparência."

"Se eu for designer de moda, fazer roupas que deixem as pessoas se sentindo felizes e confiantes", ela falou.

"Exatamente isso, pequena. Exatamente."

Seu pai nunca soube que ela resolveu se formar em outra coisa depois que ele morreu, por vontade de fazer algo diferente, que beneficiasse toda a comunidade, e não só alguns clientes pagantes. Ele nunca chegou a ver um local projetado por Lauren.

Mas eles existiam, e havia outros a fazer. "Ainda tenho um longo caminho a percorrer antes de descansar", ela disse para Pedrita, que abanou o rabo. "Longo mesmo." Atitude era tudo, afinal de contas.

O verão foi se desenrolando como metros e mais metros de seda, lindo e suave, com os dias se sucedendo em harmonia. Assim como Lauren, Josh podia trabalhar de qualquer lugar, então estava sempre lá, a não ser quando ela pedia para que voltasse a Providence para passar a noite. Ele precisava de seu espaço, querendo ou não. Precisava de seu saco de pancadas, e ver Ben Kim, que o entendia como ninguém. Lauren sabia disso, mesmo que Josh não admitisse.

Em julho, Jen tirou uma licença de dois meses do trabalho e foi com as crianças passar uns dias por lá, para alegria de Lauren. Josh as levava de cavalinho e entrava com elas no mar enquanto as irmãs ficavam sentadas na praia. Quando Darius também ia, eles jantavam mais tarde — quando Sebastian e Octavia já estavam dormindo — e ficavam conversando, rindo e contando histórias. A mãe de Lauren aparecia às vezes também, embora precisasse ser convencida a fazer a viagem. "Eu não quero me intrometer", era o que ela dizia, ou "Vocês duas não vão me querer aí".

Tudo bem, então. Lauren não tinha energia para ficar convencendo a mãe. Nem todo mundo reagia bem a momentos de dificuldade, e Lauren simplesmente não tinha tempo para ficar implorando para sua mãe... ser uma mãe. O apoio emocional nunca havia sido a especialidade de Donna. Esse papel cabia mais ao pai, que infelizmente estava morto.

Sarah e Stephanie apareciam com frequência também. O casal Kim tinha passado uma semana na casa em julho e prometido uma nova visita. Espaço havia de sobra, afinal. Sua doença havia se tornado uma parte da vida de todos, o que tornava as coisas mais fáceis. "Me traz outro cilindro, já que você está de pé", Lauren podia dizer, e Sarah ia buscar o oxigênio e trocava o tubo como uma profissional. Stephanie, que tinha chegado a pensar em estudar medicina, aparecia com sua bombinha de corticoide antes mesmo de Lauren perceber que estava precisando dela.

Um dia, quando estava sozinha com a sogra, que tinha preferido não ir jogar minigolfe com os demais, Stephanie mencionou que foi perguntada de novo se Josh era adotado. "Ele é parecido com *os dois* pais", Steph garantiu. "Só é preciso olhar com atenção para ver o que existe de mim nele."

"Você era apaixonada por ele, Steph?", Lauren perguntou. "Pelo pai do Josh?"

"Aquele inútil? Não." Ela olhou para Lauren com aqueles lindos olhos azuis nórdicos. "Não. Foi só um caso."

"Você chegou a procurá-lo ou a contar sobre Josh?"

Steph ficou em silêncio por um instante. "Eu tentei", ela falou. "Éramos estudantes na época. Ele foi participar de um programa de intercâmbio no verão e disse que voltava antes que o bebê nascesse, e nunca mais deu notícias. Eu mandei um e-mail, mas a mensagem voltou." Ela deu um gole em sua água. Assim como o filho, não bebia nada alcoólico. "Depois que Josh nasceu, desisti de entrar em contato. Ele tinha o meu e-mail. Não era tão difícil me encontrar."

Lauren tentou imaginar alguém que viraria as costas para a namorada grávida e simplesmente... desapareceria. "Pelo jeito era só um garoto mimado."

"Pois é. Nós ficamos bem melhor sem ele."

"Você acha que Josh às vezes pensa nele?", Lauren quis saber.

"Antes ele perguntava", Stephanie respondeu. "E eu não sabia exatamente o que responder. Só dizia: 'Existem famílias de todo tipo e tamanho', essas coisas. Nós tínhamos Ben e Sumi sempre por perto. Ben participava de todos os eventos de pai e filho na escola."

"Eu adoro esse cara", Lauren comentou.

"Pois é. Acho que Josh gostava que as pessoas perguntassem se ele era coreano, quando o viam com Ben."

"E qual é a ascendência do pai biológico?" Pela aparência, Josh poderia ser enquadrado em qualquer etnia — latino, asiático, árabe, romani...

"Sinceramente, acho que nunca conversamos sobre isso. Como eu disse, foi um caso de cinco semanas. Ele era do Meio-Oeste. É tudo que me lembro." Se ela sabia de mais, não estava falando.

"Mas isso deixou uma marca, é claro", explicou Stephanie. "Os fatos falam por si. O pai de Joshua o abandonou antes que ele nascesse. Isso é parte da identidade dele, da mesma forma que ser um gênio com síndrome de Asperger, ou transtorno do espectro autista, ou neurodiverso, ou como quer que queiram chamar hoje em dia. Esses termos mudam depressa demais. Enfim, está com fome? Eu estou. Quer um queijo quente? É a minha especialidade, afinal."

A conversa tinha sido claramente encerrada. "Obrigada, Steph. Eu adoraria." Sua sogra de fato fazia os melhores queijos quentes, em geral com três tipos de queijo. Fora isso, não era muito de cozinhar. Steph deu um tapinha em seu ombro quando partiu para a cozinha, e Lauren abriu seu caderno.

Quase todo dia, ela e Josh pegavam o carro para ir até a praia ver o pôr do sol e deixar Pedrita correr, pular na água e farejar as carcaças de peixes, aves ou caranguejos (além de rolar em cima delas). A casa tinha um banheiro enorme e bastante conveniente no andar de baixo, que foi designado para os banhos da cachorra. Josh a lavava com xampu e a enxaguava, depois passava o secador (bichinho mimado) para que ela ficasse sedosa, macia e maravilhosa, e assim poder dormir com eles na cama.

Lauren gostava de acordar cedo em Cape Cod e ir andar sozinha na ponta dos pés até a janela para ver o nascer do sol, deixando Josh dormindo. Ela sempre começava o dia com os preparos para o café, porque era essa sua tarefa até mesmo na infância, quando acordava cedo punha sempre a medida certa de pó e água na cafeteira. Seu pai aparecia e, todas as vezes, ficava felicíssimo. "Quanta consideração! Lauren, querida, obrigado! Você é a melhor filha do mundo!"

A saudade que ela sentia do pai era como uma dor constante. Sentia falta da sensação de segurança e conforto proporcionada por um pai. Ela sempre se pegava pensando no momento de sua morte, se perguntando se ele não teria um último aviso ou algum pensamento final a compartilhar. Ela esperava que não. "Puta merda, isso dói demais."

*Nota mental: garantir que as suas últimas palavras sejam alguma coisa profunda.*

Ultimamente vinha sentindo o pai mais próximo. Eles tinham mais coisa em comum agora. Ela também morreria cedo. E tinha a sorte de saber disso. Claro, claro, um ônibus desgovernado poderia matá-la a qualquer momento, mas, por ser uma pessoa que gostava de planejar tudo, ela preferia mil vezes um diagnóstico de FPI ao tipo de morte que o pai teve.

Enquanto isso, era impossível não se apaixonar ainda mais pela vida estando em Cape Cod. Seria só a alegria de estar perto do mar ou sua FPI estaria sob controle pelo menos um pouquinho? Ela estava se sentindo bem. Mais forte. Talvez fosse, *sim*, o ar salgado. Todos os dias, ela fazia movimentos leves de ioga no deque, enchendo os pulmões, imaginando que o ar tinha espaço de sobra, abrindo caminho entre os tecidos fibrosos, preenchendo cada canto disponível. Em algumas noites, não precisava do cilindro de oxigênio. Ela sabia que não havia cura para a fibrose pulmonar, mas talvez... de repente... o progresso da doença tivesse desacelerado.

As chuvas ocasionais de verão a energizavam, e a cada relâmpago ela dizia "Você *viu* isso?", mesmo se Josh estivesse bem ao seu lado. As estrelas pareciam brilhar com mais intensidade nas noites de céu claro, e às vezes eles ouviam coiotes também, ou então uma raposa.

*Este seria um bom lugar para morrer*, Lauren inevitavelmente acabou pensando. *Seria uma linda última visão.*

Em um fim de semana no final de agosto, Lauren mandou Josh para casa para passar um fim de semana com as amigas em Cape Cod: Asmaa, do Hope Center; Mara, da faculdade; Louise, do trabalho. Sarah e Jen também foram, enfrentando o trânsito monstruoso da rodovia US 6, e ficaram lá por cinco dias. Ela conseguiu convencer Josh a permanecer em Providence dizendo que precisava de um tempo só com as meninas, garantindo que Jen ligaria se ela tivesse algum episódio. Elas se arrumaram e se maquiaram, então foram a Provincetown para um jantar com vista para a praia. Comeram lagosta, beberam martínis chiques e contaram histórias vergonhosas sobre casos antigos e encontros desastrosos. Depois, viram um show de drag queens e riram tanto que Lauren precisou aumentar seu fluxo de oxigênio. Mas valeu muito a pena.

Foi incrível, ela pensou, olhando ao redor. Elas eram amigas maravilhosas. E fariam muita falta. Ou não. No Além provavelmente existiam planos de contingência para espíritos que quisessem saber como estavam seus amigos.

E também, ela lembrou a si mesma, ainda teria anos pela frente. Anos!

"Um ônibus pode passar por cima de mim amanhã mesmo", as pessoas gostavam de dizer, como uma forma de parecer solidárias quando ouviam a respeito de sua doença. Ninguém sabia o que o futuro reservava. E realmente, deixando de lado o trauma que isso representaria para os coitados dos motoristas de ônibus, era verdade. Mas ela não desperdiçaria aquele verão glorioso pensando no quanto estava doente.

# 7

## LAUREN

*Dez meses restantes*
ABRIL

Papai,

Você tem uma netinha! Ela se chama Octavia Lauren e é a coisa mais linda do universo, como provavelmente já sabe, porque sou capaz de jurar que você estava presente.

Pegá-la no colo menos de dez minutos depois que ela nasceu, papai... O cheirinho dela, os barulhinhos, os grunhidos e o chorinho. Eu falei: "Amo você, querida", e ela abriu os olhos, pai. Olhou bem para mim, e foi como estar diante de todos os mistérios do universo, como se aquela bebê minúscula (bom, ela nasceu com quase quatro quilos, então não era tão pequena assim para Jen...) estivesse me dizendo que, acontecesse o que fosse, tudo ia ficar bem. Nós ficamos só olhando uma para a outra, e eu nunca me senti tão perfeita ou compreendida em toda a minha vida.

No fim, precisei devolvê-la para Jen, que passou por tudo como uma verdadeira campeã. Ela é incrível, pai. Incrível.

Depois Josh entrou com Sebastian, porque eles estavam juntos na sala de espera. Sebastian entrou correndo com um coelhinho de pelúcia e falou: "Minha irmã! Oi, irmã! Você é tão bonitinha!". E então começou a chorar de tanto amor. Deu um beijo na testa dela e disse: "Amo você, irmã!", e todo mundo foi às lágrimas.

Quando a mamãe entrou, pelo menos uma vez não ficou se lamentando por você não estar lá. Estava só sorrisos e, quando Jen falou o nome dela, a mamãe disse: "Ah, que lindo! Que nome perfeito!", e me abraçou.

*Tinha tanto amor naquele quarto, pai. Sei que você sentiu isso também.*

*Josh e eu levamos Sebastian para nossa casa mais tarde naquele dia, para Jen poder descansar, e ele dormiu lá. Pedrita passou a noite na cama dele, que achou o máximo. E você conhece Jen; ela já estava em pé em dois dias, falando até mais do que devia sobre seus sangramentos e ardência no xixi.*

*Estou muito feliz, pai. Ver Octavia nascer... foi um milagre. Eu sei, eu sei, isso acontece todo dia. Mas ainda assim é um milagre.*

*Parabéns, papai! Cuide bem da sua netinha e do irmão dela. Amo você!*

*Lauren*

"Não pense que é só porque você está doente", Jen disse, duas semanas depois. "Eu sempre quis uma filha com Lauren como segundo nome."

Lauren estava cuidando da bebê; Jen precisava de um banho e um cochilo. Darius tinha levado Sebastian à biblioteca, e pretendia ir com ele ao Newport Creamery na hora do almoço, então ela foi acionada.

E não se incomodou nem um pouco.

A pequena Octavia resmungou e chorou e fez cocô (algum dia Lauren conseguiria olhar para uma torta de abóbora com os mesmos olhos?). Lauren pôs a bebê no carrinho e foi dar uma volta com ela para tomar um ar e absorver um pouco de vitamina D. A pequenina não se importava com a lentidão de seus passos; Octavia só fungava e soltava uns grunhidos baixos, como uma leitoazinha linda.

"Parabéns", disse uma velhinha no banco do parque.

"Obrigada", Lauren respondeu com um sorriso. "Ela é minha sobrinha."

Ao voltar, ela deu a mamadeira para a bebê e trocou mais uma fralda. Lauren sentou na poltrona reclinável e pôs os pés para cima, dobrando os joelhos para colocar Octavia sobre suas pernas. As duas ficaram se olhando. Os olhinhos daquela bebê eram tão... especiais. Enormes e cheios de sabedoria, como se ela soubesse tudo.

Quando Octavia bocejou, Lauren não conseguiu conter o sorriso de alegria, como a boa tia que era. Então a bebê ficou inquieta, e ela a pôs sobre o ombro, acariciando suas costas e cantarolando baixinho. Uns cinco minutos depois, ela se acalmou, e Lauren a trouxe para os braços para poder olhá-la mais um pouco, observar aqueles lindos cílios de bebê, as sobrancelhas pequeninas e sedosas, a pele morena clara, quase do mesmo tom que a de Sebastian. Os cabelos eram finos e castanhos, e a boca era uma gracinha.

Foi quando uma lágrima caiu sobre o queixo dela. Uma lágrima de Lauren, que aparentemente estava chorando. Em silêncio, mas bastante.

Aquilo era o mais próximo que ela poderia chegar de ter um bebê, e isso era uma certeza absoluta e dolorosa. Ela sabia. Jamais seria mãe. Nunca passaria pelo momento que Jen e Darius compartilharam no parto, nem veria um nenê e enxergaria na criança os olhos de Joshua e orelhas como as suas.

As lágrimas não paravam de cair, e o peito de Lauren estava ofegante. Ela engoliu os soluços, levantou da poltrona fazendo um esforço para não acordar a sobrinha, pôs Octavia no moisés e foi chorar na cozinha, com uma toalha de papel na mão. Além de nunca ter filhos, morreria em breve, e era possível que Sebastian e Octavia nem sequer lembrassem da tia. Ela perderia tanta coisa. Teria que deixar Jen, sua amada irmã, e aquelas crianças lindas e perfeitas, e sua mãe e Josh — ai, meu Deus, o Josh —, e foi como se sua pele tivesse sido removida do corpo e ela estivesse em carne viva e apavorada e gritando de desespero para o vazio porque, puta que pariu, iria morrer em breve.

Então Jen apareceu e a abraçou, e Lauren desmoronou de vez. Ela se agarrou à irmã e caiu em prantos, e Jen estava soluçando também, porque as duas sabiam. Elas sabiam. Ficaram abraçadas uma à outra, chorando e chorando e chorando, até que não restassem mais lágrimas.

A bebê dormiu durante todo esse colapso emocional.

Elas se olharam, com os olhos vermelhos e o nariz entupido, a pele toda vermelha, e Lauren deu uma risadinha. "Vem, vamos sentar", Jen falou, limpando os olhos na manga da roupa. "Vou preparar uma poção de bruxa para você." Ela voltou para a cozinha e fez um chá para Lauren com as ervas chinesas que tinha em casa... raiz de astrágalos e frutinhas secas de magnólia-chinesa, porque era uma irmã incrível.

Lauren ainda estava soluçando quando ela voltou. "Desculpa."

"Ah, vai se foder", Jen respondeu, apertando sua mão.

Elas ficaram em silêncio, ouvindo a respiração de Octavia. Depois de um tempo, Jen falou: "Vamos ao cinema uma noite dessas, combinado?".

Quando Lauren era uma adolescente nerd, que usava macacão, camiseta cortada, uma franja curta demais e uma boina na cabeça, Jen ignorava generosamente suas escolhas duvidosas de visual e a levava ao cinema. Sozinha ou com as amigas populares de Jen, ela nunca deixava de lado a pipoca e os docinhos de chocolate.

"Combinado", Lauren falou, com a voz embargada.

"Eu não sei o que vou fazer sem você", Jen falou, levando a mão à boca.

"Ainda bem que vou morrer primeiro, assim *eu* não preciso viver sem você", ela respondeu. "Juro por Deus que estou contente por isso."

"Eu posso ser atropelada por um ônibus. Nunca se sabe." E elas começaram a rir, umas gargalhadas maravilhosas, absurdas e incontroláveis, sentadas de mãos dadas, bebendo um chá esquisito. Quando Sebastian e Darius chegaram, o menino correu para Lauren e deu um beijo melado nela, e tudo voltou a ficar bem.

Mas todos sabiam. Lauren morreria jovem. Talvez chegasse a ver o primeiro dia de escola de Sebastian, mas não estaria lá quando ele tirasse a carteira de motorista. Não levaria Octavia para comprar sutiãs nem a ouviria contar sobre as amigas. Não tiraria fotos de formatura com eles nem conversaria com os dois sobre a faculdade.

Mas torcia para poder ver tudo isso do Além, com o pai. *Por favor, que isso seja verdade, que eu possa ficar com você de novo, pai. Nós merecemos isso. Pelo menos o Além não pode me decepcionar.*

Ela pegou Octavia no colo mais uma vez antes de ir embora, sentindo o cheiro de sua cabeça, e beijou aquela bochecha inacreditavelmente macia. "Eu amo você", Lauren murmurou.

Octavia respondeu vomitando leite em seus cabelos. Estranhamente, era o que Lauren precisava. *Sai dessa, tia.*

E ela saiu. Quando sua vida é uma contagem regressiva, não existe espaço para uma postura derrotista. Você não pode pensar no que não vai ver, no que nunca vai ter. Não existe tempo para isso.

# 8

## JOSHUA

## *Segundo mês*
ABRIL

**Joshua,**

*Eu adoro escrever o seu nome. Uma confissão melosa e vergonhosa: eu fiquei escrevendo seu nome um monte de vezes depois do nosso primeiro encontro. Em letra de mão. Dá para ser mais tonta que isso?*

*Está tudo bem por aí, querido? Espero que esteja dormindo bem. Sei como você fica quando está estressado. Tenta escutar um daqueles aplicativos de relaxamento na hora de deitar. Experimenta comer umas balinhas de goma de canabidiol — para mim elas fizeram bem — ou um Benadryl, se for preciso. Eu me preocupo com você.*

*Já eu, aposto que estou dormindo muito bem... e não no sentido de dormir para sempre, e sim de dormir com os anjos. Não seria incrível? Eu dormindo em uma nuvem, sem nenhum perigo de cair de lá nem nada do tipo. Talvez eu fique com os anjos inclusive quando estiver acordada. De qualquer forma, você não precisa se preocupar comigo. O Além é incrível (tenho 99,999 por cento de certeza).*

*Você está saindo de casa o suficiente? Levando Pedrita para passear ou correr um pouco? Cuidando da saúde dela? Cuidado para ela não comer demais. Por favor, diga para ela que eu a amo, tá? E que sinto muito ter precisado ir embora, e que ela foi a melhor cachorra que vi na vida. AINDA É, na verdade. (Ela está sentada ao meu lado na cama enquanto eu escrevo e ela vem para o meu colo quando choro, põe as patas nos meus ombros e lambe minhas lágrimas. Gosto de pensar que esteja tentando me consolar, mas acho que é só porque ela adora esse gostinho salgado.)*

*Espero que a tarefa de ir fazer compras no supermercado tenha sido tranquila. Mande minhas lembranças para Yolanda. Calma, isso seria bem esquisito, né? "Minha falecida esposa mandou lembranças!" Melhor deixar essa parte para lá.*

*Neste mês, querido, quero que você convide umas pessoas para jantar aí. Sei que você vai detestar a ideia, mas acho que precisa comer na companhia de outros seres humanos de vez em quando, não só com Pedrita. Traga um pouco de vida para o apartamento. De repente, até algumas risadas.*

*Convide minha irmã e Darius, minha mãe (ou não), sua mãe e talvez Sarah. Cozinhe para eles. Receba os abraços deles. Fale sobre mim, e também pode chorar se estiver precisando. Mas abra a porta da nossa casa para eles e deixe que façam parte da sua vida, querido. Não se afaste dessas pessoas. Elas amam você. Ou então convide gente que você nem conhece direito, mas que parece ser legal. Sua advogada de patentes, que eu esqueci o nome. Ela parecia legal. Um dos seus antigos professores da faculdade. A Charlotte Abusada do primeiro andar, que arranca suas roupas com os olhos toda vez que te vê. (Brincadeira! Eu não quero essa mulher na minha casa!)*

*Na verdade, não importa quem. Eu sinto muito ter colocado você nessa situação, Josh. Mas continuo com você. Estou viva no seu coração, e não poderia haver um lugar melhor para mim. Espero que você esteja melhorzinho, tomando banho, comendo e talvez trabalhando um pouco também. Tomando um sol. Não sei em que época do ano eu morri, mas tome um pouco de sol mesmo que seja inverno.*

*Eu te amo muito, muito mesmo. Com todo o meu coração, fígado, pâncreas, rins e até os meus pulmões podres.*

*Agora vai lá fazer umas ligações. Hora de reagir.*

*Eu te amo.*

*Lauren*

Ela estava certa. Ele detestou a ideia.

Mas, nossa, como *adorava* receber cartas dela. Tinha lido a primeira tantas vezes que já havia decorado. Por saber que teria doze delas, encomendou uma caixa com qualidade de museu e pH neutro de um artesão da Louisiana. Com estrutura de bordo frisado e forrada com um tecido especial, para o papel não envelhecer.

Ele releu a carta. Era capaz de escutar a voz dela, que tinha ficado mais áspera com a doença por causa das intubações e da tosse constante, mas que ele adorava mesmo assim. Conseguia sentir o cheiro da pele dela... o aroma floral suave do gel de banho, o perfume cítrico que Lauren adorava, o toque mentolado do Vick VapoRub, que ela jurava que a ajudava a respirar melhor.

Ele fechou os olhos, evocando a presença dela. *Fique comigo*, pensou. Josh podia não acreditar em Deus, mas acreditava em Lauren. *Venha até mim, querida*. O sol em seus cabelos ruivos escuros, iluminando uma dezena de tons diferentes de castanho, vermelho e dourado. Seus lábios rosados e seus cílios escuros. Os olhos da cor do uísque. A risada solta, que ressoava de dentro dela.

Aquela risada a fazia tossir muito nos últimos meses de vida. Que coisa mais maligna, mais *cruel*, era ela fazer uma careta de dor toda vez que ria.

Com um suspiro, ele abriu os olhos. Ainda estava sozinho, mas tinha uma pequena parte dela nas mãos. Suas palavras. Seu senso de humor. Seu amor, que brilhava naquelas páginas.

Ele estava, *sim*, tentando melhorar, de acordo com as instruções dela. Fazia a barba quando percebia que era preciso. Programou um alarme no celular para lembrar de tomar banho.

No mês anterior, tinha levado Pedrita para longos passeios no cemitério de Swan Point, ou de carro ao Parque Estadual de Colt, em Bristol, onde os dois podiam correr e com um pouco de sorte não encontrar ninguém conhecido. Ele estava mais atento à necessidade de jogar as coisas no lixo. Tentou limitar os períodos de cochilo a uma hora. Começou a usar o despertador, para acordar todos os dias de manhã, e tentava se lembrar de comer.

Estava tentando mostrar para ela que era capaz.

Era como se, fazendo o que ela recomendou, ele tivesse passado em um teste, cuja recompensa seria Lauren viva de novo. Ele sabia que as cartas alimentavam essa ideia. Já tinha se pegado pensando: *Quando eu conversar com a Lauren em abril...* Certa vez chegou a pensar: *Mal posso esperar para contar para Lauren sobre a carta dela.*

O luto era um cobertor escuro e pesado, que o empurrava para baixo, tornando mesmo as menores coisas difíceis. Antes de Lauren, ele era solitário, mas por escolha. Agora parecia que o sol tinha despencado do céu e que o mundo tinha se tornado uma terra desolada e cinzenta. Ele precisava virar a cabeça para o outro lado quando via casais no parque ou na rua. Mesmo quando 183 mensagens e 624 e-mails não lidos se acumularam em seu celular, ele não se deu ao trabalho de checá-los. Nada vinha da pessoa que ele queria.

Justamente nesse momento, seu celular vibrou. Era Donna ligando. "Não", ele esbravejou, furioso com a interrupção. Ele recusou a chamada e jogou o aparelho na cadeira ao lado. "Vai conversar com outra pessoa."

Embora sua sogra finalmente tenha conseguido segurar a onda naquela fatídica semana final — em especial no último dia, do qual Josh mal conseguia se lembrar —, ela havia sido um pé no saco durante a maior parte do tempo que Lauren passou doente, retorcendo as mãos, preocupada em saber como *ela*, Donna, lidaria com aquilo, falando de sua própria tristeza, de sua falta de sono, de apetite, de alegria. Dois anos desperdiçados com autopiedade, um tempo que ela poderia ter usado para ser útil, para ser forte, para reconfortar a filha. Ele sabia que não podia julgar o nível ou a maneira que o luto afetava alguém que perdia uma filha, mas, minha nossa, Donna achava que o mundo girava ao redor dela. E, naquele momento, ele só queria pensar na carta de Lauren.

Tá. Um jantar. Sua mulher queria que ele organizasse um, e ele realizaria esse desejo. Chamaria as pessoas que conhecia bem — Jen e Darius. E Sarah, pelo jeito.

Ele pegou o celular de novo e escreveu para eles. Todos toparam, o que era bom.

Josh sabia que não era próximo de muita gente. Tinha alguns amigos da época de estudante que eram formados na mesma área que ele — Peter, nos tempos de faculdade em Rhode Island, que estava na Califórnia, conduzindo uma pesquisa em Stanford; Keung, do mestrado em Massachusetts, que trabalhava para uma empresa de dispositivos médico-hospitalares em Londres. Os dois tinham sido seus padrinhos de casamento. Ele tinha visto Peter uns dois anos antes, quando participou de um congresso em San Francisco, antes do diagnóstico de Lauren.

Seu amigo mais próximo na infância, Tim, havia se mudado quando ele e Josh estavam no penúltimo ano de ensino médio. Eles só se viram algumas vezes desde então. Tim chegou a conhecer Lauren, mas não pôde ir ao casamento.

Todos os três mandaram mensagens e cartões de condolência depois da morte dela. Mas não estavam *ali*. Não tinham noção dos detalhes da doença de Lauren. Não a viram ficar fraca e magra, não viram sua pele ficar pálida e depois azulada, quando a saturação caía muito. De certa forma, era melhor que a última lembrança que tinham dela fosse de um momento tão feliz e cheio de vida. Era assim que se lembrariam dela. E também poderiam se lembrar *dele* como um homem feliz.

Darius estava tentando ser seu amigo, mas era diferente demais de Josh. Seu cunhado era bem-humorado e expansivo, executivo de uma grande agência de publicidade e ex-jogador de futebol americano pela Universidade da Carolina do Norte. Era simpático e elegante, e parecia saber um pouco de tudo, nunca ficava sem ter o que dizer. Basicamente o oposto de Josh, que ainda não sabia reconhecer uma Kardashian e cuja mente travava em eventos sociais.

A não ser quando estava com Lauren. Ela o considerava a pessoa mais interessante do mundo e, por isso, ele acabou se tornando. Aos olhos dela, pelo menos, e era isso o que importava.

Os quatro já tinham se divertido muito, as duas irmãs e seus maridos. Antes do diagnóstico, sempre havia muitos risos, e até depois também, um pouco. Nos jantares. Em Cape Cod. Nas festas de fim de ano.

Mas agora era diferente. Isso foi quando ele era uma das metades de Lauren-e-Josh, quando ele não sentia sua pele arder, seu cérebro parecer uma caixa vazia e seu corpo todo afundar em um poço de piche.

Ah, caralho. Ele se deu conta de uma coisa. Se o jantar fosse só com os quatro, poderia parecer um pouco... uma coisa de casais. Jen e Darius, Sarah e Josh. E de jeito nenhum poderia ser assim.

Ele não queria dar o mínimo sinal de que estivesse interessado em Sarah. Não que alguém fosse pensar isso, mas só o fato de haver dois pares à mesa já fazia seu estômago doer.

Sarah namorava bastante, mas a coisa nunca ia para a frente. Lauren dizia que sua amiga tinha mau gosto para homens porque o pai dela foi um canalha. Independentemente da causa, Sarah já havia comentado mais de uma vez que Lauren tinha estabelecido um padrão alto demais em termos de marido. E se ela pensava assim... se ele desse alguma abertura...

Na verdade, ele não achava *de verdade* que Sarah iria presumir que o jantar fosse uma espécie de programa de casal, mas era melhor prevenir do que remediar. Ele não era muito bom nessa coisa de convenções sociais e linguagem corporal. Lauren sempre o ajudava nesse quesito. Ele pegou o celular e escreveu para Sarah.

Por que você não traz mais alguém no sábado à noite? Uma amiga, alguém com quem você esteja saindo, Asmaa, tanto faz.

Isso resolveria a questão, não?

Seu celular apitou imediatamente.

Tem certeza? Pode ficar um clima esquisito.

Não, não vai ficar nada esquisito. Vai ficar tudo bem.

Tá. Quem eu posso levar?

Alguém com quem você esteja saindo. Uma amiga. Tanto faz.

Houve uma breve pausa, enquanto os três pontinhos ondulavam na tela.

Tá, tudo bem, eu vou convidar um cara com quem estou saindo. Ken. Vai ser o nosso segundo encontro. Se é que dá para chamar isso de encontro. Mas não me parece muito certo. É só a segunda vez que nos vemos, sabe?

Não, ele não sabia, e nem queria. Então digitou uma reposta rápida.

Claro. Vai ser às 19h. Até lá.

Ele desligou o celular e o jogou de lado, o que fez Pedrita latir. "Precisamos encontrar alguma coisa para cozinhar, menina", Josh falou. Ela abanou o rabo. Alguma coisa que já tivesse feito antes e que não exigisse muito esforço. Aquele prato que a sra. Kim fazia, talvez — frango frito crocante com um molho picante vermelho. A sra. Kim o ensinou a cozinhar durante os dois anos em que ele já estava crescido demais para continuar frequentando a recreação infantil e novo demais para ficar sozinho em casa. Era um prato bem fácil. Ele cozinharia um pouco de arroz e refogaria uns legumes ou umas verduras, tudo muito simples.

E Lauren adorava. Inclusive, Josh preparou aquele frango para ela quando os dois eram namorados, para impressioná-la. E tinha funcionado. "Vai ser *dakgangjeong*, então, Pedrita", ele disse. "Só porque você pediu de um jeito educado."

\* \* \*

Ele foi ao supermercado no sábado de manhã e deixou um envelope com dinheiro para Yolanda, pois ainda não tinha voltado lá desde seu colapso emocional. Dessa vez, pôs fones nos ouvidos, para não precisar ouvir ninguém, e tentou evitar fazer contato visual com as pessoas. Pegou o frango, a pimenta vermelha coreana e o *gochujang*, já que não lembrava se ainda tinha o condimento em sua despensa. Deveria ter verificado antes de sair de casa. Do corredor do hortifrúti, levou um pedaço de gengibre fresco e uma cabeça de alho.

Cozinhar para Lauren apenas com alimentos orgânicos e não processados havia afiado suas habilidades culinárias. Quando solteiro, ele se contentava em pedir delivery, comer correndo ou recorrer à mãe ou à sra. Kim para refeições caseiras. Mas, como homem casado, elevou o nível da comida e, depois do diagnóstico, foi se tornando cada vez melhor. Lauren era fácil de agradar — adorava comida, e também cozinhar quando tinha energia para isso, e comia de tudo, menos vitela ou cordeiro. "Quem iria querer comer um bebê?", ela dizia. "Você gostaria que outras espécies matassem nossos filhos para comer, Joshua?"

Os filhos deles. Só que não haveria filhos.

Seu coração teve um espasmo, e ele esfregou o peito. *Não entra nessa*, seu cérebro avisou. *Se concentra*. Quando era mais novo e seu estado de espírito ameaçava se deteriorar, sua mãe lhe dava uma frase para ficar repetindo sem parar, para ter no que pensar e se distrair. *Um pequeno jabuti xereta viu dez cegonhas felizes*. Todas as letras do alfabeto em uma única frase. Ele recitava em voz alta, pensando nas letras, pondo-as em ordem na sua mente, para amenizar a tempestade emocional.

Às vezes funcionava.

*Um pequeno jabuti xereta viu dez cegonhas felizes. Um pequeno jabuti xereta viu dez cegonhas felizes.*

Estava ajudando. O frango apimentado precisava de arroz como acompanhamento. Ele tinha arroz em casa. Já tinha pegado o frango? Iria pegar mais. Podia usar brócolis como a verdura. De quantos precisaria? Quatro? Dez? Quantas pessoas compareceriam? Brócolis encolhia quando era cozido? Ele comprou oito.

Em seguida fez uma pausa na seção de flores. Lauren sempre comprava flores frescas quando recebia pessoas em casa. Não. Aquilo não era uma celebração nem uma festa. Ele só veria a irmã de sua mulher, seu cunhado e a melhor amiga dela. Era parte do processo de luto. Estavam todos tentando lidar com a tristeza e seguir em frente.

Só que ele não queria seguir em frente.

O poço de piche começou a puxar seus pés, e Josh aumentou o volume do podcast e foi para o caixa do autosserviço, para não precisar falar com ninguém. Mas, quando chegou em casa, Charlotte Abusada deu o bote assim que ele pôs os pés no saguão.

"Ah! Comida fresca! Vai cozinhar hoje? Quer companhia?", ela perguntou. Era uma mulher baixinha, de no máximo um metro e meio, e bem veloz, pois bloqueou a passagem de Josh para as escadas.

"Sim e não. Obrigado."

"Você precisa vir tomar um vinho comigo um dia desses, Josh. Nós podemos conversar. As pessoas sempre me dizem que eu sou uma ótima ouvinte."

"Eu não bebo."

"Mesmo assim." Ela se apoiou no batente da porta da escada, medindo Josh de cima a baixo. "Você está precisando de uma amiga."

"Eu tenho uma cachorra. Com licença."

Ele passou por ela, guardou as compras e levou Pedrita para correr (saindo pela porta dos fundos, para evitar Charlotte). Quando voltou para casa, tomou um banho e começou os preparativos, colocando para tocar um pouco de Prince para se sentir menos sozinho. *Não pense. Só cozinhe.*

Quando Lauren estava viva, uma noite como aquela seria divertida, o ar ficaria carregado de energia e expectativa, e o som no ambiente seria de alegria e instruções — *Querido, pega aquele vaso. Querido, você pode tirar as louças da máquina? Josh, você pode cortar o frango para mim?* Quando ela estava viva, ele se sentia mais relaxado, mais competente, mais presente e mais divertido. Quando ela estava viva, ele não estava morto por dentro.

Por um instante, ele parou de picar os brócolis e ficou olhando para a bancada.

Se ficasse totalmente imóvel, poderia imaginar uma cena diferente. Sua mulher estava lá no final do corredor, tomando um banho. Ela demorava um tempão para secar o cabelo e se trocava pelo menos duas vezes. Passava maquiagem, porque adorava. Ele quase conseguia ouvi-la andando de um lado para o outro, cantarolando baixinho.

"Querida?", ele chamou, só para ter certeza.

Obviamente, não houve resposta. Ele voltou a cortar as verduras, com força. Se arrancasse um pedaço do dedo, poderia cancelar tudo.

Mas aquilo havia sido um pedido de Lauren, então ele precisava aguentar firme e seguir em frente.

Talvez fosse o momento de começar a beber.

Às sete em ponto, a campainha tocou, e ele abiu a porta. Os quatro estavam juntos — Jen, Darius, Sarah e o amigo dela. Estavam todos sérios.

"Oi", ele falou.

Jen foi às lágrimas.

Pedrita passou por ele e foi diretamente em sua direção. Jen ajoelhou e abraçou a cachorra, soluçando.

Ninguém falou nada por um instante.

"Hã... vocês querem entrar?", Josh perguntou.

"Boa ideia. E aí, irmão, como você está?", Darius perguntou com um abraço. "Nós trouxemos vinho." Ele pôs a mão no ombro da esposa.

Que merda. Josh não tinha comprado. "Que ótimo", ele falou. "Obrigado."

"Nós também", Sarah anunciou. "Ken, esse é Joshua Park. Josh, Ken Beekman." Ken era alto — até mais que Darius, inclusive. E magro. Um cara branco, com cabelo loiro claro, meio parecido com uma garça, com uma expressão simpática no rosto. Estava com uma bolsa em estilo carteiro com a alça atravessada sobre o peito e a pôs no chão antes de estender a mão e sacudir a de Joshua firmemente com as duas. "Joshua. Eu sinto muito pela sua mulher. Obrigado por me deixar vir. Você tem uma bela casa."

"Que bom... que bom te conhecer. Oi, Sarah." Ela estava mais arrumada do que de costume, de vestido, maquiagem e batom vermelho.

Jen levantou e o abraçou com força. "Desculpa", ela falou.

"Tudo bem. De verdade." Ele retribuiu o abraço, pois ela era uma das poucas pessoas que conseguia abraçar sem se sentir esquisito.

"Vou servir um vinhozinho para você, linda", Darius anunciou, e todos foram para a sala de estar, meio que em um movimento simultâneo. Darius tentou ser útil e começou a remexer as gavetas em busca de um saca-rolhas. Que não era usado desde... bem. O Dia dos Namorados. Seu aniversário de casamento.

Tinha sido apenas nove semanas antes. Nove semanas e dois dias. Como ela poderia estar morta agora se, em 14 de fevereiro, eles fizeram amor em um quarto à luz de velas? Como a vida poderia ter mudado tanto?

"Está um cheiro delicioso aqui", Ken comentou. "É do quê?"

Josh piscou algumas vezes. "Hã... é um frango apimentado coreano. Temperado pelas minhas lágrimas." Ninguém riu, pois não sabiam se era sério ou brincadeira. Foi uma piada de mau gosto, pelo que ele pôde sentir.

"Você gosta de cozinhar?", Ken perguntou.

"Hã... sim. Gosto, sim. Eu gosto de cozinhar. Pode sentar." Ele deveria ter comprado tira-gostos ou alguma coisa do tipo. Queijo e biscoitinhos, pelo menos. Será que tinha queijo na despensa? Ele duvidava. Sarah estava enxugando os olhos.

Os quatro ficaram lá parados, evitando trocar olhares. "Por que você não põe uma musiquinha para tocar?", Darius sugeriu.

"Claro. Boa ideia." Ele deveria ter pensado nisso.

"Eu posso, hã... dar uma volta pelo apartamento?", Jen perguntou, com a voz embargada.

"Claro", disse Josh. "Claro que pode." Ele parecia estar só se repetindo, como um papagaio, porque não tinha nada a dizer.

"Josh, você quer que eu prepare uns tira-gostos ou alguma coisa assim?", Sarah se ofereceu.

"Sim. Seria ótimo. Obrigado."

"Pode deixar", ela falou. "Ken, você me ajuda?"

"Mas é lógico!", Ken exclamou, a única pessoa animada entre eles.

"Vem comigo", Jen sussurrou para Josh. Era apenas a segunda vez dela ali desde a morte de Lauren, e Josh sentiu seus olhos começarem a arder. Ela o pegou pela mão, e eles foram para o escritório, que era anexo à sala de estar.

Havia meia dúzia de fotos de Lauren emolduradas sobre a mesa, e algumas nas paredes. O rosto dela os cercava, lembrando-os de tudo o que haviam perdido. Todo o amor. Toda a felicidade.

"Como você está?", Jen perguntou.

"Péssimo."

"Eu também. Josh, ela me deixou uma carta." Os olhos de Jen se encheram de lágrimas, e ele ficou se sentindo extremamente culpado por não ter pensado nela esse tempo todo. Afinal, Jen também estava perdida. "Era perfeita, sabe? Eu mandei emoldurar." Ela franziu o rosto.

Ele a abraçou de novo. "Eu sinto muita falta dela", murmurou Jen. "Quando vou ver, estou tentando ligar para ela. Não consigo aceitar a ideia de apagar o número dela do meu celular, sabe?"

"Sei."

"Claro que sabe. Desculpa." Jen suspirou, pegou um lenço de papel da caixa sobre a mesa e assoou o nariz ruidosamente.

"Como a sua mãe está?", ele perguntou.

"Ah, você não ficou sabendo? Ela está se virando muito bem", Jen comentou, amargurada. "Quer dizer, está arrasada, mas de repente essa virou a nova identidade dela. Frequenta um grupo de apoio a pessoas de luto todos os dias. Virou uma espécie de nova religião. E escuta só isso, Josh. Ela conheceu uma pessoa. Um cara. Eles se encontraram para um café na semana passada."

"Uau."

"Né?"

"Isso é... acho que é bom." Depois da morte do pai, Lauren passou a incentivar a mãe a fazer novas amizades e a namorar. Donna sempre rejeitava a ideia de tentar alguma coisa diferente, mas... bom, agora estava fazendo. Talvez fosse por Lauren. Nesse caso, seria um gesto até que bonito. "Você está aceitando numa boa?"

"Se isso trouxer paz para ela. Ou uma distração. Pelo menos ela não me liga mais sete vezes por dia como fazia quando Lauren estava..." Ela soltou um suspiro trêmulo. "Eu também não quero ficar julgando ninguém. Olho para os meus filhos e imagino como seria se um deles adoecesse... e simplesmente desmorono. Então, se isso está ajudando a minha mãe a se reerguer, ela que vá em frente, né?"

"É."

Ela enxugou os olhos de novo. "Você é um cara tão legal, Josh."

Era mesmo? Ele já não fazia mais a menor ideia.

Jen engoliu em seco, audivelmente. "Eu posso ver... a árvore?"

"Sim. Claro que pode." Eles saíram do escritório, atravessaram a sala de estar e o corredor e foram para o quarto, com Pedrita no encalço. Josh parou diante da porta do quarto e, depois de uma pausa de um ou dois segundos, abriu a porta.

Ele ia verificar como estava a árvore a cada três dias. Esse processo durava cerca de trinta e cinco ou quarenta segundos. Menos, se possível.

Mas, ao olhar para o quarto imaculado e vazio, ele se lembrou de quando Jen vinha ali e deitava na cama com a irmã mais nova, ficando de conchinha com ela. As duas sempre riam muito quando estavam juntas. Às vezes Jen pintava as unhas dos pés de Lauren.

Jen foi até a árvore diante da janela e acariciou de leve uma folha. "Ah, Lauren", ela falou, com a respiração trêmula. As lágrimas começaram a cair de novo. Ambos ficaram olhando para a árvore. Para a terra. Para a terra e uma arvorezinha mirrada que parecia um graveto com sete folhas. Isso era tudo o que restava dela.

*Fala alguma coisa. Alguma coisa simpática, pelo amor de Deus.* "Você era a heroína dela, Jen", ele disse e, milagrosamente, foi a coisa certa. Jen o abraçou com força, estremecendo de tanto chorar.

"Eu não tenho mais uma palavra que me defina", ela respondeu. "Eu era uma irmã desde os meus cinco anos. Agora a minha irmã se foi. O que restou de mim?" Seu choro se tornou copioso.

O luto acabaria em algum momento? Eles — e isso envolvia todas as pessoas que amavam Lauren — voltariam a ser felizes de novo? Não parecia possível.

Darius enfiou a cabeça para dentro do quarto. "Ah, querida", ele disse, e Josh meio que passou Jen para o marido. Era melhor ele sair? Era, sim. Apesar de ser seu quarto. Pedrita estava na cama, mas tudo bem. Josh precisava sair daquele quarto antes que acabasse desmoronando.

Ele foi para o lavabo e respirou fundo algumas vezes. Nunca mais seria preciso repetir aquela noite. *É só aguentar firme,* ele disse a si mesmo, mas sua compostura, que não era das melhores, já estava indo pro saco.

*Tenta parecer normal, seu bobão.* A voz de Lauren ressoou na sua mente.

Ele assentiu. Jogou água no rosto. Se olhou no espelho.

Era o rosto inconfundível de um solitário. Lauren sempre dizia que ele era um cara bonito e, de fato, as mulheres sempre o cercavam ou prestavam atenção nele (Charlotte Atrevida estava lá como uma prova disso). Ele conseguia ver os traços de sua mãe — a estrutura facial marcante e os olhos mais afastados. Mas os de sua mãe eram azuis, e os dele, castanhos. Como os do homem que participou de sua concepção, Josh supôs. Quem quer que fosse.

Na cozinha, Sarah estava cortando cenouras e salsão, e tinha encontrado um pouco de homus. Não era nada muito glamouroso, mas também não era nada mau. Ken estava inclinado sobre o balcão, ajeitando os legumes em uma bandeja.

Porra. Josh precisava puxar conversa, não?

"Então, Ken", ele começou. "Você trabalha com o quê?"

"No departamento de vendas de uma empresa de nutrição."

"Legal. E, hã, e você e a Sarah se conheceram como?"

"De aplicativo, não é, querida?"

"Está meio cedo para esse lance de *querida*, não?", Sarah perguntou, sem se alterar.

"Desculpa!", Ken falou. "Eu estou indo meio depressa demais. Porque ela é incrível, né? Josh, posso perguntar quanto você pagou neste lugar aqui? Estou procurando um apartamento novo."

Josh *detestava* falar sobre dinheiro. "Hã, bom, foi alguns anos atrás, então era outro mercado."

"Eu entendo, Josh, eu entendo. Meio milhão, mais ou menos?"

"Por aí."

"Tem mais algum apartamento vago no prédio?"

*Minha nossa. Nem pensa em mudar para cá.* Ele não queria ter que conversar com ninguém. Charlotte Atrevida já bastava. "Quase todos os apartamentos são de um ou dois quartos. Nós pegamos o único de três porque, bom, eu trabalho de casa, então uso um dos quartos." Seu escritório, como Lauren dizia. Era mais elegante, segundo ela.

Eles já tinham transado ali. Mais de uma vez. Seu casamento era mesmo tão feliz quanto ele se lembrava? Ou quanto parecia? Duas pessoas poderiam mesmo ser tão perfeitas uma para a outra?

"Desculpa, o que você disse?" Ele percebeu que tinha perdido uma parte da conversa.

"Não se preocupa, Josh, não se preocupa. Você ainda está se recuperando. Eu entendo, cara. Não é fácil. Isso leva tempo." Ken deu um gole no vinho.

"Você também já perdeu alguém?", Sarah perguntou, levantando os olhos da tábua de corte. Josh estava pensando a mesma coisa.

"Não. Na verdade, não. Até agora, eu tive essa sorte. É que eu... bom, as pessoas dizem que tenho compaixão. Inclusive, um dos motivos para eu ter gostado tanto de Sarah foi porque ela me contou um monte de coisas sobre Lauren, e deu para sentir a intensidade do vínculo entre as duas. Isso foi... isso mexeu bastante comigo."

Os dois sorriram um para o outro, e Ken se virou de novo para ele. "E você, Josh, trabalha com o quê?"

"Sou engenheiro de dispositivos médico-hospitalares", ele respondeu. Sarah se movia sem parar pela cozinha, abrindo gavetas, pegando a colher de servir. Ela sabia onde ficava tudo, estava se sentindo em casa. Isso o irritou um pouco, apesar de saber que ela só conhecia bem sua cozinha porque passou um bom tempo por lá ajudando. Mas não era *justo*. Por que Lauren teve que morrer? Por que justamente Lauren? Ele enfiaria uma faca no coração de Sarah sem pensar duas vezes se isso trouxesse sua mulher de volta.

"Legal", respondeu Ken, e Josh não soube mais o que dizer.

"Ele está sendo modesto", Sarah comentou com um sorriso. "Josh é grande no ramo. Ele já vendeu... o quê, doze patentes? E cinco delas já estão no mercado, é isso?"

"Nove. Foram nove patentes, e cinco já estão no mercado."

"Então esse é um ramo bem lucrativo, hein, Josh?"

Era impressão sua ou Ken estava repetindo seu nome sem parar? Talvez fosse uma coisa normal que as pessoas fizessem, um método para não esquecer o nome dos outros. "Com certeza. Quer dizer, por enquanto, sim. Hã... acho que preciso terminar de preparar o prato."

Levaria *horas* para ter o apartamento só para ele mesmo de novo. Uma eternidade. Ele pegou uma panela para o arroz e começou a ferver a água.

*Isso é dureza, Lauren*, ele pensou. *Eu queria poder ligar para você mais tarde e contar o tamanho do fracasso que foi, mas você foi incrivelmente rude e morreu*. Sentiu um nó na garganta ao se lembrar das últimas horas dela. Não. De jeito nenhum. Ele não reviveria esse momento. Nunca.

Esse pensamento o fez relaxar, ainda que só um pouco. Ele deixaria de lado aquele dia. Era melhor assim. Era bem melhor pensar em seu sorriso, sua risada, suas sardas, seus olhos.

*Eu sinto demais a sua falta. Demais. Demais.*

Darius e Jen voltaram do quarto, graças a Deus, e foram sentar com Ken na sala de estar. Ken perguntou a Darius o que ele fazia da vida, o quanto viajava, onde eles moravam. Era esquisito demais ter um desconhecido ali, mas a conversa servia como uma espécie de ruído branco, e Josh se sentiu grato por ninguém estar perguntando nada para ele naquele momento. Sarah pôs a mesa, enquanto Jen ficou sentada com Pedrita no sofá, olhando pela janela e enxugando as lágrimas de tempos em tempos.

Josh fritou o frango, pôs para escorrer e esquentou o molho que havia preparado antes. Merda. Ele tinha pensado em grelhar o brócolis na churrasqueira do telhado. Não. Era muito trabalho, e ele nem sabia se a grelha estava limpa... na última vez que usou, foi para queimar suas roupas. Brócolis no vapor já estava ótimo. Darius foi até a cozinha e abriu outra garrafa de vinho — todo mundo estava bebendo, menos Josh — e voltou para a sala de estar.

"É engraçado isso de você não beber nada de nada", Lauren tinha comentado uma vez. "A maioria das pessoas no mínimo experimentou alguma coisa alcoólica."

"Não vejo nenhum motivo para fazer isso", foi sua resposta. Era o segundo encontro deles. Ela o encarou como se fosse um enigma interessantíssimo, com as sobrancelhas franzidas e um leve sorriso nos lábios, e ele sorriu de volta, o estômago se revirando por causa da atração que sentia e uma sensação estranha... a de que seu lugar era ao lado dela. De que eles tinham sido *feitos um para o outro*. De que aquela universitária tão clichê que ele havia conhecido alguns anos antes tinha virado... algo mais. Mais profundo. Mais sábio.

E talvez ele enfim estivesse começando a deixar de viver só dentro de sua cabeça. Josh não se divertia muito na época de estudante, concentradíssimo que estava em ser produtivo, em fazer alguma diferença, em ser alguém que tinha importância, apesar de ter um pai que nunca quis nem saber o seu nome. Não havia espaço em sua mente para mais ninguém.

Mas, naquela noite, olhando para ela, para aqueles olhos bonitos cor de conhaque, sentindo que seu lugar na verdade era ao lado dela, Josh concluiu que no fim havia espaço de sobra dentro dele.

Um cheiro pungente interrompeu suas lembranças.

Porra. O molho estava queimando. Ele tirou a panela do fogão e começou a agitar um pano de prato para o detector de fumaça não disparar. Sarah levantou do sofá e veio correndo ajudar, mas o alarme tocou mesmo assim, anunciando sua falha em volume máximo. Darius e Ken abriram as janelas, e Jen, a porta. Pedrita começou a correr em círculos, latindo para o barulho que fazia seus ouvidos doerem.

Depois de uma eternidade, o alarme parou. Os ouvidos de Josh estavam zumbindo. O molho estava chamuscado, mas ainda líquido.

"Tudo bem", Sarah falou. "Tipo, quem não gosta de um chamuscadinho? Sério mesmo, o cheiro está até mais gostoso."

Ela era mesmo uma ótima pessoa. "Obrigado, Sarah."

Ela baixou o tom de voz. "Aguenta firme, amigo. A gente não vai ficar muito tempo, não."

Ele a encarou, surpreso por ela estar lendo sua mente. "Está tão na cara assim?"

"Pois é."

"Desculpa. O Ken é um cara legal, aliás."

"É mesmo. Bem... animado. Não *nesse* sentido. Quer dizer, talvez sim. Eu não sei. Nós ainda não... Acho melhor eu parar de falar."

Ele quase sorriu. "Por que você não traz as pessoas para a mesa?", ele pediu, e foi isso que ela fez. Ele pôs o frango sobre o arroz, despejou o molho chamuscado por cima. Tinha feito um pouco demais, e vazou um tanto pelas beiradas da travessa. Acrescentou um pouco de gergelim. Lauren adorava aquele prato.

Merda. O brócolis ainda estava no fogão. Quando foi verificar, percebeu que tinham cozinhado demais e que estavam com um tom verde nada atraente. Ele experimentou com um garfo; virou uma papa na sua boca.

Então veio o barulho de algo caindo e quebrando.

"Pedrita!", Jen exclamou. Sim, a cachorra estava comendo o *dakgangjeong* do chão. Devorando tudo, sem parar nem para respirar.

"Pedrita! Não!", Josh falou, mas ela simplesmente balançou o rabo e continuou mandando ver.

"Cachorra feia", Darius repreendeu, e a voz grave dele a assustou. Ela o olhou, pegou um último bocado e saiu para o corredor, deixando uma trilha de arroz e molho atrás de si, com o focinho e as patas cobertos de vermelho, como se tivesse acabado de devorar um filhote de antílope.

Aquela coisa era bem pegajosa. A porta do quarto estava aberta? Sim, estava. Que inferno. A cachorra iria emporcalhar o quarto de Lauren, e era tudo culpa dele. Josh saiu correndo até lá. O molho apimentado estava incomodando Pedrita, que esfregava o focinho no tapete branco felpudo que Lauren adorava. Marcas preto-avermelhadas de patas já tinham manchado o edredom branquíssimo. O quarto estava parecendo uma cena de crime. "Pedrita!", ele gritou, alto até demais. "Que feio!"

Ela abaixou a cabeça, e isso partiu seu coração. Aquela era a cachorra de Lauren. A companheira dela.

"Desculpa", ele disse, fechando a porta para ela não emporcalhar o restante da casa. "Você é linda. Uma menina muito boazinha." Ela abanou o rabo, e em seguida vomitou. "Ah, querida. Desculpa."

Pedrita veio até seus joelhos, e ele acariciou sua cabeça melecada. Então foi até o banheiro, pegou umas toalhas e a limpou como pôde antes de fechá-la no quarto de hóspedes. Ele poderia arrumar a bagunça quando todo mundo fosse embora.

Com um suspiro, voltou para a cozinha. Sarah estava limpando o molho queimado que havia espirrado na lateral da ilha. "Ken, pega o frasco de limpa-vidro debaixo da pia para mim", ela pediu. Darius estava mexendo no celular, e Jen, apoiada na bancada, observava a cena.

A travessa quebrada tinha sido um presente do chefe de Lauren. Era italiana, lembrou Josh.

"Acho que ainda dá para comer", Ken falou, olhando para aquela bagunça em cima da travessa quebrada. "Sobrou bastante coisa."

"Não, não dá", Jen respondeu, com a taça de vinho na mão. "A cachorra acabou de enfiar a cara aí, tem pedaços de porcelana no meio, e está no *chão*, onde todo mundo estava pisando. Então... não vai dar para comer, Ken."

"Pois é, não mesmo", Ken falou. "É que... é uma pena mesmo, tudo isso, Josh. Mas valeu pela tentativa, cara."

"Acho melhor irmos embora", Jen disse.

*Sim, vão embora*, ele pensou. Mas nesse caso ele teria que fazer isso outra noite, se quisesse seguir as instruções deixadas por Lauren. Ela achava que ele precisava fazer isso; então ele faria.

"Por favor, fiquem", ele disse. "Vou pedir alguma coisa. Não vão embora ainda." Ele olhou para Sarah, que assentiu. Ainda não tinha contado sobre o conteúdo das cartas de Lauren. Mas talvez Lauren tivesse. De qualquer forma, eles estavam todos lá, então era melhor seguir com o maldito plano, ora.

"Deixa comigo", Darius avisou, mostrando o celular. "Todo mundo topa uma pizza?"

"Quanto mais rápido chegar, melhor", Jen falou.

Quarenta minutos depois, com a bagunça da cozinha limpa e algumas tentativas malsucedidas de puxar conversa — e de Ken desistir de colar a travessa de volta, a pizza chegou. Josh sentou, se sentindo exausto, e tomou um gole de água.

Eles comeram. A pizza estava péssima, e todo mundo mastigou com cara de descontentamento. Jen não parava de coçar o braço. Seu rosto estava todo vermelho, mas ela continuou bebendo vinho. Dava para entender, não? Sarah havia se oferecido para fazer uma salada, mas ele não tinha nem alface, e o resto das coisas foram usadas para os tira-gostos. Ele serviu o brócolis molenga, e viu que Darius até teve um calafrio quando provou.

Alguém mencionou que a nova temporada de beisebol havia começado e que os Red Sox já tinham perdido dois terços dos jogos até ali. O que era bem típico.

"Querem ouvir uma coisa curiosa?", Ken falou, e Josh teve um leve sobressalto. "Meu nome de verdade é Kenobi. Meus pais são loucos por *Star Wars*."

"Porra, isso deve ser um puta de um peso na sua vida, não?", Jen comentou, e Darius deixou sutilmente a taça de vinho alguns centímetros mais longe dela. "Seu irmão chama Darth Vader?"

"Não, mas a minha irmã é a Leia."

"Você não deveria ser o Luke, então?", Jen questionou.

"O cachorro é o Luke. Era. Ele morreu há um tempão."

Houve um silêncio desconfortável. "*Star Wars* é um ótimo filme", Josh comentou.

"*Me ajuda, Obi-Wan Kenobi*", Sarah disse. "*Você é a minha única esperança.*"

Ken(obi) sorriu. "Eu *vou* te ajudar", ele disse. "Vou ajudar com certeza, Sarah. Todo mundo, na verdade. Jen. Darius. Josh. Inclusive, agora que terminamos de comer, eu tenho uma coisa para mostrar para vocês."

"Ah, é?", Sarah perguntou.

"É! Vamos lá para a sala." Ele levantou, foi até a bolsa de carteiro, que estava perto da porta, e sacou um notebook.

"É melhor irmos embora", Jen falou. "Temos filhos para cuidar. E eles *não* têm nome de personagens de *Star Wars*. Mas quem sabe da próxima vez, né, Dar? Um pequeno Lando Calrissian? Um bebê Kylo Ren?"

"Calma, querida, pega leve", Darius falou, segurando o riso. "Nós podemos ficar um pouco mais."

"Tá", Jen murmurou, mas não muito baixo. "Não podemos deixar Josh sozinho com esse esquisitão mesmo."

Josh se sentiu grato por isso.

"Vai ser bem rapidinho", disse Obi-Wan Kenobi. "Prometo que vocês vão adorar."

Ele ia mostrar vídeos de gatinhos? O que... Josh olhou para Sarah, que deu de ombros e fez uma careta.

"Então, vocês devem estar pensando: 'Ken, o que *você* pode fazer por mim?'."

"Ensinar a usar a Força?", Jen perguntou, rindo pelo nariz.

Ken não se deixou abalar. "E eu entendo o motivo da pergunta. Então, o negócio é o seguinte. Darius, meu irmão..."

"Não. Sem essa de irmão", Darius interrompeu.

"Ah, sim! Claro! Darius, você parece ser um cara que malha bastante. Certo? Disse que jogou futebol americano na Carolina do Norte. Um baita time, meu ir... hã, meu camarada! Mas você não anda se sentindo cansado ultimamente?"

"Não", disse Darius. "Não mesmo."

"Ken, acho que não é hora para isso", disse Sarah. "Na verdade, tenho *certeza*. E nem sei o que você está fazendo."

"Como eu falei antes, são cinco minutos que vão mudar a sua vida." Ken apertou um botão no teclado, e uma logomarca surgiu na tela: *VitaKetoMaxo*, com letras vibrantes, além de imagens de pessoas em ótima forma física atrás. Andando de bicicleta, levantando pesos, correndo, saltando.

"VitaKetoMaxo é mais que um shake de proteína", Ken continuou, com uma voz ritmada.

"Para com isso", Sarah falou entre os dentes cerrados. Estava irritada, Josh deduziu. Era interessante, ver o rosto dela todo vermelho daquele jeito.

"É um estilo de vida", Ken continuou. Ele clicou um botão, e mais pessoas saradas apareceram na tela, bebendo de umas garrafas verdes.

"Meu Deus, você está tentando *vender* coisas pra gente?", Jen perguntou, percebendo um pouco mais tarde do que se esperaria. Ela não parava de coçar o braço. "Cara. Para com essa porra." Ela pegou a taça de vinho, bebeu o restante e entregou para Darius. "Querido, você me serve um pouco mais?"

"Você não acha que já bebeu o suficiente, amor?"

"Não. *Amor*."

"Nesse caso, sim, minha rainha." Darius levantou e pegou a garrafa.

"Vocês podem até *achar* que estou tentando vender alguma coisa", Ken continuou. "Mas não estou. Estou tentando *proporcionar* uma coisa para vocês. Uma nova forma de encarar o mundo."

"Tipo, da sala de comando da Estrela da Morte?", Jen falou. "Obi-Wan, você vai explodir nosso planeta?"

"Só para constar, o *verdadeiro* Obi-Wan Kenobi jamais faria isso", Josh comentou. *Star Wars* tinha sido muito importante para ele na adolescência e merecia sua lealdade.

"Pelo amor de Deus, Ken", Sarah falou. "Você está mesmo tentando nos vender um shake de proteína, né?"

Ken estava empolgadíssimo com seu discurso, e sua pele branca foi adquirindo um tom rosado. "Poxa, querida, é muito mais que isso!"

"Pensei que já tivéssemos concordado em não usar *querida*."

"Você sabe por que nós estamos aqui, Obi-Wan?", Jen questionou. "Porque a minha *irmã*, morreu. A *esposa* do Josh. Nós estamos vivendo a porra de um luto, entendeu?"

Para ser sincero, Josh estava gostando da demonstração. Era melhor do que ficar pensando na solidão. Na tela do computador, pessoas viravam estrelinhas em um gramado. "Explica isso melhor, Ken", ele falou, o que lhe rendeu um olhar desolado de Sarah.

"Valeu, Joshua, meu camarada! É um estilo de vida. É a chance que você estava esperando. A oportunidade de criar uma nova vida com tudo o que há de bom."

"Estou com coceira", Jen disse. "Alguém mais está com coceira?"

"Acho melhor ir embora mesmo", Darius falou. "Você está meio vermelha."

"Eu já falei, nós não podemos deixar o Josh sozinho com esse esquisitão!", Jen esbravejou. "Você sabe que ele é educado demais para colocar esse babaca para fora daqui. Sarah, desculpa, mas controla o seu amigo."

Sarah tentou fechar o notebook, mas Ken o puxou de volta.

"Ken, você está me fazendo passar vergonha", ela disse em um tom firme. "Bom, na verdade quem está passando vergonha é você, mas está sobrando para mim também."

"Querida! Escuta. Tem gente que diz que o VitaKetoMaxo é um esquema de pirâmide, mas na verdade tem uma estrutura bem diferente." Um clique no botão e surgiu um diagrama de um esquema de pirâmide. "Vejam só, eu vou ser seu distribuidor, e vocês vão vender... bom, na verdade, vão *dar* aos seus amigos uma vida melhor. Uma parte do dinheiro fluiria para mim para ser reinvestido..."

"Quer saber, amor?", Jen falou. "Acho que você tem razão." Ela estendeu os braços. "São brotoejas aqui?" De fato, havia manchas vermelhas espalhadas pela pele dela. "Que merda. Deve ser uma reação alérgica. O que tinha na pizza?"

"Nada que você não tenha comido um milhão de vezes", Darius falou.

"E de onde era?"

"Daquele lugar meio estranho aqui na rua."

Jen jogou a cabeça para trás no sofá. Darius olhou para Josh.

"Você tem Epi-Pen aqui, né? Só para garantir?"

Josh assentiu. "E Benadryl também." Lauren tomava tantos remédios que a médica tinha prescrito epinefrina autoinjetável por precaução, para o caso de uma reação alérgica, já que o fechamento das vias aéreas era a última coisa que eles poderiam querer.

Ken viu essa situação como a brecha perfeita para continuar falando. "Foi interessante você ter mencionado alergias alimentares, Jen... ou Jenny, se me permite."

"Não permito."

Josh sentiu o riso começar a se acumular dentro dele.

"Então, Jen, se você tomasse VitaKetoMaxo, *nunca* teria problema com brotoejas. Nunca mesmo. As alergias alimentares iam deixar de ser problema. *Além* de curar as alergias alimentares, o VitaKetoMaxo também elimina a necessidade de tomar vacinas."

"Ai, meu Deus", Sarah falou, fechando os olhos.

"Você tem dados científicos para embasar isso?", Josh perguntou. "De três fontes confiáveis, por favor."

Ken não parou de falar. "Está provado que os usuários do VitaKetoMaxo têm uma vida mais longa e saudável." Ele se virou para Josh, arregalando os olhos azuis. "Inclusive, acho que, se a sua mulher tivesse usado o VitaKetoMaxo, ela jamais teria..."

Josh deve ter pulado do sofá nesse momento, porque pegou Obi-Wan Kenobi pelo pescoço fino e comprido e estava arrastando o homem até a porta, e tudo o que via diante de seus olhos parecia vermelho. "Fora da porra da minha casa", ele vociferou, abrindo a porta e o empurrando para fora. Josh voltou, enfiou o notebook na bolsa de Ken e a jogou no corredor, antes de bater a porta.

*Um pequeno jabuti xereta. Um pequeno jabuti xereta viu dez cegonhas felizes.*

A névoa vermelha começou a evaporar. O coração de Josh estava disparado.

Os outros três estavam em silêncio.

"Eu sinto muito, muito mesmo", Sarah disse por fim. "Eu não fazia ideia."

"Mas eu estou com brotoejas mesmo", Jen comentou.

"Pode ter sido o excesso de vinho, amor", Darius disse.

"O Benadryl está no banheiro", avisou Josh. Ele olhou ao redor. "Mas, fora a cachorra ter comido nosso jantar, as brotoejas da Jen, a pizza vagabunda e a conversa de vendedor picareta, está todo mundo se divertindo?"

Darius caiu na risada, e depois Jen, e então Sarah.

Josh percebeu que estava quase sorrindo. Tinha esquecido que conseguia fazer as pessoas rirem de vez em quando. No instante seguinte, conseguiu abrir um sorriso. E no outro, até deu uma risada, meio enferrujada, por falta de prática.

Sua primeira risada desde a morte de Lauren.

# 9

## LAUREN

*Onze meses restantes*
13 DE MARÇO

Papai,

Fui parar no hospital de novo. Argh. E antes do meu segundo aniversário de casamento também. Foram só três dias dessa vez, mas a essa altura já conheço toda a equipe de lá. Tive uma pneumonia, o que não é nada bom.

Aqui vai um segredo de quem entende do assunto: ficar doente é uma chatice. Viver doente é uma chatice, falar sobre doença é uma chatice e ouvir sobre doença é uma chatice, mas mesmo assim todo mundo pergunta. Todo mundo mesmo. "Uma moça bonita como você, internada aqui?", o cara que tirou meu raio X do tórax falou. "O que aconteceu, querida?"

Então eu contei, da mesma forma que falo para todo mundo. Eu virei uma porta-voz da pesquisa da fibrose pulmonar idiopática, uma fonte de informações sobre a doença e os tratamentos. E também tem as outras pessoas doentes com quem eu convivo. A maioria é de gente mais velha, e acho que acabo servindo de consolo para elas. "Pelo menos eu tenho oitenta anos! A coitada dessa moça não tem nem trinta!"

A pior parte é ver crianças doentes. Se eu pudesse doar o tempo que tenho para elas, era isso o que faria, pai. Sem pensar duas vezes.

Desculpa por estar tão negativa hoje. Acho que estou meio para baixo.

Estou com saudade, meu velho.

Lauren

\* \* \*

"Nós deveríamos tirar umas férias", Lauren disse. Ela estava com coceira e arranhões, ainda irritada por ter precisado ir ao hospital de novo. "Talvez para algum lugar quente e tropical, já que não fizemos nada no nosso aniversário."

"Poderíamos voltar para o Havaí", Josh sugeriu. "Pegar aquela mesma casa."

A lua de mel deles parecia *tão* distante. Aquele tempo sem preocupações, quando ela achava que um inalador poderia curá-la, e eles discutiam os nomes dos filhos, e aprenderam a mergulhar, e combinaram de voltar a Kauai no aniversário de vinte e cinco anos para renovar os votos.

Ela não queria contaminar aquele belo lugar com a sua doença.

"Vamos para um lugar diferente", ela disse, animada. "Caribe, talvez? Nunca fui para lá. E o voo é bem mais curto."

"O que você quiser, amor." Ele apertou a mão dela, e ela retribuiu o gesto. Sortuda. Ela era tão sortuda.

*Essa é minha garota*, ela quase podia ouvir o pai falar. *Essa é minha garota.*


A diferença entre a viagem para o Havaí e para as ilhas Turcas e Caicos foi o cilindro de oxigênio. No Havaí, eles eram um lindo e jovem casal em lua de mel; aqui, era o Casal Trágico. Ah, os olhares, ou a prestatividade excessiva e, sim, até as lágrimas que a simples visão dela provocava! Tão jovem! Tão bonita! Que horror, que tristeza etc.

Josh tinha escolhido um resort maravilhoso, com caminhos com calçamento de pedra e jardins tropicais, um spa e restaurantes cinco estrelas. O céu era inacreditavelmente azul, e a água turquesa era tão límpida que eles podiam ver uma tartaruga nadando no mar a uns quinze metros de distância. A suíte do hotel tinha uma sala de jantar, uma varanda coberta e uma banheira enorme. Mas era preciso começar do início — fazer um bom uso da cama, e Lauren não estava falando de tirar um cochilo.

Eles caminharam devagar pela praia mais tarde, com o vestido cor-de-rosa de verão dela esvoaçando e um chapéu de palha na cabeça — as ruivas não se davam bem com o sol. O cilindro de oxigênio estava numa bolsa de couro e, olhando de longe, nem daria para ver a cânula de plástico em seu nariz.

Por um tempo, nem ela mesma percebeu. Sua percepção estava dominada pela sensação da areia macia e do sol quente, da mão do marido na sua, dos brincos roçando em seus ombros. Ela ouvia os pássaros e pensava em conseguir uma sessão de mergulho no dia seguinte.

Naquela noite, eles escolheram um restaurante dentro do resort. Havia um terraço imenso com várias mesas, com velas e flores por toda parte. Eles pegaram uma mesa com vista para o jardim e o mar mais adiante, e ignoraram os olhares que expressavam pena e encorajamento ao mesmo tempo, como quem diz: *Muito bem, não está deixando de se alimentar mesmo doente! Você é tão corajosa!*

Pfff.

Eles estavam comendo as entradas quando um garçom se aproximou. "Um casal gostaria de pagar o jantar de vocês", ele murmurou. Ela e Josh trocaram olhares perplexos.

Ah, sim. Bem ali, havia um casal mais velho acenando discretamente.

"Não", respondeu Josh.

"É muita gentileza, mas, não, obrigada", complementou Lauren.

"Eles fazem questão."

"É um gesto muito atencioso, mas não mesmo", Lauren disse. Ela olhou para o casal e sacudiu a cabeça com firmeza.

O garçom fez uma careta. "Eles disseram que não aceitariam um não como resposta."

"Diga para eles doarem o dinheiro para uma associação de veteranos de guerra ou uma entidade beneficente que alimenta crianças famintas", sugeriu Lauren.

"Eles disseram que você está sendo muito corajosa..."

"Não!", Josh exclamou, levantando da cadeira. "Que saco, eu mesmo posso pagar o jantar da minha mulher!" Ele se virou para o casal, cujas expressões foram tomadas pelo choque. "Enfiem essa piedade de vocês no cu!"

"Querido!", ela disse, levantando também.

"Não. Cuidem da sua vida, caralho!", ele gritou, com um tom hostil. "Nós não precisamos do seu dinheiro. Não somos uma fundação de caridade!"

"Senhor", disse o garçom. "Por favor, me desculpe."

"A culpa não é sua", Lauren disse, pondo a mão sobre o braço de Josh. "Joshua. Vamos sentar, querido."

"Não! Nós não somos animais num zoológico, entenderam? Nós só viemos aqui para jantar e queremos ser deixados em paz, porra!"

Aquela raiva... era uma coisa tão incomum, tão diferente do comportamento natural dele. O coração dela estava disparado e, se não tomasse cuidado, Lauren poderia cair no choro, o que não ajudaria em nada. Todo mundo estava olhando para os dois. "Nós podemos cancelar o restante do pedido?", ela perguntou, e o garçom balançou a cabeça e tratou de se afastar. "Josh. Vem. Vamos embora daqui."

Tenso de raiva, ele se deixou conduzir pelo braço, e eles voltaram para a suíte. Ele foi dando passadas largas, e ela ficou sem fôlego nos primeiros dez metros. "Certo, já chega", ela falou, irritada. "Não consigo te acompanhar desse jeito. Dá para ir mais devagar?"

Ele deteve o passo. "Porra, quem eles pensam que são para..."

"Josh! Para com isso! Eles estavam tentando fazer uma gentileza, mais nada."

"Não interessa."

Ele não estava irritado com a oferta. Estava furioso porque... ela estava doente. Porque a vida não era justa. E Josh não lidava bem com a raiva. Era um sentimento que o deixava atordoado, confuso, que o consumia por dentro.

"Querido, acho melhor você sair para andar ou correr um pouco. Sei que está chateado. Então... vai gastar essa energia. Eu vou até o bar para comer e ficar lendo, e nos vemos quando... isso passar."

"Tá." Ele saiu pisando duro, e Lauren voltou para o restaurante, pediu desculpas ao garçom, deu uma bela gorjeta para ele e foi até o bar, onde despencou sobre o banco de uma mesa, cansada e aflita, tentando não chorar.

Não estava brava com ele. Estava de *coração partido* por ele. Aquelas pessoas tocaram em uma ferida aberta ao dar atenção a eles, e tudo o que

Josh queria era passar um tempo com ela como um casal normal e apaixonado, curtindo a companhia um do outro.

Não um casal com uma bomba-relógio nas mãos. Não um casal em que um deles seria deixado sozinho.

Como ela pôde fazer isso com eles? E como poderia ajudar seu lindo e solitário marido? O que aconteceria com ele? Josh já tinha lhe dito que ela era seu primeiro amor. "O primeiro e único", foram as palavras dele. Mas, fosse em um ano ou em dez, ele ficaria viúvo. Ficar sozinho por opção própria era uma coisa. Já sua morte... isso poderia acabar com ele. Ela poderia arruinar a pessoa que mais amava no mundo.

Lauren voltou para a suíte vazia e se preparou para dormir. Estava sentindo saudade de Pedrita. E de Josh. E de sua irmã. A claraboia acima da cama proporcionava a visão de um céu vasto e estrelado, e as lágrimas escorreram dos seus olhos para o travesseiro.

Mas dormir não era uma questão de escolha, e sim de necessidade, e a cama era enorme e branquinha e fresca, e em questão de minutos ela pegou no sono.

Mais tarde, acordou com Josh deitando na cama. Ele a envolveu nos braços e a beijou na testa. "Desculpa", sussurrou.

"Tudo bem."

"Mandei umas flores para aquele casal", ele contou. "E um vale-presente do spa."

Ela sorriu com o rosto colado ao peito dele. "Você pediu desculpas?"

"Pedi. Em um bilhete."

Ela o beijou. "Você é um cara legal, Joshua Park."

"Sou um idiota."

"Não. Você tem o direito de ficar chateado."

"Eu te amo." A voz dele estava embargada.

"Eu sei, querido. Eu sei."

As estrelas brilhavam com força no céu, com tanta intensidade que aquela noite sem luar parecia uma mensagem para os dois. Ela o beijou de novo, com mais vontade, de repente sentindo seu desejo se acender, e puxou a camiseta dele. Seu lindo Josh. Ele segurou seu rosto entre as mãos e a beijou de volta, e naquela noite os dois se sentiram mais apaixonados do que nunca, desesperados um pelo outro, sentindo que se completavam, com o coração disparado, as bocas se procurando e se encontrando, os corpos unidos no abrigo da cama.

Ele dormiu depois, exaurido pelo raro episódio de raiva e pelo amor que fizeram.

De repente, ela sabia exatamente o que fazer. Como cuidar de Josh depois que não estivesse mais ali. Da forma mais silenciosa que pôde, saiu da cama e pegou seu caderno.


Havia algumas coisas que ela queria fazer naquela breve viagem. Mergulhar e nadar naquelas águas transparentes. Andar a cavalo. Dormir em uma rede amarrada a duas árvores. Ver um filme pornô. Ora! "Seleções Adultas" era parte do pacote de tv a cabo da suíte, e ela nunca tinha visto um antes. *Clitóris e bang-bang* parecia promissor, apesar do título cafona.

Josh providenciou tudo. Montou a rede no jardinzinho que levava à praia. Uma sombra, vasos com flores tropicais, uma garrafa de champanhe. "Minha rainha", ele disse. "Um cochilo na praia espera por você."

"Ah! Que maravilha! Um sonho realizado", ela disse.

Lauren deitou na rede, e Josh posicionou o cilindro de oxigênio ao seu lado e ajustou a cânula. Em seguida a cobriu com a uma manta leve porque, apesar da temperatura de vinte e cinco graus, ela sentia frio com muita facilidade. Então sentou no gramado ao lado dela, olhando para o mar azul e tranquilo. Ela estendeu a mão e acariciou seu cabelo, que reluzia sob o sol. "Eu nunca imaginei que poderia ser tão amada", ela comentou.

Ele abaixou o olhar para a grama, e então se virou para ela, com os olhos escuros e acesos marejados de lágrimas. "Eu digo o mesmo", murmurou. "Eu digo o mesmo. E nunca se sabe. Eu posso morrer primeiro. Atropelado por um ônibus."

"É só olhar para os dois lados, bobão. O mundo precisa de você. Além disso, quando você ficar viúvo, talvez a Beyoncé esteja solteira."

"Eu troco um milhão de dias com a Beyoncé por uma hora com você."

"Ah, qual é. Que mentira. Até *eu* escolheria a Beyoncé sem pensar duas vezes." Ela acariciou o contorno da orelha dele com o dedo. "Você casou com uma mulher com uma doença terminal. Nossa vida é uma tragédia."

"E depois você ainda fala que o bobo sou eu."

Ela deu uma risadinha. "Ah, enfim. Como é que dizia aquele cartão da Debi Escrota? 'O importante não é contar os dias; é fazer cada dia contar'."

"Nossa, assim meu ouvido vai sangrar."

"O meu também. Vamos parar de falar sobre morte. Está um dia lindo. Me desculpa por estar tão sentimental hoje. Não sei qual é o meu problema."

"Você tem uma doença pulmonar grave."

"Ah, sim, eu tinha esquecido."

Ele voltou a encará-la, com os olhos cheios de lágrimas. "Eu te amo com todo o meu coração, Lauren Park."

"Eu te amo com todo o meu pâncreas."

"Eu te amo com os dois rins", ele falou, com um leve sorriso.

"Eu te amo com todo o meu fígado. E o fígado é um órgão muito importante, como você bem sabe."

"Vai dormir, amor. Eu tenho planos para você mais tarde, que incluem um certo carro mágico que por algum motivo é capaz de induzir orgasmos."

"Ai, meu Deus." Ela pegou no sono ainda sorrindo.

Ela dormiu. E, quando acordou, eles voltaram para o quarto enorme, tiraram a roupa e ligaram o filme pornô. Um entregador da UPS apareceu na tela, batendo na porta de uma mulher usando uma calcinha vermelha, corações vermelhos colados nos seios e uma vassoura na mão.

"Que foi?", Lauren perguntou. "É isso o que eu uso quando faço faxina também!"

"E qual é o lance da UPS?", Josh questionou. "Esse pessoal não sabe o que os seus motoristas andam aprontando por aí? E cadê o carro mágico? O título meio que prometia um."

Eles só aguentaram mais quatro minutos antes que os risos tornassem impossível continuar assistindo. Mas pelo menos o propósito da coisa foi cumprido — eles fizeram amor depois, com carinho e muitas risadas e sorrisos.

Na penúltima noite de viagem, eles sentaram no sofá do pátio, ele a envolvendo nos braços e as costas dela em seu peito, para ver o sol se pôr entre as nuvens alaranjadas. Quando o sol desapareceu no mar, a água assumiu um tom azul-cobalto, e as nuvens, uma cor purpúrea e rosada antes de ficarem cinza. Garças, maçaricos e pelicanos grasnavam à beira-mar, e as estrelas apareceram, uma a uma, se tornando mais brilhantes à medida que o sol ganhava uma coloração índigo.

Se ela pudesse escolher um lugar para morrer, seria aquele. Um último suspiro leve e suave, e depois mais nada.

Infelizmente, quanto a isso, a maior probabilidade não era essa. Lauren tinha procurado vídeos no Google. E visto documentários. Morrer de privação de oxigênio não era nada tranquilo.

Ela se ajeitou melhor e puxou o cobertor para mais perto dos ombros. "Josh, nós precisamos conversar sobre uma cosia."

Ele ficou bem sério. "O quê?", perguntou, mas ficou claro que ele sabia.

"Algumas coisas, na verdade." Ela segurou uma tossida. "Sobre quando a minha vida chegar ao fim."

Josh abaixou a cabeça. "Ainda é cedo demais para pensar nisso."

"Olha, querido, está na cara que você tem pensado nisso, ou então não teria ficado tão irritado naquela noite. E é uma preocupação minha também. Este é o momento perfeito para termos essa conversa, porque depois podemos dar o assunto como resolvido e nos divertir amanhã. Eu quero ir nadar de novo." O choro já se formava no fundo da garganta. Ela tossiu para limpar as vias respiratórias. A última coisa de que precisava era uma bola de muco atrapalhando tudo. Uma boa respiração de ioga e um relaxamento dos músculos do pescoço resolveriam a situação. Mas, mesmo assim, seus olhos estavam ardendo. "Por favor, Josh. Vamos resolver isso logo."

Ele virou a cabeça para o outro lado. Uma ave noturna trinou e se calou em seguida. "Certo", Josh disse, mas com uma voz seca e sem expressão. "Pode falar."

O coração dela doía, como se uma faca cega estivesse sendo cravada em seu crânio um centímetro por vez. "Eu andei pensando sobre uma coisinha aqui e outra ali. E sei que provavelmente ainda falta um bom tempo, mas só para garantir..." Sua voz ficou embargada, e ela engoliu um soluço.

Ele pegou suas mãos e ficou olhando para elas. Os diamantes da aliança de noivado brilhavam como uma estrela.

Foi uma felicidade tremenda, quando ele a pediu em casamento. Parecia ter sido uma década antes, em outra vida. Uma vida saudável.

Ela respirou fundo, o máximo que podia, em um gesto cauteloso. "Quero que esteja só eu e você quando o fim chegar. Sem minha mãe, sem Jen, ninguém além de nós dois."

Ele assentiu e engoliu em seco. O aperto na mão dela se tornou mais forte.

"Eu queria me despedir de todo mundo, se for possível. Sabe como é... se perceber que estou piorando... mas ainda conseguir falar e tudo mais."

Josh assentiu e se inclinou para apoiar a cabeça nas mãos dos dois unidas. Estava chorando. Claro que sim. Era impossível que não estivesse, e ela também estava.

"Eu não quero nenhuma atitude heroica", ela murmurou. "Se o fim chegar, nós... vamos ter que aceitar. Não quero meu corpo sendo mantido vivo por máquinas só por mais um ou dois dias. Quando eu partir, quero continuar sendo... eu. Sei que vou estar medicada e tudo o mais, mas quero poder olhar para você."

Suas mãos ficaram úmidas com as lágrimas dele. Josh balançou a cabeça, sem conseguir falar.

Se tivesse escolha, ela daria sua vida por ele. A qualquer hora, qualquer dia. Se era para um dos dois morrer, que fosse *ela*, porque ele era uma dádiva para o mundo. De verdade. Ele era tudo o que havia de melhor.

Ela se inclinou para encostar a cabeça na dele, e os dois se encaixaram e se dobraram juntos como um origami. Lauren acariciou o cabelo preto dele com a mão livre. Ah, ela o amava demais. Demais.

"É isso?", ele perguntou, com a voz embargada.

"Bom, tem mais umas coisas." Ela se endireitou. "Eu não quero morrer em casa."

Ele a olhou. "Ah, não?"

"Não. Eu não quero que você lembre de mim morta na nossa cama, no chão da cozinha, ou... sei lá. Na privada."

Ele riu de um jeito que era meio riso, meio choro. "Certo. Nada de morte na privada. Se você morrer lá, eu vou preservar sua dignidade e mentir para todo mundo."

"É exatamente disso que estou falando." Ela sorriu, mas seu queixo ainda tremia. "Quero um funeral completo também, com todo mundo chorando, mas rindo também. Com comida boa, e música. Mas nada de coisas de igreja. Quero Beyoncé e Bruno. Com performances ao vivo, de preferência."

Ele deu risada, o que era uma demonstração de amor, porque ela não suportaria o baque se ele desmoronasse. "Mais alguma coisa?"

"Sim. Um discurso fúnebre da Jen, e, mais tarde, todo mundo que quiser erguer um brinde que fique à vontade. E depois quero ser cremada e misturada com terra, para uma árvore poder crescer sobre as minhas cinzas. Existem umas urnas desse tipo."

Ele beijou suas mãos e a encarou, com os olhos cheios de lágrimas, tentando sorrir. "E se a árvore morrer? Você tem ideia de como eu vou me sentir um lixo?"

"É só me regar duas vezes por semana e me deixar tomar sol. Não tem nada de difícil nisso, Joshua. Reage, bobão."

"Você sabia que dá para transformar as cinzas das pessoas em joias?"

"Credo, que *mórbido*. Quem ia querer usar isso? Eu quero ser uma árvore. Só não deixa a Pedrita fazer xixi em mim."

Ele a puxou para junto de si e a abraçou apertado. Ela ajeitou a cânula no nariz e retribuiu o gesto com todas as forças. "Eu te amo", ele murmurou. "Sou o homem mais sortudo do mundo por ter casado com você."

E a grande questão era que ela sabia que ele estava falando sério.

"Me diz que você vai ficar bem sem mim."

"Não vou, não."

Ela não respondeu, e Josh ficou em silêncio por um bom tempo. O único som que ouviam era o ritmo das ondas do mar na praia. "Vou ficar, sim", ele disse, com a voz rouca. "Vou me sentir grato por cada um dos dias que pude ser o seu marido."

Ela se virou e se agarrou a ele. Apesar de todas as vezes em que faziam um grande esforço para não chorar, às vezes era necessário. Mesmo que isso significasse a sensação de ter o coração arrancado de dentro do peito ainda batendo. Mesmo precisando tossir e ficar ofegante e aumentar o fluxo do cilindro de oxigênio. As lágrimas dos dois molharam a pele, os cabelos e as roupas um do outro. Mas tudo bem. Todo mundo morria. Sua morte só era mais palpável que a da maioria das pessoas.

Além disso, ela havia começado um novo projeto, que não tinha nada a ver com espaços públicos e com o qual seu pai concordaria com toda a convicção.

Era preciso ter um plano para o futuro, afinal. Mesmo se ela não estivesse mais lá para vivê-lo.

# 10

## JOSHUA

*Ainda no segundo mês*
ABRIL, OH5I

Por que ele não tinha ido atrás de uma quinta opinião? Eles procuraram a dra. Bennett no hospital de Rhode Island, e depois foram a Boston, aos hospitais da Faculdade de Medicina de Harvard, e mais tarde à Clínica Mayo. Todos os pneumologistas consultados concordaram que o tratamento proposto pela dra. Bennett seria o mesmo que eles aplicariam.

E estava na cara que tinha dado errado.

Josh deveria tê-la levado ao hospital-escola de Yale, em New Haven. E ao Hospital Presbiteriano de Nova York. E ao Centro Nacional Judaico de Saúde, em Denver. E à Universidade da Califórnia em San Francisco. E à Clínica Cleveland. Porra, não era possível que não existisse um lugar onde não pudessem fazer mais.

Mais cedo naquele dia — tecnicamente, no dia anterior —, ele tinha tentado trabalhar, mas sua concentração foi para o espaço quando um alerta de notícia sobre fibrose pulmonar surgiu na tela. Um novo ensaio clínico estava a caminho, comandado por uma pessoa vinculada à Universidade de Yale.

Eles *deveriam* ter ido a Yale. Ele deveria ter continuado sua busca. Se tivesse feito isso, Lauren poderia estar ao seu lado e provavelmente em uma condição até melhor. Ele poderia se aninhar a ela, abraçá-la e beijar seu ombro. Ela se voltaria para ele, sonolenta mas sorrindo, e eles se beijariam, e ele enfiaria a mão por dentro de sua camiseta e sentiria a curvatura de seu seio.

Ele enfiou os dedos no cabelo e agarrou a cabeça. Desse jeito, não conseguiria sobreviver àquela noite. Poderia ligar para Jen, mas... porra, não, era muito tarde. E aquele fórum sobre luto para viúvos e viúvas jovens? E aquele *subreddit*?

Não. Não. Ele não queria se cercar de mais sofrimento.

Era hora de ligar para o AppleCare.

Era isso, ou começaria a uivar, ou a correr pelas ruas, ou a descer para a academia do prédio para bater no saco de pancadas, mas da última vez que fez isso Charlotte Abusada apareceu (às três da manhã) para fazer ioga em trajes minúsculos.

O atendimento da Apple, então. Ele tinha pagado pela garantia estendida, e estava na hora de fazer valer o investimento.

Pegou o telefone e ligou, lembrando facilmente do número porque uma vez seu notebook travou durante uma atualização do sistema. Demorou um tempão para resolver o problema, mas a pessoa que o atendeu era bem legal.

Ele apertou os botões necessários e disse as palavras necessárias — *computador, MacBook Air, software não atualiza*. Então, por fim, uma voz humana.

"Oi, aqui é o Rory, com quem eu falo?"

"Joshua."

"Você me passa seu número para o caso de a ligação cair?"

Josh fez isso e depois explicou seu problema inexistente.

"Sem problemas", disse Rory, com sua voz animada. "Nós podemos fazer uma reinicialização segura e ver o que acontece."

"Beleza", respondeu Josh. Rory passou as instruções, e Josh fingiu que estava seguindo.

"Isso pode demorar um pouquinho", Rory avisou.

"Não tem problema." Rory estava querendo desligar? "Ah, se você puder ficar mais um pouco na linha até tudo voltar a..."

"Sim, com certeza."

Eles ficaram em um silêncio tranquilo por um minuto ou dois.

"Como está o tempo aí do seu lado?", Rory perguntou.

"Uma beleza", Josh falou, apesar de não fazer a menor ideia.

"Onde você mora?"

"No Havaí. Kauai", Josh mentiu.

"Ah, cara, que sorte! Como é a vida por aí?"

Seriam sete da noite por lá. O sol estaria começando a se pôr, e ele estaria sentado no deque de casa, e Lauren traria um copo de água gelada com um galhinho de hortelã. Ela estaria com uma taça de vinho rosê, e se aninharia ao seu lado.

"Uma beleza. É Havaí, né? Hã... a nossa casa fica no alto de um penhasco. Choveu faz pouco tempo, mas agora está tudo lindo. Logo mais o sol começa a se pôr." Por lá, o pôr do sol era uma coisa incrível, melhor que em qualquer filme.

"Deve ser o máximo."

"Ah, sim. Um lugar muito bom para viver."

"Kauai, essa é aquela ilhazinha menor, né?", Rory perguntou.

"Uma delas. Tem o apelido de ilha-jardim, porque chove bastante. A vegetação fica uma beleza. Uma parte de *Jurassic Park* foi filmada aqui."

"Ah, que legal. Você nasceu aí?"

"Sim." Como todo mundo que viaja para o Havaí, ele e Lauren conversaram sobre morar lá algum dia. Ela queria criar os filhos perto da família, então o Havaí teria que esperar as crianças chegarem à faculdade, mas ele e Lauren ainda seriam jovens o suficiente para fazer mergulhos e trilhas e pegar ondas.

Pois é.

As imagens eram tão vívidas que ele conseguia sentir o cheiro das plumérias. Poderia usar camisas floridas todos os dias, e seus filhos aprenderiam o idioma local e apresentariam a ilha para quem quisesse conhecer. Lauren ficaria um pouco bronzeada. Ela trabalharia criando parques e ajudando a preservar a cultura havaiana e...

"Então, se eu for para o Havaí, quais ilhas devo conhecer?", Rory perguntou.

"Bom, Kauai com certeza", respondeu Josh. "Tem muita beleza natural, e a praia mais linda do mundo em Hanalei Bay. Minha mulher gosta de bodyboard, e diz que lá é o melhor lugar para isso." É verdade. Ela tinha dito mesmo. "Maui é incrível também. Muitos hotéis e restaurantes bons, além do Parque Nacional Haleakalā. Você precisa ver o pôr do sol de lá, cara. Mas leva um casaco, porque o tempo esfria. Para os vulcões, o melhor lugar é a Big Island."

Se sua carreira na engenharia médico-hospitalar não tivesse decolado, ele poderia se tornar guia turístico, talvez. Essa outra versão sua seria bem falante. E teria muitas informações para passar.

Ao celular com Rory, ele não precisava ser o Josh na cinzenta Rhode Island. Poderia ser o Josh que morava no Havaí, e pescava, e conhecia um *sushiman* que servia peixes pescados menos de uma hora antes. Era descontraído, em vez de introvertido socialmente, esse Josh que estava sentado no escuro, mentindo. De jeito nenhum era o Josh da esposa morta.

"E você, Rory, mora onde?", ele perguntou.

"Em Montana. Também é bem bonito, mas muito diferente, com certeza."

"Você mora perto das montanhas?"

"Com certeza."

"E costuma ir a Yellowstone?"

"Ah, sim. Eu adoro Yellowstone. O Hayden Valley é o meu lugar favorito."

Josh e Lauren tinham planejado uma viagem para lá. Minha nossa. Eles nunca fariam aquilo. *Nunca.*

"Minha mulher e eu queremos ir para lá", ele falou, apesar do nó na garganta. "No verão, talvez."

"Espera até setembro se puder. Tem menos turistas."

"Entendi", Josh respondeu. "E tem bisões por lá, né?"

"Muitos. Do tamanho de uma picape." Josh conseguia até imaginar. Lauren daria um berro se eles chegassem perto demais. Não. Ela seria corajosa. Ele imaginou como seria se vissem um lobo. Ela adorava lobos.

O silêncio em clima de camaradagem se estendeu mais um pouco.

"Como está indo o download? Já está quase acabando?", Rory perguntou.

"Hã... já! Parece que tudo voltou ao normal." Que merda. Agora ele ia ter que desligar, já que havia ficado ao celular por uma hora e treze minutos. "Muito obrigado, Rory."

"Maravilha. Você vai receber um e-mail para avaliar nosso atendimento, e se tiver mais algum problema..."

"Não, não. Já está tudo certo. Hã... obrigado."

*Obrigado por ser uma voz no meio de uma madrugada solitária. Obrigado por me deixar ser outra pessoa por um tempinho. Obrigado por trabalhar no turno da noite. Obrigado por não saber o quanto eu perdi.*

A pesquisa chegou. Ele deu nota máxima para Rory em todos os quesitos.

# 11

## JOSHUA

*Terceiro mês*
1º DE MAIO

Quando uma pessoa jovem morre, o mundo todo para. Pelo menos o mundo em que *você* vive.

De início, todos que você conhece te cercam, atordoados e tristes, querendo ajudar. A solidariedade da perda une as pessoas. Ninguém consegue nem pensar em seguir em frente. Nem deseja isso. Que parem os relógios, como diz o poema.

E o tempo de fato parece parar. Ninguém no seu mundo consegue se imaginar feliz de novo. É uma impossibilidade. Nada vai voltar a ser igual. Nada *deveria* voltar a ser igual. O mundo foi arruinado pela morte dessa pessoa.

Existem as tarefas mais imediatas. As ligações. Os preparativos. A distribuição de tarefas — você vai à agência funerária enquanto a irmã dela vai à igreja, e outra pessoa pode encomendar as flores. Existe muita coisa para fazer, graças a Deus, porque seu cérebro não consegue aceitar o que aconteceu e, se você parar por um segundo que seja, pode acabar se despedaçando, como uma taça de vinho exposta ao som de uma nota aguda. Seus pés ainda estão se movendo, e alguém está lhe dando água e comida, e tem mais gente chegando, e as mensagens e as ligações não param, e então batem na porta outra vez.

Você faz as colagens de fotos, o PowerPoint que vai ser projetado durante o velório e a recepção. É preciso montar a playlist que ela pediu, escolher trechos de textos para serem lidos, encomendar a comida.

Durante uma semana ou duas, o mundo é preenchido pelos detalhes da morte. A família está sempre por perto. Os amigos dela estão arrasados. Os colegas do escritório não conseguem nem trabalhar direito. A médica dela liga para saber como você está. A equipe de enfermagem comparece ao funeral.

Por um curto período, a morte dela põe você no centro de várias outras vidas.

E então... aos poucos tudo muda. Existem as crianças para cuidar, as casas para limpar, as refeições para preparar. Os colegas de escritório têm trabalhos a fazer. Os amigos começam a seguir em frente.

O relógio parado começa a fazer seu tique-taque novamente.

Depois de dois meses e uma semana que Lauren morreu, esse primeiro dia chegou para Josh. O dia em que ninguém ligou, nem mandou mensagem ou e-mail, nem apareceu por lá. Nem Jen, nem Ben, nem Donna, nem Sarah, nem sua mãe, nem Darius, nem Bruce, o Poderoso e Generoso, nem uma colega de faculdade aleatória que acabou de ficar sabendo.

O primeiro dia em que sua viuvez não foi reconhecida de nenhuma forma.

Foi uma *obscenidade*. Uma mensagem recebida em alto e bom som. O mundo estava se ajustando à ausência de Lauren. Bom, ele sabia que Donna e Jen jamais superariam a perda, que pensariam nela todos os dias. Mas Jen tinha um marido e dois filhos pequenos. Donna tinha uma filha viva e dois netinhos. Ambas trabalhavam. Tinham lugares para ir. Já sua mãe comandava o laboratório de um hospital, via Sumi e Ben como irmãos, fazia parte de quatro clubes de leitura e era voluntária na igreja que frequentava. Mas seria de esperar que ligasse para o único filho, para perguntar como andavam as coisas. *Uma porra de uma mensagem, quem sabe, mãe?*

Não. Nada.

Josh ficou à espera o dia todo, em um martírio furioso e silencioso, odiando a si mesmo e o mundo todo. Levou a cachorra para correr um pouco. Não conversou com ninguém. Verificou o celular a cada dez minutos, depois a cada cinco, e então reiniciou o aparelho para o caso de ter havido algum problema nas notificações.

Ainda nada.

Obviamente, Josh poderia tomar a iniciativa de procurar alguém. Ben poderia dar um passeio com ele; bastava pedir, e eles iriam ao Botanical Center ou dariam um pulo em Boston. Seria melhor do que aquela raiva absurda e inútil. Mas aquilo era um teste. Para os *outros* e para ele mesmo.

E ninguém foi aprovado.

Às 20h37, ele já estava com ódio de todo mundo.

A raiva dominava sua mente como uma doença. Uma névoa vermelha estava começando a tomar conta de seu campo de visão.

Na primeira vez que aconteceu, ele tinha seis anos, e um menino na escola que praticava bullying contra os colegas — Sam, que era maior e mais forte que todo mundo na sala — tinha jogado longe os óculos de Caitlin no refeitório. Caitlin era uma aluna com necessidades especiais e uma amiga sua. Joshua não se lembrava de nada do que aconteceu e só ficou sabendo que tinha jogado Sam no chão quando já estava na sala da diretora com a mãe. Ele perguntou por que tinha sangue na sua camiseta e por que seu olho estava doendo; foi porque Sam havia acertado um soco na sua cara. Josh revidou, abrindo um corte na boca de Sam. Os dois foram suspensos por uma semana, mas Stephanie o levou para tomar sorvete naquela tarde, e, quando ele voltou para a escola, Caitlin lhe deu um cartão escrito a duras penas com sua caligrafia: *Obrigada por me defender.*

Em outra ocasião, quando ele estava com dez anos, sua mãe teve uma reação alérgica violenta a um tipo de pimenta e precisou ser levada de ambulância em choque anafilático. Os Kim foram até sua casa, mas Josh estava se comportando como um animal selvagem, segundo lhe disseram. Ben precisou da ajuda de outro vizinho para carregá-lo de volta para casa e segurá-lo até que voltasse a si.

Passados alguns dias, depois de uma conversa com o pediatra, a mãe de Josh explicou que esse tipo de incidente não era incomum em pessoas com síndrome de Asperger, como sua condição era chamada na época. A grande questão era saber lidar. Distraí-lo. Ela lhe ensinou uma frase para recitar quando era pequeno — *Um pequeno jabuti xereta viu dez cegonhas felizes.* "Tem todas as letras do alfabeto", ela falou. "Pensa nisso, Josh. Conte as letras." Aquilo tinha virado um mantra para quando a névoa vermelha começava a se instalar. *Um pequeno jabuti xereta viu dez cegonhas felizes. Um pequeno jabuti xereta viu dez cegonhas felizes.*

Paralelamente, Ben o ensinou a lutar boxe — ou pelo menos alguns dos tipos de socos usados nas lutas. Josh nunca bateu em ninguém, mas dar socos no saco de pancada era... catártico.

Às 20h42, a névoa vermelha continuava a ganhar força. Ainda havia tempo para dissipá-la antes que saísse de controle.

Ele foi até a sempre vazia academia do prédio e começou a descer a mão no saco de pancadas.

Sem luvas. O impacto dos punhos contra o couro duro e grosso, a respiração acelerada de esforço, o ardor do soco, a dor que subia pelo braço — nada disso era suficiente. Mais forte. Mais forte. Os sibilos que soltava enquanto socava se tornaram exclamações de *ha! ha!*. O suor escorria de seu corpo. As exclamações se tornaram palavras — *Não. Não. Não. Não.* Então viraram palavras chulas que normalmente lhe causariam vergonha. Mas não dessa vez. Ele estava furioso.

Ela não poderia ter morrido. Não poderia ter morrido, e a bosta do sistema de saúde retrógrado do caralho só fodeu com a vida dela e não tinha porra nenhuma para oferecer e a deixou morrer, aquela merda, sem fazer porra nenhuma, aquela bosta do caralho, que merda, que merda, *puta que pariu.*

Sua fúria ecoava pelas paredes, e sua mão estava sangrando, fazendo seus punhos escorregarem ao atingir o próprio sangue, e tudo bem, tudo bem, a dor sempre foi melhor do que um nada opressivo e incontornável.

Por fim, cambaleando de exaustão, com o suor escorrendo pelo tronco exposto e as mãos parecendo ter passado por um moedor de carne, ele foi pegar uma toalha para se limpar.

Charlotte Abusada, com seus olhos azul-claros separados demais um do outro, sorria para ele da porta. "Quer ir beber alguma coisa, Josh?"

"Minha nossa, não", ele respondeu, e pegou as toalhas descartáveis umedecidas com desinfetante para passar no saco de pancada, mal notando a ardência nas mãos.

"Outra hora, então."

"Não. Nunca."

"Até mais."

E ainda achavam que *ele* que não sabia ler os sinais que as pessoas davam.

O saco de pancadas cumpriu seu propósito. Ele estava tão cansado que precisou subir de elevador os dois andares até o apartamento. Tomou um banho, sentindo a água quente fazer as mãos arderem. Quando terminou, foi para o quarto de casal, fechando a porta para Pedrita não entrar e bagunçar a cama.

Na semana anterior, tinha acordado já sabendo que ela não estava mais lá. Não estendeu o braço à procura dela. Isso bastou para destroçar seu coração de novo. Dois meses e uma semana foram o tempo necessário para seus músculos e seus instintos se adaptarem. Esse gesto foi um hábito seu durante o casamento; agora o casamento estava acabado, e seu corpo idiota reconhecia isso.

Ele parou de tatear o lado dela na cama durante a noite. Parou de se perguntar se ela já teria levantado. Não chamava mais seu nome. Não olhava mais no relógio para ver se era hora dos remédios, ou da caminhada, ou dos exercícios respiratórios. Não colocava dois pratos na mesa sem querer e, quando percebia, fazia isso de propósito, porque aceitar a ausência dela era pior do que esquecer que ela havia morrido.

Ela estava morta. Isso era um fato consumado, e era muito pior do que entrar em um cômodo da casa se perguntando onde ela estaria. Josh *não podia* se acostumar com aquela ideia. Até cogitar a hipótese era uma coisa grotesca.

E, naquele 1º de maio, fazia quatro anos que ele a pediu em casamento. Ele se ajoelhou enquanto flores de macieira selvagem caíam suavemente ao seu redor, e perguntou para Lauren Rose Carlisle se queria ser sua esposa.

Foi até a escrivaninha dela e abriu a caixa de joias, onde ela havia guardado a aliança de noivado e de casamento. Ele não sabia ao certo quando foi isso, mas estavam lá. Josh daria as joias para Octavia algum dia, talvez. Ou para Sebastian, para a futura esposa dele. Ou podia jogar na porra do mar, em Cape Cod, onde eles passaram tantos dias e noites incríveis. Talvez ele simplesmente entrasse no mar com as alianças na mão e os bolsos cheios de pedras. Talvez um tubarão-branco que passasse por perto o devorasse, e assim ele poderia morrer também.

Dois fantasmas rondavam o apartamento — o de Lauren e o do Josh que havia sido seu marido, que era muito mais do que aquele saco de ossos vazio por dentro que estava lá.

Pela primeira vez desde que ela foi para o hospital por causa da pneumonia que a matou, Josh deitou na cama dos dois. Sem se aconchegar... por cima das cobertas mesmo, olhando para o teto. Precisava lavar o edredom depois da aventura de Pedrita com o frango coreano, mas o travesseiro de Lauren tinha saído intacto, sem nenhuma mancha de molho. Ele se virou e respirou fundo, sentindo o cheiro dela, e o punho invisível do luto o golpeou com força no coração.

Ele ficou deitado de barriga para cima, agarrado ao travesseiro, com medo de que com o tempo perdesse o cheiro de Lauren. *Não se mexe*, pensou consigo mesmo, tão exausto que a ideia fazia sentido. *Não se mexe que a tristeza não vem*. Se conseguisse se manter vazio, não ia acabar no chão, uivando de dor. Ele rezou para dormir, para sonhar com sua esposa, mas seus olhos permaneciam abertos.

0h14.

1h21.

2h07.

3h38.

4h15.

5h03.

5h49.

A luz começou a entrar no quarto. Ele já podia levantar. Fez café. Abriu a geladeira. Fechou a geladeira. Levou Pedrita para fazer xixi. Bebeu o café.

Entrou no fórum on-line para jovens viúvos e viúvas e perguntou como as pessoas conseguiam sobreviver àquilo. *Beba bastante água*, lembraram a ele, seus colegas amputados, cascas vazias como ele. *Parabenize a si mesmo por sair da cama ou comer alguma coisa. Tente se exercitar. Seja gentil com você. Processe o trauma*, dizia o pessoal do fórum, o que quer que isso significasse.

Ele tentou lembrar se tinha levado a cachorra para correr no dia anterior. Talvez? Uma corrida naquele momento cairia bem. Estava garoando e cinzento lá fora. Ele poderia dar um banho em Pedrita depois. Isso ajudaria a matar o tempo. Josh calçou os tênis de corrida, e eles saíram.

As pessoas estavam a caminho do trabalho. Muitas capas impermeáveis, muitos guarda-chuvas, muita gente entrando nos prédios com passos apressados. Josh continuou correndo, virando ao chegar ao rio, percorrendo a parte baixa de College Hill. Estava de fones de ouvido, mas havia esquecido o celular ou o deixado em casa de propósito de forma inconsciente. Mesmo assim, os fones representavam uma proteção. Providence era uma cidade pequena, onde fora criado, e havia frequentado duas faculdades. Não queria ser visto por ninguém, muito menos conversar. Isso era do que ele precisava no dia anterior.

Foi um choque ver o mundo continuar a se mover daquela maneira. Com tanta gente *feliz*. Aquelas pessoas não sabiam o que as aguardavam? *Olhem para mim e se desesperem*, ele sentia vontade de dizer, como o fantasma de Jacob Marley. *Eu já fui como vocês*. Sua vontade era de pegar um daqueles bobos alegres e sacudir pelo colarinho.

Ele parou em um sinal vermelho e então correu quando ficou verde, pisando em uma poça de água morna que chegava até o tornozelo. A barriga de Pedrita estava molhada e encardida.

Nossa, como ele *sentia falta* de estar casado. De ter alguém em casa quando chegava. De ter alguém para perguntar onde estava a outra meia do par. De ter alguém para provocar e fazer brincadeiras. De ter alguém para tocar. Estava sozinho em um mar de gente, todas elas conectadas, ao que parecia. Ele tinha sua mãe. O casal Kim. E, em algum lugar por aí, o pai biológico que o abandonou antes de seu nascimento, então para que ele serviria? Ele tinha a pequena família de Lauren.

E isso era tudo.

Que ideia *de merda* tinha sido trabalhar sozinho, por conta própria. Bom, foi extremamente útil quando Lauren estava viva e lutando contra a doença, mas agora era uma merda. Ele podia arrumar um emprego em algum lugar, mas a ideia de sair de casa todos os dias e depois voltar para a solidão... não. Ainda não. A literatura especializada desaconselhava tomar decisões muito importantes no primeiro ano de viuvez.

No fim, acabou voltando para a própria rua, depois de fazer um círculo completo, sem nem saber quanto tempo tinha levado. Pedrita estava ofegante e imunda. Ele subiu de escada até o apartamento, abriu a porta e olhou para o relógio da cozinha.

11h09.

Deus do céu. Inacreditavelmente, ainda era manhã.

Dar banho na cachorra. Secar com a toalha. Tomar uma ducha. Se vestir. Limpar o banheiro e remover todos os pelos do chão. Se alimentar. Se hidratar.

12h13.

Ele suspirou e fechou os olhos, que ardiam forte. Deitou no sofá, mas se viu atormentado pelas visões dos últimos momentos de Lauren. Suspirou de novo, levantou e foi ligar o computador.

Pedrita veio atrás, mas com passos incertos, apoiando a maior parte do peso na pata traseira esquerda. "O que foi, menina?", ele perguntou, o som da sua voz ressoando alto demais nos próprios ouvidos. "Está tudo bem?" Passou a mão na pata dela, que choramingou.

"Ah, que ótimo, Josh", ele falou em voz alta. "Agora você machucou a cachorra." Pedrita se virou para lamber seu rosto. "Desculpa, querida. Vou te levar no veterinário, tá?"

Sim. Apesar de estar meio dolorido por causa do excesso de exercício, isso lhe daria uma ocupação. Se tinha uma coisa em que ele era bom, era em consultas médicas.

Ele ligou para a clínica veterinária e disse seu nome.

"Pedrita? Uma mestiça de pastora-australiana?", a recepcionista perguntou.

"Isso mesmo."

Houve um silêncio do outro lado da linha. "Fiquei muito triste quando li sobre o falecimento da sua esposa no jornal. Ela era um amor."

O obituário de Lauren tinha sido publicado no *Providence Journal*, já que era uma mulher sensacional que passou a vida na cidade. "Obrigado", ele disse depois de uma pausa, quando se lembrou de falar.

"Pode vir às duas", ela respondeu. "Tivemos um cancelamento."

"Obrigado", ele repetiu antes de desligar.

Quando chegaram, Pedrita não estava mais mancando. Mesmo assim. Agora já estavam lá. Isso poderia ocupar seu dia.

Pessoalmente, a recepcionista se limitou aos assuntos profissionais, o que foi um alívio para Josh. Ele registrou sua chegada e sentou para esperar. Folheou a revista *Cat Fancy*, que era mesmo curiosíssima. Verificou seu celular. Tinha uma mensagem de Jen o convidando para jantar no fim de semana. Respondeu que sim na mesma hora. Graças a Deus. Ele poderia ver as crianças. A casa estaria barulhenta. Darius lhe daria tapinhas no ombro. Ele voltaria ao mundo dos vivos, em outras palavras. Perguntou o que poderia levar. Algumas cervejas, ela respondeu. Ele faria isso.

Havia uma outra mensagem, do consultório odontológico, lembrando de uma consulta. Era só responder *S* para confirmar, *C* para cancelar. Respondeu com um *C*. Afinal, já não tinha sofrido o suficiente?

Esse pensamento o fez sorrir um pouco. Lauren teria gostado daquela piada.

Ele olhou para as demais pessoas na sala de espera. Uma mulher mais velha falava com voz de bebê com um gato enorme, que olhava com ódio para um dogue alemão do outro lado da sala. O cachorro estava imóvel — talvez intimidado pelo gato —, enquanto seu dono lia alguma coisa no celular.

Uma mulher mais jovem — de uns trinta anos, talvez? — estava com um cachorro branco bem feio e detonado, de raça indefinível, limpando as lágrimas. O cachorro (ele tinha noventa e três por cento de certeza de que era um cachorro) parecia bem velho; os dentes de baixo — os que restavam, pelo menos — eram projetados para fora, e os olhos pareciam viscosos. Provavelmente estava lá para uma eutanásia, concluiu.

A dona dele percebeu o olhar de Josh e limpou as lágrimas de novo. "Qual é o problema da sua cachorra?", ela quis saber.

"Ah. Hã... ela estava mancando hoje mais cedo."

"Quantos anos ela tem?"

"Dois e pouco."

"Ela é linda. Qual o nome?"

"Pedrita." *Interaja, Josh*, ele ouviu Lauren dizer em sua mente. "E o seu?"

"Duffy."

Josh não perguntou qual era o problema de Duffy. Não queria saber, para ser bem sincero, porque desconfiava que ia acabar respondendo: *Grande coisa. A minha mulher acabou de morrer.*

O gato rosnou. O dogue alemão choramingou, e então tentou subir no colo do dono.

"Meu cachorro é bem velho", disse a dona de Duffy.

*Não brinca, Sherlock.* "Sério?", falou Josh. "Ele parece estar bem." Mentirinhas para agradar as pessoas fazem bem para a alma, como Lauren costumava dizer.

"Tem dezesseis anos."

"Isso é... incrível." Josh nem sequer sabia que cachorros podiam viver tanto tempo.

"Eu sei que ele está velhinho, mas... seria bom se a morte esperasse mais um ou dois anos." Ela franziu o rosto, tentando segurar o choro.

*Eu também acharia ótimo se a morte esperasse mais um ou dois anos, moça.* "Boa sorte."

"Obrigada."

"Duffy?", uma pessoa da equipe chamou, e a mulher levantou, com o velho Duffy no colo, apoiando a cabeça dele no ombro como se fosse um bebê.

"Obrigada pelo papo", ela falou, se virando para Josh.

Foi uma coisa muito gentil de se dizer. "Por nada." Era melhor não se limitar apenas a isso. "Melhoras, Duffy."

"Boa sorte com a sua cachorra." Ela acenou com a mão livre, e Josh fez um aceno de cabeça, forçando um sorriso. Se aquele cachorro vivesse mais um mês que fosse, merecia uma reportagem na CNN.

Ele olhou para Pedrita, que pareceu concordar.

Merda. Algum dia, Pedrita iria morrer também, e então seria o fim de seu último laço com Lauren, o único bicho de estimação que tiveram juntos. Seu bebê peludo... não, melhor deixar isso para lá, ele não iria se deixar levar por esse tipo de pensamento.

Mas era a cachorra de Lauren mesmo assim. "Eu sinto muito, Pedritinha", ele falou baixinho. "Eu sinto muito pela nossa perda."

Como ele desconfiava, Pedrita estava perfeitamente saudável. "Tenta não passar dos oito quilômetros quando correr com ela, certo?", o veterinário falou com um tom animado, receitando um anti-inflamatório. "É ótimo para ela, porque é uma cachorra de trabalho e precisa se exercitar, mas ela foi criada para fazer corridas curtas, não maratonas. Dá uma semaninha de descanso para ela, depois vai voltando aos poucos." Ele acariciou as orelhas de Pedrita, ganhando um mugido de agradecimento parecido com o de uma vaca.

"Obrigado", disse Josh.

"Nós ficamos muito tristes quando soubemos da sua esposa", o veterinário acrescentou, sem olhar para ele.

"Obrigado." Ele se sentiu grato pela ausência de contato visual.

Quando chegou em casa, deu um comprimido e um petisco para Pedrita, depois foi para a cama e mergulhou em um sono escuro e sem sonhos.

Foi despertado por uma batida na porta, e uma voz exaltada chamando seu nome. Sarah. Ele foi cambaleando até a entrada.

"O que foi?", perguntou quando abriu.

"Eu mandei três mensagens e liguei duas vezes", ela disse.

"Eu estava dormindo."

"A que horas você foi para a cama?", ela perguntou, de um jeito mandão. Ele olhou para o relógio. Horas antes. "Hã... sei lá."

"Foi o que eu pensei. Josh. Você precisa entrar em uma rotina, amigo. Dormir por sabe-se lá quantas horas não vai te ajudar a sair dessa."

Ele engoliu a resposta malcriada que queria dar. "Eu posso ajudar em alguma coisa?", perguntou em vez disso.

"É dia de carta." Ela tirou um envelope da bolsa. "Desta vez são duas, então aqui estão. Esta era para ter trazido antes, mas fiquei atolada de trabalho por causa de uma realocação de emergência." Isso significava que alguma criança tinha sido tirada de casa e levada para morar com um estranho, carregando as roupas num saco de plástico junto com uma escova de dente, talvez. Ela já havia contado histórias suficientes para ele saber como as coisas funcionavam. Lauren costumava dizer que Sarah sempre havia sido casca grossa, mas tinha um coração de manteiga derretida.

"Deve ter sido bem tenso", ele falou, lembrando de mostrar que era um ser humano.

"Sim, foi horrível."

"Por que duas cartas?"

"Esta aqui foi datada. Não sei por quê. E eu também não sei o que tem nessas cartas. Ela não me contou, e é claro que não abri para ler."

Ela entregou dois envelopes desta vez. Um dizia *Josh, 1º de maio*, e o outro, *Josh nº 3*. A caligrafia dela era toda redondinha e perfeita.

Lauren tinha algo para dizer no dia anterior. Quando ele se sentiu tão solitário e esquecido. Seu coração disparou.

Sarah inclinou a cabeça. "Tudo bem aí?"

"Quê? Está, sim."

"Vamos marcar alguma coisa um dia desses. Sabe como é." Ela encolheu os ombros. "Um jantar... um cinema... um passeio em algum lugar... Vamos passar mais tempo juntos. Vai fazer bem para nós dois."

As palavras dela se perderam em um borrão. "Sim. Claro. Obrigado, Sarah."

"Preciso ir. Vou para Long Island, participar de um congresso. Vou apresentar um workshop sobre prestação de cuidados para membros da família estendida. Então quem sabe quando eu voltar."

Ele se forçou a desviar os olhos dos envelopes. "Hã, legal. Que bom para você, Sarah. O workshop."

Ela sorriu. "Obrigada. Até semana que vem, então?"

"Tá", ele respondeu. "Obrigada por fazer isso, aliás. Por trazer as cartas para mim."

Uma onda de tristeza surgiu no rosto de Sarah. "Por ela eu faria qualquer coisa", foi sua resposta, com a voz começando a ficar embargada.

Ele não tinha sido um bom amigo para Sarah desde a morte de Lauren. Mas ela sempre esteve cem por cento ao seu lado, e de Lauren também. Se fosse vê-la na semana que vem, precisava lembrar de perguntar sobre o congresso e a apresentação dela. Tentar ser um amigo melhor.

Josh se inclinou para a frente para dar um abraço desajeitado nela, esbarrando o queixo em seu rosto. Ela estava com um cheiro bom. Limpo e... arejado. Não tão bom como o de Lauren, mas agradável mesmo assim. Ele não gostava muito de perfumes nem de sabonetes com cheiro forte, a não ser os da esposa. Mas Sarah tinha um cheiro... bonito. "Se cuida. E boa viagem."

"Obrigada", ela disse, dando um tapinha em seu ombro. Em seguida se virou e começou a descer a escada.

Sarah era bonita. Ele nunca tinha reparado antes, mas era, sim, e foi... estranhamente agradável se dar conta disso. Era loira e alta, enquanto Lauren era ruiva e mais baixinha. Atraente, enquanto Lauren era maravilhosa. Para ele, pelo menos. A mulher mais linda em qualquer lugar a qualquer tempo.

Estava na hora de ler o que ela tinha a dizer.

Os dois meses anteriores tinham lhe ensinado a saborear aquele momento, porque, por mais que ele pudesse reler as cartas, a primeira vez era sempre a melhor. E daquela vez ele faria aquilo direito.

Primeiro, levou Pedrita para um passeio leve. Depois voltou para dentro, alimentou a cachorra e bebeu um copo d'água.

Então, como a garoa tinha passado e estava um fim de tarde perfeito de primavera, ele pegou a carta e foi para o jardim do terraço, tomando o cuidado de se manter longe da beirada. Uma gaivota estava empoleirada em um poste do gradil, observando à distância. As manchas brancas na madeira do deque diziam que aquele era seu lugar favorito. "Vai embora daqui", Josh falou. "Xô."

O pássaro nem sequer olhou para ele.

"Gaivota. Se manda." Pedrita inclinou a cabeça, parecendo curiosa. "Faz alguma coisa, Pedrita", ele pediu. Ela abanou o rabo e pareceu sorrir para a ave.

Tudo bem. Josh não chegaria nem perto da beirada, e a gaivota parecia saber disso.

Ele deu um gole em sua água e respirou fundo algumas vezes. Dava para sentir o cheiro de alguma coisa floral — os lilases crescendo lá embaixo no pátio, talvez — e isso o fez lembrar do sabonete de Lauren. "Que saudade de você", ele disse em voz alta. Pedrita abanou o rabo. O pássaro olhou para eles, antes de se virar para o outro lado de novo.

Certo. Mais um gole de água. Então, incapaz de adiar o momento nem sequer por um instante, ele abriu o envelope.

*Oi, Josh, meu grande amor,*

*Hoje é o aniversário de um dos dias mais felizes da minha vida — quando você me pediu em casamento. O modo como o sol iluminava aquelas árvores maravilhosas, você todo bonitão de terno, a aliança linda, tão linda. Para mim foi como se o mundo tivesse parado por um momento. Teve aquela mulher de moletom cor-de-rosa que ficou com os olhos cheios de lágrimas e tirou uma foto nossa, lembra? E o menininho que quis ver a aliança e perguntou por que você me deu.*

Ele tinha esquecido. Um garoto bonitinho de cabelo escuro cacheado e cílios compridos, que devia ter uns cinco anos, perguntou para Josh por que tinha dado um presente para ela. Então, ao ouvir a explicação, anunciou que ia pedir sua amiga Hailey em casamento no ônibus da escola no dia seguinte.

*Nós fomos jantar no Café Nuovo, e nossa família já estava lá, seu malandro. Com champanhe. Imagine se eu tivesse dito não! Mas é óbvio que nunca faria isso, e claramente você estava bem confiante. E com toda a razão. Não lembro o que comemos, porque estava flutuando de felicidade, mas com certeza foi delicioso.*

*Espero que você lembre disso hoje, querido. E que não seja só tristeza para você. Por favor, lembre de como me fez feliz, de como aquela noite foi perfeita, de como eu amei a aliança que você escolheu. Talvez você possa dar para Sebastian algum dia, quando ele conhecer a mulher com quem quer casar. Conte para ele o quanto essa aliança me fez feliz. Não deixe virar um símbolo de má sorte. Que seja um lembrete desse dia perfeito e de toda a felicidade que veio depois.*

*Eu amo você demais, querido. Muito, muito mesmo. Não fique triste, está bem? Sei que é bobagem pedir isso, mas, Josh, eu não suporto a ideia de que você possa estar infeliz. Volte para aquele dia e lembre de tudo. Foi como um sonho, o sonho mais feliz, ensolarado e romântico do mundo. Por favor, não fique triste.*

*Lauren*

Ele quase conseguia ouvi-la chorar. Ela fez um esforço tremendo para não ficar infeliz na frente dele. Josh teria falhado com ela nesse sentido? Ela se sentia à vontade para expressar sua tristeza ou na maioria das vezes sentia que precisava esconder? Obviamente, eles tinham chorado juntos.

Mas, na maior parte do tempo, não. Eles aproveitaram ao máximo o tempo que ainda tinham juntos. De verdade. Seu casamento foi brevíssimo, mas muito feliz. Uma tragédia terrível combinada com uma alegria absoluta. Uma linda catástrofe que viveram um ao lado do outro.

Ele ficou lá sentado ao sol, fazendo o que sua esposa pediu. Lembrou da aliança, que ele e Ben tinham comprado juntos. "Essa aliança é um símbolo do que ainda está por vir", Ben falou na ocasião. "Escolha uma que seja infalível, filho." Assim que bateu o olho naquela joia simples e maravilhosa, ele soube.

Tinha contado para sua mãe que ia pedir Lauren em casamento, e ela lhe deu um abraço forte, depois chorou, e então o abraçou de novo.

Depois disso, foi ao cemitério onde o pai de Lauren estava enterrado. "Sr. Carlisle", ele disse, se sentindo esquisito e envergonhado. "Eu queria casar com a Lauren. Vou cuidar bem dela e sempre vou colocar a felicidade dela na frente da minha." Ele fez uma pausa, e em seguida se ajoelhou perto da lápide. "Ela é a coisa mais preciosa do mundo para mim. Aposto que você sabe como eu me sinto." Depois que disse isso, parou de se sentir desconfortável.

Em seguida, foi pedir a permissão de Donna, que argumentou que os dois namoravam só fazia alguns meses (era verdade, mas Josh já sabia que Lauren era a pessoa certa para ele). Mas depois cedeu, disse que ele era um ótimo rapaz e que o fato de ganhar bem também ajudava, porque quem dizia que o dinheiro não importava era estúpido, porque claro que importava.

E por fim foi falar com Jen. Porque Jen era a heroína de Lauren, e ela disse: "Até eu casaria com você no lugar dela, Joshua Park", e o abraçou e o beijou no rosto, um beijo bem estalado, e depois deu mais um abraço.

Ele comprou um terno só para aquela noite, porque não tinha um, e a sra. Kim falou que dava sorte usar um terno novo ao dar início a uma vida nova. Ele convidou a família de Lauren e fez a reserva no restaurante para todos, as duas famílias — incluindo Ben e Sumi, claro —, e então foi buscar Lauren no trabalho, para que pudessem ir andando juntos pelo parque.

Josh nunca havia tido tanta certeza de uma coisa em toda sua vida. Lauren Rose Carlisle estava destinada a ser sua mulher. Ele andaria um quilômetro e meio descalço pisando em cacos de vidro só para ir buscar um guardanapo para ela.

Nossa, aquela felicidade. Aquela certeza de que teriam uma longa vida juntos. Filhos. Férias. Uma casa com uma varanda na frente e um balanço no quintal.

Ser viúvo aos trinta jamais passou por sua cabeça.

Mas sua esposa estava certa. A tristeza não deveria anular algo que tinha sido tão alegre e pleno e lindo. Só porque as flores de cerejeira caíam, isso não significava que você deveria lamentar por elas enquanto ainda estavam na árvore.

"Isso parece bem profundo, né?", ele perguntou para Pedrita. A cachorra expressou concordância lambendo seu rosto. "Nós devíamos anotar e deixar registrado por escrito."

Em vez disso, ele ficou ali mesmo, sentindo o sol aquecer seu rosto, com o braço em torno da cachorra, e a gaivota tranquila em seu lugar no gradil. A outra carta podia ser aberta no dia seguinte ou no outro. Naquela noite, ele ficaria lembrando do quanto havia sido feliz com ela.

## 12

### JOSHUA

*Terceiro mês, carta nº 3*
MAIO

Oi, *bonitão*,

    Quero que você saiba que eu estou bem. Estou bem enquanto escrevo esta carta — foi uma sequência de bons dias, e estamos aqui em Cape Cod. Que presente foi esta casa, Josh! Acordar com o som do mar, dormir sob a Via Láctea, poder receber todos os nossos amigos e parentes... Obrigada por ser tão atencioso e generoso e incrível.
    Sua mãe está aqui agora, fazendo repolho recheado com carne de porco, e, apesar de estar sentada do lado de fora, estou praticamente babando de tanto salivar. Eu amo sua mãe. Ela é tão prática e... maravilhosa. Ela é fodona, sério mesmo. Por favor, trate de visitá-la bastante depois que eu morrer. Ela vai precisar cuidar de você, que também vai precisar dela. Ela sempre disse que engravidar foi a melhor coisa que fez na vida.
    Às vezes eu sonho com meu pai, como você bem sabe. Mas, ontem à noite, sonhei que eu e ele íamos almoçar com... adivinha quem? Seu pai. Ele queria conhecer você, e meu pai e eu íamos ver qual era a dele primeiro. Se fosse um babaca, nossa ideia era dar uma surra nele, e rimos um montão enquanto falávamos sobre isso. Então o sonho mudou, e meu pai e eu estávamos no nosso antigo quintal, jogando softball, como fazíamos quando eu jogava, no sexto ano. Foi legal poder vê-lo.
    Acho que esses sonhos são uma prova de que o meu pai vai estar comigo quando eu morrer. Então saiba que não estou sozinha, certo, querido? E saiba

*que vou estar olhando por você. Estou sã e salva, assim como quando escrevi esta carta. Só as coisas aqui no Além é que estão em outro patamar.*

*Então, este é o seu terceiro mês sem mim, e acho que você poderia comprar umas roupas novas. Eu sei... isso não é muito importante para o processo de luto, mas, como você não tem muita noção de moda e eu não estou aí para mandá-lo se desfazer dessas calças cargo, e sabendo que você tem uma bunda que só pode ser descrita como de um Nível Justin Trudeau de Perfeição...*

Josh caiu na risada. Ela sempre teve uma quedinha pelo primeiro-ministro do Canadá.

*... quero que você vá fazer umas compras. No shopping.*

*Ah, nada de entrar em pânico! Você consegue. É para ir sozinho, querido. Nada de pedir ajuda para Jen ou Sarah. Você é um homem maravilhoso e um empreendedor extremamente bem-sucedido. Pare de se vestir como o Mark Zuckerberg e/ou o Unabomber.*

*Você sabe que eu adorava roupas. Uma roupinha nova sempre me deixava animada para levantar e me vestir. É uma coisinha de nada, mas faz diferença.*

*Boa sorte, querido! Amo você demais.*

*Lauren*

*P.S.: Dê um abração na sua mãe e diga que eu a amava muito. Mesmo que ela já saiba.*

Stephanie sabia. Lauren deixou uma carta para ela também. Ao que parecia, todo mundo recebeu uma — sua mãe, a mãe dela, Darius, Jen, Sarah, e até Sebastian e Octavia, para serem abertas quando fizerem dezesseis anos. Mara, da faculdade, Asmaa, do Hope Center, Bruce, o Poderoso e Generoso, Louise e Santino, os colegas de trabalho. (Bruce tinha mandado um e-mail para ele umas semanas atrás avisando que havia demitido aquela nojenta da Lori Cantore. Por conflito de personalidades, segundo Bruce.)

Muito bem. Lauren obviamente sentiu que a morte estava a caminho, mas nunca fez qualquer menção a isso. Lauren vivia no momento presente como nenhuma outra pessoa que ele conhecia, e ainda conseguiu escrever para todo mundo que amava enquanto partia. Só ela poderia ter sido tão generosa e atenciosa, dedicando uma parte do tempo que lhe restava no mundo para deixar alguma coisa sua às pessoas.

Josh jamais encontraria alguém como ela de novo. E nem tentaria. Depois de viver um amor como aquele, era inútil tentar replicá-lo. Qualquer outra coisa pareceria uma imitação vazia.

Aquilo era um sinal de aceitação? Um dos famosos cinco estágios do luto, junto com a raiva, a negação, a negociação e a depressão? Alguém no fórum tinha dito que os estágios não seguiam exatamente uma ordem — qualquer um deles poderia vir do nada a qualquer momento e atingi-lo como um soco na cara. Era o que parecia mesmo, pensou Josh. Suas mãos ainda estavam doloridas, como um lembrete do estágio da raiva. Às vezes ele não sabia se estava encarando o luto do jeito certo, mas, em seu caso, estar no espectro do autismo tornava tudo mais confuso mesmo.

O que era mais uma razão para seguir as instruções de Lauren.

Josh olhou no relógio. Seis da tarde de uma sexta-feira. As pessoas normais já teriam planos para a noite. Ele havia ido jantar com a mãe alguns dias antes, e com Jen na noite anterior, e conseguiu até ler um pouco para Sebastian na hora de colocá-lo para dormir. Octavia estava começando a falar algumas coisas — mamã, papá, tetê —, e Jen tentou ensiná-la a dizer Josh, mas ela só escondeu o rosto no pescoço da mãe e abriu um sorrisinho fofo. As duas crianças tinham fotos de Lauren com elas no colo penduradas no quarto. Mas Josh só conseguiu olhar para elas por uma fração de segundo (a parte da negação atuando, provavelmente).

Ele releu a carta e quase foi capaz de sentir o cheiro do ar salgado de Cape Cod, aquele céu tão azul que até doía na vista. Talvez devesse ir para lá; tinha alugado a casa para aquele verão também em janeiro, imaginando que teria mais tempo. Para dar a Lauren mais uma primavera e um verão à beira-mar. Se ele mantivesse a casa, ela viveria mais tempo, certo?

Ah, a negociação.

Ele poderia deixar outras pessoas usarem o lugar. Era uma pena ele estar vazio. Imediatamente, se sentiu culpado por não ter pensado naquilo antes. Mandou uma mensagem para Asmaa e ofereceu o local para ela e o noivo, e pediu para que ela perguntasse para outras famílias do Hope Center se também não gostariam de ir para lá.

A lembrança daquele deque, do som do mar, das gaivotas, do riso de sua mulher... A saudade o atingiu como um vagalhão, com força suficiente para fazê-lo estremecer.

Pedrita apoiou a cabeça em seu joelho. "Preciso dar um pulo no shopping", ele avisou, sentindo como se estivesse prestes a fazer uma jornada ao inferno.

Uma hora depois, isso se mostrou verdadeiro. O shopping era *mesmo* o inferno. Adolescentes, famílias, gente andando para lá e para cá... o lugar estava uma loucura. Ele foi empurrado, arrastado por hordas de consumidores, esmagado pela turba.

As crianças não tinham mais hora de ir para a cama, não? As pessoas não preferiam passar aquela linda noite de primavera ao ar livre?

"Quer experimentar um creme antienvelhecimento incrível?", perguntou um homem, saltando de um quiosque com uma amostra na mão.

"Eu tenho trinta anos", Josh respondeu.

"Nunca é cedo demais para começar! Que tal levar um para a sua esposa?"

Josh deteve o passo. "Minha esposa?"

O homem apontou para sua mão esquerda. "Ou marido. Desculpa."

Ah, sim. Ele ainda estava de aliança. Josh seguiu em frente sem responder e acabou preso atrás de um bando de meninas, que tagarelavam frases clichês em voz alta.

"Aimeudeus, eu sou obcecada por ele!"

"Ah, eu tô fora!"

"Ela é TUDO!"

As meninas pararam diante de uma loja de roupas de aparência barata, e ele quase deu um encontrão nelas. "Com licença", ele bufou, passando por trás delas, inexplicavelmente irritado.

"Ai, desculpa, moço!", uma delas gritou, e elas caíram na gargalhada.

"Eu, hein?"

"Então tá, boomer!"

Deus do céu. Ele não queria ouvi-las. Imaginou que estava as arremessando para longe como se fosse o Hulk, para tirá-las do caminho. Mas, como Lauren não teria aprovado isso — na verdade, Lauren devia ter sido como aquelas meninas, mexendo o tempo todo no cabelo e só pensando em si mesma —, ele pensou apenas em trancá-las na cadeia. Mesmo assim, era cruel demais. Certo. Em uma sala sem internet, maquiagem ou produtos capilares.

Por falar em cabelo, tinha um lugar chamado Tanglzz. Esse nome era a cara de Rhode Island. Sua mãe tinha lhe dito que ele estava precisando de um corte e se ofereceu para fazer isso — ele não cortava desde a morte de Lauren, e estava *mesmo* comprido — mas, ao lembrar do corte tigela que usava na infância, recusou a oferta.

"Vocês atendem sem hora marcada?", ele perguntou para a mulher atrás do balcão.

"Claro!", disse a recepcionista, e um minuto depois Josh estava na cadeira, com uma mulher com mechas roxas lavando seu cabelo. "De onde você é?", ela perguntou.

"Providence."

"Que máximo!", ela exclamou, como se morar na mesma cidade onde nasceu fosse algo notável. "Eu sou a Britney, aliás", ela falou, jogando mais um produto em sua cabeça. Pois é. Isso já estava escrito no crachá. "Os meus pais me deram esse nome por causa da Britney Spears, sabe?"

Aquilo era quase uma maldição. "Legal."

"E o seu nome, qual é, querido?"

"James." Ele pagaria em dinheiro vivo. Dizer seu nome tornaria a coisa pessoal demais.

"Ai, meu Deus! Eu tenho um primo chamado James. Jimmy, como todo mundo diz. Ele está preso, né? Mas no fundo é um cara legal." Ela começou a esfregar seu couro cabeludo com a ponta dos dedos.

Fora os abraços de condolências, Britney era a primeira mulher a tocá-lo desde a morte de Lauren. Ele não sentiu nada. Teoricamente, a água quente e o xampu deveriam ser uma coisa agradável. Em vez disso, ele sentia que eram uma experiência a ser suportada.

"Você já foi para a Califórnia?", Britney perguntou do nada, sem nenhum motivo aparente.

"Já."

"Isso é *superincrível*. A Califórnia é o máximo." Ela não perguntou qual parte da Califórnia, mas pelo jeito qualquer parte do estado já bastava. "Eu nunca viajei muito, só fui visitar uma tia minha na Pensilvânia, sabe? Foi um tédio. Tipo, meio que uma cidade? Mas não exatamente, né? Com um monte de milharais e antiquários. E essa minha tia é só oito anos mais velha que eu, sabe? Então eu falei: 'Menina, onde estão as festinhas?'."

Ela continuou tagarelando, sem exigir nenhum tipo de reação de Josh. Quando perguntou que tipo de corte ele queria, respondeu "curto", porque não queria passar por isso de novo. Depois do que poderiam ter sido quinze, vinte ou mil minutos, ela havia terminado e estava escovando sua nuca e seus ombros.

"Pronto! Você ficou superótimo, James." Ela sorriu e apertou seu braço, e ele se sentiu mal por ter antipatizado com a moça e deixou uma gorjeta de vinte dólares, apesar de o corte ter custado só doze.

Estava se sentindo exaurido, mas queria fazer o que sua mulher pediu. Ainda queria deixá-la feliz.

Essa era sua missão na vida, afinal.

Saiu andando sem rumo pelo shopping, passando por lojas de redes de joalherias e de lingerie feminina e quiosques que vendiam apliques de cabelos e bijuterias chamativas, e outros que ofereciam porcarias como pretzels quentes e sorvetes, até chegar a uma loja com roupas masculinas na vitrine. Mais meninas adolescentes, talvez o mesmo bando de antes, passaram por ele. Duas delas estavam de braços dados.

Lauren e Sarah faziam isso às vezes. Talvez até naquele mesmo shopping na adolescência, quando eram como aquelas meninas, tagarelas, egocêntricas e confiantes demais na própria beleza. Afinal, foi assim que ele viu Lauren da primeira vez que a conheceu. Como uma garota tonta e fútil.

Não dava nem para acreditar. O amor da sua vida, a mulher com quem casou, e ele havia perdido o quê... seis anos que poderia ter passado com ela? Não. Quase sete. Esse pensamento o deixou desnorteado. Se Josh não tivesse sido um babaca arrogante naquela festa, eles poderiam ter passado mais *sete* anos juntos.

Seu coração estava disparado dentro do peito. Ele poderia ter vivido *quase uma década* a mais na companhia dela.

"Olá, seja bem-vindo", disse uma voz. "Está procurando alguma coisa em especial?"

Ah. Aparentemente ele tinha entrado na loja. "Eu preciso de umas coisas", respondeu, e sua voz soou estranha a seus próprios ouvidos.

"Ótimo!", respondeu o vendedor. Era um jovem bem-vestido, com o cabelo bem penteado formando uma curva perfeita sobre a testa. "Meu nome é Radley. E o seu?"

"Joshua."

"O que você está querendo comprar, Joshua?"

Ele não fazia a menor ideia de como responder. "Estou precisando... de tudo, eu acho."

Sua resposta deixou Radley animado. "Sem problemas! Que tamanho você usa? E que cores prefere? Essa aí é bem... chamativa." O vendedor apontou para o que Josh estava vestindo, e só então ele percebeu que era uma camiseta que a sra. Kim tinha trazido da Coreia em sua última viagem — com uma estampa em um padrão rodopiante de amarelo e vermelho bem fortes. E de bermuda cargo. E sandálias Birkenstock sem meias.

Talvez tivesse sido melhor se olhar no espelho antes de ter saído de casa.

Em algum lugar, Lauren devia estar rindo. Isso quase o fez sorrir.

"O que você achar melhor", Josh respondeu. "Eu não tenho muito bom gosto para roupas."

"Ainda bem que você admitiu, assim não tenho que fingir." Radley abriu um sorriso. "Certo, vamos começar." Ele começou a pegar coisas nas araras, algumas camisas aqui, calças sociais ali, jeans, um suéter, mais calças, outra camisa. Josh ia atrás dele, concordando com tudo sem olhar.

Sete anos a mais. Ele poderia ter passado mais sete anos com Lauren, mas tinha sido um completo babaca.

"Essas calças estão super na moda", o vendedor dizia. "Você pode dobrar se quiser ficar mais hipster. Está vendo a estampa bacana na parte de dentro? Ou pode usar como está, para um look mais conservador. Eu usaria a camisa por dentro, mas bem folgada, quase para fora, de repente acrescentando um colete ou uma blusa de lã mais tradicional. Esse chapéu ficaria ótimo para sair à noite. Então, por que você não começa a experimentar, e eu vou pegando outras coisas que podem te agradar?" Ele pendurou uma dúzia de peças no provador, todo contente, e foi para as araras buscar mais.

Josh fechou a porta do provador atrás de si e se olhou no espelho. Lauren tinha lhe dado umas dicas de como se vestir depois de um tempo namorando, mas ele voltou aos antigos hábitos depois da morte dela — usar coisas que não traziam nenhuma lembrança relacionada a Lauren tornava tudo um pouco mais fácil.

Ele realmente estava ridículo.

Pegou uma calça de algodão em um tom de laranja — coral, como Lauren chamaria —, uma camiseta azul e uma camisa de abotoar estampada em azul e amarelo.

"Trouxe uns sapatos, caso você queira ver como as roupas ficam sem essas, hã... atrocidades." Radley passou um par de sapatos sociais marrons por baixo da porta fechada.

Josh calçou os sapatos. E se olhou no espelho.

Com o novo corte de cabelo e as roupas inegavelmente modernas, parecia diferente. Não era mais o gênio ermitão e workaholic sem vida social que costumava ser, ou o viúvo apalermado que tinha virado.

Ele parecia... parecia o cara que tinha casado com Lauren Carlisle. Voltou a parecer o marido dela.

A dor o atingiu bem no meio do estômago, fazendo-o se dobrar ao meio. Um som agudo escapou de sua boca, que ele tentou tapar. As lágrimas começaram a cair sem aviso, e ele sentiu seu peito ser esmagado pela dor.

Poderia ter passado *anos* a mais com ela.

"Joshua? Joshua? Você está bem?", a voz do vendedor perguntou. A porta foi sacudida de leve.

O espelho revelou seu rosto, molhado de lágrimas, contorcido de dor, assustado, desamparado. Como ele poderia viver sem ela pelo resto da vida? Seus joelhos cederam, e ele foi ao chão, envolvendo a cabeça com os braços.

A porta se abriu, e Radley apareceu, com uma chave na mão. "Ah, nossa, você não está bem *mesmo*. Como posso ajudar? Quer que eu chame uma ambulância?"

"Minha... minha..." Ele mal conseguia pôr as palavras para fora. "Minha mulher... morreu."

"Meu Deus. Cara, que merda." Radley sentou no banquinho do provador e apoiou a mão sobre o ombro de Josh. "Que péssimo."

Era vergonhoso demais chorar ali, quase cômico, se não fosse tão

120

absolutamente trágico. Ele estava aos prantos agora, com o braço sobre o rosto, ensopando de lágrimas uma camisa que nem era sua. Josh *não queria* parecer o marido de Lauren. Ele não era mais essa pessoa. Não tinha mais o direito de parecer o marido de Lauren. Não merecia isso, não depois de não ter conseguido salvá-la. Não depois de ter perdido a chance de passar mais sete anos com ela.

*Reage, bobão.*

A voz dela ressoou com tanta clareza em sua mente que ele ergueu a cabeça para ver se Lauren estava lá.

Não estava, claro. Josh engoliu um soluço, depois mais outro, aquela reação corporal tão estranha que parecia impossível de impedir. Ele não sabia como reagir. Era esse o problema.

"Será que eu posso usar o provador?", perguntou um sujeito com uma barba enorme, segurando uma camisa.

"Você não está vendo que ele está mal?", esbravejou o vendedor. "Pelo amor de Deus! Que tal um pouco de compaixão? Volta amanhã que eu te dou um desconto de quarenta por cento."

"Desculpa", Josh conseguiu dizer.

"Não precisa se desculpar. Espera um pouquinho." Radley — ou Ripley? — levantou, saiu do provador e voltou logo em seguida. Ele estava com uma bandana em uma das mãos e uma garrafa de água na outra. "Agora limpa esse rosto. Eu vou fechar a loja."

Josh se sentia como um velho de cem anos de idade. Com esforço, se ergueu para sentar no banco e suspirou. Os soluços tinham parado.

Não era nada legal ter um colapso como aquele. Nem um pouco mesmo. Suas mãos ainda tremiam. Suas costelas doíam de tanto chorar. Ele enxugou os olhos, assoou o nariz, bebeu um pouco de água e, quando Radley voltou, tinha recobrado a compostura, embora seus olhos ainda estivessem marejados.

"Me desculpa, de verdade", ele falou. "Eu não esperava que isso fosse acontecer."

"Não tem problema nenhum", Radley afirmou. "Quanto tempo faz?"

"Três meses."

Radley assentiu. "Vamos fazer o seguinte. Quer sair para beber alguma coisa? O shopping fecha daqui a dez minutos."

"Isso é... é muita gentileza sua, mas não precisa fazer isso. Você já me ajudou bastante."

"Eu sei que não preciso." Ele sorriu. "E com certeza você tem um monte de amigos para te dar apoio, mas às vezes com um desconhecido fica mais fácil."

"Seu cabelo é bem legal", Josh comentou. Por quê? Por que dizer aquilo? (Mas era mesmo.)

"Demora um tempão para arrumar, mas vale a pena, né?", Radley falou, passando a mão perto da cabeça. "Vamos lá. Nós podemos beber um martíni de manga, ou um uísque, ou qualquer outra coisa. Sério mesmo."

Era melhor do que voltar para um apartamento sem vida e uma cachorra de luto.

"Certo", Josh respondeu. "Eu vou levar tudo, aliás."

Radley arregalou os olhos. "Isso vai custar, tipo... um dinheirão. Não precisa se sentir obrigado. Quer dizer, a bandana você vai precisar comprar, e essa camisa, já que agora está toda melecada, mas..."

"Não. Eu preciso mesmo de roupas novas. Obrigado." Ele começou a desabotoar a camisa estampada.

"Não! Para. Pode sair usando as roupas novas da loja. Pelo bem de todo mundo." Ele olhou para as roupas ainda penduradas no provador. "Tem certeza de que vai querer tudo? Isso pode abrir um rombo na sua carteira."

"Eu tenho como pagar. E as roupas são todas bem bonitas."

"Então você sabe reconhecer uma roupa bonita?", Radley rebateu, levantando uma sobrancelha e sorrindo como um elfo estiloso. Ele apontou para a camiseta de poliéster vermelha e amarela de Josh. "Eu posso queimar essa coisa, para você nunca mais se sentir tentado a usar de novo."

Josh quase sorriu. "Uma amiga comprou para mim na Coreia."

"E ela te odeia?" Ele sorriu. "Foi ela que forçou você a usar essa bermuda cargo e essas..." Radley fez uma pausa para estremecer. "Birkenstocks?"

"Não." Lauren também detestava aquelas sandálias. Seu sorriso foi discreto, mas genuíno.

"Então talvez você devesse vir aqui mais vezes. Quer fazer um cartão da Banana Republic? Assim você ganha desconto nas compras." Ele baixou o tom de voz. "E eu marco alguns pontos com o meu chefe."

"Claro."

Alguns minutos depois, eles saíram da loja e pegaram o caminho da saída para o estacionamento, passando pelos restaurantes do shopping, todos com mesas espalhadas pela enorme praça de alimentação.

"Eu posso ir com você", Radley falou. "Estou sem carro, e garanto que não sou um serial killer. Conheço um lugar onde ninguém vai encher nosso saco e os drinques são baratos. Mas esses lugares daqui?" Ele apontou para uma loja de uma franquia que Josh reconheceu dos comerciais de tv da madrugada, que oferecia hambúrgueres enormes e baldes com uma quantidade infinita de batatas. "Eu não comeria em um restaurante do shopping. Em primeiro lugar, porque *com certeza* ia ter cabelo na comida. Além disso, é tudo tão barulhento! Como é que as pessoas conseguem conversar aqui?"

Nesse exato momento, os dois ouviram o som de alguma coisa caindo e se viraram ao mesmo tempo para olhar. Uma garçonete tinha derrubado uma bandeja — pratos e copos, bebidas e comida espalhadas por toda parte. Um hambúrguer enorme foi parar no colo de um homem, e as batatas se espalharam pela calça dele.

"Puta que pariu!", berrou o cliente, que usava uma camiseta que estampava seu amor por armas de fogo. Ele ficou de pé em um pulo, indo para cima da garçonete, que tinha metade de seu tamanho. Todo mundo ao redor ficou em silêncio.

A garçonete cobriu o rosto com as mãos e, por um instante, Josh pensou que o homem fosse bater nela.

"Ei!", Josh gritou. A névoa vermelha começou a surgir na periferia de seu campo de visão. Isso nunca era um bom sinal.

"Você é tão imbecil que não consegue nem carregar uma bandeja direito?", o fanático por armas berrou para ela.

"Mil desculpas", ela falou. Por algum motivo, aquela moça lhe parecia familiar.

"E de que adianta pedir desculpas? Nada disso, sua..."

A névoa vermelha se instalou de vez. "Para com isso. Foi sem querer", Josh gritou. Pelo menos dez pessoas sacaram o celular, sentindo cheiro de encrenca. O fanático por armas se virou para ele, com o rosto vermelho de raiva, agora que não poderia consumir seu futuro ataque cardíaco servido no prato.

123

"No comércio ou nos restaurantes, é a mesma coisa", murmurou Radley. "As pessoas tratam você como se fosse lixo."

"E isso é problema seu?", o cliente furioso retrucou, andando na direção dele.

Que ótimo. A névoa vermelha de novo. *Pode vir, cuzão*. Josh saltou o gradil que separava a praça de alimentação do restante do shopping. "Pelo jeito, é, sim", ele respondeu.

"E lá vem o crime violento no shopping do dia", Radley disse. Josh mal o escutava.

"Cuida da sua vida!", o babaca falou. "Ou vem aqui e fala na minha cara!"

Uma contradição ambulante, Josh pensou. "Foi sem querer. Pega leve com ela." Sua voz soou gutural. Mais um sinal da névoa vermelha. Maravilha.

"E por quê? Ela derrubou comida em mim, essa piranha imbecil." Josh cerrou os punhos.

"É com essa boca imunda que você beija a sua mãe?", Radley perguntou.

O homem se virou para Radley, que não recuou. "Cuidado com a língua, viadinho. Está vendo esta camisa aqui? Você não tem como saber o que eu tenho aqui comigo."

O homem levou a mão às costas (para sacar uma arma?), e a névoa vermelha borrou a visão de Josh. Então sua mão começou a *doer*, e seu braço estava estendido, e o valentão, cambaleando para trás, se chocando contra uma mesa e caindo no chão, em cima da poça de bebidas que a garçonete tinha derrubado.

As pessoas começaram a aplaudir. O homem tentou levantar, mas escorregou e caiu de novo. "Minhas costas!", ele urrou.

Lamentável. Josh esperava pelo menos uma boa briga. *Um pequeno jabuti xereta viu dez cegonhas felizes. Um pequeno jabuti. A porra da cegonha.*

A névoa vermelha se desfez. Alguém estava falando com ele. "Josh? Joshua? Você está bem?" Era seu novo amigo, Radley.

"Tudo bem."

"Você deu um soco naquele cara."

"Pois é." Isso dava para notar. Ele olhou para sua mão já ferida, que exibia um novo tom de vermelho.

Um homem apareceu correndo de dentro do restaurante com um segurança do shopping. "Fred!", Radley falou. "Finalmente. Esse cara estava xingando a garçonete. E depois ameaçou atirar em mim."

"Quer registrar uma ocorrência?", o segurança perguntou. "Eu posso chamar a polícia."

"Eu nem estou armado!", o valentão gritou, ainda caído no chão.

"Mas nós podemos registrar uma ocorrência de assédio moral", o segurança rebateu.

"Humm", disse Radley. "Bom, acho que ver esse cara caído em uma poça de Pepsi para mim já basta." Ele se virou para Josh. "E você, Joshua? O que acha?"

"Quem vai registrar uma ocorrência sou eu!", rugiu o homem. "Ele me bateu! Essa bicha me bateu!"

Radley estalou a língua. "Discurso de ódio, um radar gay totalmente descalibrado *e* um fanático por armas. Que surpresa."

Josh olhou para ele, um pouco surpreso por Radley não ter se abalado. Radley entendeu o que seu olhar queria dizer e deu de ombros. "Isso acontece mais do que você imagina."

As pessoas estavam tirando fotos do bundão caído no chão. "Hashtag homofóbico-fanático-por-armas, hashtag shopping-em-Providence", alguém falou. "Qual é o seu nome, homofóbico? Eu quero te marcar. Filmei tudo o que aconteceu. Aposto que a cnn vai adorar."

"Ele se chama Donnie Plum", disse outra pessoa. "Meu primo trabalhava com ele. Esse cara é um cuzão."

O segurança perguntou se Josh queria chamar a polícia. Josh não sabia por que essa decisão seria sua. Foi *ele* que partiu para a agressão, afinal de contas. "O que você acha, Radley?"

"O que você acha de proibir a entrada desse cara no shopping em caráter definitivo, Fred?", Radley sugeriu para o segurança. "Eu posso entregar um relatório formal amanhã, se quiser."

"Tudo bem", o segurança respondeu, prestativo.

"Ele nunca mais vai pôr os pés aqui", Radley gritou, para aplausos gerais.

"Eu já tenho cento e seis retweets e mil likes!", disse a pessoa das hashtags. "Donnie, você está viralizando. Aposto que vai ser demitido do emprego amanhã mesmo."

Josh e Radley foram liberados para ir embora.

"Obrigado por me defender. E a garçonete também", Radley disse enquanto eles iam para o carro. "Você é foda mesmo. Sério. Esse tipo de coisa assusta, não importa quantas vezes a gente já tenha ouvido."

Josh assentiu.

Quando chegaram ao carro, ele lembrou de onde tinha visto a garçonete antes. No veterinário. Ela era a dona do cachorro velhinho. Rhode Island e seus dois graus de separação.

Quinze minutos depois, eles estavam no Falconry, um bar gay perto do Providence College. O lugar era todo iluminado com luzes vermelhas, e a batida grave da música eletrônica pulsava. O som não estava alto, e o bar não estava cheio, mas Radley falou que, depois da meia-noite, ia começar a lotar.

Eles se acomodaram em uma mesa espaçosa e confortável. O garçom apareceu. "Drinques, senhores?"

"Vou querer um mojito de melancia", Radley falou. "Joshua? Está a fim de quê? As bebidas são por minha conta, já que você protegeu a minha honra. O jantar também, se estiver com fome."

Ele pensou em dizer que não bebia, mas mudou de ideia. "Vou querer um desses também", respondeu.

"Está com fome?"

"Não, estou tranquilo."

"Nachos, então", Radley falou para o garçom. "Os daqui são ótimos", ele disse para Josh. "Você não vai se arrepender."

Era tudo muito estranho, sair com alguém que não conhecia. E ir a um bar gay, ainda por cima. Depois de uma briga. Ele mal podia esperar para contar para...

Não. Ele não tinha mais Lauren para contar as coisas.

Uma pena. Ela teria adorado essa história.

Radley se recostou no assento e olhou para Josh. Os olhos azuis dele irradiavam gentileza. "Então, me conta sobre a sua mulher."

Uma ordem direta, que o pegou de surpresa. Josh respirou fundo e soltou o ar devagar. "Hã... o nome dela era Lauren. Ela tinha..." O que Radley realmente queria saber? Josh não era muito bom em ler as intenções das pessoas. "Ela recebeu um diagnóstico de uma doença terminal mais ou menos um mês depois que nos casamos."

"Eu sinto muito. Ela era o amor da sua vida?"

"Sim." Admitir aquilo o fez se sentir bem de uma maneira que ele não imaginava.

"Aposto que vocês eram um casal lindo."

Josh pegou o celular e abriu uma foto dos dois no casamento para mostrar a Radley.

"Ai, meu Deus, ela é uma princesa da Disney." Ele ficou olhando para a tela. "E você parece superfeliz."

"Nós fomos."

Os drinques chegaram, e Josh experimentou algo alcoólico pela primeira vez na vida. A bebida era mentolada e doce, e descia fácil. Sentiu um leve ardor na garganta, nada muito desagradável, que devia ser do álcool presente no mojito.

"Então, hã...", Josh disse. Era sempre Lauren quem puxava as conversas. O que ela diria? "Me fala mais sobre você. Radley é seu primeiro nome?"

"É, sim. Radley Beauchamp. E meus pais ainda ficaram chocados quando souberam que sou gay. Eu falei que, se tivessem me dado um nome tipo Joe, a essa altura da vida seria um metalúrgico com uma mulher e quatro filhos." Ele deu risada, e Josh sorriu, mais por obrigação. "Não tenho muito para contar, na verdade. Trabalho na Banana Republic, tenho duas irmãs, cresci na zona rural do Maine e estou estudando meio período para tirar minha licença de psicoterapeuta."

"Não é à toa que você soube o que fazer lá na loja, então. Obrigado pelo que fez por mim." Para esconder a vergonha, ele deu um bom gole na bebida. O gosto era ótimo.

"Eu é que agradeço", disse Radley. "Sério mesmo. Os meus pais detestaram saber que sou gay, eles são do tipo que adoram acampar ao ar livre e, minha nossa, comer esquilos no jantar de domingo. Então o que o filho gay poderia fazer a não ser ir embora de casa e virar terapeuta?"

"É uma profissão incrível." Era o que ele imaginava, pelo menos, porque nunca tinha feito terapia.

"E você faz o quê, Joshua?"

"Sou engenheiro de dispositivos médico-hospitalares."

"Isso me diz que você é uma pessoa muito inteligente."

Ele encolheu os ombros. Quando o garçom perguntou se queriam mais uma rodada, Josh respondeu que sim.

Eles conversaram sobre a vida em Providence, beberam e comeram *nachos*. Sem dúvida era reconfortante conversar com alguém que não compartilhava de sua perda, que não tinha lembranças de Lauren, que não sentia falta dela.

"Então... minha mulher escreveu umas cartas para mim", ele contou para Radley. "Foi por isso que saí para fazer compras hoje. Ela me mandou arrumar umas roupas novas."

"Uma mulher sensata", murmurou Radley.

Josh sorriu. "Era mesmo."

"Talvez as roupas novas envolvam mais coisas que só as roupas."

"Você com certeza está parecendo um terapeuta falando agora."

Radley sorriu. "Às vezes um charuto é só um charuto. Às vezes não é."

Um homem se aproximou da mesa deles e sentou ao lado de Radley. "E aí, Radley. Quem é o seu amigo?"

"Joshua... Ops, não sei seu sobrenome."

"Park."

"Eu sou o Todd, Joshua, e achei você um gato."

"Não vai rolar", disse Radley. "Ele é hétero, e a mulher dele morreu há pouco tempo, tá bom? Que tal dar um tempo, se não for pedir muito?"

"Puta merda, me desculpa", disse o homem, levantando para ir embora. "Eu sinto muito. Meus sentimentos."

Josh começou a rir do nada. Talvez fosse efeito do álcool, porque ele estava sentindo sua cabeça meio zonza e girando, ou talvez fosse o efeito reverso da choradeira no provador, mas ele caiu na gargalhada, enquanto Radley só olhava para ele. "O nome dele é Todd", Josh explicou. Qual era a graça, ele não sabia. Mas era engraçado.

Radley sacudiu a cabeça e sorriu. "Eu levo o carro de volta para a sua casa", ele avisou, com o tom de um tio mais velho e prudente. "Posso pedir um Uber de lá."

"Eu pago a corrida para você", Josh falou. "Os *nachos* estão muito, muito bons."

Mais ou menos uma hora depois, Josh estava na cama. Radley tinha incluído seu nome e telefone no celular de Josh, tirou uma selfie dos dois para incluir na lista de contatos e entrou no Lyft que Josh tinha chamado para ele.

Josh estava zonzo e meio aéreo, mas não triste. Pelo menos *não só* triste. Estava até um pouco feliz.

Ele tinha... seria verdade mesmo? Ele quase tinha conseguido se divertir naquela noite. Deu uma porrada em um cara. Comprou roupas que Lauren não tinha escolhido nem visto antes e, por algum motivo, se sentiu melhor por isso.

E, acima de tudo, estava quase certo de que havia feito um novo amigo.

"Muito bem", ele disse, e logo pegou no sono.

# 13

## LAUREN

*Dezesseis meses restantes*
10 DE OUTUBRO

Papai,

Eu ia fazer uma lista de desejos, mas concluí que isso era muito clichê. Mas existem algumas coisas que quero fazer, e sei que não tenho todo o tempo do mundo. Quero um cachorro. Quero comer sobremesa sempre que possível — o que eu já faço, para ser bem sincera. Hã... e o resto? A verdade é que minha vida é tão feliz que parece errado querer ainda mais experiências ou ter ainda mais coisas ou comer ainda mais docinhos (bom... acho que a parte dos docinhos tudo bem).

Mas a minha vida no momento está normal. A FPI é parte da minha rotina agora. Não estou em frangalhos por isso.

Sabe quando as mulheres dizem que o melhor dia da vida delas foi o do casamento? Comigo não é assim. Os melhores dias (isso mesmo, no plural) são os normais, papai. Os dias em que está sol e sem chuva e dá para sentir o cheiro dos donuts da Knead. Quando Sebastian me liga usando o FaceTime do celular da Jen sem ela saber e nós temos nossas conversas particulares, ou ele deixa o aparelho de lado e fico escutando enquanto ele brinca. Quando Bruce me elogia no trabalho, não porque sente pena de mim, porque ele não é assim, mas porque me saí bem. Ou quando posso sentar no jardim e ficar vendo as pessoas que passam e inventando histórias sobre elas.

Estou feliz, pai. Estou bem de verdade, e muito feliz. Não se preocupe comigo, certo? Amo você.

*Lauren*

\* \* \*

Pedrita, sua pastora-australiana recém-chegada, sabia se equilibrar sobre as patas traseiras, andar sozinha segurando a guia da coleira na boca, cantar junto com o rádio, espirrar quando recebia o comando para isso e capturar um Frisbee em pleno ar.

Também comia papel higiênico, morria de medo de pombos, sempre fazia cocô embaixo da mesa de trabalho de Josh e não conseguia segurar o xixi quando ouvia a palavra *carro*.

"Agora eu entendi por que ela foi colocada para adoção", Josh comentou, enquanto limpava o sexto cocô daquele fim de semana. "Não conta para a minha mãe que ela cagou aqui dentro, ou então a nossa casa inteira vai levar um banho de água sanitária." Stephanie era *mesmo* obcecada por limpeza, entre seus muitos atributos. Quem mais além de sua sogra limparia sua cozinha só por diversão?

Mas, deixando de lado o cocô, a vida estava boa. As folhas das árvores estavam com um tom particularmente vivo naquele outono, e eles tinham passado o dia no parque para cães da Waterman Street, jogando bolinhas e gravetos para meia dúzia de outros cachorros enquanto Pedrita tentava em vão conduzi-los como se fossem um rebanho. Lauren estava no sofá com o cilindro de oxigênio, porque havia sido um dia movimentado. Pedrita também estava cansada, deitada com a cabeça no colo de Lauren. Tinha as orelhas mais macias do universo. Ela tinha roído o controle remoto na noite anterior, verdade, e queria dormir sempre na cama com eles, mas aquelas *orelhas*...

"Você está bem?", Josh perguntou depois de esvaziar a lixeira e lavar as mãos.

"Estou. Só um pouco cansada."

Ele a encarou, estreitando os olhos com descrença.

"Bastante cansada." Ela não queria entrar em detalhes a cada vez que sentia alguma coisa, nem com o marido. Seus ossos estavam doloridos, seus músculos, ainda mais, e seus olhos, secos e grudentos. Mas *cansada* já bastava como explicação.

"Que tal uma massagem nos pés?", ele ofereceu.

"Existe alguma mulher no mundo que recusaria uma oferta como essa? Claro, bonitão."

Ele sentou e puxou um de seus pés para fora do cobertor, envolvendo com as mãos quentes sua pele fria. "'*Did you ever think you're a hero?*'", ele começou a cantar, sorrindo para ela, com uma voz adoravelmente desafinada. Ela sorriu. Fazê-la rir era um esforço consciente para Josh, e por isso a deixava ainda mais feliz.

"Essa música não", ela reclamou. "Qualquer uma, menos essa."

Ele levantou uma sobrancelha. "'*You're everything I thought I should be.*'"

"E ainda está cantando errado. Por favor, para, se não quiser que eu te mate."

"'*I can fly higher than a seagull...*'"

"Errou de novo. Se continuar cantando, você não vai transar hoje à noite."

"'*Because you are the...*' Ops, chega de música." Ele continuou a massagear seus pés, sorrindo para ela.

"Essa foi a música que Jen escolheu para dançar com o meu pai no casamento dela", Lauren contou, e a lembrança fez seus olhos se encherem de lágrimas.

"Ah. Desculpa, querida."

"Não, não. Foi lindo. E era a música perfeita para eles." Ela engoliu em seco.

"Qual teria sido a sua?", ele quis saber.

"'Everything I Am', da Celine Dion", ela respondeu sem pensar duas vezes. "Escolhi logo na primeira vez que ouvi. Eu devia ter uns dez anos." Ele não parecia estar entendendo muita coisa. "É basicamente a melhor música sobre pai e filha do mundo. Eu te mostro um dia desses."

"Tudo bem."

"Você pensa no seu pai?", ela perguntou, sem a menor cerimônia.

As mãos dele pararam a massagem por um tempo, mas logo em seguida recomeçaram. "Na verdade, não. Eu nunca tive um pai. Ben foi um bom substituto, como você bem sabe. Me ensinou a andar de bicicleta e jogar futebol americano, o que foi engraçado, porque ele não sabia lançar uma bola por nada do mundo. Uma coisa que nós fazíamos bastante era aviõezinhos de papel. Ficavam muito bons." Ele olhou para as mãos e os pés dela.

"Ben é o máximo." Ela ficou hesitante, mas insistiu na conversa. "Mas, só por curiosidade, você nunca procurou no Facebook, ou no Ancestry, ou alguma coisa do tipo?"

"Por quê? Seja lá quem for, ele se mandou antes de eu nascer."

"Sei lá. Quando a pessoa está à beira da morte, como eu, esse é o tipo de coisa que passa pela cabeça." Ela se arrependeu do que disse... Josh não gostava desse tipo de brincadeira sobre sua saúde, mas deixou passar aquela, se limitando a revirar os olhos.

"Bom, é só não ficar pensando a respeito. E pode parar com o melodrama." Ele trocou o pé, massageando com força. Aquele homem tinha habilidades incríveis.

"Você tem raiva dele, querido?"

Josh não respondeu de imediato. "Eu não iria tão longe. Só não estou interessado. O cara é um inútil que deixou minha mãe na mão. Por que eu ia querer alguma coisa com ele?"

"De repente só para conhecer sua ascendência étnica? Descobrir de onde vieram esses cabelos pretos?" Sua mãe era bem loira, e Lauren achava que o pai dele poderia ser latino, ou indígena. "Mas a escolha é sua, claro."

"Não... nem pensa em fazer isso, Lauren. Não tenta procurar o cara nem nada do tipo. Você não está naquele programa cafona da televisão."

"Não vou fazer nada, querido. Só estou curiosa." Ela fez uma pausa. "E, por falar nisso, eu adoro esse programa."

Josh a encarou, bem sério. "Ele é uma pessoa inexistente. Ponto-final."

"Entendi." Ela o cutucou nas costelas com o pé livre. "Se você prometer fazer uma torta com essas maçãs que a sua mãe trouxe ontem, posso transar com você agora mesmo. Sexo no sofá. Você sabe o potencial disso, gostosão."

"Uma torta, é?"

"Essas maçãs precisam render alguma coisa." Ela pegou sua mão e o puxou mais para perto. Pedrita resmungou e deitou de barriga para cima. "A cachorra leu meus pensamentos", Lauren murmurou.

Josh sorriu e, apesar de estar exausta, ela sabia que não se arrependeria da meia hora seguinte. "Tira a cachorra daqui", Lauren murmurou. "Ela é uma tarada, e não quero plateia desta vez."

Eles fizeram amor, rindo de vez em quando, com o humor se intercalando com a reverência, a luxúria e um certo orgulho por fazerem tão bem um para o outro. Depois de passarem um tempo abraçados, Josh foi se encarregar da torta. Lauren tomou um banho e tirou um cochilo, depois respondeu e-mails e fez alguns ajustes em um projeto que Bruce tinha passado para ela — o pátio de um novo condomínio residencial. Bem divertido.

A torta estava com um cheiro divino, e Josh tinha deixado a cozinha brilhando de limpa. Stephanie acreditava firmemente que a limpeza era uma virtude e, apesar de Josh ser um porcalhão quando Lauren o conheceu, os genes da mãe enfim estavam agindo. Isso sem contar o medo de que algum germe aleatório a deixasse doente.

"O jantar está servido", ele avisou. "E saiba que não tem açúcar, porque as maçãs já estavam bem doces, e a massa foi feita com farinha de trigo integral..."

"Por favor, não estraga tudo, querido. Pega um garfo e vem comigo."

"É tudo para você."

"Eu estou me sentindo generosa hoje", ela disse. "Anda! Vem comer." A verdade era que comer demais dificultava sua respiração.

Josh pegou um garfo e começou a comer com ela direto da fôrma. Os pratos eram desnecessários.

Bateram na porta. "É a Sarah!"

"Pode entrar!", Lauren gritou, tossindo em seguida. Josh deu uma boa olhada para ela, avaliando sua condição, como sempre fazia. Ela se perguntou quanto de pesquisa sobre FPI ele devia fazer durante seus cochilos.

"Eu trouxe uma torta... ai, meu Deus, já está com cheiro de torta aqui!" Sarah deu risada. "Grandes mentes pensam igual. Bom, acho que vocês podem congelar esta aqui."

"Sarah! Você é a melhor amiga de todas as melhores amigas!"

Josh levantou e foi até ela. "Pode deixar aqui comigo. Obrigado. É muita gentileza sua." Lauren revirou os olhos. Josh nunca conseguiu estabelecer uma intimidade com Sarah e ficava todo formal quando falava com ela.

Mas algum dia eles seriam amigos. Com certeza absoluta. Sarah era uma pessoa formidável, inteligente e divertida, além de adorar cachorros, como estava demonstrando naquele momento, deixando Pedrita lamber seu rosto.

"Olá, Pedrita, meu amor! Oi! Oi! Ah, eu também te amo, lindinha. Mais do que esses dois juntos." Ela foi até a sala e sentou na poltrona de couro. "Como vocês estão? O que me contam de novo e empolgante?"

Josh e Lauren se entreolharam. "Hã... nada. Foi um dia tranquilo."

"Então vocês ficaram só transando. Saquei. Como gente casada é exibida. Josh, arruma um marido para mim, vai."

Ele olhou para Lauren, que fez uma expressão encorajadora, para deixar claro que era uma brincadeira. "Ah, sim, claro. Isso está no topo da minha lista de prioridades." Bom menino.

Sarah olhou para o cilindro de oxigênio ao lado do sofá. "Dia difícil?"

"Um dia ótimo. Só estou meio cansada agora." Falar sobre sua saúde era entediante. "Ei, você recebeu o convite da festa de aniversário da Debi Escrota?"

"Recebi! Desde quando ela gosta de mim?"

"Não faço a menor ideia." Debi era uma garota do antigo bairro delas que era (e continuava sendo) uma tremenda de uma vaca. "Eu é que não vou. Só fui convidada para ela poder fazer pose de santa."

"Eu também não vou. Não gostava dela na época, continuo não gostando e nunca vou gostar. Lembra de quando ela falou para todo mundo que o meu pai estava preso?"

Lauren lembrava, claro. Sarah até chorou no ônibus da escola, escondida por Lauren, que fingia que as duas estavam vendo uma revista enquanto entregava lenços de papel para a amiga. "Vamos marcar um rolê com as meninas nessa noite para fazer alguma coisa bem mais legal e postar fotos em todo lugar."

"Ah, sim. Genial. Ela vai ficar morrendo de raiva." Elas deram risadinhas, voltando a ser meninas do sexto ano, o que era a melhor parte de preservar as amizades de infância. "Ela comentou no vídeo que você postou do Josh roncando, você viu?"

"Obrigado pelo post, aliás", Josh falou.

"De nada. Foi um grande momento cinematográfico, na verdade." Lauren abriu o Instagram no celular. Alguns dias antes, quando chegou em casa do trabalho, encontrou Josh no sofá, roncando e bufando a cada respiração. Ela prendeu com cuidado um lenço de papel no nariz dele, tentando não o acordar, e filmou enquanto Pedrita observava tudo, com a cabeça inclinada, tendo leves sobressaltos quando o lenço balançava.

Ela ainda achava que foi engraçadíssimo (e teve milhares de curtidas, então não estava errada). "Ah, aqui está o que a Debi Escrota falou.

'Você é incrível por ainda se divertir, apesar de tudo. Hashtag Preces-
-para-Lauren.' Ai, meu Deus!"

Elas riram um pouco mais, apesar da dificuldade de Lauren para
respirar. "Tomara que o bolo da festa azede."

"Quer torta, Sarah?", Josh perguntou, levantando e indo para a cozinha.

"Claro! Me deixa experimentar a sua para saber se você cozinha melhor que eu. Mas se for o caso saiba que vou te matar."

"Entendido."

Sarah foi atrás dele, puxando conversa, e um pensamento passou
pela cabeça de Lauren.

Sarah poderia ser a segunda esposa de Josh.

Desde o diagnóstico, Lauren vinha percebendo um... amadureci-
mento na amiga. Talvez fosse uma coisa que acontecesse com todo mundo
que precisava encarar uma doença terminal, fosse a sua ou de alguém
próximo. Mas, embora Sarah sempre tivesse sido sua amiga, Lauren sabia
que ela era uma pessoa competitiva, sempre tentando ser a mais bonita e
inteligente da sala, a que dançava melhor ou o que quer que fosse. As duas
pretendiam fazer faculdade juntas em College Hill... Lauren conseguiu
uma vaga na Escola de Design de Rhode Island por ter se candidatado
à vaga com um semestre de antecedência e ter um portfólio impressionante, mas Sarah não conseguiu entrar na Universidade Brown,
apesar das notas impecáveis. Em vez disso, aceitou a bolsa de estudos ofe-
recida pela Universidade de Rhode Island. Toda vez que visitava Lauren e
as duas passeavam por College Hill, Sarah ficava um tanto mal-humorada
e amargurada.

Quando se formaram, Lauren conseguiu seu emprego dos sonhos
como projetista de espaços públicos. O escritório de arquitetura Pearl
Churchwell Harris ficava em um prédio histórico lindíssimo na Benefit
Street. Sarah fez mestrado em serviço social e foi trabalhar na Secretaria
da Infância, Juventude e Família, o que ao mesmo tempo era nobre e
exaustivo, recompensador e deprimente. A obra de Deus, como Lauren
costumava dizer, mas que cobrava seu preço. E, obviamente, o que Sarah
ganhava não chegava nem perto do merecido e necessário, enquanto Lauren conseguiu um salário que lhe permitiu ir morar sozinha quase de
imediato. Sarah só tinha se mudado da casa da mãe um ano antes.

Lauren não era do tipo que se comparava com os outros; era a irmã mais nova de Jen, então teve que aprender a ser humilde desde cedo. Ela aceitou de bom grado ser a segunda melhor filha da casa (afinal de contas, era a fundadora do fã-clube de Jen). Mas dava para sentir que Sarah se ressentia bastante por causa de coisas superficiais. Se Lauren ganhava um par de sapatos novos, Sarah os examinava de ponta a ponta. Se comprava alguma coisa legal para o apartamento, Sarah percebia imediatamente, mas não comentava nada. E também havia as coisas não superficiais — o pai de Sarah era um idiota consumado; Lauren teve o melhor pai do mundo. Sarah tinha um monte de irmãos que mal conhecia, graças ao pai; Lauren tinha a melhor irmã da história da humanidade.

Então havia um elemento de inveja ali, mas, como nunca soube como lidar com aquilo, Lauren resolveu deixar a questão de lado. Mas a coisa piorou quando ela começou a namorar Josh. E não à toa. Josh era perfeito e lindo e tudo o que alguém poderia querer em um parceiro. Então Lauren entendia. Ela acreditava que toda mulher e todo homem gay do mundo iriam querer Josh como marido. Sarah tinha uma tendência a se apaixonar de forma intensa e rápida demais, e depois acabar descartada. Lauren a convidou para ser sua madrinha de casamento, a única além de Jen. E Sarah passou o tempo todo sorrindo, mas Lauren sabia que ela estava com inveja.

Mas, fosse qual fosse o nível de competitividade, Sarah deixou isso completamente de lado quando ficou sabendo do diagnóstico de Lauren; não havia como pedir por uma amiga melhor. Ela ia visitá-la pelo menos duas vezes por semana, e as duas saíam juntas sempre que Lauren estivesse disposta. E, o mais importante de tudo, Sarah a tratava como uma pessoa normal. Ao contrário, por exemplo, de Debi Escrota, que parecia achar que ter uma amiga doente lhe conferia um status especial nas redes sociais, porque postava o tempo todo sobre Lauren. *Meus pensamentos e preces para uma das minhas amigas mais queridas, que está lutando bravamente contra a PFI*. Não que Debi Escrota em algum momento tivesse feito qualquer coisa de útil. Ela não conseguia acertar nem a sigla da doença de Lauren.

Mas isso não fazia diferença. O que importava era que Sarah tinha revelado seu lado mais verdadeiro e era uma mulher divertida, bonita e trabalhadora. Seria bom, ela pensou, poder olhar lá de cima e ver a pessoa que mais amava no mundo com sua primeira amiga. Seria ótimo. Seria incrível.

Pedrita choramingou, inclinando a cabeça para poder olhar melhor para a dona. "Não está acontecendo nada", ela murmurou. A cachorra pulou no seu colo e lambeu suas lágrimas.

# 14

## JOSHUA

*Quarto mês*
JUNHO

*Joshua,*

*Olá, meu marido maravilhoso! Enquanto escrevo isto, você está dormindo. Sem roupa, sou obrigada a acrescentar. Seus ombros são absurdamente lindos. Eu me sinto muito grata.*

*É estranho tentar imaginar que você está vivo e eu não, pensar onde você está e como está se saindo, que problemas podem estar surgindo no seu caminho. Li alguns livros sobre luto para tentar te ajudar a atravessar essa fase. Sei que não é fácil e que o processo de cada um é diferente (eu detesto essa frase, você não? É claro que o processo de cada um é diferente! Dã!).*

*Mas é verdade — o processo de cada um é mesmo diferente.*

*E eu me dei conta de que, apesar de todas as coisas que fazemos juntos, e tirando as suas corridas, você não tem um hobby. (Considero o saco de pancadas mais um mecanismo de alívio de estresse do que uma coisa que você faça por prazer.) Pescaria é um hobby. Ou velejar, já que nós moramos em um estado litorâneo. Aposto que tem uma liga de basquete para adultos aqui na cidade, e talvez você goste disso.*

*Acho que um hobby seria uma forma de você experimentar uma coisa que nós nunca fizemos juntos. Talvez algo que te ajude a relaxar ou a se cansar de um jeito bom, ou uma coisa que possa fazer em casa, como pintar. Fazer cerâmica. (Na verdade, cerâmica é melhor não. Você teria que dar vasilhas e vasos tortos para todos os nossos amigos e parentes, e eles iam ter que fingir que gostam para não deixar um viúvo chateado.)*

*Você arrumaria um hobby por mim, Joshua? Eu ficaria feliz de saber que você está experimentando uma coisa nova, que seja do seu interesse. Quero que tenha um tempo livre. Não quero você trabalhando ou sofrendo vinte e quatro horas por dia. Quero que faça novas amizades. Talvez isso possa ajudar.*

*Eu vou estar de olho em tudo, torcendo por você no que quer que seja, querido. Amo você.*

*Lauren*

Ele releu a carta quatro vezes, para memorizar tudo, então cheirou o papel, para sentir algum vestígio do cheiro dela. Nada. Só papel.

Lauren estava certa. Ele não tinha muitos hobbies. Projetava seus dispositivos médicos e cuidava da esposa. Gostava de viajar, mas não sem ela. Gostava de cozinhar, mas não para qualquer um. Seus dias eram longos, e as noites, ainda piores.

Então ele arrumaria um hobby.

Muito bem. O que gostava de fazer?

Sua mente travou.

Uma ou duas vezes por mês, ele e Ben faziam uma boa caminhada pela cidade, para que Ben pudesse fumar seu charuto sem a sra. Kim pegar no pé. Mas isso não configurava um hobby.

Ele corria porque sabia que precisava fazer alguma coisa para seu corpo não inflar como um balão e para exercitar Pedrita. Não tinha nenhum interesse em aulas de artes. Seu *trabalho* era uma arte, em certo sentido. Quando era criança, sua mãe o pôs para fazer ginástica artística para gastar a energia acumulada, e ele continuou por alguns anos. Mas não era uma coisa que pudesse retomar depois de adulto (só de pensar em ficar fazendo paradas de mão no meio do parque... não). Também tinha jogado beisebol até o sétimo ano, quando saiu do time para fazer parte da equipe de robótica (nerd). Não praticou nenhum esporte no ensino médio, mas fez parte da equipe de debates da escola (supernerd).

Então foi procurar no Google. *Hobbies para homens*. Artesanato em couro, descartado. Cerveja artesanal, sem chance. Armas de fogo, não, obrigado. Era barulhento demais, e ele não conseguia se imaginar atirando no que quer que fosse. Tiro com arco, talvez? Na faculdade, ele era um dos poucos que conseguiam montar os móveis da Ikea sem precisar olhar o manual de instruções, e as pessoas sempre pediam sua ajuda. Ele poderia ter algum talento para a marcenaria? O cheiro da madeira, a satisfação de uma mesa feita com as próprias mãos?

Mas onde ele poderia fazer isso? Não precisaria comprar um monte de serras e ferramentas de bancada? Era trabalho demais.

Ele ligou para Sarah. "Oi", Josh falou, percebendo tarde demais que ela devia estar no trabalho. "Está muito ocupada?"

"Não, não. Que foi?" Claro que ela estava ocupada; era uma assistente social do governo.

"Hã, bom, isso pode parecer meio aleatório, mas... Eu estava pensando em começar a ter um hobby."

"Isso é bom."

"Só não sei o que fazer."

Houve um silêncio do outro lado da linha. "E você quer uma sugestão minha?"

"Hã, sim." Por que ele ligou para ela? Deveria ter procurado Jen, que o conhecia melhor.

"Tá. Então, eu faço aulas de caratê." É verdade, fazia mesmo. Costumava passar na sua casa antes das aulas, porque Lauren adorava vê-la com o uniforme de treino. "Que tal fazer uma aula teste para ver se gosta?"

"Seria ótimo. Obrigado."

"Tá bom, vou te passar meus horários e conversar com a minha sensei."

Ela não podia ter dito só *professora*? Por que precisava ser assim tão irritante? "Obrigado, Sarah", ele disse, lembrando que ela estava lhe fazendo um favor.

"De nada. Agora preciso desligar."


A Academia Green Dragon de Caratê Kenpo ficava em uma galeria de lojas em Federal Hill. Sarah o encontrou lá, já vestida com seu uniforme preto, amarrado na cintura com uma faixa preta.

"Uau", Josh comentou. "Você é faixa preta?"

"Não, Josh. Só estou usando porque gosto da cor." Ela revirou os olhos, e então lhe deu um beijo no rosto. "Vamos lá. A sensei está esperando."

"A sensei tem nome?"

"Tem, sim. É Jane." Josh imediatamente imaginou uma mulher branca, alta e forte, com o corpo todo definido e séria e durona — tipo uma Tilda Swinton sarada. Eles entraram na sala de espera, que tinha só um carpete azul desgastado, um balcão e uma fileira de cadeiras. As janelas mostravam um ambiente maior, com chão emborrachado, onde obviamente eram realizadas as aulas. Em um canto mais distante, havia sacos de pancadas com pedestais, escudos para treino de chutes e um monte de outros equipamentos.

"Olá!", gritou uma mulher. Era tão baixinha que ele não a tinha visto do outro lado do balcão e levou um susto. Tinha cabelo branco e... uns sessenta e poucos anos? Ou setenta e poucos? Também usava um uniforme preto com uma faixa preta amarrada na cintura larga. Era japonesa, com um leve sotaque. "Você deve ser Joshua Park. Bem-vindo! E olá, Sarah, querida!" A mulher levantou, e ele notou que devia ter no máximo um metro e meio. Talvez um e quarenta e cinco. O fato de ser engenheiro havia treinado seus olhos para esse tipo de coisa.

"Sensei, esse é meu amigo Josh. Josh, essa é a sensei Jane Tanaka."

"Prazer", ele disse, tendo que se abaixar um pouco. As mãos dela estavam inchadas de artrite, coitada.

"Já fez alguma arte marcial antes, Josh?"

"Não, senhora. Tenho um saco de pancadas em casa, mas... não."

"Tudo bem! Todo mundo já foi iniciante um dia. Ok! Vamos treinar um pouco de caratê juntos, e então você decide se quer ser um artista marcial."

Aquilo soava bem bacana. Joshua Park, artista marcial.

"Assine o termo de responsabilidade, por favor. Aqui diz que você não vai me processar caso se machuque."

Josh obedeceu.

"Muito bem. Vamos para o dojô. Tire os sapatos e faça uma saudação se curvando diante da bandeira" — havia uma bandeira enorme dos Estados Unidos em uma das paredes — "e para mim, sua sensei."

Ele obedeceu. O piso emborrachado era confortável de pisar, e o ambiente tinha um cheiro, não exatamente desagradável, de suor e água sanitária.

"O que você sabe sobre o caratê, Josh?"

"Bem pouco", ele respondeu. "Só que é uma arte marcial japonesa milenar."

"Isso mesmo. É ótima para exercitar o corpo, a autodefesa e a disciplina. Agora a postura, com o pé esquerdo à frente, os quadris afastados e equilibrando bem o peso. Punhos para cima, assim. Essa é a postura de luta."

Ele a imitou, e já começou a se sentir confiante. Era a mesma postura do boxe, que Ben o ensinara tantos anos antes.

"Maravilha", ela falou com um sorriso. Ela era o epítome da vovó boazinha. "Vamos fazer uma demonstração agora, certo?"

"Claro", disse Josh, com um sorrisinho. Seria legal vê-la fazer alguns movimentos de luta. Só esperava que não distendesse um músculo nem nada, nem fraturasse a mão quebrando uma tábua ou seja lá o que as pessoas fizessem em uma aula de caratê.

"Certo, Josh. Tente me dar um soco na cara."

Josh hesitou. "Como assim?"

"Me dá um soco na cara."

"Não, senhora, obrigado", Josh respondeu, olhando para Sarah, que estava filmando tudo no celular.

"Joshua. Eu sou sua sensei. E te dei uma ordem."

"Eu fui educado para não bater nos mais velhos."

"E não deveria mesmo fazer isso, a não ser que a pessoa peça. Vamos lá. Tente me acertar."

Mesmo quando estava ensinando Josh a lutar boxe, Ben jamais pediu para ele lhe dar um soco na cara.

"Tá tudo bem, Josh", Sarah falou. "Ela faz isso com todos os alunos novos."

"Eu não vou dar um *soco* nela", Josh respondeu. "Sinto muito, sra. Tanaka."

"Sensei. Certo, então tente me estrangular", ela pediu.

"Eu realmente..."

"Aqui dentro eu sou sua sensei!", gritou ela. "E seu papel é obedecer sem questionar! Vamos logo!"

Minha nossa. Josh franziu a testa e estendeu as mãos para o pescoço flácido dela, sem chegar a tocá-la.

"Isso é o máximo que você consegue fazer, frangote?", ela perguntou.

"Uau. É, sim. Eu não vou te estrangular, sra. Ta... hã, sensei."

"Certo. Sinto muito, Joshua. Você foi avisado."

"Na verdade, a senhora não..."

Quando se deu conta, ele estava caído, com a cara no chão e um dos braços torcido atrás das costas, sentindo o cheiro do tatame, com o som de sua queda ainda ressoando no ar.

O que tinha acontecido ali?

A sensei Jane bateu palmas. "Levante daí! Agora que você já sabe que eu não sou uma velhinha indefesa, vamos tentar de novo. Me dê um soco na cara."

Josh ficou de pé e assumiu a postura de luta outra vez, mas ainda se mostrou hesitante.

"Vamos", ela disse.

"Não era bem isso que eu..."

Ela chutou sua perna de apoio, e ele caiu de costas no chão. "Kiai!", ela gritou, desferindo um soco. Josh se encolheu, mas o pequeno punho dela parou tão perto de seu pomo de adão que dava para sentir o calor da mão da sensei. "Um soco no pescoço imobiliza o inimigo e pode até matar. De pé, queridinho. Está pronto para me dar um soco na cara?"

Ele levantou de novo. "Eu estava esperando que a aula fosse mais..."

Ela deu um giro, levantando uma perna, e seu pé o acertou bem no meio do peito. Ele caiu de bunda. Deu uma encarada nela. Estreitou os olhos. "Eu estou pronto para dar o soco agora", Josh avisou.

"Ótimo! Pode vir com toda a força!"

Josh ficou de pé de novo e levantou os punhos.

"Me bate com toda força que puder", a sensei Jane instruiu. "Bem no meio da cara. Mire no meu nariz."

"A senhora vai me machucar?", ele perguntou. "Quer dizer, ainda mais?"

Ela deu uma risada de satisfação. "Só um pouquinho."

Tudo bem, então. Ele impulsionou o braço para a frente com força, esperando que ela fosse se esquivar, ou bloquear o soco, ou coisa do tipo, mas os olhos da sensei se voltaram para a esquerda e, no último instante, como que em câmera lenta, mas também na velocidade da luz, seu punho a acertou em cheio. Ele sentiu um estalo horroroso, e a cabeça da sensei Jane foi jogada para trás.

"Josh! Meu Deus! O que você fez?", Sarah gritou, e de repente havia uma porção de crianças vestidas de branco, avançando sobre ele e o chutando, e várias delas gritavam "Iá! Iá!", e seus pequenos punhos eram afiados, apesar de não conseguirem acertar acima da sua cintura.

"Você bateu na nossa sensei! Nós não gostamos de você! Nem um pouco! Kiai!"

"Parem com isso", ele disse, mas os pequenos guerreiros o seguraram pela cintura e o deixaram de joelhos, e estavam lhe dando um monte de chutes com seus pezinhos descalços.

"Sarah!", ele gritou, cobrindo o rosto.

"Atenção!", a sensei Jane gritou, e de um instante para o outro as crianças formaram duas fileiras e ficaram imóveis como soldadinhos. O rosto dela estava ensanguentado. Josh levantou do chão se sentindo a pior pessoa do mundo.

"Crianças", a sensei falou, sem sequer se dar ao trabalho de limpar o rosto. "É isso o que acontece quando você perde o foco. O sr. Park é nosso novo aluno, e o primeiro a conseguir me acertar. Façam uma saudação para ele em demonstração de respeito."

"Não, por favor. Me desculpem", Josh falou, mas as crianças se viraram e se curvaram diante dele.

"Agora pode sair, Joshua. Cem polichinelos já, turma. Violet, conte em voz alta enquanto eu limpo meu rosto."

"Um! Dois! Três!", uma loirinha começou a gritar.

Josh saiu para a sala de espera, onde mais de uma dezena de pais o encaravam.

Sarah veio atrás, às gargalhadas. "Você deu um soco em uma velhinha", ela murmurou, com lágrimas escorrendo pelo rosto.

"Eu ouvi isso, Sarah", a sensei Jane falou, com uma toalha no rosto. "Velhinha? Tenha dó. Só tenho setenta anos. Minha mãe tem cento e quatro. Joshua, a culpa foi minha. Eu desviei os olhos. E então? Quer ser meu aluno?"

"Hã... sim. Sim, eu quero." Como poderia dizer não? Ele quebrou o nariz dela.

"Ótimo! Acho que você vai se sair bem." Ela foi para trás de um balcão, olhou pra ele e pegou um uniforme branco envolto por um plástico. "Vai se trocar e venha para a aula."

"É... existe uma aula de iniciantes para adultos?", ele perguntou, olhando para os pais reunidos ali, que faziam o maior esforço para fingir que não estavam prestando atenção.

"No momento não", ela disse. "Pode ser que eu consiga formar uma nova turma daqui alguns meses, mas por enquanto você vai ter que fazer parte dessa. São cento e nove dólares por mês, mais quarenta do *gi*. Aqui está seu uniforme. Vamos logo! Vá se trocar e volte para o dojô." A sensei foi para o escritório. "Puta merda", ela falou, "vou ficar com os dois olhos roxos!" A sensei sorriu para ele, com o rosto todo ensanguentado, e fechou a porta.

Josh olhou para Sarah, que fingia ler alguma coisa importantíssima no celular. "Valeu", ele disse. "Era bem isso que eu tinha em mente."

"Vai fazer bem para você", ela disse, se esforçando para segurar o riso.

"Primeiro eu bati em uma velhinha e agora vou ter que bater em crianças", ele comentou.

"Está vendo? Um hobby. Agora obedeça à sensei e vá se trocar." Ela abriu um sorriso. "Eu te pago um jantar mais tarde."

Ele obedeceu.

As crianças olhavam feio para ele. "Por que você é tão velho?", uma garotinha perguntou quando foi designada como sua parceira de treino.

"Eu sou como um dragão", ele respondeu. "Velho e sábio."

"Eu consigo te dar uma surra", ela disse.

"Eu sei."

Ela deu um soco na sua coxa para provar o que dizia.

"Ai!", ele exclamou.

"Lyric, nada de bater no seu parceiro. Vinte flexões, agora", a sensei Jane falou de seu lugar diante da turma. A voz dela soava fanhosa, por causa do inchaço no nariz. A garotinha lançou para Josh um olhar que dizia *Me aguarde* e começou a fazer flexões retinhas como a de um fuzileiro naval. Ela não devia ter mais de cinco anos.

Eles deram chutes no ar e bateram em um saco de pancadas. Aqueles pequeninos eram uma graça, Josh foi obrigado a admitir. E ele gostava de crianças. Até mesmo de Lyric. Ficou admirado com o jeito desconfiado com que o trataram e por não lhe dispensarem nenhum tratamento diferenciado por ser um adulto. Isso sem contar a maneira como defenderam a professora.

Quando a aula terminou, Josh conheceu os pais, e havia entre eles um antigo colega seu de faculdade e duas pessoas que conheciam Lauren. Sarah o levou para comer no restaurante japonês ao lado.

"Você sabia que a aula ia ser com crianças do jardim de infância?", ele questionou.

"Juro que não. Essa parte foi um bônus. Eu sabia que Jane ia te provocar um pouco. Ela faz isso com todos os alunos novos. Bom, não com as criancinhas. Só com aqueles que acham que uma mulher idosa de menos de um metro e meio de altura é incapaz de se defender."

"Eu dei um soco nela. Bem na cara. Isso não pega nada bem", ele argumentou.

"Ah, ela se distraiu com uma das crianças. Você nunca mais vai levar a melhor. Aproveita para curtir o momento."

Ele pegou um pedaço de atum apimentado e enguia e pôs na boca.

Lauren teria adorado aquela noite, Josh pensou enquanto comia sushi e salada de algas. Teria rolado no chão de rir ao vê-lo treinar no meio de um monte de criancinhas. Mas também daria todo o seu apoio a ele.

# 15

## JOSHUA

*Ainda no quarto mês*
12 DE JUNHO

No dia do aniversário de Lauren, Josh entrou no armário dela, pegou o último pijama que ela usou e o levou ao rosto, sentindo o cheiro.

Ela faria vinte e nove anos.

No terceiro aniversário de casamento, o presente tinha que ser de couro. Ele foi à mesma joalheria onde tinha comprado a aliança de noivado e escolheu um relógio com uma pulseira de couro verde. Aproveitando que estava lá, levou também um par de brincos de ouro com pingentes de pérola. Ficariam uma beleza, balançando com o cabelo dela, ele pensou. Pérolas eram as joias de nascimento dela. Sua ideia era guardar os brincos até junho, sem saber que ela morreria poucos dias depois.

Parecia um tempo tão distante, aquele mês de fevereiro em que a vendedora o elogiou pelo bom gosto e disse que sua esposa era uma mulher de sorte.

O dia estava ofensivamente lindo, com o ar seco e límpido, o sol brilhando no céu, a temperatura por volta dos vinte graus, com as flores brotando em todos os canteiros suspensos nas janelas da cidade. Até as samambaias e hostas que Lauren tinha plantado no jardim do terraço fizeram seu retorno verdejante naquela primavera, apesar da negligência de Josh. (E da gaivota, que ficava cagando nelas. Talvez isso tenha servido como fertilizante.)

Tudo transbordava de vida, menos o que ele mais queria.

A ideia do corniso lhe pareceu uma idiotice naquele dia. Ele gostaria de ter um túmulo onde deixar um buquê de flores. Deveria ter pensado nisso antes e imaginado que Jen e Donna também iriam querer um lugar para ir.

Algum dia, ele transplantaria aquela árvore. Para onde, ainda não sabia.

Ele mandou uma mensagem para Donna perguntando se ela queria ir até lá. Ela respondeu que sim, e meia hora depois Josh estava na cozinha, abraçando-a enquanto chorava. "Eu não imaginava que fosse ser tão difícil assim", sua sogra falou, com a voz abafada contra sua camisa. "Não sei se vou conseguir aguentar. A minha garotinha, meu bebê."

Não vai, ele pensou. Era mesmo insuportável.

"Tenho um presente para você", ele disse, entregando a caixinha da joalheria. Ela acariciou os brincos com cuidado, como se fossem criaturinhas vivas.

"A joia de nascimento dela", Donna sussurrou.

"Pois é."

Ela pôs nas orelhas e foi se olhar no pequeno espelho perto da porta. "Obrigada, querido."

Em seguida, ela serviu um café para Josh e eles foram sentar na varanda, com Donna apoiando a mão em seu braço.

"Jen me contou que você está saindo com uma pessoa", ele comentou depois de um tempo.

"Sim. O Bill. Ele... perdeu o filho. Em um acidente de carro. É reconfortante estar com alguém que consegue entender. Você tem alguém com quem conversar, Josh? Uma outra... pessoa?"

"Sim. Pela internet, mas tenho." Ele pensou no que Donna iria dizer sobre aquilo. "Que bom que você tem alguém com quem falar. Acho que Lauren iria gostar disso."

Donna apertou seu braço com mais força. "Obrigada", ela sussurrou, enxugando os olhos mais uma vez.

Aquele dia passaria. Os dois acordariam de novo na manhã seguinte, e o primeiro aniversário sem ela teria ficado para trás. Por ora, ele ficaria ali, com a mãe de sua mulher, e a acompanharia em seu luto pela filha.

# 16

## LAUREN

*Dezoito meses restantes*
4 DE AGOSTO

Papai,

Tem dias em que fico surpresa por você não estar mais aqui, quando por uma fração de segundo um pensamento passa pela minha cabeça: Por que faz tanto tempo que eu não vejo o papai? Que coisa chata ele nunca me visitar. Então eu lembro.

A FPI é meio assim. Eu saio de casa, e quando subo uma escada penso: Uau, como estou fora de forma, e então lembro que não, não é nada disso; eu tenho uma doença pulmonar. Ou então ouço um nome bonito de menina e penso: Esse seria um ótimo nome para a minha filha, então lembro que a maternidade está fora de cogitação para mim. A dra. Bennett me disse que não era recomendável. Que eu me arriscaria a um aborto espontâneo, ou a um parto prematuro, ou a uma hipertensão pulmonar, ou a um derrame.

Eu não suportaria a ideia de perder um bebê. E não tenho como pedir a Josh para arriscar minha vida por uma criança que pode nem vingar.

Mas a ideia de nunca ser mãe... isso foi um baque e tanto, pai. Me fez sofrer muito. Não consigo nem mais falar a respeito, porque existem coisas que são tristes demais. Acho que você entende.

Agora olhando pelo lado positivo, Josh e eu passamos um fim de semana prolongado em San Diego. Ele tinha uma reunião com não sei quem — ele não quis dizer sobre o que era, então imagino que fosse sobre a FPI e a busca por uma cura. Alugamos uma casinha na praia em La Jolla. Todo mundo é *feliz em La Jolla, e por que seria diferente? Para começo de conversa, é um paraíso. Além disso, o dr. Seuss morou lá, e acho que é o carma positivo dele fazendo efeito sobre a cidade.*

*Nossa casa tinha um limoeiro no quintal com limões madurinhos, que nós usamos para cozinhar, porque o locador falou que não dava conta de tudo. Tinha avocados também, então comemos muita guacamole. Nadamos no mar, mergulhamos e até tentamos surfar, e consegui ficar em pé na prancha por alguns segundos, e foi INCRÍVEL, pai! Fiquei orgulhosíssima dos meus sofridos pulmões que aguentaram tudo isso, apesar de ter ido deitar às três da tarde nesse dia e dormido seis horas seguidas.*

*E depois... fomos voar de asa-delta. Bom, eu fui, porque Josh tem medo de altura, mas ele aguentou firme no chão e até me filmou. Ah, pai, foi o máximo. O lugar era um penhasco de frente para o mar, e não tinha ninguém voando porque o vento estava muito forte. Então nós sentamos para esperar, depois fomos almoçar lá perto, e quando voltamos ainda estava ventando. No fim eu fui até o cara e falei: "Escuta. Eu estou morrendo. E nós vamos embora na quinta de manhã. Meu marido pode assinar o que você quiser, mas você precisa me levar nesse passeio".*

*Ele perguntou por que eu disse que estava morrendo, e expliquei que tinha FPI. "Puta merda", o cara disse. "Minha mãe morreu disso. Vai lá vestir o traje."*

*Meia hora depois, eu estava pronta. Gabe, o meu instrutor bonitão e simpático, foi amarrado comigo, para eu não cair. Ele me falou para ir andando ou dando uma trotadinha até a beira do penhasco, mas eu CORRI, papai, praticamente arrastei Gabe atrás de mim. Não tive um pingo de medo. Josh gritou: "Vai fundo, linda!", e então o ventou bateu embaixo das asas e nós subimos, e eu fiquei o tempo todo rindo de alegria. O mar era tão lindo, e o céu... ah, estava tão aberto e azul. Dava para ver o lugarzinho onde ficavam os leões-marinhos, e as construções da cidade à distância, mas eu só queria olhar para o céu e o mar, e mesmo com o vento rugindo nos meus ouvidos, e estando amarrada a Gabe, eu me senti tão... em paz. Tão feliz por viver em um mundo tão lindo. Tão feliz em ser quem eu sou, pai.*

*Apesar de tudo.*

*La Jolla foi como tirar férias da vida real, o que eu acho que vale para todas as viagens de férias, né? Mas minha FPI se manteve sob controle enquanto eu estava lá, e eu não tossi muito, apesar de precisar cochilar todos os dias. Não que isso seja problema. Josh falou que, se eu quisesse mudar para lá, era só dizer. Mas quero ficar perto de Jen e Sebastian e do bebê que vai nascer, e de Darius, e da mamãe, de Sarah, de Asmaa, de Bruce e de todas as crianças do Hope Center, apesar de serem uns catarrentinhos cheios de germes. A viagem foi maravilhosa. Foi perfeita. Nós dois somos perfeitos um para o outro.*

*Amo você, papai!*

*Lauren*

Lauren pensou até em se divorciar de Josh na semana seguinte.

A briga aconteceu do nada. Eles chegaram de La Jolla e retomaram a rotina de sempre. Mara, a melhor amiga de Lauren da época de faculdade, ligou para contar que a cachorra do namorado teve filhotes e perguntou se queriam um.

Claro que queriam.

Pedrita era uma mistura de pastora-australiana com labrador, salsichinha e sabe-se lá mais o quê, uma especialista em lamber rostos e roer sapatos. Lauren se apaixonou. Aquela carinha! Aqueles olhos! Aquelas orelhas macias! Aquele corpo quentinho colado no dela no sofá.

No primeiro dia depois da adoção, eles estavam sentados na sala falando com vozes ridículas, expressando seu amor por Pedrita, quando Lauren disse algo sem pensar.

"Que bom que ela está aqui agora, Josh! Assim você não vai ficar sozinho quando eu morrer."

O clima mudou completamente. A cachorrinha, que estava mastigando os dedos de Lauren, parou o que estava fazendo e olhou para Josh, inclinando a cabeça.

Puta merda.

A expressão dele virou uma pedra de gelo. Maxilar cerrado, os ossos da bochecha parecendo prestes a saltar da pele, e então uma vermelhidão que parecia pulsar para fora dele em sua direção. "Essa *porra* dessa cachorra não vai viver mais que você, Lauren!"

Ela teve um sobressalto, porque nunca o tinha ouvido gritar antes e, por um instante, chegou a pensar que estava diante de outra pessoa. Mas não, aquele era seu marido.

"Pelo amor de Deus! *Nunca mais* diga uma idiotice desse tipo! Puta que pariu, onde é que você está com a cabeça? Como pode falar uma coisa dessas?"

"Eu... eu... hã..."

"Você não entende?", ele gritou, com um tom assustador. "Não é para falar uma bobagem dessa nunca mais!" Ele levantou, foi até a porta e deu um murro na parede, tão forte que atravessou o gesso do *drywall*, e ele continuou esmurrando e esmurrando.

"Querido! Para com isso! Para!", Lauren disse, correndo até ele. Quando tocou em suas costas, ele abriu a porta com um puxão violento e correu escada abaixo. Ela foi até a janela e o viu desaparecer na esquina.

A cachorrinha estava choramingando. Ela abraçou a filhote junto ao peito e soltou alguns suspiros trêmulos, com o coração disparado, em pânico. Tinha manchas de sangue na parede. Da mão dele.

Ela nunca o tinha visto assim.

Lauren fechou a porta do corredor e trancou, e em seguida sentou no chão. As lágrimas escorriam de seus olhos.

O que ela iria fazer? Josh tinha um autocontrole quase patológico. Lauren não sabia nem que ele *era capaz* de perder a cabeça, muito menos com ela. Durante todo seu casamento, os dois haviam tido uma única briga, quando ele não quis ir à festa de Natal do trabalho dela por causa do barulho e da aglomeração de pessoas. Ela argumentou que eles poderiam ir embora mais cedo, ou que ele poderia só ficar uns minutinhos e depois ela arrumava uma carona de volta para casa, mas Josh não cedeu. Lauren teve que ir sozinha e passou o dia seguinte inteiro de cara amarrada para castigá-lo. Afinal, ele dava palestras e workshops para centenas de pessoas. E havia estudado em três faculdades cheias de gente e de barulho.

Ele deu flores para ela no outro dia e pediu desculpas. E foi à festa de fim de ano de Mara, não muito tempo depois.

Mas não tinha sido sequer parecido com aquilo. Ela nunca havia sentido medo dele nem visto toda aquela raiva, nunca mesmo. Nem sabia que ele era capaz de tamanho descontrole.

Ela fungou, enxugou os olhos na manga da blusa e beijou a cabecinha de Pedrita, que respondeu com um ronco.

Lauren cogitou ligar para Steph e perguntar se aquilo já tinha acontecido antes, mas não queria envolver a mãe dele na história. Em vez disso, abriu o Google e digitou algumas palavras: *Asperger, autismo, raiva, perda de autocontrole.*

Depois de ler alguns artigos que pareciam descrever exatamente o que havia acontecido, ela pesquisou por "raiva quando o cônjuge tem uma doença incurável".

Em seguida ligou para a irmã e contou tudo.

"Ah, querida", Jen falou quando ela terminou seu relato. "A culpa não é dele, né?"

"Foi assustador", Lauren respondeu, enxugando os olhos.

"Você ficou com medo de que ele fosse te machucar?"

"Não! Claro que não. É que foi um choque. Como se ele tivesse virado o Hulk do nada."

"Ele deve reprimir um monte de coisas. Vocês conversam sobre... ai, merda, agora estou chorando também. Vocês conversam sobre tudo, Lauren?"

"Meio que sim? Nós conversamos, sim. Eu só não esperava... isso."

"Você tocou em um ponto bem sensível." Ela engoliu em seco, audivelmente. "E, se as estatísticas estão corretas, você não estava errada." Jen soltou um suspiro trêmulo. "Essa porra dessa cachorra pode viver mais tempo que você. Acho que agora estou com vontade de esmurrar a parede também."

"O que eu faço com o Josh? Não sei nem para onde ele foi. Espero que tenha ido falar com o Ben. E que o Ben dê uma boa surra nele, para ser bem sincera."

"Acho que você devia... pegar leve agora, Lauren. Ele te ama muito. O mundo dele gira em torno de você."

Ela sabia disso.

Quando desligou o celular, estava se sentindo menos isolada. Pela primeira vez, estava questionando seu relacionamento com Josh. Seria muito egoísmo seu manter um relacionamento fadado a acabar em não muito tempo? Seria melhor... pedir o divórcio? Era bastante cômodo retratá-lo como seu herói, seu porto seguro, mas talvez isso fosse um fardo pesado demais para qualquer ser humano suportar.

Talvez, ela pensou, com as lágrimas escorrendo sobre a cabecinha de Pedrita, talvez fosse melhor cortar os laços de uma vez. Porque *precisaria* deixá-lo de qualquer forma. Os dois sabiam disso. O divórcio poderia ser mais fácil de lidar. Ela sabia o quanto ele a amava, e isso tinha se tornado quase um problema.

Lauren limpou o gesso do chão, mas obviamente não teria como fazer o remendo na parede sem o material necessário para isso. Escreveu para Josh e depois ligou. Ele não respondeu nem atendeu. Ela chegou a pensar em um plano bastante imaturo de fingir que estava passando muito mal para obrigá-lo a voltar, mas logo descartou a ideia como uma bobagem adolescente (por mais tentadora que fosse).

Ela mandou outra mensagem, dizendo que o amava e queria conversar. Ele não respondeu. Ela ligou, mas caiu na caixa postal.

Lauren se imaginou enfrentando a FPI sozinha. Bom, não exatamente sozinha. Podia contar com Jen e Darius, com Sarah, com seus amigos, com sua mãe, com seus colegas de trabalho. Era bastante gente, e talvez dividir aquele fardo fosse melhor (porque, era preciso encarar os fatos, ela seria um fardo).

Ele voltou para casa por volta das dez da noite.

"Oi", ele disse.

"Oi."

Ele olhou para a parede e não disse mais nada.

"Você deixou a Pedrita assustada", ela falou. "E eu também."

"Desculpa."

Ela revirou os olhos. "Que pedido de desculpas de merda, Josh."

Ele ficou imóvel, como se fosse a primeira vez que estivesse habitando o próprio corpo — rígido, inquieto, desconfortável. "Você não pode fazer piadinhas sobre a sua própria vida, Lauren. Não comigo."

"Não foi uma piada, querido. O mais provável é que..."

"Não! Para com isso."

"Joshua", ela disse, indo até ele e segurando suas mãos. Pareciam coisas mortas, como peças de madeira. "Eu tenho uma doença terminal. Você sabe disso. E eu também. O mais provável é *mesmo* que a cachorra viva mais que eu. Além disso, ela é mais bonita que eu."

"Toda vez que você diz isso em tom de piada, é... é como uma facada no meu peito", ele respondeu.

Ela franziu os lábios. "Desculpa. Eu não... Eu só não quero ser como a minha mãe. Tenho o direito de fazer uma piadinha ou outra."

"Não, Lauren!" Ele puxou as mãos de volta. "Não sobre questões de vida ou morte! Vê se para de ser a Princesa Borboletas e Arco-Íris o tempo todo!"

Ela levantou as mãos. "Foi você que abriu um buraco na parede aos socos e ficou sete horas sem atender o celular. Quem você pensa que é para me dizer como eu tenho que lidar com o meu diagnóstico? Só porque você é um supergênio, não significa que sabe como fazer isso. Ninguém sabe."

A conversa estava ficando tensa, e Lauren sentiu sua garganta fechar. Ser a Princesa Borboletas e Arco-Íris (um novo apelido, e até que ela gostou)... era o seu jeito de lidar com as coisas. Era a isso que ela recorria. Seu mecanismo de defesa.

"Josh, acho que precisamos conversar sobre isso, se você puder... se nós quisermos..." Aquelas palavras eram bem mais difíceis de dizer em voz alta. "Senta um pouco, querido. Vem cá. Vamos conversar."

Eles sentaram. A cachorrinha pôs as patas no joelho de Josh, que a puxou para o colo, mas sem sorrir.

"Querido", ela começou, "se você não consegue aceitar o que vem pela frente, então talvez seja melhor..."

Ele a encarou com uma expressão alarmada. "O quê?"

"Talvez a melhor solução seja a separação. Se o que vai acontecer for difícil demais para você. Eu entenderia, porque sei o quanto você me ama. E me ver morrendo..."

"NÃO FALA ISSO!", ele gritou, e Pedrita pulou do sofá com um olhar de reprovação.

Josh escondeu a cabeça entre os braços, afundou no sofá e simplesmente... desmoronou. Os soluços sacudiam seu corpo. Nesse momento, Lauren sentiu seu coração se despedaçar de novo. Ela tirou as mãos dele da frente do rosto e o abraçou. Depois de um instante, ele a abraçou também, e com tanta força que mal a deixava respirar.

"Não me deixa sozinho", ele disse, com a boca colada em seu pescoço. "Não me deixa sozinho. Não morre, Lauren. Fica comigo."

Ele continuou repetindo a mesma coisa sem parar.

"Ah, querido", ela murmurou. "Eu sinto muito."

Ser a Princesa Borboletas e Arco-Íris era uma espécie de escudo — mas ela estava começando a perceber que a estava isolando de muita coisa. Talvez ajudasse a manter o medo sob controle, mas também não deixava as outras emoções passarem.

Durante meses, sua preocupação vinha sendo como Josh ficaria depois de sua morte. Ela não tinha se preocupado em como ele estava naquele momento, quando ainda era possível fazer alguma coisa para ajudar. "Desculpa, querido", ela repetiu. "Eu vou parar com isso. Não vou mais fazer piadinhas."

Ele se afastou, com os cabelos bagunçados e os olhos cheios de lágrimas. "Não. Eu... eu sei que você precisa disso. E eu também preciso. Só que não o tempo todo. Às vezes eu preciso..." A voz dele falhou.

"Às vezes você precisa esmurrar a parede."

Ele assentiu. "Me desculpa por isso, aliás."

"Nós podemos comprar um saco de pancadas e pôr na academia do prédio."

Ele baixou os olhos. "Lauren, eu... eu geralmente não... Eu chamo isso de névoa vermelha. Quando perco a cabeça desse jeito. Desculpa ter assustado você."

"Eu entendo, querido. Nada disso é fácil."

Ele assentiu e engoliu em seco.

Aquilo seria um processo, ela percebeu. Haveria altos e baixos e períodos de calmaria, e isso era normal. Eles ficariam assustados e furiosos e felizes e gratos, e às vezes tudo isso ao mesmo tempo.

Ela se levantou e estendeu um lenço de papel para ele antes de assoar o próprio nariz. Os dois se entreolharam, física e emocionalmente exaustos. "Tem algum jeito de impedir isso antes de acontecer?", ela perguntou. "Sabe como é, para poupar as paredes?"

Ele assentiu. "Tem, sim. Eu posso usar umas técnicas. Visualizações, distrações. Destruição criativa."

"Ah, gostei desse termo. É tipo cortar uma árvore a machadadas?"

"É. Ou bater em um saco de pancadas. Ben tinha um no porão da casa dele para mim."

"Adivinha o que você vai ganhar de aniversário?"

"É um saco de pancadas?" Ele sorriu, parecendo mais velho do que de fato era, e o coração dela se despedaçou um pouco mais.

"É, sim! Como você sabia?" Ela o colocou de pé também e o abraçou. "Estou morrendo de fome. Vou fazer umas omeletes pra gente."

Ele a encarou por um bom tempo. "Está tudo bem entre nós? Você me perdoa?"

"Ah, Josh. Claro, querido."

"E nunca mais fale em separação. Certo?"

"Certo." Pedrita se enfiou entre eles, que sorriram. Josh a pegou no colo e beijou sua cabeça.

As mudanças foram se instalando pouco a pouco. O diagnóstico a princípio pareceu surreal e amorfo. Mas a realidade estava se instalando, e o surto de Josh... aquilo tornou tudo mais palpável.

Era preciso abrir espaço para a tristeza e a raiva se misturarem a tudo o mais que eles sentiam, e esse turbilhão de emoções fez Lauren sentir tudo de forma mais verdadeira. Ela não tinha que ser sempre a Princesa Borboletas e Arco-Íris, nem passar o tempo todo às lágrimas, jogada no chão. Sua doença incurável não mudava o fato de que ela era uma pessoa normal.

A FPI trazia consigo novas realidades. Lauren aprendeu a planejar seu dia de forma mais cuidadosa, para não esgotar a energia e sofrer reações adversas. Ela e Josh compraram um lindo banco de teca para ela usar no chuveiro e instalaram uma barra de apoio na parede, para o caso de vertigens ou fraquezas. Josh comprou uma bolsa trabalhada de couro para seu cilindro portátil de oxigênio, que ela nem precisava usar todo dia... mas era bom poder carregar algo que não gritasse escancaradamente *dispositivo médico*, apesar da cânula de plástico em seu nariz.

As ruas de College Hill eram íngremes demais para ela continuar indo ao trabalho a pé. Mas ela fazia caminhada pelo campus da Brown na hora do almoço, porque manter o peso era importante. Geralmente ia acompanhada de Louise ou Santino; Louise era esperta e divertida, mas Santino era engraçadíssimo. Tinha histórias hilárias sobre as mulheres com quem saía — como a da vez que, no primeiro encontro, foi convidado para ir ao apartamento dela e encontrou fotos suas coladas na geladeira. Ou de quando uma mulher perguntou se ele queria depilar as partes íntimas dela com cera quente como uma espécie de preliminar. Sua condição logo se tornou uma coisa normal para eles, assim como para a maioria das pessoas de seu círculo mais próximo (ainda que Lori Cantore a tratasse como se fosse uma leprosa).

Bruce, o Poderoso e Generoso, pôs uma cama na sala de descanso dos funcionários e mandou fazer uma placa com os dizeres *Lauren está dormindo, cai fora* para quando ela precisasse tirar um cochilo. Lori registrou uma queixa no RH (pois é), e Bruce chamou Lauren até sua sala e jogou o formulário de reclamação no triturador de documentos na frente dela e de Lori Cantore. Um querido.

Lauren, Sarah e Asmaa faziam uma aula de ioga não muito puxada algumas vezes por semana, uma estratégia ótima para manter seus músculos fortes, o que por sua vez ajudava na oxigenação. Ela saía algumas vezes por mês com as amigas ou a irmã, e visitava sua mãe e Stephanie toda semana. Seus dias continuavam planejados, mesmo sem ela saber por quanto tempo sua vida seria normal ou se uma epidemia sazonal de gripe a forçaria a ficar trancada em casa durante meses.

Jen levava Sebastian a seu apartamento toda quinta-feira à noite, para Lauren e Josh ficarem com o sobrinho enquanto ela saía com Darius. Lauren adorava essas noites, e as perguntas engraçadas de Sebastian sobre como a água chegava até a banheira, ou se elefantes dormiam em ninhos, ou se ele podia ficar na sua casa por nove ou dezessete dias seguidos. Ele pegava no sono na cama do casal, e ela e Josh deitavam cada um de um lado, fingindo ver um filme, mas na verdade admirando aquela pele perfeita e aqueles cílios perfeitos, aquele cabelo cacheado e aquelas mãozinhas lindas. Sua tristeza por não poderem ter filhos não era expressa em voz alta, mas, quando algumas lágrimas escorriam pelo seu rosto, Josh estendia a mão para enxugá-las e dizia que a amava.

As questões médicas também se incorporaram à rotina — terapia respiratória, que envolvia sopros, contração dos lábios e respiração com o diafragma, além de sua parte favorita, a expulsão de secreção, que era *exatamente* tão sexy quanto o nome sugeria. Ela fazia testes de função pulmonar, exames de sangue e check-ups com frequência.

O objetivo era manter tudo estável. O espaço em seus pulmões que havia sido perdido para a fibrose e as cicatrizes não seria mais recuperado. A cada pneumonia, alertava a terapeuta, ela perderia um pouco mais.

Enquanto isso, Josh se mostrou... incrível. Tranquilo, atencioso, divertido e, sim, às vezes triste. O saco de pancadas era usado três ou quatro noites por semana como uma medida preventiva e, quando subia de volta para o apartamento, suado e com as mãos ainda com as bandagens, em um estado de espírito mais leve, ela se sentia orgulhosa dos dois. Ele foi se abrindo mais sobre os sentimentos que o atormentavam, e Lauren se perguntou se era a primeira pessoa que o ajudava com aquilo, pois desconfiava que Steph fosse do tipo que dissesse apenas: *Pois é, a vida é injusta mesmo, o que mais você quer saber?* O incidente dos socos na parede tinha ajudado alguma coisa que estava presa dentro dele a se soltar.

"Eu estava pensando sobre o Além", ela disse uma noite enquanto jantavam uma refeição vegetariana tão carregada de alho que até desobstruiu suas vias aéreas. Tentou manter um tom de voz casual, mas ele levantou a cabeça na hora.

"Você anda se sentindo bem ultimamente?"

"Sim! Hoje estou ótima." Ela limpou a garganta. "Quando o meu pai morreu, pensei muito nisso, é essa a questão. E... agora estou pensando de novo."

"Eu *não quero* que você pense nisso."

Ela deu uma encarada nele.

"Tá. Tudo bem. Me conta mais."

Ela o amava *demais*. "Bom, acho que deve ser a junção de tudo aquilo que você adorava e gostava de saber. Tipo... você pode ser uma águia. Ou um bebê girafa."

"Ou um tubarão."

"Ninguém quer ser um tubarão, Josh."

"Por quê? Não precisa ter medo de nada, pode fazer o que estiver a fim, comer o que quiser..." Ele esboçou um sorriso.

"Matar focas e nadadores desprevenidos? Nada disso. Não existem tubarões no Além, Joshua." Ele fingiu fazer cara feia.

"Certo. Bom, e o que mais tem lá?"

"Você pode ver todas as pessoas queridas que morreram. Obviamente. Eu tenho meu pai, meus avós, minha tia-avó Mimi. Um menino da minha sala no quarto ano que teve leucemia. Peter. Nós sentávamos juntos no ônibus da escola." Ela não pensava nele fazia anos. Coitadinho do Peter. Eles ficaram de mãos dadas uma vez. Os olhos dela se encheram de lágrimas.

"O que mais tem por lá?", Josh quis saber. "Comida, imagino."

"Uma sorveteria onde você faz seu próprio sundae, com certeza."

"E aquele restaurante japonês que nós fomos no Havaí? Aquele era nível Além."

Ela sorriu, mas sentiu os ombros pesarem um pouco. O fim fazia parte do horizonte de sua vida agora. E ela estava, *sim*, com medo... nem tanto da morte em si, mas de fazer todo mundo que amava sofrer. E, óbvio, da morte também. Ou melhor, de uma morte sofrida. Sua partida seria marcada pela "fome por ar", aquela expressão horrorosa? Se agarrando aos lençóis? Ou intubada e sedada, o que tornaria impossível dizer algumas últimas palavras emocionantes e profundas?

"Eu realmente acredito que vou encontrar meu pai quando o fim chegar", ela disse, caindo no choro.

Josh se aproximou, a abraçou e a puxou para seu colo. Ele a beijou no rosto, ajeitou seus cabelos e disse: "Reage, bobona". Pega de surpresa, Lauren caiu na risada.

Graças a Deus que havia ele em sua vida. Graças a Deus.

Ter uma esposa doente tornou Josh alvo de atenção de um monte de gente idiota e, infelizmente, da mãe de Lauren também. "Você é um santo, Josh. Não sei como você consegue", a mãe dela dizia sempre que insistia em acompanhá-los em alguma consulta médica. Lauren precisava monitorar sua corrente sanguínea para verificar a presença de gases arteriais.

"Na verdade estou transando com o Tyler aqui", Josh falou, apontando com o queixo para o flebotomista. "O melhor sexo da minha vida."

A mãe dela arfou, e só percebeu que era uma piada quando Lauren, caindo na risada (e tossindo), olhou feio para Josh.

"Não que eu queira me gabar", disse Tyler. "Mas eu tenho uma certa reputação."

"Agora estou sentindo que saí perdendo", Lauren falou. "*Eu* nunca fui para a cama com você, Tyler."

"Me manda uma mensagem", ele falou com uma piscadinha. "Agora segura a gaze, você já conhece o procedimento... *voilà*! Podem ir. Me deixem em paz."

"Pode ser que ele seja seu próximo grande amor", Lauren disse para Josh.

"Poderia ser pior."

"Isso não tem graça", sua mãe protestou. "Primeiro, meu marido morre do nada, e agora minha filha está indo também."

"Obrigada pelo lembrete", disse Lauren. "Nós podemos comer comida tailandesa? Quer ir também, mãe?" Porque, apesar de sua mãe deixar tudo mais difícil, ainda assim era sua mãe. "Vamos ligar para a Steph e ver se ela pode vir também." Sua mãe se comportava melhor quando havia outra mãe ou pai menos disfuncional por perto.

Lauren também descobriu que ela havia virado objeto inspiracional das pessoas... aquele tipo de gente que a parabenizava por tudo pelo simples fato de ainda estar viva. Suas fotos sem graça de comidas e árvores nas redes sociais de repente estavam entupidas de elogios. A Debi Escrota era a pior. *Você é incrível! Você consegue fazer o que quiser! #preces #ForçaLauren*. (Mas não que ela a visitasse levando uma comidinha caseira ou algo do tipo.)

Somente Jen, Sarah e Asmaa permaneciam sensatas... Sarah chegava ao ponto de comentar *que chatice* quando Lauren postava mais uma foto do céu ou do pôr do sol. Lauren se sentia grata por isso.

Ela não queria ficar conhecida como a moribunda ou a doente grave. Não queria criar um canal no YouTube nem uma fundação com seu nome (mas admirava quem fazia isso, porque às vezes via alguns daqueles vídeos para levantar seu moral). Ela não queria documentar sua doença... queria pensar em *viver*. Sim, a FPI era parte de sua vida agora, mas sem chance que ela postaria fotos suas tomando oxigênio só para "inspirar" os outros. Citando um grande filósofo: sem tempo, irmão.

O que ela *fez* foi criar uma conta no Twitter, @NotDeadYet0612, com um avatar de um esqueleto fumando um cigarro. A ideia era documentar as coisas idiotas que as pessoas diziam, porque, se não pudesse rir daquilo, ia acabar explodindo de raiva. Ela acabou ganhando bastantes seguidores com seus relatos diretamente das trincheiras do cotidiano.

Desconhecida no consultório médico pergunta o que tenho. Reação dela: "Ai, meu Deus, o outro avô do meu primo teve a mesma coisa. Foi horrível. Ele foi definhando até quase sumir. Não parecia nem um ser humano perto do fim. Ele fedia a morte".

Eu: "Nossa, que reconfortante. Obrigada".

Um cara qualquer em uma chamada de vídeo, perguntando sobre a minha cânula: "Bom, para morrer basta estar vivo. Eu poderia ser atropelado por um ônibus hoje mesmo!". Quantas pessoas morrem assim, aliás? Os motoristas de ônibus são todos homicidas maníacos? Por que não dizer "um carro" ou "um caminhão de lixo"? Os coitados dos motoristas de ônibus é que ficam com a má fama.

Mulher no correio quando estou enviando um simples pacote: "Estou vendo que você está tomando oxigênio. Está doente?".

Eu: "Não, é que eu gosto do barato, só isso".

Ela: "Posso te dar um abraço?".

Eu: "Não".

Ela: "Me deixa te dar um abraço".

Eu: "Se encostar em mim, vai levar um soco na cara".

Ela e Sarah riram até chorar dessa última interação, e isso meio que virou uma piada interna entre elas... *Me deixa te dar um abraço.* Aquilo sempre a fazia rir. Asmaa, que era mais boazinha do que as duas juntas, nunca entendeu a brincadeira, e abraçava Lauren toda vez que ouvia aquela frase, o que só tornava a coisa ainda mais engraçada.

Então sua condição era terminal. Mas isso não valia para todo mundo? Todo mundo *morreria*, afinal de contas. Para Lauren, a perspectiva da morte só era um pouco mais concreta do que ser atropelada por um ônibus.

Ela poderia conviver com aquilo. E era isso o que estava fazendo. Até porque não tinha muita escolha mesmo.

# 17

## JOSHUA

*Quinto mês*
JULHO

Ele voltou a trabalhar, quase todos os dias. Era melhor fazer alguma coisa que ajudasse alguém em algum lugar do que ficar vendo televisão. Não era fácil se concentrar, e seu cérebro vivia lhe pregando pequenas peças, bastante cruéis. Se ele terminasse uma fase do projeto ou lesse um artigo sobre o tema, Lauren voltava a seus pensamentos. Se ele conseguisse trabalhar por uma hora, Lauren voltava a seus pensamentos. Se a coisa estivesse fluindo o mínimo que fosse, ele acabava regredindo, e Lauren voltava a seus pensamentos. Às vezes pensava ouvi-la do outro lado da porta ou na cozinha, e ele se deixava levar. Sim, ela estava de volta. Não era só o ar-condicionado ligando. Era sua mulher. Os quatro meses e meio anteriores tinham sido só um pesadelo detalhado e excruciante.

Uma noite, ele deixou a caneca favorita dela ao lado da sua. Só para vê-las juntas de novo. Só para fingir por alguns segundos que ela estava na cozinha outra vez. Mesmo que fosse só o fantasma dela — e Josh nem sequer acreditava em fantasmas. Mas faria qualquer coisa por ela.

Nada acontecia.

Ele passou a responder mensagens e e-mails e às vezes até atendia ao celular. Levava Pedrita para correr de manhã, fazia uma caminhada na hora do almoço e, na maior parte das noites, dava um passeio no parque para cães. Se alguém perguntava o nome e a raça dela, Josh respondia. Nas tardes de terça e quinta, ia ao caratê, que no fim se revelou bastante divertido. Estar cercado de criancinhas marrentas de cinco anos era uma forma de escape interessante. Ele e Ben retomaram o antigo hábito das longas caminhadas. Ben tinha um fraco por Pedrita e adorava jogar o Frisbee para ela, que o pegava no ar.

"Como estão as coisas, filho?", Ben perguntou.

"Estão bem." De alguma forma, aquelas conversas ajudavam. Ele achava que só o fato de estar com Ben já bastava. Afinal, eles nunca precisaram de muitas palavras para se entender.

A raiva aparecia na forma de flashes da névoa vermelha. Ele perdeu a chave do carro um dia e revirou o apartamento como um agente antinarcóticos procurando metanfetamina, mesmo sabendo que estava exagerando enquanto virava as almofadas do sofá e esvaziava gavetas e berrava palavrões (mesmo sendo ele quem precisaria arrumar tudo de novo depois). Um dia seu carro se recusou a ligar, e ele chutou tanto a lataria que a amassou. Quando sua camiseta enroscou em um alambrado durante uma corrida, ele puxou, provocando um rasgão, o que o fez terminar de rasgar a peça inteira e a jogar no lixo.

O problema não era a camiseta, nem a bateria do carro, nem a chave. Era sempre *uma coisa a mais*, por menor que fosse, com que ele era obrigado a lidar. A raiva era uma coisa ao mesmo tempo repugnante e satisfatória — ele nunca tinha chutado um carro antes, ora essa, e de que isso adiantou? Mas esse pensamento não o impediu de continuar golpeando e golpeando. O saco de pancadas na academia do prédio estava valendo o que custou. Se seus amiguinhos do caratê o vissem naqueles momentos, ficariam apavorados.

A raiva era um dos estágios da perda, ele sabia. Era algo que o fazia se sentir imenso e doentio e até um pouco assustado consigo mesmo. Quando passava, ele ficava envergonhado. "Isso vai melhorar", sua mãe disse, olhando para suas mãos vermelhas e cheias de calos nas juntas. "Eu sei que parece que não, mas vai ficando mais fácil, querido."

Ele duvidava que fosse possível. Era como se Lauren tivesse sido o centro de tudo e agora só restasse um buraco negro enorme com dentes afiados, que mordia todos que a amavam, devorando-os como uma cobra fazia com um camundongo indefeso, engolindo-o inteiro.

Radley, seu primeiro amigo pós-Lauren, era uma lufada de ar fresco em comparação aos demais. Estava sempre com bastante tempo livre, o que levava Josh a pensar que, ou Radley não tinha muitos amigos, ou estava usando Josh como cobaia para sua formação como terapeuta. Fosse como fosse, sua gratidão era a mesma, porque havia dias em que ele se sentia como se não existisse. Se não fosse por uma mensagem de Jen aqui e um convite de Radley ali, Josh tinha a impressão de que poderia não ser... real, em certo sentido. Ele dizia alguma coisa em voz alta de vez em quando só para se certificar de que ainda sabia falar. Pedrita levantava a cabeça e abanava o rabo, ou então vinha sentar ao seu lado, se esfregando em suas pernas.

Ele se sentia bem feliz por ter aquela cachorra.

No fórum, diziam que tudo isso era normal. Os outros entendiam o que ele estava passando e se solidarizavam. Mas isso não fazia os problemas irem embora.

Um dia, Josh recebeu um contato da Chiron Medical Enterprises, uma empresa com sede em Singapura que tinha comprado um de seus projetos. Eles queriam um dispositivo que ajudasse os cirurgiões de coluna a detectar os diferentes tipos de tecidos existentes nas costas para diminuir a possibilidade de erro humano quando inserissem próteses, limitando os danos aos tecidos moles e principalmente ao cordão espinhal. Era um bom projeto, complexo, mas com amplos benefícios, o que era sua especialidade.

Quanto mais ele ficava diante do computador, mais fácil se tornava pensar em trabalho. Sua visão em túnel, o processo de pensamento que lhe permitiu ser bem-sucedido desde cedo na vida, havia voltado.

Ele e Lauren uma vez tinham visto um filme ou programa de TV que retratava algum jovem genial — Sherlock Holmes, talvez, ou Alan Turing. O personagem via vários elementos formarem padrões diante de seus olhos, e as conexões entre eles se acendiam, apesar de ser invisíveis para qualquer um além dele. Lauren pausou a exibição e perguntou: "Com você é assim que acontece?".

"Não", ele respondeu, pensativo. "É o contrário. É como um caso de visão em túnel. Eu vejo o problema, e os dezesseis passos seguintes, e as complicações que vêm pelo caminho, como obstáculos que preciso saltar para poder seguir em frente. Todo o resto desaparece — que horas são, se estou com fome, se é dia ou noite, ou se está chovendo ou fazendo sol.

Só existe o caminho que leva à solução. Eu acho que... bom, acho que sou diferente porque consigo isolar tudo o que está ao redor e me concentrar apenas no fim do túnel."

Ela o encarou por um bom tempo. "Você é incrível, sabia?", ela comentou, passando a ponta dos dedos em seu maxilar até tocar o lóbulo de sua orelha. "Totalmente incrível."

Mas não tinha conseguido inventar nada que pudesse ajudá-la.

*Reage, bobão*, ele quase conseguia ouvir a voz dela dizer.

Por fim, chegou a manhã em que Sarah trouxe a quinta carta. Parecia que uma eternidade havia se passado desde a anterior.

"Quer café?", ele ofereceu. Era um teste para si mesmo, para ver se conseguia esperar, e também uma tentativa de ser um amigo melhor para Sarah, que também sentia a falta de Lauren, ele sabia.

"Seria ótimo. Obrigada, Josh."

Que merda. Ele fez o café, perguntou coisas sobre a vida dela e tentou prestar atenção nas respostas, em vez de no envelope, que pulsava como se estivesse vivo.

"Você deve querer ler a carta. Eu já vou indo", Sarah falou.

"Ah. É. Tá. Hã..." Ele nunca sabia o que dizer para ela. "Obrigado, Sarah."

"De nada. Até mais."

Ele entrou no escritório, deixou a carta sobre a mesa e se obrigou a se concentrar em fibras microscópicas e impulsos elétricos. Josh programou o timer para ficar trabalhando até as cinco da tarde. Só então ele recompensaria a si mesmo com a carta. Com a voz de Lauren, suas palavras, sua presença.

Quando o timer tocou, ele levantou da cadeira de um pulo. Depois deu uma ajeitada no apartamento, passeou com Pedrita, pegou uma taça de vinho — pinot grigio, e sim, era doce e feminino, mas ele era um bebedor novato.

Só então foi ao escritório, pegou a caixa onde estavam as outras cartas e leu todas na ordem — a primeira contando sobre o plano e o mandando fazer compras no supermercado; a segunda o instruindo a receber pessoas em casa; o bilhete sobre o aniversário de noivado; a terceira carta, que o levou a Radley e um guarda-roupas melhor; e a quarta, que o levou a fazer aulas de caratê para iniciantes.

E por fim, com a taça de vinho já pela metade, ele se recompensou com a correspondência mais recente.

Um minuto depois, a deixou de lado, se sentindo estranhamente... irritado.

Não era longa como as outras. Não era sentimental, nem divertida, nem pessoal. Tinha um tom... mandão. Tudo muito seco e direto, como se ela tivesse mais o que fazer.

*Oi, querido! Escuta só. Está na hora de se desfazer do sofá e da nossa cama. Em outras palavras, dos lugares onde transamos. ☺ Você não pode ficar preservando memoriais sexuais para sempre. "Era aqui que eu transava com a minha esposa que morreu." Não, Josh. Além disso, toda vez que você olha para esses móveis, aposto que pensa em mim, tomando oxigênio, doente. Então você pode doar o sofá para o centro comunitário (não conte nada para eles sobre a diversão entre adultos) e doe a armação da cama para a loja da Habitat for Humanity. E também as minhas roupas, para aproveitar o embalo. Não seja o tipo de cara bizarro que guarda todas as coisas da mulher morta, certo?*

*Agora eu preciso ir, mas em breve chega outra carta, espero.*

*Eu amo você, Joshua Park.*

*Lauren*

Ele tinha esperado um mês inteiro por isso? Era mais uma lista de tarefas do que uma carta de amor de sua esposa morta. Ela poderia estar passando mal quando escreveu, claro. Talvez estivesse cansada ou até no hospital. Talvez ele estivesse sendo babaca.

Mas mesmo assim. Ele precisava daquelas cartas.

Josh olhou para o sofá, onde Pedrita estava deitada de barriga para cima, com as patas para o ar. Ele levantou e foi até o quarto principal, que não vinha usando. Tinha feito a cama do jeito que Lauren gostava, com os travesseiros afofados e duas fileiras de almofadas decorativas impecavelmente posicionadas.

Caso se desfizesse da cama, poderia voltar a dormir lá, perto da árvore. Talvez. Ele sentou e pegou o travesseiro dela, apertou junto ao peito e respirou fundo.

Por um instante, não conseguiu sentir o cheiro dela, e o pânico tomou conta de seu corpo. Não! Ele não poderia perder isso. Quando afundou um pouco mais o rosto, lá estava, o aroma do xampu e do hidratante dela, com um leve toque de Vick VapoRub e perfume. Seu coração se desacelerou, e os olhos se encheram de lágrimas.

O cheiro de Lauren desapareceria. Ele sabia disso. E, apesar de ainda conseguir distinguir o sabonete, o xampu, o perfume e o Vick VapoRub, nunca mais poderia sentir nada disso vindo *dela* de novo.

A morte era uma egoísta da porra.

O corniso estava crescendo bem, fertilizado pelas cinzas. Bizarro? Naquele dia, com certeza. A essa altura, quase chegava a ter raiva da árvore; as últimas partes de Lauren estavam dando vida a algo que não era ela.

"Você está precisando sair mais", ele disse a si mesmo.

Ele sacou o celular do bolso e escreveu para Jen, Sarah, Asmaa e Donna.

Vou limpar o armário da Lauren no fim de semana. O que você não quiser, vou doar. Foi ela que me pediu para fazer isso.

Todas responderam que estavam livres no fim de semana. Então aconteceria de verdade.

Ele abriu a porta do closet e passou a mão pelos vestidos, as blusas, as camisas e as saias. Segurou a manga de um dos suéteres preferidos dela e cheirou a gola, depois a manga. Lá estava — o cheiro discreto de suor. O cheiro dela.

Alguma coisa ele guardaria. Um pijama.

Mas imaginou que um dia poderia voltar a casar e até se tornar pai. O que diria sobre uma roupa aleatória de mulher que mantinha escondida? *É o pijama que a minha primeira mulher usava. Às vezes eu sinto o cheiro para lembrar dela. Eu a amei como nunca vou amar ninguém, e isso vale para você também, queridinha. Desculpa aí!*

Talvez aquelas cartas estivessem lhe fazendo mal. Ou talvez Lauren tivesse razão, aquilo era sentimentalismo barato e só servia para impedi-lo de seguir em frente.

Mas continuar ali, em seu luto, em sua solidão... aquele era seu mundo agora.

No sábado, Jen, Sarah e Donna estavam todas no seu quarto, remexendo nas coisas de Lauren enquanto Josh segurava Octavia no colo. Asmaa precisou cancelar a visita; sua mãe precisava dela para alguma coisa, mas pediu para que lhe guardassem uma echarpe azul de Lauren como lembrança. O quarto antes impecável agora parecia lotado e bagunçado. Estava sendo *violado*. Todas as gavetas estavam abertas, assim como as portas dos armários, com sapatos espalhados pelo chão enquanto as mulheres faziam aquilo que era sua especialidade — falar sobre roupas.

"Esse vestido é tão bonito!", Jen comentou. "Pena que não me serve. Sarah, fica com ele."

Sarah segurou a peça diante do corpo, de um tecido leve e arejado com flores bordadas na bainha. "Eu ficaria parecendo uma fada com isso."

"Perfeito. Você pode usar em um casamento ou, sei lá, um evento chique." Elas deram uma risadinha. "Ah, esse vestido! Ela usava o tempo todo em Cape Cod." Era um mais longo, cor-de-rosa, e Jen tinha razão — Lauren o adorava, pela cor e pelo conforto. E por ter pequenas rosas bordadas no decote.

"Esse eu queria guardar", ele disse, engolindo em seco.

"Claro, querido." Jen olhou para ele, com o queixo tremendo.

"Como está seu namorado?", ele perguntou para Donna, precisando a qualquer custo mudar de assunto.

"Ele é um amor, Josh. Você precisa conhecê-lo. Ah, lembro dessa camisa! Fui eu que comprei, para uma entrevista de emprego! Ela ficou parecendo toda adulta!" Donna sorriu, apesar das lágrimas nos olhos. Josh retribuiu o gesto, ou pelo menos tentou.

"Ai, meu Deus, ela guardou isso! Jen, você lembra?", Sarah perguntou, estendendo um vestido longo de renda que Josh nunca tinha visto sua mulher usar. "No Dia da Bruxas, quando vocês foram naquela festa e ela se enfiou na banheira de cobre?"

"Sim! Foi tão engraçado! Mãe, a gente estava tentando pegar maçãs com a boca, e ela queria impressionar aquele cara bonitinho que o Darius conhecia, lembra? Ela simplesmente enfiou a cara e prendeu a maçã no fundo da banheira. Com os *dentes*! E depois saiu com a maçã na boca, encharcada até a cintura, com a maquiagem escorrendo na cara e os cabelos ensopados, totalmente assustadora, parecendo uma Eva do mal. Ai, meu Deus! Como a gente riu!"

Josh não queria ouvir histórias sobre ela tentando impressionar outro cara. Se divertindo. Interessada em um homem que não fosse ele. E também não queria lembrar que, se não fosse um imbecil arrogante, poderia estar naquela festa também.

As lembranças que elas tinham de Lauren pareciam... vivas demais. Era quase como se ele conseguisse ouvir as risadas dela. Uma dor familiar apunhalou seu coração, com uma lâmina serrilhada e afiada. "Vou pôr Octavia para dormir um pouquinho", ele avisou quando a menina soltou um conveniente bocejo. "Posso acabar cochilando com ela também, se não tiver problema para vocês."

"Claro", disse Jen. "Nós vamos fazer menos barulho." Ela deu um beijo na cabeça da bebê e falou: "O tio Josh vai pôr você para dormir, mocinha".

"Boa noite", ela respondeu. Tinha aprendido a falar bem novinha, embora não demonstrasse o menor sinal de que andaria tão cedo. Para Josh, não fazia diferença. Dessa forma, poderia ficar com ela no colo por mais tempo.

Donna beijou a criança também, e depois Sarah fez o mesmo, e por fim Josh estava livre.

Ele levou Octavia para o quarto de hóspedes. "Hora de dormir um pouco, pequenina", ele disse enquanto a deitava.

"Durmi não", ela respondeu, esfregando os olhos.

"O tio Josh vai dormir com você."

"Tá." Ela era muito boazinha.

Ele deitou na cama e a aninhou junto de si. Ela enfiou o dedo na boca e ficou olhando para ele, com aqueles olhos castanhos bem sérios, de cílios compridos e sedosos.

"Sua tia amava muito você", ele falou, dando um tapinha com a ponta do dedo no nariz dela.

"Oi", Octavia respondeu, ainda com o dedo na boca. Ela se recostou nele, que a abraçou. Era a primeira pessoa que permitia que se aproximasse tanto assim desde o dia da morte de Lauren, e o cheiro dela era muito bom — manteiga de amendoim, xampu de bebê e hálito doce.

"Boa noite", ela falou.

"Boa noite", ele respondeu.

"Tiam."

"Como é?", ele perguntou.

"Tiam."

"Ah." Ele engoliu em seco. "Eu também te amo, Octavia."

Então ela fechou os olhos e começou a chupar o dedo com mais força, dormindo em questão de segundos. Josh ainda ouvia as mulheres no seu quarto, remexendo nas coisas de sua esposa, e ficou aliviado por não ter que fazer todas aquelas tarefas horríveis sozinho, e furioso por elas estarem rindo, e se sentindo solitário depois de receber só aquele bilhete curtinho de Lauren, e de saco cheio de si mesmo por ser tão mal-humorado.

Por outro lado, estava contente por sentir o corpo quentinho da bebê ao seu lado. Havia um pouquinho dos genes de Lauren ainda vivos dentro dela.

Talvez Jen pudesse lhe dar Octavia. Era mais do que justo.

Duas horas depois, Donna e Jen tinham ido embora, levando a bebê, infelizmente. Também levaram a maioria das roupas, das echarpes, dos sapatos e das bolsas de Lauren. Algumas peças seriam doadas, outras, guardadas.

Sarah ainda estava lá. Ela também estava com uma bolsa cheia de roupas e acessórios, mexendo no celular e se sentindo em casa no sofá, com Pedrita ao seu lado.

Ela usaria aquelas coisas? Ele precisaria vê-la algum dia com um suéter de Lauren ou um par de seus brincos? Só de pensar, sentiu um vazio por dentro e também um pouco de raiva. Sarah não ficaria tão bem quanto Lauren. Ficaria no quase, como sempre.

Nossa, como ele estava sendo maldoso ultimamente. Lauren detestaria conviver com ele daquele jeito. Ótimo. Ele a detestava por ter morrido.

"Como estão as coisas, Josh?", Sarah perguntou, prendendo uma mecha de cabelo loiro atrás da orelha.

"Tudo bem."

"Isso não deve ter sido fácil."

*Jura, Sherlock?* "Está tudo bem. Era o que a Lauren queria."

Ela continuou mexendo nos cabelos. "É isso o que tem na carta? Uma lista de... tarefas?"

"Prefiro não falar a respeito."

"Desculpa. Não é da minha conta." Ela abriu um sorriso forçado. "Então. Você tinha falado que vai comprar móveis novos?"

"É. O Radley chega daqui a pouco. Ele mora perto da casa da Jen e vai pegar a picape dela e do Darius."

"Legal." Ela fez o movimento que era sua marca registrada, jogando o cabelo para um dos lados do pescoço.

"Sarah, todo mundo já entendeu. Seu cabelo é comprido, loiro e bonito."

"Quê?"

"Você está sempre tentando chamar atenção para o seu cabelo, caso alguém não tenha percebido que é loiro e comprido. Isso é irritante."

Ela ficou boquiaberta. "Uau. Desculpa aí se te ofendi."

"É que... isso é coisa de adolescente, né? Você devia prestar mais atenção."

Sarah olhou feio para ele. "Vou deixar essa passar porque acho que você está bem triste hoje, mas, por dentro, estou te mandando para a puta que pariu. Eu também sinto falta dela, sabia?"

"Sabia. Melhores amigas desde o terceiro ano." Era assim que Sarah a apresentava toda vez que as duas estavam juntas. Era seu jeito de dizer: *Oi! Eu sou importante!*

"Desde o segundo ano, na verdade."

"Se vocês eram melhores amigas, por que você vivia sempre tão... incomodada com ela?", ele questionou. "Pensa que ninguém percebia? Até no nosso casamento você estava com cara de quem tinha chupado um limão."

"Josh! Que absurdo! Eu estava feliz por ela."

"Ah, estava. E com inveja também."

"Sim! E com inveja também! É possível sentir as duas coisas ao mesmo tempo."

"Era mais que inveja. Era um ressentimento. E vinha desde antes do nosso casamento. Você sempre se sentia diminuída e punha a culpa nela. A Lauren sentia isso também, sabe. Você só agiu como uma amiga de verdade depois que ela ficou doente. Quando ficou fácil, porque finalmente você tinha uma coisa melhor que ela. A saúde."

Ela começou a chorar. "Minha nossa, Josh! Isso não é justo."

Não era mesmo. Mas ele ficou calado. Simplesmente deu de ombros, como um grande babaca.

"Como você tem coragem de dizer uma coisa dessas?", ela berrou, ficando de pé em um pulo. "Que porra de conversa é essa? Eu amava a Lauren como uma irmã. Sinto muito informar, você não é o único aqui que perdeu alguém. Não é o primeiro, nem o último, nem o único. Esse negócio de viúvo coitadinho que não consegue nem se alimentar direito já está ficando meio cansativo, você não acha?"

"Acho melhor você ir embora", ele respondeu, olhando para a parede atrás dela.

"Ah, não precisa nem dizer, eu já estou indo. E de nada pela ajuda, aliás. Seu babaca."

Ela passou pisando duro por ele e Pedrita, que estava abanando o rabo, esperando um carinho. Um segundo depois, a porta se fechou com força.

"Ótimo", ele falou.

Mas não era. Ele tinha sido um cuzão e sentia seu rosto vermelho de culpa e vergonha.

"Oi, Joshua! Posso entrar?" Era Radley.

Josh foi até a sala de estar. "Olá. Sim, claro."

"Ei, eu passei por uma mulher na escada. Ela estava furiosa e chorando..."

Ele sentiu o rosto queimar de vergonha. "Pois é. Era uma amiga da Lauren."

"Eita. Quer conversar sobre isso?"

"Não. Só vamos levar o sofá lá para baixo, e depois a cama, pode ser?"

"Você é quem manda."

Josh e Radley tiraram as almofadas do sofá, tanto as do estofado como as decorativas, que Lauren tinha comprado em sua amada Target. Droga, quando ele pararia de pensar nela a cada segundo do dia?

"Calma aí", Radley falou enquanto Pedrita o cheirava e abanava o rabo e lambia sua calça jeans. Eles levaram o sofá porta afora e o colocaram a duras penas no elevador, voltaram para buscar as almofadas, desceram e enfiaram tudo na picape. Em seguida, repetiram o processo com a cama.

O que foi mais difícil, emocionalmente falando.

A cama era o lugar onde tinha feito amor com Lauren pela primeira vez. Onde passaram sua primeira noite como marido e mulher. Onde se abraçaram com todas as forças no dia em que receberam o diagnóstico dela. O último lugar onde ela esteve no apartamento, na noite em que acordou com falta de ar.

"Está tudo bem?", Radley perguntou.

"Sim."

O colchão novo seria entregue mais tarde naquele mesmo dia, e os entregadores levariam o antigo.

Eles foram até a ReStore, onde deixaram a cama, que era feita de bordo maciço, cheio de nós naturais na madeira, e foi imediatamente arrematada por um jovem casal.

"Será que eu conto que está amaldiçoada?", Josh perguntou.

"Melhor não", Radley falou. "Este lugar é incrível. Eu devia fazer compras aqui."

"Como é a sua casa?", Josh quis saber, percebendo que, a essa altura, já deveria ter perguntado.

"Totalmente sem graça. Um apartamento independente em uma residência familiar", ele falou. "A rua é bacana. Quer ir jantar lá um dia desses?"

*Não. Eu nunca quero ir a lugar nenhum.* "Ah, sim", ele falou.

"Certo, amigo, vamos ver o que você consegue achar lá na West Elm, certo?"

Não demorou muito. Para ele, não fazia diferença como seria o sofá, ou a cama. Em três minutos, escolheu um sofá, um modelo baixinho, que eles poderiam pôr na picape. Depois comprou uma cama que, por uma quantia nem um pouco irrisória, poderia ser entregue no mesmo dia. Ele concordou em pagar.

"Que tal umas almofadas? Aquelas ali, que parecem de pele de lhama?" Ele olhou na etiqueta. "Ai, nossa, eu quase acertei. São de lã de carneiro da Mongólia."

"Claro", Josh falou. "Hã... pode escolher as cores."

"Acho importante você mesmo escolher. Isso não é uma coisa qualquer."

Josh suspirou. "Amarelo?"

"Amarelo é legal." Radley sorriu. "E que tal mais algumas coisinhas também? Para dar uma animada no ambiente. Aqueles vasinhos ali são uma graça. Ah! E aquelas bandejas de laca vão dar a impressão de que comer em frente à tv pode ser uma coisa glamourosa."

De repente, Josh passou a *de fato* querer todas aquelas coisas novas. Queria que seu apartamento se parecesse menos com o lugar onde Lauren morou. "Ah, sim, claro. Os vasos e a bandejas. E... hã, que tal aqueles aparadores de livros?"

"Não precisa nem me perguntar. Eu só estou aqui para balançar a cabeça de tempos em tempos, com cara de quem está entendendo tudo. Como os terapeutas fazem."

Josh escolheu um abajur. Umas prateleiras meio feias, mas que poderiam ficar legais. Uma pequena escultura que parecia uma cadeia de DNA. Um monte de espelhos. Quando arrastou tudo até o caixa, aproveitando para pegar também um cesto (Lauren adorava cestos), se deu conta de que Radley também poderia estar precisando de alguma coisa.

"Posso comprar uma coisa para você?", ele perguntou, equilibrando no braço um monte de caixas e produtos. "Você me ajudou bastante."

"Ah, não, é muita gentileza sua, mas não precisa."

"Por favor? Como uma forma de agradecimento?"

"Hã, tá bom. Aqui. Esta vela." Radley pegou uma vela e cheirou. "Limão. Está ótimo."

"Que tal uma poltrona? Você... me ajudou bastante, e estou me sentindo culpado."

"Você está mesmo com uma carinha de culpado." Ele passou a mão em uma poltrona azul escura. "Isso é de *veludo*?"

"Pode levar."

"Nós vamos mandar entregar para você", a vendedora falou.

"Seria ótimo", Josh disse para ela.

"Ora, obrigado, Joshua!", Radley falou. "Você é muito generoso."

Josh olhou no relógio, já que aquele dia parecia não ter fim. Eram quase seis horas. "Posso pagar o seu jantar também."

Quando chegaram ao apartamento, o pessoal dos móveis já estava lá com a cama, e o colchão estava à sua espera no saguão. Eles carregaram as caixas e o colchão para cima, e ajudaram Radley e Josh com o sofá também. Ele deu uma gorjeta de vinte dólares para cada um e recusou quando se ofereceram para montar a cama. Se tinha uma coisa que Josh fazia bem, era juntar peças — afinal de contas, era um engenheiro. O colchão — onde Lauren nunca havia dormido — foi posto em cima do móvel.

Josh abriu a embalagem com os lençóis novos que tinha comprado e arrumou a cama, sem se preocupar com o fato de que não tinham sido lavados. Eram azuis. Os que usavam com Lauren eram brancos. Ele decidiu não comprar almofadas decorativas para a cama. Qual era a utilidade daquelas almofadas, que eram colocadas na cama só para serem retiradas de novo na hora de dormir? Assim o quarto parecia mais... masculino. E, como não havia mais uma mulher em sua vida, era isso o que o quarto seria.

"Desculpa", ele falou para a o corniso com as cinzas de Lauren. "Isso é o que você recebe por morrer."

Radley estava fazendo uma coisa chamada *zhoozhing* na sala de estar. Quando Josh entrou lá, parecia um lugar diferente. Pedrita já estava toda à vontade no sofá novo, que era cor de areia, não vermelho, como o antigo. Ele sentiu um pânico momentâneo. O que tinha acabado de fazer? Lauren adorava aquele sofá! E ele detestava mudanças! Então Pedrita abanou o rabo, com a cabeça apoiada na almofada peluda, que absorvia bem sua baba. Radley tinha mudado uma poltrona de lugar, reposicionado a mesinha de centro e acrescentado mais alguns pequenos toques pessoais. A nova luminária de pedestal ficou bacana. A prateleira meio feia tinha ficado melhor com o negócio de DNA em cima.

"Você vai chorar?", Radley perguntou.

"Acho que não", ele respondeu, mas não tinha certeza.

"Vamos assistir alguma coisa violenta e animada", Radley sugeriu. "Que tal *Mad Max: A estrada da fúria*? Que tipo de comida combina com isso?"

"Todas", Josh falou. "E umas cervejas para acompanhar?"

"Parece ótimo."

"Obrigado por ser tão legal comigo."

Radley inclinou a cabeça. "Josh, ser legal com você não é sacrifício nenhum. Nós somos amigos, cara."

"Que bom. Muito bom. Pensei que eu era só um cliente chato para você."

"Tem isso. Mas não! Quer dizer, eu *gosto* de você. É uma pessoa decente. Não tem segundas intenções. E parece gostar de mim também."

"Gosto mesmo. E isso... isso basta? Para duas pessoas serem amigas?"

"Para mim basta." Ele levantou as sobrancelhas.

"Certo. Para mim também. Não quero que você fique só porque... tem pena de mim."

Radley revirou os olhos. "Homem, todo mundo passa por algum perrengue na vida. O seu está sendo agora. O meu foi apanhar na época de colégio e ser mandado para a puta que pariu pelos meus pais. Você prefere comida chinesa? Coreana? Tailandesa? Italiana?"

Eles pediram tailandesa. Josh andou os três quarteirões até a loja de bebidas mais próxima para buscar as cervejas, enquanto Radley ficava sentado na espreguiçadeira do terraço fingindo ser o Leonardo DiCaprio (em suas próprias palavras).

Quando voltou, tomou um ligeiro susto ao não encontrar as coisas de Lauren na sala de estar. Sua cabeça até doeu.

Mas ela iria gostar de Radley. Teria gostado. Ficaria contente por ele ter um amigo. Isso significava (ah, como ele detestava essa frase) que estava seguindo em frente.

No dia seguinte, pediria desculpas para Sarah. Por ora, enfiou a embalagem com seis cervejas debaixo do braço e foi até o terraço, onde estava seu amigo. Como uma pessoa normal, por mais que se sentisse vazio por dentro.

# 18

## LAUREN

*Vinte e um meses restantes*
19 DE MAIO

*Papai,*

*Acho que esse diagnóstico está meio errado. Quer dizer, eu acredito nos médicos, mas duvido muito que seja como os demais pacientes. Não tenho nem trinta anos, afinal. Ainda vou fazer vinte e sete. Eles vivem dizendo que não sabem como vai ser.*

*Não é assim tão ruim, para ser bem sincera. Estou bem. De verdade. Só queria que você soubesse.*

*Com amor,*
*Lauren*

Ela estava *mesmo* bem. Até deixar de estar.

Em junho, seis meses depois do diagnóstico, ela estava ótima. A FPI e seus fatos assustadores a assombravam como um monstro no armário em um quarto infantil, amorfa e sinistra, só à espera. Mas aquele monstro jamais havia feito nada contra ela, certo? Muito bem, então. Tudo fazia sentido.

Porque não parecia *possível* que ela tivesse algo incurável. Ela nunca havia nem ouvido falar em fibrose pulmonar idiopática. Em alguns dias, se sentia perfeitamente normal. Até mais que isso, inclusive. Então como seus pulmões poderiam estar mudando, hein? Hã? Ela não tinha levado Sebastian para passear de cavalinho? Ela e Josh não haviam feito uma maratona de sexo outro dia mesmo?

Ela estava mandando bem no trabalho, se provando a cada projeto. Como poderia estar *morrendo* se era a melhor designer de exteriores da empresa? Bruce tinha acabado de designar a ela um projeto enorme, o acesso de uma nova estação de metrô em Boston, e ela havia passado o dia sozinha por lá, vendo a circulação de pessoas, entendendo o fluxo de pedestres e olhando para aquela entrada horrorosa. Ela estava bem. Até demais, oras.

Só podia ser algum engano. Ela só estava esperando que a dra. Bennett descobrisse qual era.

Obviamente, havia dias em que ela precisava beber dois cappuccinos para conseguir encarar o dia de trabalho (mas todo mundo tinha dias assim). Dias em que a ideia de subir os dois lances de escadas até o apartamento parecia um esforço de Sísifo, e suas pernas pesavam uma tonelada, e ela se sentia zonza e fraca. Mas, ei! Ela também não estava conseguindo acompanhar as aulas de power ioga? E daí que sentisse falta de ar de vez em quando? Ela poderia lidar com isso. E *estava* lidando. Estava tomando os remédios e usando a bombinha de corticoide. Grande coisa. Tinha um monte de gente naquela situação.

Não importa o quanto procurasse no Google, não conseguia encontrar um único caso de FPI em que a pessoa se curava. Nem ao menos um.

Mas *tudo bem*. Ela se acostumaria a viver com um nível mais baixo de oxigênio no sangue. Ninguém tinha como afirmar com certeza que ela não teria uma vida longa. Ninguém mesmo. Lauren era nova demais para ter uma doença como aquela... não era a única, mas uma das poucas. Ela se inscreveu em um fórum na internet e começou a conversar com outras pessoas jovens que sofriam de FPI. Todo mundo concordava; ninguém ali estava planejando o funeral nem nada do tipo.

Só que todos usavam cilindros de oxigênio. E tinham sido hospitalizados e intubados várias vezes.

Viu só? Ela não devia ter FPI. Nunca tinha sido intubada. Nunca havia passado uma noite sequer no hospital.

Até precisar ser internada.

Era um dia completamente normal no trabalho, mas então Lauren sentiu alguma coisa... se mover dentro de seu peito. Uma sensação esquisita, que nunca a havia acometido antes. Um aperto. Uma diferença.

Ela respirou fundo, mas seu corpo não parecia normal. Parecia... errado. Seu peito teve uma palpitação, e então foi como se tivesse pegado fogo. Suas costas se contorceram de agonia — seria um ataque cardíaco, ou alguém havia batido nela com um caibro de telhado?

Ela puxava o ar, mas não adiantava nada. O pânico a dominou, e ela tentou respirar fundo de novo, mas não, o ar não chegava. Seria um pesadelo? *Acorda! Acorda!* Seu peito se movia para cima e para baixo, como se ela tivesse engasgado com alguma coisa, mas só que bem mais para baixo na traqueia. Ai, Deus, ela ia morrer.

Lauren se afastou da cadeira e falou: "Chamem... a ambulância...", e deitou no chão, cheia de adrenalina no corpo, mas se sentindo extremamente fraca. Suas mãos buscaram a garganta, puxando a gola da blusa e, minha nossa, que dor! Aquela pontada no peito era diferente de tudo o que tinha sentido antes, como se tivesse sido varada como uma flecha. Os músculos das costas se contorciam em espasmos, ela estava ofegante, e os sons que escapavam de sua boca — ruídos animalescos, desesperados e selvagens — não permitiam que ouvisse quase nada.

Louise estava aos berros no celular. "Minha colega não está conseguindo respirar! Ela tem uma doença pulmonar e não está respirando! Está *morrendo*! Venham logo!"

"Alguém faça alguma coisa!", Bruce gritou. "Cadê a porra da ambulância! Alguém ajude aqui! Meu Deus do céu!"

Josh. Ela iria morrer sem Josh. Começou a fazer mais força, esperneando, ofegando.

Então Sarah apareceu; sim, elas iam almoçar juntas, mas o ar não estava entrando, droga, e ela não queria morrer. Sarah se ajoelhou ao seu lado e segurou suas mãos, que estavam agarradas à garganta. Bruce chorava, e Louise repetia sem parar: "Caralho, caralho, caralho, caralho". Tudo isso parecia distante, porque ela estava perdendo a consciência e, Deus do céu, estaria morrendo mesmo?

"Devagar e com calma, devagar e com calma", Sarah disse, com uma voz séria e tranquila. "A ajuda está chegando. Você vai ficar bem. Se acalma, tenta relaxar. Sua bombinha está aqui? Alguém pegue a bolsa dela."

Lauren cravou os olhos em Sarah, se debatendo como um peixe fora d'água. Sarah estava lá. A amiga que dormia em sua casa, que sabia fazer umas tranças incríveis no cabelo, que chorou tanto quando o pai de Lauren morreu. Ela sentiu vontade de agradecer, mas só conseguiu soltar um guincho agudo.

"Abram espaço", ela esbravejou para seus colegas de trabalho. Então a bombinha apareceu em sua mão, e Sarah borrifou uma dose na boca de Lauren, mas estava difícil fazer o remédio chegar aos pulmões. Sarah repetiu o processo várias vezes. A respiração melhorou um pouco, mas a dor no peito...

"Josh", ela murmurou.

Sarah pegou o celular. "Pode deixar comigo. Continua respirando, devagar e com calma, devagar e com calma." A voz dela soava tranquila e firme, e Lauren forçou o cérebro a repetir aquelas palavras: *devagar e com calma, devagar e com calma*. "Josh, é a Sarah. Vai encontrar a gente no hospital. A Lauren está com dificuldade para respirar. A ambulância já chegou."

Então os socorristas apareceram em seu campo de visão, e alguém pôs uma máscara sobre seu rosto, e ela ouviu alguns termos médicos, mas estava ficando tudo cinza. Sarah segurou sua mão. "Eu estou aqui. Vai ficar tudo bem. Só fica acordada, tá?"

Lauren se esforçou para não deixar a inconsciência se instalar. Parecia haver um caminhão estacionado sobre seu peito. A máscara ajudava, e tinha um cheiro estranho, mas seu peito... *Seu pulmão entrou em colapso*, disse uma parte do seu cérebro, mas só o que ela conseguia pensar era *respira, respira, deixa o ar entrar, respira, respira, respira*. Então, quando viu, estava na ambulância, com o veículo já em movimento. A socorrista estava falando alguma coisa, mas ela não conseguia escutar.

Ela arregalou os olhos o máximo possível e sentiu as pálpebras ficarem mais pesadas enquanto a inconsciência ganhava terreno. *Não. Nem ferrando*. Aquilo não era um leve desmaio ou um ataque de tosse, era uma batalha de vida ou morte, e ela lutaria com todas as forças, resistiria à sufocação, não deixaria que o cinza se instalasse. *Não. Não. Eu não vou morrer*.

No pronto-socorro, ela foi cercada pelas equipes médicas e de enfermagem. *A paciente teve um colapso no trabalho, recebeu três doses de albuterol, a amiga diz que ela tem um histórico de FPI, sons de respiração limitada em ambos os lados. Pneumotórax. Intubação.* Então Lauren se sentiu flutuar, e havia um médico debruçado sobre seu rosto, abrindo sua boca.

A inconsciência venceu, mas tudo bem, ela estava recebendo ajuda, e então simplesmente... apagou.

Teve sonhos estranhos, com ruídos de sibilos e guinchos. Sonhou que podia voar. Sonhou que estava perdida e não conseguia encontrar a casa de Sarah, então desceu de elevador para um trem, mas lembrou que era casada e precisava voltar para Josh. Pensou que estivesse no Havaí, com sua linda vista para o pôr do sol, mas o Havaí cheirava a flores, e o odor ali era pungente e amargo. Sonhou que estava em uma casa na árvore, mas todo mundo tinha esquecido dela, e a escada tinha sido retirada, então precisaria viver ali, e não havia nem um banheiro.

Sonhou que seu pai estava lá e queria acompanhá-lo no trem para Nova York, mas ele não deixou.

Ela acordou com a garganta ardendo. Engasgou. Josh e Jen estavam lá, dizendo que estava tudo bem, que ela estava a salvo, e melhorando. Lauren tentou sorrir, mas acabou dormindo de novo.

Quando acordou outra vez, Josh estava lá, e também sua mãe, com uma cara péssima.

"Oi, querida", Josh falou, se inclinando para a frente. "Você foi intubada, então não tenta falar. Está com pneumonia, e seus pulmões colapsaram. Mas já está melhor agora. Então vai devagar."

"Você quase morreu", sua mãe falou, aos prantos. "Ah, querida, você quase morreu. Como *eu* ia continuar vivendo sem você? Você sabe que já perdi o seu pai! Por favor, não morra!"

Josh não tirava os olhos dela, mas seus lábios perfeitos estavam contraídos, e Lauren entendeu o que ele estava pensando... *Cala a boca, Donna.* Ou talvez tivesse dito em voz alta mesmo.

Ela apertou a mão dele. "Faz quatro dias", ele explicou e, ah, como ela amava aquela voz. "Você ficou sedada para respirar melhor. Mas agora está bem." Ele beijou sua mão. "Eu te amo."

Ela voltou a dormir.

Lauren foi extubada naquele mesmo dia ou no seguinte... o tempo é escorregadio quando se está no hospital. Lauren se sentia exausta como nunca antes. Até mover os olhos ou sorrir exigia uma boa dose de esforço.

Ela tinha quase morrido. Não havia como negar esse fato, que estava o tempo todo presente, dormindo com ela ali no hospital — não era mais como uma coisa amorfa, mas uma lâmina afiada. Passou a ser real. Lauren acordava e dormia pensando nisso e, mesmo nos momentos nebulosos entre uma coisa e outra, convivia com esse pensamento.

Josh estava sempre ao seu lado. Sempre. Jen e Sarah a visitavam com frequência, assim como sua mãe, que chorava bastante. Quando ela passou a se sentir um pouco mais desperta, Darius trouxe Sebastian, que ficou encantado com sua cama, que podia subir ou descer ao toque de um botão.

Sua voz estava áspera, e lhe davam milk-shakes com uma textura granulada para beber, que não chegavam aos pés do seu favorito, feito com leite gelado e xarope, da Newport Creamery. Ela se queixou, então Josh foi até lá comprar um. E ela havia perdido peso, ao que parecia. Sempre tinha sido curvilínea, com uma barriguinha também, que Josh jurava ser a coisa mais linda do mundo... mas que agora estava lisa como uma tábua. Que estranho.

Ela teve pneumonia, a residente explicou. Atelactasia não obstrutiva bilateral... em outras palavras, seus dois pulmões entraram em colapso por causa de uma pneumonia combinada com a FPI. Sua saturação de oxigênio estava tão baixa que ela foi intubada e tomou antibióticos na veia para combater a pneumonia.

A dra. Bennett apareceu. Passava em seu quarto todo dia, ao que parecia, mas Lauren não se lembrava disso. A presença dela era reconfortante; projetava uma aura de tranquilidade, como... como Florence Nightingale ou uma dona de casa de muito tempo atrás, que colocaria um cataplasma em seu peito e um pano frio em sua testa.

“Que bom te ver melhor, Lauren”, ela falou, puxando uma cadeira ao lado de Josh. Ele estava precisando cortar o cabelo e fazer a barba, mas era tão bonito que não fazia diferença. Lauren sorriu e se sentiu tranquilizada quando ele retribuiu o gesto. “Nós quase perdemos você.”

“Pois é”, Lauren falou, e o sorriso desapareceu de seu rosto. “A sensação foi bem essa mesmo.”

Josh olhou feio para ela.

“Esse tipo de incidente vai acontecer de tempos em tempos”, a médica continuou. “A melhor coisa a fazer é vir me ver assim que você sentir *qualquer* dificuldade a mais para respirar. Mesmo se for só sua imaginação, ou por causa de uma virada no tempo, eu preciso te examinar. Nada de tentar dar uma de durona porque, toda vez que você fica doente, perde um pouco da capacidade pulmonar, e nesse caso não tem mais volta."

"Pode deixar", Lauren respondeu.

"E, Josh, você tem uma formação relacionada à área médica, não é?"

"Meio que sim." A voz dele soou bem séria.

"Eu quero ensinar você a auscultar a respiração dela com o estetoscópio, para detectar qualquer alteração."

"Certo. Tudo bem."

"Nós vamos poder brincar de médico", Lauren disse para ele.

Josh não sorriu de volta. Não reagiu de forma nenhuma.

"Eu volto amanhã", a dra. Bennett anunciou. "Continue assim, e eu vejo se posso te dar alta."

"Obrigada", disse Lauren. E em seguida dormiu.


Ela mandou Josh para casa naquela noite, para que ele pudesse tomar um banho, dar uma caminhada com Ben Kim (o Yoda de seu Luke Skywalker, como Lauren sempre dizia), visitar a mãe dele e levar para Lauren um jantar que a sra. Kim havia preparado.

E também porque precisava de um tempo sozinha. Quando uma enfermeira boazinha saiu depois de medir seus sinais vitais, Lauren fechou a porta, voltou para a cama e respirou profunda e lentamente.

Ela não era asmática. Não era alguém que tossia um pouco mais que o normal. Seus pulmões não iam melhorar. Aquela doença a mataria. Ela não sabia quando, mas sabia como.

Sua doença era terminal. A questão não era mais *se*... era *quando*. Porque iria acontecer. Em uma década, ou metade disso, ou um ano, ou um mês, e o fato era que a Morte havia tentado levá-la na semana anterior, e dessa vez — pelo menos *dessa* vez — Lauren havia vencido.

Por muito pouco.

Seus lábios começaram a tremer. Ela engoliu em seco e analisou os fatos.

Sua vida seria curta.

Por alguns minutos, não conseguiu pensar em mais nada. Ela morreria jovem. Não viveria para se tornar uma velhinha. Aquela luta feroz para respirar e aquelas internações hospitalares aconteceriam cada vez mais até que ela não conseguisse mais escapar. Até que ela morresse.

Seus olhos se encheram de lágrimas.

Ao ouvir o som de passos no corredor, olhou na direção da porta, esperando que fosse Josh.

Não era ele. Era um pai, carregando no colo uma criancinha pequena e terrivelmente magra, sem cabelo nem sobrancelhas e com uma cânula no nariz. Lauren sabia que era uma menina porque usava uma faixinha florida na cabeça. A garotinha não levantou a cabeça do ombro do pai, mas olhou para Lauren e sorriu. Lauren acenou para ela.

E então eles passaram por sua porta.

Com a maior rapidez que pôde, Lauren levantou e foi até a entrada, arrastando o suporte do soro atrás de si. Olhou para o corredor, mas a garotinha e o pai não estavam mais lá.

"Está tudo bem, sra. Park?", a enfermeira perguntou.

"Hã... uma garotinha acabou de passar aqui com o pai?"

A enfermeira assentiu. Os olhos dela se encheram de lágrimas.

"Ela não parecia muito bem", Lauren comentou, sentindo as lágrimas escorrerem pelo rosto.

"Não posso discutir questões relacionadas à saúde de outros pacientes", a enfermeira falou, mas seu queixo tremeu, e Lauren entendeu tudo.

A garotinha também não tinha salvação.

Lauren ficou encostada no batente da porta, sentindo as pernas fracas e trêmulas, pelo tempo que pôde aguentar.


Quando Josh apareceu, barbeado, lindo, cheiroso e trazendo comida, os dois jantaram, com ele sentado ao pé da cama. Sumi tinha feito um frango com molho e gergelim, e Steph havia contribuído com couves-de-bruxelas grelhadas e purê de batata para ajudar com aquela magreza dela, segundo Josh.

Depois que terminaram e que Josh levou embora os pratos, Lauren deu um tapinha na cama de novo. Ele sentou, beijou sua mão e a encarou. A expressão dele se tornou mais sombria.

"Então, querido", ela começou, apertando a mão dele. "Acho que nós precisamos conversar."

"Certo", ele disse.

"Eu vou morrer dessa doença", ela falou, com a voz trêmula. "Não hoje. Mas eu... enfim." Era a primeira vez que dizia aquilo em voz alta. "É isso que vai me matar."

"Não. Nada disso. Precisamos manter o otimismo."

"Então, eu estava..."

Em uma atitude raríssima, ele a interrompeu. "Eu já entrei em contato com uma pessoa no Johns Hopkins. Eles estão desenvolvendo um tratamento promissor. Assim que começarem os testes com humanos, você já está na lista..."

"Josh, por favor. Nós precisamos ser realistas."

"... para participar e, até agora, os resultados foram fantásticos."

"Em camundongos", ela rebateu. Ele não era o único que vinha fazendo pesquisas sobre FPI.

"Sim. Em camundongos." Ele cerrou os dentes.

"Preciso falar sobre o futuro."

"Um futuro em que você vai estar bem", ele insistiu.

"Joshua!", ela exclamou, e tossiu. "Me escuta, por favor."

"Não!", ele rugiu, baixando o tom de voz em seguida. "Não, Lauren. Você não vai morrer. Eu não vou deixar."

"Então tá bom, Deus." Ela abriu um sorriso forçado. "Que bom que sou casada com o Todo-Poderoso. Se fosse um simples mortal, isso poderia acabar em desastre, mas, para minha sorte, você não vai me deixar morrer."

"Para com isso", ele esbravejou, olhando para a parede. "A perspectiva de uma cura está próxima."

"Para *camundongos*." A maioria dos tratamentos que pareciam promissores em roedores não chegavam nem a ser testados em humanos. E, mesmo se isso acontecesse, a maioria dos pacientes com FPI naquele momento não viveria para ver a chegada desse dia.

"Tem um ensaio clínico começando daqui a mais ou menos um ano que..."

"Você vai continuar aí sentado ignorando o que eu quero dizer ou vai lembrar que é o meu marido?"

A expressão no rosto dele começou a ceder. "Esse ensaio clínico... parece que vai sair", ele continuou, mas com algumas lágrimas já escapando dos olhos.

"Que bom", ela murmurou. "Tomara que dê certo."

Eles ficaram em silêncio por alguns minutos, enquanto as sombras da noite começavam a cair sobre os dois.

"Eu vi uma menininha hoje", ela contou, olhando para a porta. "Devia ter uns cinco anos. Ela não vai sobreviver. Estava tão magrinha, com a pele toda amarelada. Mas *sorriu* para mim."

Josh abaixou a cabeça.

Então ele também entendia. Que a vida dela seria curta.

"Querido", ela murmurou, "a não ser por uma cura milagrosa, eu vou morrer por causa dessa doença. E preciso aceitar essa ideia, porque até agora estava fingindo que não era verdade." Ela fez uma pausa, respirando fundo, com cautela. "Mas é verdade. E nós precisamos aceitar."

"Eu *nunca* vou aceitar isso." O tom de voz dele era grave e feroz.

Os olhos dela se encheram de lágrimas. "Eu preciso que você aceite. Para que a nossa vida não se limite à minha doença."

"Não. Eu não vou aceitar." Ele deitou a cabeça em seu colo, e ela sentiu os ombros dele tremerem. Lauren acariciou seu cabelo preto e reluzente, enxugando as lágrimas que caíam.

"Josh", ela disse com o tom mais gentil de que era capaz, "se você for ficar triste pelo resto da minha vida, dure o quanto durar, eu não vou suportar isso. Vou morrer de tristeza antes que essa doença idiota acabe comigo. Preciso de você ao meu lado, não tentando me curar." Ela começou a chorar para valer e teve que tossir. "Estou com medo e não quero estar, e não consigo ser corajosa sem a sua ajuda. Quero ser como aquela menininha. Quero passar meus últimos dias sorrindo. Quero passar o resto da minha vida dando amor, Josh, e não vou conseguir fazer isso sem você comigo."

"Ah, querida, eu estou. Estou bem aqui." Ele foi em sua direção e a abraçou com força. Ela molhou a camisa dele com lágrimas.

Lauren não o queria desesperado e trabalhando freneticamente por uma cura, com os dias passando e ele pesquisando e conversando com gente de Stanford e tentando inventar uma espécie de Roto-Rooter para seus pulmões. Porque no fim ela morreria do mesmo jeito. E agora sabia disso. E, se só tinha um tempo limitado pela frente — fossem meses, anos ou até uma década, por um milagre qualquer —, precisava dele a seu lado. Presente. E feliz por ser casado com ela.

"Eu entendo", ele falou, com a voz embargada. "Vou fazer o que você quiser. Ser o que você quiser."

"Eu só quero você."

Ele levantou a cabeça, com a tristeza estampada nos olhos. "Eu também só quero você", ele murmurou.

"Eu sei", ela sussurrou. "Eu sei, querido." A tristeza, o luto e o medo de repente se tornaram esmagadores. Ele a tomou nos braços e a abraçou com força.

Aquela menininha nunca teria aquilo.

Lauren tinha sorte, na verdade.

"Imagina só o partidão que você vai ser quando ficar viúvo", ela murmurou.

E, como ele era o melhor marido do mundo, porque a entendia como ninguém, respondeu: "Talvez eu até tenha uma chance com a Beyoncé".


A internação a transformou. Agora que era capaz de admitir que sua vida poderia acabar a qualquer momento, de ter chegado tão perto da morte, e de ter feito Josh entender sua situação, uma alegria inesperada se instalou dentro dela. Lauren sorria para a mãe quando Donna ia visitá-la, deixava o sobrinho ficar brincando com os botões de sua cama, analisava os matches de Sarah no OkCupid e dava alguns conselhos, pedia para Darius comprar cheeseburgers com queijo extra no Harry's para ela e Jen. "Eu também vou comer por dois, para ser solidária", Lauren explicava para ele. E, mais tarde, quando Josh se deitava ao seu lado na cama do hospital, deixava que suas mãos fizessem o que desse vontade.

A vida estava boa. A vida estava presente, e Lauren fazia parte dela. Estava entre os vivos, e isso era uma dádiva.

Ela não voltou a ver a garotinha. E não sabia seu nome, sem poder perguntar por ela.

Depois que enfim recebeu alta, dois dias depois do previsto pela dra. Bennett, o trajeto de volta para casa lhe pareceu cheio de cores e belezas, e ela se sentiu renovada, com o nariz praticamente colado no vidro do carro. Era verão! Estava tudo tão verde! O céu era de um azul inacreditável, e parecia que todas as lojas e casas estavam competindo para ver quem tinha o canteiro mais bonito nas janelas. Era fácil esquecer em que época do ano se estava depois de uma temporada no hospital.

Sarah tinha passado no apartamento, Josh avisou, e quando entraram Lauren quase chorou ao ver a faixa de boas-vindas. Era como se tivesse passado anos fora, e não dez dias. Alguém — Steph, sem dúvida — tinha feito um bolo de café, que ainda estava quentinho, deixando o apartamento inteiro com cheiro de canela. Sobre a mesa da cozinha havia um vaso cheio de rosas amarelas e um cartão dizendo *Sejam bem-vindos ao seu lar!*, na caligrafia de sua sogra.

"Uau", Lauren comentou. "Estou tão feliz."

"Você está chorando?", Josh perguntou. "Que bobona."

"Sou mesmo. E uma fedorenta. A equipe de enfermagem bem que se esforçou com os banhos de esponja, mas não estou com um cheiro bom. Até mais, bonitão."

Ah, o chuveiro, aquela maravilha. Lauren passou quarenta e cinco minutos lavando o cabelo com xampu, raspando as pernas absurdamente peludas e esfregando a pele com o gel de banho de amêndoa e limão que adorava. Um trovão retumbou à distância, e Lauren olhou pela janela, contemplando a vista tão familiar e querida. O céu, que antes estava aberto, estava se enchendo de nuvens, porque a Nova Inglaterra era indecisa e preferia experimentar todos os tipos de clima no mesmo dia.

Sua casa. Ela nunca mais deixaria de valorizá-la com todo o coração.

"Olá, garotão", ela disse, entrando na cozinha com seu robe de seda cor-de-rosa, sem nada por baixo. Ela envolveu Josh pela cintura e colou o rosto no seu ombro.

"Não. Primeiro você come, e só depois vai ser comida."

"Tudo bem." Ela sentou diante do salmão grelhado com salada de rúcula e arroz frito com legumes. O cheiro estava divino — de gengibre e alho — e de repente ela se sentiu faminta.

"Quem trouxe isso?"

"Fui eu que fiz, muito obrigado. Estou aprimorando os meus dotes culinários."

"Olha só, ser internada no hospital tem suas vantagens."

"Ainda bem que você pensa assim." Ele sorriu. Eles estavam tão felizes por voltarem para casa que nem mesmo a menção a sua doença foi capaz de estragar o clima. Eles comeram — e repetiram — e então comeram umas boas fatias do bolo de café.

Nossa, como estava bom. Depois de lavar os pratos, Josh a levou para o sofá e a deitou com as costas contra seu peito, envolvendo-a com os braços.

"Não estou cheirosinha?", ela perguntou. "Melhor que no hospital?"

"Sim. Peixe e flores. Minha combinação favorita."

Por um tempo, eles ficaram olhando as luzes da cidade pelas janelas enormes, com os vidros molhados pela chuva. As trovoadas distantes e os pingos faziam um som gostoso e suave.

"Escuta só", Lauren disse por fim. "Essa história de colapso pulmonar e intubação... eu sinto muito por você ter passado por isso. Deve ter sido assustador."

"Sim, fui *eu* que sofri a pior parte, pensando bem."

Ela deu risada e se aninhou a ele. "Eu sei que a FPI é parte da minha vida, mas ainda assim quero continuar amando viver. Todos os dias. Todas as horas. Quero me divertir e fazer coisas e ir aos lugares e ser inconsequente e comer porcarias — só de vez em quando, não precisa entrar em pânico — e... e todas essas coisas. Eu não quero ficar o tempo todo checando se estou bem."

"'Ocupar-se de viver, ou ocupar-se de morrer'", Josh falou, fazendo sua melhor imitação de Morgan Freeman.

"Não vem com *Um sonho de liberdade* para cima de mim. Mas sim, é isso mesmo."

Ela se virou para ele, que estava com os olhos marejados. "Você foi a melhor coisa que me aconteceu, Lauren. Isso não mudou. Nunca vai mudar." A voz dele ficou embargada. "E, sim, eu morro de medo de te perder."

"Eu sinto muito, querido." As lágrimas quentes começaram a escorrer de seus olhos. "Eu não quero morrer. Não quero estar doente. Não quero te deixar, mas estou aqui agora e isso... isso tem que bastar."

Ele ficou olhando para ela por um bom tempo. Uma lágrima escapou, e ela a enxugou. O olhar dele era tão gentil e bondoso. E aquele brilho ainda estava lá, aquecendo seu coração. "Está bem", ele murmurou por fim. "Isso vai bastar. Mas ainda vou continuar tentando encontrar uma cura. Obviamente."

"Só não vinte horas por dia, porque eu preciso de você. Bem aqui. Comigo, não com a cara enfiada no computador."

"Entendido. Sim, senhora."

Ela o beijou, com aqueles lábios macios e máravilhosos. "Eu te amo com todo o meu coração."

"Eu te amo com todo o meu fígado." Ele sorriu, e de repente ela se viu rindo e chorando. Ele sabia. E entendia. Sempre entendia.

"Ok." Ela limpou os olhos. "Mas e aí, vou transar ou não?"

A resposta era sim. Ele foi com gentileza e sem pressa, e talvez até com um pouco de cautela demais, mas os dois estavam juntos, como deveriam estar.

E isso era mais do que suficiente.

# 19

## JOSHUA

*Sexto mês*
AGOSTO

Josh pretendia acertar as coisas com Sarah, mas ela tirou férias logo depois de sua explosão de grosseria. Se recebeu sua mensagem ou depois seu e-mail, preferiu não responder.

Ele estava cansado de ser o que era. Detestava a palavra *viúvo*, detestava a sensação opressiva de exaustão que sentia todos os dias. Outro dia, seu amigo Keung, que morava em Londres, mandou um e-mail. Disse que estava pensando em Josh porque — só podia ser — sua avó tinha morrido e ele estava sofrendo muito, aquilo era muito difícil, um vazio em sua vida, e queria conversar com alguém que entendesse aquilo.

Josh procurou o obituário dela. A vovozinha tinha noventa e sete anos. Não. Ele não entendia. Escreveu uma resposta furiosa, enviou e depois bloqueou o número de celular e o e-mail de Keung. Eles nem eram tão próximos mesmo. Quem precisava de um amigo assim?

Então desbloqueou Keung no dia seguinte e pediu desculpas por ser um babaca (apesar de Keung precisar aprender a ser um pouco mais sensível).

Josh queria deixar sua mulher orgulhosa. Queria a aprovação de Lauren. Depois do desentendimento com Sarah, e do incômodo que sentiu quando ela, Donna e Jen ficaram remexendo nas coisas de Lauren, e do e-mail desaforado para Keung, ele precisava fazer alguma coisa para mostrar que não era assim... fosse para ela ou para si mesmo.

Queria fazer algo de bom. Alguma coisa que tinha a cara de Lauren.

Alguma coisa que exigisse mais do que doar dinheiro para uma causa — no mês anterior, ele tinha dado uma boa quantia para o projeto mais recente do Hope Center, que era transformar o estacionamento de uma antiga clínica de podologia em uma horta comunitária para as crianças. Asmaa havia conseguido uma verba para comprar o espaço, mas perguntou a ele se poderia ceder o dinheiro para arrancar o asfalto do chão, comprar os implementos necessários, as sementes etc. "O nome do lugar vai ser Horta Comunitária Infantil Lauren Carlisle Park", ela contou. "Mesmo se você não doar um centavo, vamos fazer a homenagem."

"Eu vou doar bem mais do que um centavo", ele respondeu. "Mas vamos chamar só de Horta da Lauren." Ele contou a respeito para Jen e Darius, e também para Donna e sua mãe, e todos fizeram doações, como ele esperava.

Porém, queria fazer mais do que assinar um cheque, então procurou Asmaa no canteiro de obras. Os responsáveis estavam com dificuldade para criar um sistema de irrigação, ele propôs uma solução e, de uma hora para outra, tinha se tornado um voluntário. Algumas vezes por semana, aparecia para pegar na enxada e revolver a terra, ajudar as criancinhas a fazer treliças para feijões e ervilhas para a primavera seguinte. Ele também sugeriu onde colocar os caminhos e as passagens e onde posicionar os canteiros. Sua mãe, que era uma jardineira de mão cheia, trouxe plantas que voltariam a crescer no ano seguinte e ensinou as crianças como podar as flores murchas.

Era exatamente o que Lauren teria feito. O Hope Center era o lugar onde eles se reencontraram na noite perfeita em que ele viu quem ela era e *soube*, sem sombra de dúvida, que estava muito, *muito* errado sobre Lauren Rose Carlisle.

Ele estava voltando a ser funcional. Cozinhando e comendo melhor. Cuidando melhor de Pedrita, porque ela merecia, e olhar nos olhos da cachorra o fazia sentir uma espécie de conexão. Ela tinha perdido a dona, então ele estava tentando. Escovava sua pelagem e jogava Frisbee com ela no parque para cães, acariciava sua barriga e dizia que ela era uma menina linda. Limpava o apartamento com mais frequência. Deixava sua mãe cozinhar para ele de vez em quando, por entender que ela precisava se sentir necessária e que, como ele, se expressava melhor com atitudes do que com palavras. Escrevia ou ligava para Donna a cada três dias. Voltou a tomar conta das crianças para Jen e Darius poderem sair juntos, como fazia com Lauren.

Mas, nossa, ele ainda se sentia tão vazio. Não estava mais em um estado constante de agonia — afinal, já fazia quase seis meses —, mas também não estava se sentindo muito melhor. Ia às aulas de caratê, onde conseguia sorrir e até rir; era difícil resistir ao charme de todos aqueles pequenos guerreiros. E o mesmo valia para o Hope Center, onde podia ver Sebastian e Octavia. Ele e Radley faziam alguma coisa juntos de vez em quando também — saíam para beber ou comer, ou se encontravam para ver um filme na casa de Josh.

Mas isso ocupava apenas algumas horas. De três a cinco em uma semana que tinha cento e sessenta e oito.

Ele ajustou o calendário do computador para mostrar apenas dois dias por vez, porque ver todos aqueles dias e semanas e anos pela frente... era difícil demais. Todo aquele tempo passaria, e Lauren não reapareceria em sua vida. Nunca mais.

Darius ligou para ele em uma manhã de sábado abafada. "Cara, tem uma corrida de rua hoje. É para levantar dinheiro para pesquisa e tratamento de doenças raras. Jen e eu vamos correr com as crianças. Sarah também. Quer participar? São cinco quilômetros. Você dá conta, né? Desculpa por avisar só agora. Jen está me olhando feio aqui, porque eu devia ter ligado na semana passada."

Josh não estava acostumado a tomar decisões assim de última hora, de forma espontânea. Era uma coisa que o deixava apreensivo. "Quer que eu patrocine vocês?"

"Não, irmão. Só vem correr com a gente."

"Ah." Ele fez uma careta, e então se castigou mentalmente pelo equívoco. "Tá, beleza." Por que não? Ele até gostava de correr e não tinha nenhum plano para o fim de semana. Radley estava em Chicago, fazendo a parte presencial de seu curso de formação à distância. Além disso, Radley já tinha feito muito por ele, e Josh não queria causar fadiga ao amigo (outro termo que havia aprendido no fórum). "Claro. Estou dentro."

"Ótimo! Nos vemos lá em uma hora. Vou mandar as informações por mensagem. Até já, camarada."

\* \* \*

A corrida começava no Providence College, uma instituição católica com um campus lindíssimo do outro lado da cidade em relação à Universidade Brown e à Escola de Design de Rhode Island. Josh levou Pedrita. Sebastian e Octavia adoravam a cachorra. Ele pagou a taxa de inscrição, preencheu um formulário isentando os organizadores de responsabilidade caso ele caísse morto em algum momento — o tempo estava *bem* quente mesmo — e fixou um chip no cadarço do tênis.

"Você vai correr em homenagem a alguém?", a mulher na mesa de inscrições perguntou.

"Hã... sim. Minha esposa."

"Qual é a doença dela?"

Que pergunta mais estranha. "Fibrose pulmonar idiopática."

A mulher sabia o suficiente para contrair o rosto. "Sinto muito. Se quiser escrever o nome dela no seu número de inscrição, fique à vontade."

"Não, obrigado." A última coisa que Josh queria era que as pessoas soubessem que ele era viúvo, o que o obrigaria a falar sobre sua linda mulher com desconhecidos que diriam coisas idiotas como *agora ela está em paz* e o *céu ganhou mais um anjo*.

Ele encontrou a família de Lauren no ponto de encontro combinado, e eles trocaram os abraços desajeitados e tristonhos de sempre. Deu um beijo na testa de Jen e se manteve firme, sem tentar se desvencilhar de Donna. Sebastian dispensou seu abraço; ele não era o mesmo com Josh desde a morte de Lauren. O coitadinho tinha só quatro anos.

"Toca aqui, então?", Josh sugeriu. Sebastian fez que não com a cabeça, e Josh sentiu vontade de chorar. Houve um tempo em que ele corria para os seus braços. Agora, de alguma forma, sabia que Josh era um homem mudado, e para pior. Por sorte, Pedrita se aproximou e começou a lamber o rosto do menino, fazendo-o rir e se contorcer todo de cócegas. Aquela cachorra valia ouro.

"Titi Josh!", Octavia exclamou.

"Oi, pequena", ele falou, com a voz embargada.

Ele se lembrou de perguntar para Darius sobre o trabalho e para Donna sobre Bill. Não parava de chegar gente para cumprimentá-los, o que Josh detestava. Aquilo o fazia lembrar do funeral de Lauren.

E então veio Sarah. Ela o olhou e desviou a cabeça para o outro lado, com a cara fechada. Totalmente. Ele precisava pedir desculpas, mas sentia que ela não iria facilitar as coisas.

"Oi. Você tem um minutinho?", ele perguntou.

"Claro!", ela respondeu, com um sorriso fingido.

Eles se afastaram alguns passos dos demais e foram para a sombra de uma árvore. Era um dia de calor brutal, já acima dos trinta graus, e sem vento. Na sombra estava só um pouco mais agradável. O sorriso desapareceu do rosto de Sarah.

Ela parecia bronzeada; Josh tinha se esquecido qual era o lugar da viagem dela, mas não fazia diferença. O cabelo loiro estava mais claro que o habitual, preso em uma daquelas tranças complicadas. Ela vestia um short de corrida azul com um top da mesma cor. Estava extremamente em forma, ele reparou. Tinha um porte atlético, até. Aquilo era uma novidade ou ela sempre havia sido assim?

"O que foi?", Sarah perguntou.

"Como foram as férias?"

"Ótimas." Ela levantou uma sobrancelha.

"Para onde você foi?"

"Outer Banks." Ela o encarou, esperando. Cheia de expectativa e de razão. E com todo o direito, aliás. Ele precisava fazer alguma coisa com as mãos, que pareciam pender desajeitadas, e tentou enfiá-las nos bolsos, mas lembrou que aquele short não tinha bolsos. Então pôs as mãos na cintura e logo em seguida as deixou cair de novo.

Lidar com pessoas era difícil.

"E então?", Sarah perguntou.

"Certo. Escuta... eu falei umas coisas bem idiotas. E grosseiras. Sobre você."

"Pois é. Falou mesmo."

"É." Os ombros dele relaxaram um pouco. "Então está tudo certo?"

Ela franziu o rosto. "Como é?"

"Hã... está tudo bem entre nós?"

"Não, Joshua. Você não pediu desculpas."

Ele piscou algumas vezes, confuso. "Mas eu acabei de fazer isso."

"Não, você só reconheceu que foi babaca. Isso não é pedir desculpas."

"Ah." Ele desejou ter Pedrita por perto, mas ela estava com Darius e Sebastian. "Bom, eu sinto muito."

"Que pedido de desculpas de merda, Josh. Vai, tenta de novo." Ela estava com a cara fechada, e a boca franzida. Parecia prestes a cuspir ácido nele a qualquer momento.

Ele respirou fundo, tentando dar o que ela queria. "Eu sinto muito *mesmo*?" Ela sacudiu a cabeça. "Sarah. Me desculpa pelo que eu falei." Ele fez uma pausa. "Você era uma ótima amiga para a Lauren. Ela te valorizava muito."

Sarah pôs as mãos na cintura. "Não está me soando sincero."

"Eu lamento *profundamente*."

"Você não tem sentimentos humanos normais, Josh? Porque aquilo que você falou me magoou muito, entendeu? *Qualquer* outra coisa que você me dissesse não iria me machucar tanto. Então algumas frases ensaiadas não vão fazer diferença."

"Não", ele disse.

"Não o quê?"

"Não, eu não sei se tenho sentimentos humanos normais. Com a Lauren eu tinha. Mas... agora nem tanto."

A expressão de Sarah se amenizou, ficando mais bonita, e não parecia mais que poderia cuspir ácido a qualquer momento. Ela abriu os braços, indicando um abraço, e foi isso o que ele fez, mas não com muita força nem por muito tempo.

"Estou perdoando você só por causa dela. Mas vamos jantar juntos qualquer dia, para poder conversar direito."

Mais conversa? Puta merda. "Seria ótimo. Obrigado."

"A corrida vai começar. Vamos lá."

Graças a Deus. Ele se juntou à família de Lauren. Sebastian e Octavia estavam alegres em seus carrinhos de bebê com rodas de corrida e decorados com fitinhas azuis e verdes. Darius, ex-jogador de futebol americano, estava em uma forma admirável, e Jen também — os dois faziam um tipo de ginástica em que rolavam pneus de caminhão e faziam flexões com um único braço até vomitar. Sarah era da equipe de corridas cross-country na faculdade, se ele lembrava bem. E Josh corria também, então não era nenhum molenga.

Mas, pelo jeito, era, sim. Logo no primeiro meio quilômetro, ele já começou a sofrer para acompanhá-los. As pernas de Sarah eram uns bons centímetros mais compridas que as suas, e Darius e Jen estavam fazendo uma brincadeira em que deixavam uma das crianças ultrapassar a outra por algumas passadas e então iam mudando de lugar. Josh, por sua vez, estava sofrendo. Câimbras nas pernas. Dor na lateral do abdome.

Na marca de um quilômetro e meio, sentiu que seu rosto estava todo contorcido. Por que aquilo estava tão difícil? Ele deveria poder correr cinco quilômetros de olhos fechados. Corria no mínimo oito quase todo dia.

Ah. Ele não tinha comido nada naquele dia. Nem na noite anterior, pensando bem. E havia bebido alguma coisa além de café naquela manhã?

Não. "Podem ir na frente", ele gritou. "Eu alcanço vocês."

Sarah não diminuiu o ritmo, com as tranças balançando enquanto corria.

"Está tudo bem?", Jen perguntou por cima do ombro.

"Eu não me hidratei direito hoje de manhã. Vejo vocês na linha de chegada."

"Eu vou mais devagar para te acompanhar, Josh", Darius se ofereceu.

"Não, papai! Corre mais rápido!", Sebastian pediu.

"Não precisa", disse Josh. "Podem ir na frente. A Pedrita precisa beber água também." Isso mesmo. Ponha a culpa na cachorra.

Ele foi até uma estação de hidratação, pegou uma garrafa de água e bebeu, vendo os demais ficarem cada vez mais longe. Tudo bem. Ele nunca conseguiu aprender a correr e conversar ao mesmo tempo mesmo.

O restante da água ele deu para Pedrita, depois continuou correndo. O calor, aquele ar pesado... argh. Tinha esquecido de passar protetor solar também. E estava sem boné para protegê-lo do sol inclemente.

Uma mulher estava correndo mais ou menos no seu ritmo. Ela empurrava um carrinho pequeno, em que só caberia um recém-nascido. Era aconselhável fazer aquilo tão pouco depois de dar à luz? A curiosidade científica falou mais alto, e ele se virou para olhar a criança, mas fez uma careta quando viu o que havia dentro do carrinho.

Não era um bebê. Era um cachorro horroroso, com uma barriga grande e careca e uma pelagem branco-acinzentada toda caótica.

"Oi!", disse a dona.

"Pensei que fosse um bebê."

"Ah, mas é. Meu bebê peludo! Ei! Eu te conheço! A gente já se viu antes, né?"

Era a mulher da clínica veterinária. Josh ficou surpreso ao ver que o cachorro continuava vivo.

"Nós dois vamos ao dr. Kumar."

"Verdade!"

Além disso, ela tinha derrubado uma bandeja em cima de um cliente mal-educado. Na noite em que ele conheceu Radley e deu um soco na cara do nervosinho.

"Então esse aí é o...?"

"Duffy, lembra? Fala oi, Duffy!" O cachorro não se moveu, continuou deitado de lado com a língua de fora. Josh ficou tentado a perguntar se Duffy não estava morto, mas a pobre mulher descobriria isso em breve, de qualquer forma. "Qual é o nome da sua cachorra mesmo?", ela perguntou.

"Pedrita."

"Ah, é mesmo. Tipo Pedrita e Bam-Bam?"

Josh não fazia ideia. "É."

"Essa é uma ótima causa, né?"

"Ah, sim." De novo, aquilo de correr e conversar... não era fácil.

"Meu irmão tem síndrome de Ehlers-Danlos, sabe? Aquela doença que deixa as articulações soltas e se deslocando o tempo todo?"

"Ã-ham." O ritmo de suas passadas no asfalto era hipnótico, ecoando de leve, uma coisa quase relaxante.

"Então, ele está bem, mas não tem cura. Ainda. Ele só precisa de remédios para a dor, basicamente. A parte do problema vascular não se desenvolveu nele. Graças a Deus."

"Isso é bom." Seria por estar correndo que Josh não reparava nas pessoas que lotavam os dois lados da rua? Ou ele estaria...

"Ele só tem vinte e dois anos, coitado. E sabe o que é pior? As pessoas acham que ele é viciado em drogas, porque é bem magrinho. Tem farmácia que se recusa a vender os remédios para ele por achar que é um junkie, e mesmo depois de o médico ligar..." Ela olhou para ele. "Está tudo bem?"

Não. Realmente não estava. "Eu... hã... acho que preciso descansar um pouquinho."

Foi quando seus joelhos cederam, e ele sentiu o asfalto áspero no rosto. Pedrita começou a lamber desesperadamente sua orelha.

O rosto da mulher apareceu em seu campo de visão de repente, com o rabo de cavalo escuro encostando no chão. "Nossa", ela falou. "Quer que eu chame a ambulância?"

"Eu acho que... desmaiei."

Um socorrista de bicicleta apareceu quase imediatamente. "Não se mexe", ele mandou, se ajoelhando ao seu lado e tomando seu pulso. "Mais um desmaio", ele falou no rádio preso à gola da camiseta. "Eu falei que iam ser pelo menos uma dúzia." Ele olhou para Josh. "O senhor sabe que dia é hoje?"

"Sábado. Não comi nada hoje", Josh respondeu. "Eu estou bem. Só me desidratei." Ele tentou se levantar.

O sujeito o empurrou de volta para o chão. "Fique aqui. Eu preciso avaliar o senhor. Ninguém aqui facilita o meu trabalho. Uma corrida de cinco quilômetros debaixo desse sol não é para qualquer um."

Repreender alguém que estava passando mal. Isso não era nada gentil. "Foi mal." Por outro lado, Josh e seu mal-estar eram o que justificavam o emprego do sujeito, então talvez o socorrista pudesse ser um pouquinho mais simpático.

"O senhor sabe onde está?" As pessoas passavam correndo ao seu lado, olhando, desejando força para ele.

"Sim, estou em Providence, Rhode Island, lar do quarto maior domo de mármore suspenso do mundo, participando de uma corrida de conscientização sobre doenças raras. Posso pelo menos sentar na calçada?"

O socorrista e a dona de Duffy o ajudaram a ficar de pé, e uma pessoa na plateia logo se prontificou a lhe oferecer uma cadeira. Ele sentou, e o socorrista mediu sua pressão. "Nove por cinco. Com certeza o senhor está desidratado. E correndo de estômago vazio? Isso é burrice."

"Obrigado. Eu sei. Desculpa." Era vergonhoso ser o centro das atenções daquele jeito. Ele acariciou a cabeça de Pedrita, que o lambeu um pouco mais.

"Quer que eu espere com você?", perguntou a dona de Duffy.

"Não." Pelo amor de Deus, não. "Continua a sua corrida. Obrigado."

"Não por isso! Desculpa te deixar sozinho, mas é que o meu irmão está me esperando na linha de chegada."

"Divirta-se", ele disse, e ela se foi. Boas passadas, músculos firmes nas pernas. As pessoas podiam ser bem legais quando tinham uma chance de mostrar quem eram. Ele precisava lembrar disso mais vezes.

Josh recebeu uma bebida isotônica, um saco com gelo para pôr na cabeça e foi liberado depois de uma bronca do socorrista mal-humorado. Ele agradeceu à pessoa que lhe emprestou a cadeira (mais uma que se mostrava gentil e decente) e cortou caminho pelo meio do quarteirão para ir até a linha de chegada no campus do Providence College.

"Aí está você!", Jen exclamou. "Está tudo bem? Nós ouvimos falar que alguém desmaiou!"

"Eu estou bem", ele falou. "Só precisei pegar mais leve. Por causa do calor, né?"

Sarah levantou uma sobrancelha. Esse parecia ser um gesto característico dela.

Sua mãe, Ben, Sumi e Donna apareceram; Donna tinha ligado para sua mãe, segundo contaram, e os Kim resolveram vir também. Ben e Sumi estavam com coolers e duas cestas de piquenique, porque nunca desperdiçavam uma chance de comer. Eles encontraram um lugar embaixo de uma árvore e comeram, o que fez Josh se sentir bem melhor. Octavia, que enfim tinha aprendido a andar, dava passinhos inseguros pela grama, distribuindo beijos babados e docinhos para todos. À distância, os padres de batina branca passeavam pelo campus, e Pedrita corria para tentar pegar um Frisbee.

"Você está bem, filho?", Ben perguntou, sentando ao seu lado.

"Estou."

"Sentindo falta da sua mulher, claro."

Josh fez que sim com a cabeça. Ben passou o braço sobre seus ombros.

"Ela era uma flor de pessoa", ele comentou.

"Era um jardim inteiro", Josh respondeu, e Ben assentiu.

Nenhum dos dois disse mais nada, e Josh se sentiu grato pelo silêncio e pela companhia. Ben era o único que conseguia deixá-lo confortável assim. O silêncio era agradável. Permitia que ele imaginasse que sua mulher estava lá, brincando com as crianças, correndo atrás delas, levando-as de cavalinho. Bom, na verdade ela não teria forças para isso, claro. Mas, em sua imaginação, ela estaria saudável, e as crianças pediriam sempre mais, e ela correria atrás dos dois soltando um rugido e os pegaria no colo várias vezes até voltar a sentar na grama ao seu lado. Ela deitaria a cabeça em seu colo, talvez, e ele se sentiria uma pessoa de verdade de novo. Não aquela versão falsificada de si mesmo, o fantasma do marido de Lauren.

Mas houve um momento em que ele *realmente* tinha sido o marido de Lauren. E se sentia orgulhoso disso. Aqueles dois sentimentos conflitantes precisavam ser conciliados.

"Eu já vou indo", Josh anunciou. Ele ficou de pé, ajudou Ben a levantar e se despediu com um abraço rápido.

Ele seria o primeiro a ir embora, mas a vontade de estar em casa era grande. Ele cumprimentou Sebastian com o punho fechado, depois Octavia, e se preparou para a rodada de despedidas.

"Deixei uma coisa para você debaixo da sua porta", Sarah avisou. "Poderia ter trazido se soubesse que estaria aqui." Ela levantou a sobrancelha de novo.

Uma *carta*. De Lauren. Nossa, como ele precisava disso naquele dia. Demais.

"Obrigado", ele disse. "Te mando uma mensagem pra gente combinar alguma coisa."

Ele se despediu dos outros e foi embora. No caminho de volta, sentiu os ombros relaxarem e a tensão nas pernas diminuir.

Lidar com pessoas era difícil. Às vezes valia a pena, mas exigia muito dele. Pedrita parecia concordar, porque ficou deitada encolhida no banco de trás do carro durante todo o trajeto.

A carta estava à sua espera quando chegou.

*Josh, n° 5.*

Dessa vez, ele não esperou. Rasgou o envelope ainda no hall de entrada, apesar de sua camisa estar empapada de suor seco. Estava desesperado pelas palavras dela.

*Joshua Park,*

*Eu te amo. Eu te amo! Eu te amo demais. Amo o fato de você ser metade sueco. Amo o fato de você não parecer nem um pouco com um sueco, não por ter alguma coisa contra cabelos loiros e olhos azuis, mas porque é legal você ser um cara de cabelos escuros. Amo os seus braços. Amo as suas mãos talentosas. Amo os talentos culinários que você aprendeu com a sra. Kim. Amo a sua inteligência, mesmo quando você me ignora porque está entretido demais com os próprios pensamentos. Amo o fato de você nunca saber em que dia estamos. Eu te amo. Você é o melhor marido do mundo. Do sistema solar inteiro, estou incluindo Plutão na lista também, pode apostar.*

*Como você está querido? Está bem? Já está estabelecendo uma rotina? Eu até diria que estou sentindo sua falta, mas imagino que esteja assombrando você de um jeito bem meigo e reconfortante, e NÃO como aquela menininha assustadora daquele filme horroroso. POR QUE nós resolvemos assistir aquela coisa? Por quê?*

*Enfim, meu amor, espero que este mês você possa começar a se abrir um pouco. Sei que você é um solitário e que achei isso lindo quando te conheci. Mas não quero que você volte a ser assim porque... bem... seria solitário. Não quero você fechado porque eu morri.*

*Então pensei que talvez você pudesse ser voluntário em alguma coisa. Asmaa pode te colocar em um projeto que você goste. Talvez você possa fazer alguma coisa pelos veteranos de guerra sem-teto, sabe? Ou participar de um mutirão para limpar as ruas aos domingos. Ou se inscrever naquele programa de Irmão Mais Velho.*

*Você é bom demais para ser desperdiçado desse jeito, Josh. Quero que o mundo possa desfrutar do que você tem a oferecer, meu grande amor, meu docinho. Você tem tantos talentos. É uma sorte para o mundo existir alguém como você, e eu fui a pessoa mais sortuda de todas.*

*Eu te amo, querido. Para sempre.*

*Lauren*

Ele estava com os olhos cheios de lágrimas quando terminou de ler. Às vezes, quando eram casados, eles tinham a mesma ideia ao mesmo tempo. Ele ligava do mercado e dizia: "Estou pensando em fazer frango à parmegiana no jantar". Ela soltava um gritinho e respondia: "Eu estava te escrevendo para te pedir para fazer exatamente isso!". Ou às vezes ele falava: "Você pode colocar as legendas?", no exato momento em que ela pegava o controle remoto para fazer isso.

"Em breve não vamos nem precisar de palavras para nos comunicar", ela disse uma vez, antes do diagnóstico. Ele gostou da ideia.

Naquele dia, foi a mesma coisa. "Grandes mentes pensam igual, querido", ele falou, com a voz embargada.

Ninguém jamais o conheceria tão bem quanto ela.

Mas as pessoas poderiam conhecê-lo pelo menos um pouquinho melhor. Afinal, ele era o homem que havia conquistado o coração de Lauren Carlisle. O cara mais sortudo do mundo.

# 20

## JOSHUA

### *Sétimo mês*
SETEMBRO

*Eles estavam no Havaí, mas era o apartamento de Providence, ou talvez em Cape Cod, na casa alugada. De qualquer forma, era perto da praia, em um dia bonito e ensolarado, ouvindo o rugido suave das ondas. A brisa roçava a pele deles, soprando o cabelo de Lauren contra seu pescoço. Ela estava rindo, conduzindo-o para o quarto, com uma camisola branca transparente, descalça, sem maquiagem, com aquela barriguinha sexy.*

*Ele a beijava de novo, beijava de verdade. Ela era real, estava de volta, e era sua de novo.* "Não acredito que você está aqui", *ele disse.*

"Claro que estou aqui, bobinho", *ela respondeu, e aquela voz... ele tinha esquecido do quanto adorava o som da voz dela, mais rouca do que quando se conheceram, mas mesmo assim tão bonita.*

"Você voltou."

"Eu sempre volto, querido." *Ela o puxou para mais perto e deslizou sua camisa para fora dos ombros, desafivelou seu cinto e o puxou para junto de si, caindo na cama.*

"Eu senti demais a sua falta", *ele disse.*

"Eu sei, Josh. Você foi incrível. Se comportou muito bem e foi muito corajoso."

"Você pode continuar morta desde que volte desse jeito, tá? Eu não ligo, desde que possa te ver."

*Ela deu risada, beijando seu rosto, sua boca, seu pescoço, deslizando as mãos pelas suas costas, pelos seus quadris, puxando-o para mais perto, abrindo as pernas e...*

\* \* \*

Ele acordou com uma ereção tão intensa que era até dolorosa, e encontrou apenas a cachorra dormindo ao seu lado.

"Não!", ele gritou, socando o colchão. "Puta que pariu!" Pedrita pulou da cama e foi correndo para o outro quarto, mas, pelo amor de Deus, Josh não queria ter acordado. Foi como perdê-la mais uma vez.

Se era para ter sonhos eróticos com a esposa, não poderia pelo menos chegar até o fim? Ele desabou de novo na cama e fechou os olhos, mas sabia que não adiantaria nada. Não conseguiria voltar a dormir. A ereção fazia volume no lençol. Nossa, que vergonha. Que coisa ridícula. Estava de pau duro por causa da esposa morta, e não havia o que fazer além do óbvio. Mas ele não queria se masturbar. Provavelmente ia cair no choro, e aquela era uma combinação patética demais, até mesmo para ele.

Josh fechou os olhos e tentou recapitular o sonho, que já estava se desfazendo em sua mente, como uma névoa. A ereção continuava.

Que ridículo.

Tinha parecido tão real. *Ela* parecia tão real. A falta que ela fazia era como uma cicatriz aberta, uma dor que se espalhava por todo seu corpo.

O relógio informava que eram 3h06 da madrugada. O momento mais solitário do mundo.

Jen disse que os sonhos eram visitas dos mortos, mas, para ele, era como uma tortura visitar aquele mundo onírico e ter que voltar para onde Lauren não estava mais viva.

Criado como um luterano, ele frequentava os cultos com sua mãe — na St. Paul's, uma igreja antiga muito bonita em Providence, com vários vitrais nas janelas e bancos duros de madeira. Era uma boa congregação — sua mãe apreciava muito os serviços comunitários e o alcance da obra da igreja. Nesse sentido era bom, mas a ideia de que Deus pudesse se mobilizar para ajudar alguém aqui, ou no pós-vida... isso era mais difícil de engolir. Talvez por causa do nerd de ciências que havia dentro dele. Ou talvez seu pai biológico fosse ateu, e isso fosse genético. A ideia de que Deus estava à espera no céu em algum lugar, decidindo se atenderia ou não às preces das pessoas... aquilo não fazia muito sentido.

Ele lembrou de quando tinha oito anos e um tornado destruiu uma cidade inteira no Kansas. Josh e sua mãe estavam vendo o noticiário, que mostrava apenas uma casa de pé em um bairro inteiro, entre milhares de metros quadrados de escombros. "É um milagre", o dono da casa falou às lágrimas. "Minha mulher, ela estava dizendo: 'Nos poupe, Senhor, nos poupe', o bom Deus nos colocou na palma de Sua mão e nos salvou."

Na casa ao lado, uma família inteira tinha morrido, inclusive um bebê de seis semanas.

"Por que Deus não salvou os vizinhos?", ele perguntou para sua mãe. "Eles não rezaram?" Mesmo naquela época, ele já era cético. "Aposto que os pais do bebê estavam rezando."

"Deus sempre escuta", sua mãe falou. "Mas não como se fosse uma padaria, entendeu? Só porque você pede, não significa que vai ser atendido."

"Então por que rezar?", Josh questionou.

"Por que *não* rezar?", ela rebateu. "Coma seu brócolis." Sua mãe fez uma pausa. "É bom pensar que existe alguém lá em cima, alguém que te ama e te entende. E Deus ajuda todo mundo. Talvez não do jeito como você pensa ou da maneira que nós queríamos."

Não era um argumento muito animador sobre o poder da oração. Josh tinha doze anos quando abandonou de vez a crença em Deus. A igreja, tudo bem — ele gostava da constância dos cultos, as músicas no Natal e na Páscoa. Gostava de ver que sua mãe era tão querida entre os paroquianos. Ninguém nunca falou nada sobre o fato de ela ser mãe solo, e todos lhe diziam que ele era um ótimo garoto.

Mas, para Josh, a experiência era mais centrada no cheiro das velas e da cera, do aperto de mãos do pastor, que tinha um certo ar de celebridade por causa do hábito que usava. Josh tinha levado Lauren à igreja algumas vezes quando os dois eram noivos, e algumas vezes depois do casamento, antes do diagnóstico. Ele gostou do zum-zum-zum entre as mulheres da igreja quando Stephanie apresentou Lauren e adorou ver sua noiva conquistar todo mundo com sua simpatia.

Portanto, Josh não tinha nada contra a igreja. Só não acreditava em Deus. E nem no além-vida.

Quer dizer, até Lauren ficar doente, então ele entendeu tudo. Provavelmente não existiam ateus nas trincheiras, e com certeza ninguém conseguia ser ateu em uma UTI. Era impossível ser ateu quando sua esposa de vinte e sete anos está sem conseguir respirar, com os olhos arregalados, levando as mãos à garganta. Era impossível ser ateu ao vê-la intubada e sedada. Ou ao ouvir que não havia cura para a doença dela.

Ele rezou. Pediu perdão a Deus pela falta de fé. Aceitou as preces das amigas de igreja da mãe, das rodas de oração que faziam para ele, dos rosários que Sumi Kim (uma católica) rezava de forma tão ardorosa, ou as preces mais poéticas de Ben (um budista). Josh *implorou*. Não havia nada de belo ou cerimonioso em suas orações, nada disso. Ele só pedia a Deus por mais tempo, para que um medicamento experimental funcionasse, por uma reversão milagrosa de um quadro clínico. Claro que pediu, e muito.

E então, quando Deus não a salvou, quando Deus disse não a suas preces e o deixou sozinho no mundo, perdido e atordoado e desolado, Josh virou ateu de novo.

Simplesmente era o que fazia mais sentido. Se existia alguém que merecia viver, era Lauren.

Ele olhou no relógio de novo: 3h22. Com um suspiro, ele levantou para trabalhar e dar um petisco para Pedrita como uma forma de pedir desculpas por tê-la assustado.

Alguns dias depois da maratona, onde ele mandou tão bem, Josh convidou Sarah para jantar em um bom restaurante onde nunca tinha ido, para evitar as lembranças com Lauren. Eles pediram uma garrafa de vinho, e Josh já tinha bebido meia taça. Ele tinha escrito alguns cartões para lembrar das coisas que precisava perguntar para ela, porque tendia a sofrer apagões quando interagia com pessoas com quem não se sentia completamente à vontade.

1. *Como está sua mãe depois da cirurgia de colocação da prótese no joelho?*
2. *Como está seu avô?*
3. *Como foram suas férias? Você comeu muita coisa boa? O que fez por lá que mais gostou?*
4. *Como andam as coisas no trabalho? Deve ser difícil lidar com algumas situações. O que você faz para relaxar?*

E por fim...

5.  *Como você está lidando com a ausência de Lauren?*

A possibilidade de conseguir fazer essa última pergunta era bem baixa. Mas ele recorreu ao primeiro cartão, fez a pergunta, e Sarah respondeu de forma educada e até amigável.

Lauren era boa naquele tipo de coisa. Era com ela que Josh pegava as deixas, escutava suas conversas com as pessoas, observava seu rosto quando ela sorria ou franzia a testa ou assentia com a cabeça. Ele sempre se sentia mais presente, mais à vontade consigo mesmo e com os outros, quando estava com sua mulher. Ela era a chave para seu envolvimento total nas conversas. Ele se lembrou de assentir quando Sarah fazia alguma pausa, fazer perguntas para mostrar interesse e tentar sorrir quando era adequado. Então recorreu ao cartão número dois, e depois ao número três quando a resposta foi curta.

Eles pediram os pratos principais; peixe para ele, filé para ela. Cartão número quatro.

Josh detestava a ideia de que as pessoas ao redor pudessem pensar que eles estavam saindo como um casal. Gostaria de poder comunicar de alguma forma que ainda amava sua mulher, que aquela era uma amiga dela, que não tinha *esse tipo* de interesse em Sarah.

A comida chegou. Ele deu uma garfada na truta. Estava bem gostosa. "Como está sua carne?", ele perguntou para Sarah.

"Boa. E seu peixe?"

"Bom."

A conversa não estava exatamente fluindo com naturalidade. Quanto tempo fazia que eles estavam lá? Duas horas? Três? Ele deu uma espiada no relógio. Trinta e nove minutos.

A-ha! Ele pensou em algo para dizer. "Comprei um vaso um dia desses. Lá do Havaí."

"Legal. E como é?"

"Ah, você sabe. É... azul. E tem um pouco de branco. Como a crista de uma onda."

"Parece bonito." Ela cortou outro pedaço de carne.

"É, sim." Era maravilhoso, na verdade. Uma peça única, feita à mão em Kauai, da mesma loja onde ele e Lauren compraram uma escultura na lua de mel.

"Vocês me trouxeram um peso de papel lindo lá do Havaí."

"É mesmo?" Lauren tinha comprado dezenas de presentes, pelo que ele lembrava.

"É." Sarah serviu uma segunda taça de vinho para ela. "Então, sobre todas aquelas coisas horríveis que você me falou, Josh."

"Pois é. Eu continuo arrependido."

"Quer saber? Era tudo verdade. Eu ficava incomodada e com inveja mesmo." Ela sacudiu a cabeça. "Lauren era... especial. Sabe como é? Ela tinha um brilho próprio."

"Pois é", Josh falou. Era a descrição perfeita para ela.

"E... bom, não era tão fácil ser sempre conhecida como 'a amiga da Lauren'. Durante todo o colégio eu fui meio que... um apêndice." Ela fez uma careta, depois jogou o cabelo para o lado de seu jeito característico, e Josh sentiu uma leve e inesperada afeição por ela. Esse negócio de jogar o cabelo... Sarah fazia isso quando estava nervosa. Agora que tinha entendido, não era mais tão irritante.

"É deprimente ser a segunda escolha para tudo, sabe", Sarah continuou. "Eu não tinha mais ninguém além dela. Todo mundo no nosso círculo de convivência era amigo da Lauren. Eu estava lá, e era quem a conhecia há mais tempo, mas não fazia parte da panelinha. Não ia dormir na casa de ninguém nem era convidada para ir à casa das outras. Mas Lauren era minha melhor amiga, e eu não precisava de mais ninguém, sabe como é?"

Ele se inclinou para a frente e largou o garfo. "Eu entendo. Completamente." Era um choque descobrir tanta coisa em comum com Sarah. Josh nunca havia parado para pensar sobre as outras amizades dela. Nunca teve um motivo para isso.

Ela abriu um sorriso tristonho. "Eu sei que você entende, claro. Enfim, Lauren jamais me deixaria de lado, mas eu não..." Ela balançou a cabeça e começou a fazer o gesto de jogar o cabelo de novo, então se interrompeu com um meio sorriso para Josh, reconhecendo silenciosamente o cacoete. "Enfim, tudo vinha fácil para Lauren. Amizades, namorados, notas. Ela era tão bonita e divertida. Todo mundo queria gravitar ao redor dela."

Josh assentiu. "Eu sentia a mesma coisa. Ela poderia ter... sei lá." Quem era aquele personagem da TV por quem Lauren era apaixonada? "Ela poderia ter o Jon Snow se quisesse. Mas ela me escolheu, e até hoje não entendo por quê."

Sarah sorriu. "Ah, ela te adorava, Josh. Desde o começo."

"E sempre te considerou a melhor amiga dela. Quando começamos a sair juntos, nunca mencionava o seu nome sem acrescentar isso. 'Minha melhor amiga, a Sarah. Sarah, a minha melhor amiga.'"

Sarah enxugou os olhos. "Fico contente de ouvir isso." Ela virou o restante da taça de vinho, estudando a cor dourada de um tom profundo. "Quando ela ficou doente", ela disse baixinho, "pensei que só podia ser brincadeira. Tipo, se era para alguém ser a amiga que estava morrendo, esse alguém era eu. Ela era preciosa demais para ser qualquer coisa que não perfeita."

Josh se segurou para não expressar seu desejo de que tivesse sido *mesmo* Sarah. Aquele pensamento já havia passado por sua cabeça diversas vezes, de qualquer forma. Era uma coisa que o envergonhava, pensar que a vida de Sarah valia menos que a de Lauren. Afinal, ela era a filha de uma pessoa também. E, algum dia, alguém a amaria como Josh amava sua mulher. Ela provavelmente teria filhos e seria uma ótima mãe. Ele não era ninguém para julgá-la.

"Eu ia deixar de ser amiga dela", Sarah continuou, ainda falando bem baixo. "Na época de faculdade. Ela entrou na Escola de Design de Rhode Island... eu não fui aceita em Brown. Ela morava no alojamento estudantil mais incrível de todos os tempos; eu estava na Universidade Rhode Island em um quarto triplo, com uma garota na cama de cima do beliche que vomitava em cima de mim quatro noites por semana. Lauren estava em College Hill, toda feliz e confiante de que tinha o mundo aos seus pés, e eu me sentia completamente irrelevante quando me comparava com ela. Isso me incomodava tanto que cheguei a pensar em pedir transferência para qualquer outro lugar."

"E por que não fez isso?", ele questionou.

Sarah deu de ombros. "Eu tinha uma bolsa de estudos na URI. Eu teria ido para a Costa Oeste, para a Califórnia ou Seattle, mas na verdade estava em Kingston, a meia hora de casa. Toda vez que via Lauren, ela me contava o quanto a faculdade era incrível e interessante, e que os professores eram o máximo... ela ia se formar em moda, a princípio. Não sei se você sabia disso."

"Sabia, sim."

"Pois é. Então ela fazia disciplinas tipo História do Vestidinho Preto ou coisas do tipo, e fazia um monte de roupas legais, enquanto eu estava encarando aulas de estatística ministradas por professores adjuntos que sequer perguntavam meu nome. Eu ainda nem sabia no que queria me formar."

"Isso não é tão incomum", Josh comentou. *Muito bem*, ele quase conseguia ouvir Lauren dizer em sua mente. *Está agindo como um bom ouvinte.*

"Enfim. Eu estava de saco cheio daquela alegria dela. Daquela vida perfeita. Da felicidade dela, para ser bem sincera. Estava cansada de me comparar com ela e levar a pior. Tudo ao redor dela era o máximo. A irmã casada, o cunhado bonitão, o campo de estudos." Ela serviu o que restava do vinho em sua taça. Seus olhos se encheram de lágrimas. "Eu queria que alguma coisa ruim acontecesse com ela, porque na prática parecia impossível. Então você tinha razão. Eu era mesmo amarga e mesquinha."

"Então por que não, bom, se afastou dela?", ele perguntou, um tanto fascinado com aquela confissão.

"O pai dela morreu. E ela ficou arrasada." Sarah enxugou os olhos com cuidado, para não borrar a máscara dos cílios. "A primeira coisa ruim que aconteceu na vida dela. O sr. Carlisle... ele era ótimo. Lembro até hoje da voz dela quando me ligou. Eu percebi imediatamente que alguma tragédia tinha acontecido."

E foi assim que Josh ficou sabendo que o pai de Sarah foi embora de casa quando ela tinha oito anos, teve mais filhos com outras duas esposas e só começou a pagar pensão porque foi obrigado pela justiça. Sua mãe era filha única e teve que lidar com um divórcio litigioso sozinha, além da negligência do marido. Quando Sarah visitava o pai no Arizona, era obrigada a ficar de babá dos meios-irmãos e da filha da segunda mulher de seu pai. Sarah adorava a garotinha, mas, quando seu pai se separou da Esposa Número Dois, ela nunca mais a viu.

"Então a vida familiar dela... isso era só mais uma coisa que Lauren tinha e eu não. Sabia que os Carlisle jantavam juntos toda noite? Toda noite! Minha mãe trabalhava nesse horário, então eu precisava fazer o meu jantar. Pizza congelada e porcarias do tipo."

Josh soltou um ruído de reprovação. Ele e sua mãe jantavam juntos toda noite também, e pelo menos uma vez por semana com os Kim. De vez em quando, sua mãe saía com amigas ou ia a alguma palestra, e nesses dias ele dormia na casa dos Kim, que o tratavam como um filho. Dos oito aos catorze anos, ele passou todas as tardes na casa deles, consertando coisas no porão com Ben, cozinhando com Sumi e sendo mimado por ela.

A imagem de Sarah abrindo uma caixa de papelão e comendo pizza sozinha era uma coisa bem triste.

Eles pediram a sobremesa, e a noite, que antes estava se arrastando, agora estava bem... agradável. Interessante. Havia algo a ser extraído daquilo tudo afinal, daquela... interação. Mineração de informações.

"Alguma coisa mudou na Lauren depois que o pai dela morreu", Sarah comentou. "Ela amadureceu, eu acho."

Josh assentiu. "Eu também achei." Ele ficou hesitante, se sentindo ligeiramente culpado. "Quando nós nos conhecemos pela primeira vez, eu achei que ela era uma tonta."

"Jura?", Sarah questionou. "Pensei que tivesse sido amor à primeira vista."

"Segunda vista", ele admitiu. "E acho que você tem razão. Tudo estava sendo fácil demais, ela precisava mesmo de um pouco de..."

"Seriedade?"

"Sim. Exatamente." Ele estava *fofocando* sobre sua esposa? Josh passou o garfo no desnecessário chantili que acompanhava seu cheesecake, fazendo um padrão geométrico, apagando e então repetindo o movimento com capricho, um movimento que lhe proporcionava alguma serenidade. "Mas, quando nós nos vimos de novo, ela estava diferente. Havia mais... tinha mais alguma coisa nela. E ela só tinha dezoito anos da primeira vez. Tinha o direito de ser... jovem. Despreocupada. De fazer bobajada."

Sarah assentiu e limpou os olhos, conseguindo abrir um sorriso. "Ela era incrível quando fazia bobajadas."

Isso era verdade. Lauren sabia fazer todo mundo rir, principalmente ela mesma. Quantas noites já não tinha dormido rindo de suas próprias piadinhas ou depois de começar uma guerra de cócegas com ele? Lauren

214

ria até mesmo enquanto sonhava. "Que tipo de bobajadas vocês faziam juntas?", ele quis saber.

"Ah, nossa. Nós escrevíamos histórias românticas na época de escola tendo os professores como protagonistas e passávamos para todo mundo ler. E torturávamos Jen quando eu ia dormir na casa dela, espionando, nos escondendo no armário para dar sustos nela. Lauren adorava falar com sotaque com pessoas desconhecidas. O russo era o melhor, na minha opinião."

Ele não sabia disso. Aqueles detalhes eram mais saborosos do que a sobremesa. Eram coisas que ele poderia levar para casa mais tarde e ficar repassando na mente. Josh se sentiu inesperadamente grato a Sarah, por compartilhar todas aquelas memórias preciosas.

O garçom se aproximou e perguntou se queriam mais um café. "Só a conta, obrigada", Sarah respondeu, e ele deduziu que com aquilo a noite chegava ao fim. Foi estranhamente decepcionante. Ele nunca havia apreciado Sarah daquela maneira, aquele lado diferente e mais sincero dela (isso sem contar as histórias sobre Lauren, claro).

"Como você está se saindo com as cartas?", Sarah perguntou quando o garçom se afastou.

Ele ficou em silêncio por um instante, pensando no que responder. "Elas... são boas. Me ajudam."

Ela esperou por mais detalhes, mas ele ficou em silêncio. "Asmaa me contou sobre a horta infantil, que você está fazendo trabalho voluntário por lá. Lauren teria adorado isso."

Josh sentiu um nó na garganta ao ouvir isso. "Obrigado", ele falou, com uma voz que era quase um sussurro.

"Você fazia a Lauren muito feliz, Josh."

Ele ficou olhando para o padrão xadrez no chantili, depois desmanchou e refez, com mais capricho dessa vez.

*Tudo bem mostrar como você se sente*, Lauren tinha lhe dito em mais de uma ocasião, principalmente depois do diagnóstico. *Você vai ficar surpreso de ver que a maioria das pessoas é bem legal.*

Era o tipo de coisa mais fácil de fazer do que de falar. Mas ele se obrigou a olhar para Sarah e assentir, de repente se sentindo contente pelo jantar ter chegado ao fim.

# 21

## JOSHUA

*Ainda na porcaria do sétimo mês,*
*porque o tempo parecia não andar, carta nº 7*
**SETEMBRO**

Eram só algumas frases, mas que fizeram a adrenalina — e um pouco de terror — se espalharem pelo seu corpo.

*Oi, meu doce e querido Josh!*

*Tenho uma coisa divertidíssima para você este mês. Está pronto?*
*Vá a um médium.*
*Ah, qual é! Por que não? Vai ser divertido. Eu sei que você quer saber se o Além existe, meu querido ateu. Então vai lá e arrisca! Nunca se sabe. Talvez eu apareça, e nós poderíamos fazer uma transa paranormal. Ou talvez eu esteja ocupada com coisas angelicais e milagrosas, e você não vai ouvir nada a meu respeito. Nesse caso, saiba que estou fazendo A OBRA DO SENHOR, salvando crianças atropeladas por ônibus, resgatando gatinhos etc.*
*Mas eu sei no que acredito. Acredito em mim e em você. Para sempre.*
*Te amo.*

*Lauren*

Ela só podia estar brincando.
Mas não estava.
Isso... tá, ele iria precisar de ajuda dessa vez. Sua mãe estava fora de cogitação; por ser luterana, ela acreditava em coisas como: Jesus sofreu

uma morte horrível por você, seu pecador, e portanto é preciso fazer ensopados para compartilhar com a comunidade. Mas a sra. Kim era uma católica devota que tinha um santo para cada ocasião.

Ele ligou para o telefone fixo do casal, já que eles eram de uma faixa etária que só ligava o celular quando queria fazer uma chamada para alguém. "Ben? Oi, é o Joshua."

"Olá, filho. O que há de novo?"

"Hã... você conhece algum... hã... algum médium?"

Houve uma longa pausa do outro lado da linha. "Acho melhor você falar com Sumi", ele sugeriu. "Ela adora aquela mulher doida da tv. Aquela cabeluda, sabe?"

"Ah, sim. A Lauren também gostava." E provavelmente era por isso que havia lhe atribuído aquela tarefa ridícula.

"Espere um pouco, Josh." Ele passou o telefone para a esposa, dizendo: "Josh quer falar com algum médium".

Sumi deu um gritinho de alegria. "Ah, querido, isso é maravilhoso! Maravilhoso! Com certeza Lauren vai aparecer para você, querido, ela te amava tanto! Ainda *ama*. Você não vai se arrepender, esse pessoal tem um dom, é uma coisa incrível. Você já assistiu A *médium*? Ou A *mensageira*? Elas têm um dom incrível! Eu conheço algumas pessoas e vou te mandar uma lista, está bem? Ah, isso me deixa muito feliz! Feliz demais, Joshie. Vai ser bem reconfortante para você. Que tal levar sua mãe? Não seria divertido?"

"Ah... pois é, não, ela não..."

"*Ainda* não!", Sumi gritou. "Mas vai passar a acreditar!"

"Acho melhor não comentar isso com ela", Josh disse. Ele conseguia até vê-la revirando os olhos. Ele mesmo estava se sentindo ridículo.

"Vou mandar a lista por e-mail, está bem? Ou quer que eu leve pessoalmente?"

"Por e-mail está ótimo."

"Certo, querido. Tchau!"

Duas horas depois, houve uma batida na porta. Josh saiu da frente do computador e, quando abriu, deu de cara com o casal Kim e sua mãe.

"Eu não consegui impedir", Ben murmurou enquanto Josh era envolvido pelo abraço de Sumi. "Desculpa."

Sua mãe atravessou o hall de entrada. "Pois muito bem. Fiquei sabendo que quer fazer contato com os mortos", ela falou, erguendo uma sobrancelha.

"Humm", ele falou. Não adiantou muito pedir para Sumi guardar segredo.

"Você está muito magrinho, então pensamos em vir aqui cozinhar", sua mãe falou. "Quer um copo d'água?"

"Eu aceito uma cerveja."

"Ah, agora você bebe? Meu único filho não me conta que suspendeu seu veto vitalício a bebidas alcoólicas." Ela soltou um suspiro dramático, abrindo a geladeira, e, então, um sorriso. Era uma linguagem só deles... *Você poderia me ligar um pouco mais. Quero saber tudo o que você faz. Ainda estou aqui ao seu lado.* Ele assentiu. Mensagem recebida.

Ben sentou ao seu lado, com uma cerveja. "Desculpa por isso", ele falou. "Eu tentei deter as duas."

"Não, isso é... é bom", Josh respondeu. Ele quase conseguia ouvir a risada de Lauren. Ela adorava ver que Steph e o casal Kim funcionavam quase como uma única entidade, que aparecia na casa deles quando bem entendia.

Ele sentia falta daquela risada. Nossa, e como.

Sua mãe e a sra. Kim remexiam nos armários, salteavam, selavam e papeavam, dando alguma coisinha para Pedrita comer de tempos em tempos. Não era à toa que a cachorra roubava comida.

Mas era uma coisa reconfortante, ver suas duas mães rindo e conversando, Ben fazendo perguntas sobre seus projetos mais recentes, dando uma olhada nos desenhos. Ben tinha sido engenheiro antes de se aposentar, mas seu campo de especialidade eram sistemas de abastecimento de água. O apartamento estava vivo de novo. Com uma lufada de ar fresco e... ora, um pouco de felicidade também.

Eles comeram, e então Sumi sacou um papel com no mínimo doze nomes, acompanhados de números de telefone e sites.

"Não acredito que você conseguiu esperar até depois do jantar", ele comentou.

"Pois é!", ela respondeu. "Eu estava ansiosa para te mostrar isso, mas sua mãe queria te alimentar primeiro." Ela apontou para o primeiro nome na lista. "Então. Desta daqui eu gosto porque as leituras de tarô dela são ótimas. Não é aquela coisa falsa. Oi, Pedrita, sim, querida." Sumi deu um pedaço de carne de porco para a cachorra e voltou à lista. "Esta aqui é boa, mas nem sempre está inspirada, sabe? Mas, quando está, é incrível. Angela? Ela é sensacional, mas conseguir um horário de atendimento é impossível, então por aí você já vê. Este cara aqui, eu gosto muito dele, mas às vezes acho que inventa algumas coisas. Toda vez que vou lá, ele me diz que estou prestes a conhecer minha alma gêmea. Ora essa. Eu estou de aliança, moço! Já encontrei isso!"

Ben sorriu. "Verdade. Encontrou mesmo."

Josh limpou a garganta. "Quais dessas pessoas você conhece, Sumi?"

Ela se recostou na cadeira. "Todas. Eu faço isso desde que minha mãe morreu, em 1992."

"Uau." Era uma boa grana para jogar pela janela daquele jeito.

Ben olhou para ele, encolheu os ombros e sorriu. "Se ela fica feliz com isso..."

"Até eu já fui uma vez", sua mãe falou.

"Quê?" Josh quase engasgou de susto.

Ela deu de ombros. "Por que não? Foi divertido. Ele falou que tinha uma viagem me esperando no futuro, e tinha *mesmo*."

Ele revirou os olhos. "Todo mundo vai fazer alguma viagem em algum momento, na verdade."

Ela deu risada. "Foi só para ver como a coisa funcionava, Joshua. Você precisa manter a mente aberta para coisas novas."

"Estou tentando. Só não acredito que você não me contou."

"Por que não?", ela questionou, dando um gole no chá.

"Porque você me conta tudo."

"Acho que está na cara que não."

"O que mais você anda escondendo? Você tem mais filhos também? Casou em segredo com o meu pai biológico?"

"Joshua." Ela lançou seu melhor olhar de *vamos parar com isso*. "Eu não tenho ideia de onde está seu pai, e nem se está vivo, aliás."

"O seu vidente não te contou?"

"Eu não perguntei." Ela comeu mais um pedaço de brócolis. "Mas, caso você tenha interesse em saber, sua avó olha por você e te ama muito." Sua mãe deu uma piscadinha para ele.

Josh suspirou. "Acho que provavelmente vai ser uma perda de tempo." Ele olhou para Ben. "Você topa ir comigo?"

"Ah, eu não perderia isso por nada", Ben respondeu.

Ele escolheu uma médium chamada Gertie porque parecia um nome honesto. Havia uma chamada Flor da Lua, outra que se apresentava como Ariella Borealis, que Josh *duvidava* que fosse seu nome no registro civil, o que implicava um problema de credibilidade.

Mas Gertie Berkowitz... aquele era um nome confiável.

No dia marcado, ele e Ben pegaram o carro e foram até Tiverton, uma cidadezinha próspera na baía de Narragansett, conhecida pelas muretas serpenteantes de pedra, vistas para o mar e casas charmosas.

Ben era a companhia perfeita para aquele dia, com sua calma inabalável. Josh poderia ter convidado Radley, que o havia visitado outro dia para ver um filme, mas achava que ele acabaria falando demais. Poderia ter chamado Sarah ou Jen, mas... não. Poderia ser uma experiência emotiva demais para elas.

Josh foi cauteloso ao marcar a sessão, o que fez por celular, ligando para um número com um código de área local (outro bom sinal... não era um daqueles números de chamada gratuita, nem daqueles que cobravam uma fortuna por minuto). Ele não permitiu a identificação de seu número na chamada, para que ela não pudesse fazer nenhuma pesquisa prévia a seu respeito. Se apresentou apenas como Joshua, sem citar o sobrenome, para o caso de ela ser do tipo que fuçava no Google, escolheu um horário e ponto-final.

Como era um homem da ciência, leu a respeito de médiuns antes de ir. A maioria só falava coisas genéricas e sondava os clientes em busca de pistas. No melhor dos casos, Joshua pensou, eram pessoas com muita empatia e boa capacidade de ler as pessoas, com a esperança de oferecer algum consolo. No pior, exploravam gente enlutada fazendo perguntas que induziam a um determinado tipo de resposta, e então repetiam as informações que conseguiam como se estivessem adivinhando algo. "A água era uma coisa importante para sua mãe? Ela está me mostrando água." Sinceramente. Quem não tem nenhuma conexão com a água. Os seres humanos são setenta e dois por cento água. Todo mundo tinha alguma praia, rio, lago, riacho ou várzea que adorava. E então a pessoa desolada respondia: "Sim! Nós íamos à praia quando eu era criança!", e abria a brecha para um "Sim, é exatamente isso que ela está me mostrando".

Não era exatamente uma prova da vida após a morte.

Ele estava fazendo aquilo por Lauren. Ela achava que seria divertido. Josh não estava tão certo disso.

O dia estava bonito e ensolarado, e a viagem pelas estradas sinuosas da região rural do estado era pontuada pela bela vista das cercas de pedra. Ele e Ben não conversaram muito no caminho, o que era o mais normal para os dois... só abriam a boca para comentar algo que chamasse atenção. Cinco abutres devorando o cadáver de um guaxinim, por exemplo.

"Coitados dos abutres", Ben falou. "Eles prestam um grande serviço se encarregando da carniça, mas não ganham nenhum crédito por isso."

"É verdade", comentou Josh. Havia uma metáfora ali em algum lugar, mas seu cérebro estava agitado demais para tentar descobrir.

Ele olhou no relógio. "Vamos chegar cedo demais."

"Podemos dar uma parada no Dunkin'?"

"Tá. Tudo bem." Em Rhode Island, havia mais lojas da rede Dunkin' por habitante do que em qualquer outro lugar do mundo, portanto não foi difícil encontrar uma. Josh parou no estacionamento. "O que você vai querer?"

"Um café gelado. Obrigado, filho."

Josh sentiu o cheiro carregado e familiar da loja ao entrar. Como os dois eram nascidos e criados ali, ele e Lauren nunca faziam uma viagem de carro de mais de quinze minutos sem parar em um Dunkin'. Toda vez que iam a Cape Cod, ou ao hospital em Boston, ao aeroporto, ou a Jamestown ou Westerly, passavam lá para se abastecer de cafeína.

Quando tinha sido a última vez? Quando foi que comprou café pela derradeira vez para sua esposa, uma coisa tão trivial, mas uma lembrança tão preciosa? Aquilo nunca aconteceria de novo. Ele desejou que alguém tivesse lhe dito: "Ei, colega, sua mulher vai morrer em breve, então esta é a última vez que você compra café para ela. Trate de curtir o momento, ouviu?". Ele desejou ter sido capaz de saber quais seriam *todas* as últimas vezes, para poder ter desfrutado mais, absorvido cada detalhe de cada momento. A última vez em que fizeram amor. A última vez que ela riu. A última vez que caminharam de mãos dadas.

"Oi", grunhiu o adolescente do outro lado do balcão. "O que vai querer?"

"Um café preto e quente, e um latte gelado médio com creme", ele pediu.

Em seguida, ficou à espera do pedido e levou as bebidas para o carro. Foi só então que percebeu que tinha pedido para Ben o que Lauren sempre bebia.

"Eu... eu errei seu pedido", ele falou.

"Tudo bem. Este aqui parece ótimo." Josh entrou no carro e limpou a mão na calça jeans. "Está tudo certo?", Ben perguntou.

"Está, sim." Quase no mesmo instante, ele lembrou que Lauren tinha recomendado que ele compartilhasse seus sentimentos com as pessoas que o amavam. "Estou um pouco nervoso", ele comentou. "Você acredita nessas coisas, Ben?"

"Bom... eu acredito que nós temos uma alma, que segue adiante depois da morte." Ele deu um gole na bebida. "Na Coreia, existem diversas tradições para homenagear os mortos, para mostrar que sentimos sua falta. Aí eu casei com uma católica, e uma parte dessas crenças se enraizou em mim. Então a resposta mais curta seria... mais ou menos, só que nada muito específico."

"Eu acho que é pura baboseira", Josh falou. "Mas a Lauren me pediu para fazer isso."

"Bom, então pode não ser uma ideia tão ruim assim. Mas também pode ser pura baboseira, como você diz." O rosto dele se enrugou todo quando sorriu.

Josh ligou o carro. Se de alguma forma se deixasse enganar e acreditasse que Lauren estivesse "lá" ou "aqui", o que quer que isso significasse, como iria se sentir? Ele passaria o resto da vida visitando Gertie para conversar com sua esposa morta? Quer saber? Ele faria isso. Mas e se Gertie dissesse: "Sinto muito, garoto. Não estou captando nada."? Isso o deixaria furioso? Arrasado? Se sentindo um trouxa por estar disposto a se agarrar a qualquer migalha?

Gertie tinha dito na ligação que ele poderia pagar o quanto achasse

222

justo, com seu jeito de falar bem típico de Rhode Island. "Você paga o quanto sentir que a leitura valeu, Joshua, querido."

"Você chegou ao seu destino", anunciou seu celular. Josh embicou na entrada para carros de uma casinha modesta e bem conservada. Era revestida em madeira pintada de cinza, e no jardim havia uma árvore que, com base na circunferência, deveria ter uns trezentos anos. Era um bom sinal, aquela árvore. Ele não sabia por quê, mas serviu para tranquilizá-lo.

"Não dê nenhuma dica para ela, certo?", Josh pediu enquanto descia do carro. "Nada de balançar a cabeça ou dizer: 'Pois é, a mulher dele morreu de uma doença pulmonar'. Vamos deixar que ela fale."

"Você já me disse isso três vezes, Josh. Acho que já entendi." Ben deu um tapinha no seu ombro. "Vou ficar em silêncio e com cara de paisagem, tá bem?"

"Desculpa. E sim, obrigado."

Antes mesmo de baterem, a porta se abriu, o que provocou um sobressalto em Josh. "Olá!", disse uma mulher miudinha de cabelo branco. O rosto dela era todo enrugado, e os olhos, por estarem escondidos pelas pálpebras, pareciam miúdos como os de uma tartaruga. "Eu sou Gertie, sua médium. Entre, entre, querido." O sotaque dela era forte e reconfortante. "E você é Josh... posso chamá-lo assim?" Ele assentiu, e ela se virou para Ben. "E você é..."

"Ben. Prazer."

Eles acompanharam Gertie para dentro da casinha, que era cheia de fotos de familiares. Os cardeais eram sua ave preferida, pelo jeito, porque as imagens dos passarinhos vermelhos estavam por toda parte — cortinas, almofadas, fotos emolduradas e bordados em ponto-cruz. Era uma clássica casa de velhinha — móveis em excesso, carpete antigo e o cheiro reconfortante do aromatizador de limão.

Em um canto, havia uma mesa redonda, coberta com uma toalha laranja de vinil. Todos se sentaram. Josh já tinha começado a transpirar. Seu pescoço estava rígido de ansiedade, assim como seus dedos.

"Bom, funciona assim", Gertie disse. "Nós sentamos aqui, e eu acendo uma vela e faço uma prece, e nós pedimos para o ente querido perdido se apresentar. Eles me mostram sinais, e eu digo quais são. Às vezes, não sei ao certo o que significam, então vocês vão ter que me ajudar."

Ah, sim. As perguntas capciosas. Coisas do tipo: "Estou vendo um número quatro? Isso quer dizer alguma coisa? Não? Pense bem. Eles estão me dizendo que sim. Um aniversário? Uma morte? Uma data de casamento? O quarto andar do hospital? Número de filhos? Vocês tiveram quatro gatos ao longo da vida? Quatro pneus no carro?". E os clientes deveriam acreditar que seu ente querido morto estava flutuando ao seu redor.

Por que ele estava ali? Lauren não teria como saber se ele ignorasse suas sugestões. Que ótimo. Agora, além do suor e da ansiedade, ele estava sentindo culpa. Ben continuava olhando fixamente para as mãos, com a expressão impassível e em silêncio, conforme prometido.

Gertie deu um tapinha em sua mão. "Josh, não precisa se preocupar. Eu sou uma mulher cristã, vou à missa toda semana, então não tem nada de espíritos demoníacos nem coisa do tipo envolvida, não, senhor."

"Entendi", respondeu Josh.

"As mensagens chegam rápido, e eu posso perder alguma coisa, sabe? Mas, na maioria dos casos, os que se foram só querem garantir aos vivos que estão bem e que vocês vão se ver de novo. Esta vida aqui? É só uma pequena parte da nossa verdadeira vida."

*Tá bom, tia.* Aquilo era o básico do básico de qualquer texto sobre atividade mediúnica. A expectativa de Josh não era das maiores.

Gertie acendeu uma vela, rezou um pai-nosso. O relógio da cozinha fazia um tique-taque alto. Um carro passou. O nariz de Gertie chiava a cada vez que ela inspirava, e Josh sentiu vontade de rir (ou de sair correndo). Ben o olhou e teve que se esforçar para segurar o sorriso.

Então Gertie inclinou a cabeça, parecendo olhar para o chão. "Ah", ela falou, "você perdeu sua esposa."

A vontade de rir passou.

"É isso mesmo?", Gertie perguntou. "Basta dizer sim ou não."

"Sim."

"Sinto muito, querido." Ela fechou os olhos de novo. O nariz dela fazia um som de assobio ao respirar, e o coração de Josh estava disparado. Ela não estava ouvindo também? Tudo bem se Josh oferecesse um lenço de papel? Como ela sabia da sua mulher? Seria porque ele ainda estava de aliança? Ela havia pesquisado a seu respeito no Google, no fim das contas? Quantos viúvos poderia haver em Rhode...

"O nome dela começava com L. Laurie? Não é isso. Lara? Laura?"

Porra, *como assim...*? Ele limpou a garganta. Os olhos de Ben estavam um pouco mais arregalados que o normal. "Lauren", disse Josh, sentindo sua voz soar estranha.

"Certo. Ótimo. Ela está me mostrando... uma cama. De hospital. Ela estava... estava muito doente, ai, nossa. Passou muito tempo no hospital."

Josh não disse nada, mas seu coração batucava como os cascos de um cavalo selvagem dentro de seu peito, dando coices em suas costelas. O relógio continuava com seu tique-taque. Ben permanecia totalmente imóvel. O nariz de Gertie chiava.

Muito bem, nada do que ela falou merecia muito crédito ainda. Josh era jovem. Quantos homens de trinta anos procuravam videntes para falar sobre avós mortos? *Esposa* era um bom palpite, e dizer que ela estava doente era um comentário com cinquenta por cento de chance de estar certo.

Mas o lance do nome...

"Você ficou lá até o fim. Deitava com ela na cama. Ela está mostrando vocês dois aninhados ali. Isso está certo, querido?"

Ele lutava para controlar a própria respiração. "Sim." Só que, de novo, que marido com o mínimo de dignidade *não* deitaria com a esposa na cama do hospital quando ela estivesse soltando os últimos suspiros? O corcel dentro do seu peito continuava escoiceando mesmo assim. Ele não queria lembrar daquele momento. De nada daquilo. Nunca mais.

Gertie sorriu, mas ainda estava olhando para o chão. Outra respiração profunda com um chiado. E mais uma. "Ela está me mostrando crianças. Vocês tiveram filhos?"

Ah. Ali estava. Ela era boa em fazer deduções, então. "Não. Nós não tivemos."

"Ela teve algum antes de você?"

"Não."

"Bom, ela está me mostrando duas criancinhas. A menina é uma coisinha linda. Dando os primeiros passinhos. O menino é mais velho. Eles... eles... são birraciais? Um dos pais é negro?"

Sebastian e Octavia. Puta merda. Josh só conseguiu menear a cabeça.

"Meu Deus", murmurou Ben.

225

"Ela está me mostrando seu nome e apontando para a menina. O nome da menina é em homenagem a ela? Não o primeiro nome, mas o segundo? O do meio?"

O cavalo em seu peito deu mais um coice. "Sim."

"O nome do menino é... é com T. Tyrone. É isso?"

"Esse é o nome do meio dele", Josh suspirou.

"Ela está me mostrando o número quatro." Quatro não... não podia ser... Sua mente estava entrando em parafuso.

"Isso tem algum significado para você? Um aniversário? O mês de abril? Ela morreu no dia quatro do mês?" Não. Nada disso.

Foi Ben quem respondeu: "O menino tem quatro anos".

Ah, puta merda. Aquilo era verdade.

"O menino a vê também, às vezes. Conversa com ela. As crianças não têm barreiras tão fortes, então conseguem fazer isso." Gertie assoou o nariz e, quando respirou de novo, o chiado não estava mais lá, graças a Deus, e ele não deveria estar se concentrando? Gertie inclinou a cabeça e olhou para o chão outra vez.

"Lauren quer que você diga para a mãe deles que está olhando pelas crianças. Ela é a irmã mais velha deles? Não. Tia. Ela é a tia dessas crianças, e a irmã dela é a mãe. Ah, elas eram bem próximas. Ela amava muito essa irmã."

"Sim." Puta que pariu, *como* ela podia saber disso?

"Agora ela está me mostrando flores. Muitas flores. Ela quer que você veja as flores."

"Certo."

"Não, não é isso, ela continua insistindo nas flores. Tem alguma coisa especial relacionada a flores?"

"Eu... eu sempre dava flores para ela", Josh murmurou.

"Não, não é isso. Ela está sendo bem específica a respeito de rosas. Tem alguma coisa especial aqui. As rosas significam alguma coisa especial?"

"O nome do meio dela era Rose."

Deus do céu. E teve o Dia dos Namorados. O aniversário de casamento, com as pétalas de rosas espalhadas na cama.

Como Gertie poderia saber disso? Ela lhe entregou um lencinho, e só então ele percebeu que as lágrimas estavam escorrendo pelo seu rosto.

Não era uma sensação boa, aquela... incerteza, aquela dor da saudade, aquela tristeza de saber que Lauren tinha partido mesmo e estava do outro lado.

"E a árvore, qual é o sentido? Ela está me mostrando uma árvore especial. Em um vaso perto da janela."

O corniso dela. Os olhos de Ben estavam tão arregalados a essa altura que parecia cômico, embora Josh devesse estar com a mesma expressão.

"Ela diz que a árvore tem alguma ligação com ela, e que..."

"Para! Para com isso. Eu... eu... eu... Por favor, para", Josh pediu.

Gertie olhou para ele, com bondade nos olhinhos de tartaruga. "Desculpe, querido. Estou indo depressa demais?"

"Eu não... eu nunca... na verdade eu nunca acreditei nisso", ele falou. "Isso é... novo demais para mim." Ben estendeu o braço por cima da mesa e apertou sua mão.

"Ah, claro, querido", Gertie respondeu. "Pode ser uma experiência muito forte, principalmente para quem não acredita."

O cavalo em seu peito estava saltando e escoiceando. Josh limpou o rosto e encharcou o lencinho.

Gertie inclinou a cabeça de novo. "Ela tem mais a dizer. Tem uma presença muito forte. Você quer ouvir?"

*Claro* que queria. Como não? "Sim."

Gertie inclinou a cabeça para o lado. "Ela está me mostrando que você trabalha com... coisas pequenas. Coisinhas que você constrói. Você..." Ela bateu as pontas dos dedos umas nas outras. "Você cria isso? Você... faz coisas no computador, mas ela está me mostrando um hospital também."

"Ele é um engenheiro de dispositivos médico-hospitalares", Ben acabou falando. Josh nem se importou por ele ter contado. Gertie já tinha se aproximado o suficiente.

"É isso! Esse é o jeito dela de mostrar para você que está mesmo aqui. Ela tem orgulho de você, Josh. Orgulho demais. Vocês eram muito felizes."

"Sim. Sim", ele disse, sentindo a respiração ficar mais laboriosa. "Escuta só. Eu sei que ela me amava, e também a irmã e as crianças, e sei qual é o meu trabalho. Mas..." A voz dele ficou embargada. "Ela tem alguma coisa a me dizer?" Josh esfregou a testa com força e tentou não olhar para Ben, por medo de cair no choro. "Alguma coisa para aqui e agora?"

Gertie olhou para o chão outra vez. "Ela quer que você saiba que não está sozinha. O avô dela? Não, o pai? O pai dela morreu? É isso? Eles estão juntos. Ela é uma linda alma, sua mulher. Ri bastante. Está feliz."

Ótimo. Ótimo. A felicidade dela era o que ele sempre quis.

Mas seu coração ficou partido mesmo assim.

"Certo... sim. Sim. Ela está dizendo que você vai casar de novo. Está apontando para o dedo anelar e mostrando o número dois. Sua segunda esposa. Você já a conhece, mas não... não sabe que ela vai ser importante na sua vida." Gertie deu risada. "Ela está me mostrando uma moedinha e derrubando. Tipo, a ficha ainda não caiu para você em relação a essa mulher."

"Sarah, talvez?", murmurou Ben. Josh ouviu aquelas palavras, mas não as registrou na sua mente.

Gertie inclinou a cabeça de novo. "Você se culpa pelo que aconteceu, segundo ela. Mas foi maravilhoso! Ela continua me mostrando o quanto você foi bom, como cuidou dela. Você precisa parar de se sentir culpado, é o que ela quer. Não dava para ter feito mais do que você fez. Ela está me dizendo que você foi perfeito. Esqueça essa culpa de uma vez."

Essa era uma mensagem que os médiuns sempre passavam para os clientes, segundo Josh tinha lido. E, no seu caso, era realmente mais do que apropriada.

Ele pegou outro lenço de papel para enxugar os olhos. Gertie sorriu. "Quanto amor entre vocês dois", ela comentou.

A dor em seu peito se tornou esmagadora. *Por favor, volta*, foi o que inevitavelmente ele pensou. *Por favor, volta.*

"Ela está passando sinais para você, Josh. E você não vê. Ela quer que você veja os sinais."

Ele assentiu.

Então Gertie se voltou para Ben. "Você não é o pai dele, mas ela diz que é como se fosse, e agradece pelo apoio que sempre ofereceu a Josh."

O estoicismo de Ben desmoronou de vez, e ele levou a mão aos olhos. Gertie deu um tapinha de leve em seu braço. "Ela está me mostrando um aviãozinho de papel? Com você jogando? É isso? Você fazia aviõezinhos de papel com Josh?"

Ben assentiu, os ombros sacudindo pelos soluços.

"E tem outra mulher que ela está me mostrando. É como uma irmã, mas não exatamente. Vestidos brilhantes roxos... elas faziam aulas de dança juntas, é isso? Tem alguma coisa a ver com dança. Você precisa avisá-la que ela não está sozinha. Ela está sofrendo também, essa que não é exatamente uma irmã. A melhor amiga, é isso. A melhor amiga dela."

Sarah. Ele precisava ligar para Sarah. Aquilo significaria muito para ela.

Gertie balançou a cabeça. "Certo, ela está indo embora. Quer que você fique tranquilo, que seja feliz, e que saiba que vão se encontrar de novo do outro lado da vida." Ela ficou em silêncio por um instante, depois apagou a vela e olhou para os dois. "Ufa! Essa foi ótima, na minha opinião. Vocês não acham?"

Josh fez um cheque de quinhentos dólares para pagá-la. Ela o abraçou forte, e depois Ben, e eles foram embora sem dizer nada. Ele dirigiu até o fim da rua para manobrar o carro para voltar; era uma rua sem saída, que dava para o mar. Mas Josh continuou parado ali por mais um tempo, com as mãos trêmulas.

"Está tudo bem, filho?", Ben perguntou.

Ele olhou para a baía, para a água reluzindo em tons de azul e prateado sob um céu carregado de nuvens volumosas.

"Isso foi chocante", ele comentou.

"Pois é. Bem específico."

As mãos dele se agarravam com força ao volante. "A questão é", ele continuou, "faz alguma diferença? Ela não vai voltar do mesmo jeito. Que bem isso pode me fazer? Isso muda alguma coisa? Eu preciso voltar aqui toda semana?"

"Acho que... eu acho que faz bem acreditar que ela não se foi por completo."

"Mas não está aqui do jeito que mais importa. Eu não quero sinais. Quero a Lauren." Sua garganta doía, e ele esfregou os olhos com a mão. "Sumi disse que vocês têm um evento da igreja hoje. Vamos voltar."

"Josh, se você quiser conversar mais, filho..."

"Não. Eu já estou bem."

Eles voltaram para Providence em silêncio durante todo o trajeto. Uma chuva caía e, quando parou o carro em sua antiga rua, Ben perguntou se ele queria entrar. Josh respondeu que não, agradeceu, se despediu com um abraço rápido e ligou para Sarah. "Posso passar na sua casa?", ele perguntou, apesar de já estar a caminho de lá.

Ela respondeu que sim.

Alguns minutos depois, Sarah estava abrindo a porta, usando uma camiseta do David Bowie e short de corrida. O apartamento era meio bagunçado e não tinha nada de especial — pilhas de papel na escrivaninha, algumas canecas de café espalhadas aqui e ali, correspondência em cima do balcão da cozinha.

"Oi, Josh", ele falou. "A que devo a honra?"

"Eu fui ver uma vidente hoje", ele contou, indo direto ao assunto. "Ela disse que Lauren mostrou uma pessoa que não era uma irmã, mas era como se fosse. Com vestido roxo brilhante em uma apresentação de dança ou coisa do tipo."

Sarah ficou pálida. "Meu Deus, Josh. Não se fala esse tipo de coisa sem um aviso." Ela se virou de costas e, quando voltou a falar, a voz saiu em um sussurro. "Foi no show de talentos do oitavo ano da escola. Nós usamos vestidos roxos de lantejoulas e dançamos uma música do Soulja Boy. 'Crank That'. Foi incrível." Ela soltou um suspiro entrecortado. "A vidente sabia disso?"

"Pelo jeito, sim. Ela disse para te avisar que a Lauren ainda está... com você."

Sarah levou as duas mãos ao rosto e começou a chorar.

*Dê um abraço nela.*

Foi isso o que ele fez. Ela retribuiu o abraço. Josh sentiu algo se distensionar dentro dele e, alguns segundos depois, percebeu que estava chorando também.

Não foi uma coisa horrível.

Na verdade, até se sentiu bem, simplesmente chorando com alguém que também amava Lauren e deixando de se preocupar, por um segundo que fosse, se não deveria estar fazendo tudo diferente. Não. Abraçar era... ok.

"Ai, Josh", ela murmurou. "Eu sinto muito por nós dois."

Um trovão os pegou de surpresa, e eles se afastaram com um sobressalto. Josh endireitou a postura e limpou o nariz com a manga da blusa. Sarah pegou um lenço de papel e assoou o nariz.

"Quer ver um filme?", ela sugeriu e, por algum motivo, aquilo lhe soou como uma ideia perfeita.

"Alguma coisa violenta", ele respondeu.

"Um filme de guerra."

"De terror", ele rebateu.

"O que você quiser, amigo. Você acabou de falar com a sua falecida esposa. Merece pipoca *e* refrigerante." Ela abriu um sorriso, e ele se pegou sorrindo de volta.

"Obrigado, Sarah", ele falou. "Você é uma boa amiga."

Josh quase se surpreendeu ao constatar que aquilo era mesmo verdade.

A vidente havia mencionado uma mulher em sua vida que seria sua segunda esposa. Alguém que ele já conhecia.

Mas ele não estava pronto para pensar nisso. Não ainda. E talvez não por um bom tempo.

Só que, mesmo assim, a ideia já estava lá.

## 22

## LAUREN

*Vinte e cinco meses restantes*
JANEIRO

Papai,

*Me ajuda. Ai, papai, por favor, me ajuda. Por favor, não deixe que isso seja verdade. Estou com muito medo. Por favor, me ajuda, pai. Por favor, que isso esteja errado.*

Lauren já havia passado por três consultas com a dra. Bennett, a pneumologista. Três consultas em três meses, com alguns adiamentos por causa da neve e das festas de fim de ano e a alegria de estar criando novas tradições. Eles receberam o casal Kim e Stephanie para comemorar o Dia do Pepero, um feriado coreano muito fofo que parecia existir só para celebrar a amizade. Depois chegou o Dia de Ação de Graças — o almoço caprichado na casa de Jen, com Stephanie sendo incluída, e depois a sobremesa na casa dos Kim, porque os quatro filhos deles estavam em casa e queriam ver Josh e conhecer Lauren. No fim de semana, fizeram um brunch para todos os seus amigos locais, e Lauren ficou se sentindo toda feliz e adulta, cozinhando e limpando tudo depois de alimentar seus antigos colegas de classe e atuais colegas de trabalho, além de exibir a casa linda que tinha montado com Josh.

Então chegou a época do Natal e a primeira briga séria, por Josh ter se recusado a ir à festa da empresa. Eles fizeram as pazes, claro, entraram no clima das festas de fim de ano e comemoraram o aniversário de Jen. Na véspera de Ano-Novo, deram uma festa — com Sarah e o cara com quem estava saindo (que desmaiou no sofá antes das nove da noite), Louise, Santino, Bruce e Tom, Mara, Asmaa e seu companheiro, Jen e Darius. Até o cara que ficou bêbado se divertiu bastante, e foram todos ver os fogos do terraço. Os Kim os receberam para o Ano-Novo lunar, outra grande celebração, e convidaram a mãe de Lauren também, o que foi muito gentil.

Em outras palavras, foi fácil esquecer que ela andava com um pouco de falta de ar sem nenhum motivo aparente.

Mas, passada a época das festas, Lauren não tinha mais desculpas. Vivia dizendo a si mesma para não se preocupar. A hipótese de que fosse câncer já estava descartada. Não havia sinal de tumor no raio X do tórax, graças a Deus. Só que seria preciso fazer uma ressonância magnética também.

Ela estava *bem*, lembrava a si mesma o tempo todo. Jovem. Saudável. Imensamente feliz. Sexo no mínimo três vezes por semana, na maioria das vezes mais. Aulas de ioga na academia do prédio. Ela ficava sem fôlego? Claro! A ideia era justamente essa.

Estava só... cansada. Devia ser asma, talvez bronquite crônica. Se sentia exausta e com o corpo pesado às vezes, mas não era *por causa* dos exercícios? Era um *bom* sinal, ora essa.

Foi a residente do pronto-socorro quem lhe deu o primeiro motivo para sentir medo. Aquela *pausa*. Ninguém quer que um médico faça uma pausa antes de dizer palavras mais tranquilizadoras.

Mas ela já tinha feito o exame de infecção pulmonar. Um vírus, embora ela tenha testado negativo para tudo o que era possível de detectar. Pneumonia amena ou asma grave? Sinusite crônica com gotejamento pós-nasal e refluxo estomacal?

Ninguém conseguia dizer o que era.

"Só mais alguns exames", a dra. Bennett falou, e Lauren sentiu uma pontada de medo e raiva. *Me dá um diagnóstico ou então me diz que estou saudável, pelo amor de Deus*, ela pensou, com o rosto ficando vermelho. "Não é um caso tão simples", a médica continuou. "Quero entender o que está acontecendo."

Não era a fala mais tranquilizadora do mundo. "Estou bem mesmo",

233

Lauren respondeu. *Eu poderia gostar de você. Me diz que eu estou saudável, e vamos virar grandes amigas. Prometo.*

"Alguém do setor de exames vai ligar para marcar uma data amanhã ou depois", a dra. Bennett informou. "Em caso de piora, me ligue imediatamente."

"Estou bem. Me sentindo ótima."

"Nós voltamos a conversar em breve."

Que merda. Nada de martínis com a dra. B., então.

E Josh também estava em estado de alerta, sempre atento, olhando para ela toda vez que tossia. "Querido, eu estou *bem*", ela esbravejou certa vez. "Será que dá para não me enterrar ainda?" Ele não respondeu. Ela bufou e foi para a cama, e ele apareceu meia hora depois, a tomou nos braços e disse que a amava. Era impossível continuar brava.

Então vieram mais dois raios X, duas tomografias computadorizadas e outra de alta resolução, um teste de função pulmonar, um segundo teste de função pulmonar, uma broncoscopia (mesmo com a sedação, aquilo foi horrível). As perguntas eram intermináveis e irritantemente repetitivas: ela era fumante? Tinha histórico de asma? Pneumonia? Do que seu pai morreu mesmo? Você foi ao Havaí? Onde ficou? Foi nadar? O que comeu? Foi exposta a amianto, pó de silicone, metais pesados, ar-condicionado contaminado, folhas de árvore com mofo, fezes de pombo?

"Claro que eu já fui exposta a fezes de pombo!", Lauren gritou na enésima vez que perguntaram. "E folhas com mofo *também*! Todo mundo já foi, não? Só me dá um remédio para tosse que funcione de verdade!"

Então, quando a dra. Bennett ligou para ela e pediu para ir ao hospital "com seu marido", Lauren ficou quase aliviada. Finalmente, tinham descoberto. Devia ser alguma pneumonia estranha que ela pegou no avião para o Havaí.

"Sentem, por favor", a dra. Bennett falou quando chegaram ao consultório. "E, por favor, me chamem de Kwana."

Era um bom sinal ou mau sinal chamar sua médica pelo primeiro nome? Lauren sentiu o corpo gelar.

"Oi, Kwana!", ela disse, como se parecer simpática fosse fazer tudo ficar bem. "Adorei seu cabelo." Depois das festas de fim de ano, a dra. Bennett tinha passado do cabelo liso e reluzente para múltiplas tranças presas em um coque. E, se ela quisesse ser chamada de Kwana, *tudo bem*. Quando a consulta terminasse, Kwana pediria desculpas pelo excesso de exames, sendo que, nossa, era só uma coisinha de nada, fácil de curar, e com certeza adoraria sair para beber alguma coisa uma noite dessas!

Só que o coração de Lauren estava disparado. Ela respirou fundo. Tudo bem. Nada de tosse dessa vez, viu?

"Não demora um tempão para fazer essas tranças?", ela perguntou. Falar do cabelo da médica era bem melhor do que qualquer coisa que pudesse passar pela cabeça de Lauren naquele momento.

"Demora um tempinho, sim." Kwana parecia tensa e imóvel. Josh segurou a mão de Lauren. Ele estava suando.

"Certo", disse Kwana. "Nós fizemos todos os exames que podíamos, e alguns mais de uma vez. Ao que parece, é fibrose pulmonar idiopática." Era um nome bem comprido. "Foi difícil diagnosticar porque queríamos ter certeza absoluta. Não é uma doença comum em pessoas jovens."

"Ok", disse Lauren. Então, agora que eles já sabiam o nome do que era, bastaria fazer o tratamento e resolver a situação.

Ela olhou para Josh. Ele estava pálido. *Nada disso. Vou ignorar essa sua cara, querido.* "Qual é o plano, então?"

Houve uma pausa. Mais uma porra de uma *pausa*, e de repente Lauren começou a tremer. Ela não conseguia nem olhar para Josh porque... porque...

"Muito bem, nada de pânico por enquanto", a dra. Bennett falou. "O que acontece nessa doença é que seus pulmões vão criando um tecido fibroso. Cicatrizes. Ninguém sabe por quê. Algumas pessoas que trabalham com amianto ou partículas finas desenvolvem esse problema. A sua condição é chamada de idiopática porque nós não sabemos por que foi causada." Ela fez uma pausa, olhando para os dois para se certificar de que estavam entendendo. *Meu marido é um gênio, mulher*, Lauren sentiu vontade de dizer. *Não precisa falar mais devagar por causa dele.*

Por outro lado, Lauren não estava conseguindo escutar direito. Havia um zumbido agudo e persistente em seus ouvidos. Um mecanismo de defesa, provavelmente, para bloquear...

"O problema é que essas cicatrizes vão tomando conta dos seus pulmões. É por isso que você está com dificuldade para respirar."

"Na verdade eu não tenho! Quer dizer, só um pouco. De vez em quando."

Kwana assentiu. "Sim. E é ótimo que nós descobrimos logo no começo. Existem medicamentos muito úteis que podem retardar a progressão da doença."

"Ótimo!"

"E oxigênio para ajudar quando você sentir falta de ar."

"Espera aí. Como é? Eu vou precisar ficar tomando *oxigênio*? Quer dizer, eu desmaiei só uma vez! Ou duas! Mas uma vez foi depois de uma boa caminhada em uma trilha sem me hidratar direito, e outra porque... porque..." Sua voz soava um pouco histérica, e ela resolveu se calar.

"Enfim", Kwana falou com um tom gentil, "provavelmente mais para a frente vai haver situações em que isso será necessário, e vai fazer você se sentir bem melhor. Menos cansada."

"Mas eu estou bem. Quer dizer, estou me sentindo muito... bem." Ela olhou para Josh. Ele não se virou em sua direção. Não estava nem piscando. Só olhando para a dra. Bennett.

Ah... que merda. Quando ele se fechava assim, era porque alguma coisa grave estava acontecendo. Ele ficava totalmente calado. Como quando seu professor predileto morreu alguns meses antes do casamento dos dois. Ele não falava, não chorava, só entrava nesse... vazio. Lauren ligou para a mãe dele para perguntar se isso já tinha acontecido antes, ela falou que foi a mesma coisa quando o avô materno de Josh morreu, quando ele tinha vinte anos.

Mas aquelas duas pessoas tinham *morrido*. Não era isso o que aconteceria com ela. Qualquer que fosse o problema, ela resolveria. Joshua Park não teria uma esposa doente. Ela não o poria em uma posição como aquela.

"Muito bem", Lauren falou, e sua voz soou mais parecida com a habitual. "Então vou tomar remédios, talvez ter que usar oxigênio mais para a frente... e o que mais?"

Outra *pausa*. "Vamos recomendar terapia respiratória, para maximizar sua função pulmonar."

"Entendi. Tudo bem. E quanto tempo essa coisa costuma durar?" Não houve resposta. "Tipo, quando eu vou voltar ao normal?"

Kwana — a dra. Bennett — ficou em silêncio por um instante.

"Qual é a cura para isso, *Kwana*?", Lauren perguntou, elevando o tom de voz.

Josh enfim se virou para ela. Finalmente. "Não existe cura", ele disse baixinho.

Ela demorou alguns instantes para assimilar aquelas palavras.

"Quê?", Lauren gritou. E então, por mais estranho que pudesse parecer, caiu na risada. "Ora, isso não me ajuda *em nada*." Ela olhou para a médica, para o marido e engoliu em seco. "Estão falando sério?"

"No momento, realmente não existe uma cura", a dra. Bennett respondeu. Lauren não sentiu mais a menor vontade de chamá-la de Kwana. Sem chance! Elas não seriam amigas.

Então, se não havia cura, isso significava... bom, ela simplesmente teria que conviver com aquilo pelo resto da vida.

Humpf.

"Não quero que você entre em pânico", continuou a dra. Bennett. "É uma doença grave, mas você só tem vinte e seis anos, Lauren. Sinceramente não dá para fazer uma previsão de como a doença vai progredir. Certo? Fora isso, você é uma pessoa muito saudável. Não vamos pensar no pior ainda. Vou receitar uma medicação chamada Ofev, que é muito eficiente para retardar a formação do tecido fibroso e das cicatrizes. Vários pacientes usam uma combinação de ervas medicinais chinesas que dizem fazer muito bem, então quero que você tente isso também. Todas as informações estão aqui."

"Ok", Lauren falou, um pouco mais tranquila. "Ótimo. Hã... e qual é o prognóstico de longo prazo?"

"Seria precipitado discutir isso agora."

"Me diga mesmo assim", ela insistiu.

Kwana olhou para Josh, que assentiu de leve. "Bom, a última alternativa seria um transplante de pulmão."

"E nesse caso eu ficaria bem?"

"Vamos discutir sobre isso só se for preciso, certo?"

Lauren olhou para Josh.

Ainda estava pálido. Com os dentes cerrados. Quase sem piscar. *Ah, não. Não, não, não. De jeito nenhum.*

Josh tinha bastante conhecimento na área médica. Bastante mesmo.

"Eu vou... eu vou melhorar algum dia?", ela murmurou.

A dra. Bennett se inclinou para a frente e entrelaçou os dedos sobre a mesa. "Lauren, eu sinto muito, mas, como seu marido falou, não existe uma cura. Existem tratamentos promissores sendo desenvolvidos, mas, no momento, preciso ser bem sincera com você. O que acontece na FPI é que os tecidos fibrosos não param de crescer, até impossibilitar a respiração. Um transplante seria um último recurso. Fora isso, é uma doença terminal."

O mundo todo parou. Não havia mais sons, nem cheiros, nada. Só a imobilidade total.

Terminal. Sem volta.

Terminal?

Lauren engoliu em seco. Ela sentiu seus olhos ficarem enormes e gelados. "Então... eu vou morrer?"

"Não dá para determinar qual vai ser sua trajetória. Só existem alguns poucos casos conhecidos em pessoas tão jovens."

"Você pode responder à minha pergunta? Eu vou morrer disso?" Sua voz soou alterada e grosseira.

Kwana não se ofendeu. "Não temos como prever. *Principalmente* no seu caso, uma pessoa com menos de trinta anos."

"Não existe nenhuma previsão a não ser que eu vou morrer?", ela gritou.

"Ela *não vai* morrer disso", Josh disse, com uma voz embargada e um tom feroz, e por um instante uma esperança se acendeu no coração de Lauren. Ela era casada com um *gênio*, que além disso projetava dispositivos médico-hospitalares. Ele resolveria aquilo em questão de semanas, *Kwana*.

"É muita coisa para processar de uma vez só", a dra. Bennett falou. "Eu recomendo que vocês mantenham distância do Google e se concentrem no material de leitura que estou fornecendo aqui."

"Por quê?" A voz de Lauren continuava a soar dura e estridente.

"Porque a melhor fonte de informações são os especialistas nessa área", ela falou, entregando um folheto. "Confie em mim."

Ela não se lembrava de ter saído do prédio nem de ter entrado no carro, mas devia ter feito isso, porque Josh estava dirigindo, e os dois estavam de mãos dadas, e apertando com força. Lauren olhava pela janela, registrando vagamente aquelas vistas tão familiares — o mascote da Big Blue Bug Solutions, a figura mais célebre de Rhode Island. O capitólio estadual, o prédio do Superman — que era chamado assim porque, no antigo seriado de tv, o Superman saltou por cima do edifício, o que tornou Providence famosa. Havia também a Kennedy Plaza, a fábrica velha da Brown & Sharpe. Eles entraram na rua onde moravam, pararam no estacionamento, desceram do carro e andaram até o prédio em silêncio. Ela foi andando na direção da escada, mas acabou voltando para o saguão e chamando o elevador.

A escada a deixaria sem fôlego.

O choro se acumulou em sua garganta, e ela precisou engolir com força.

Assim que entraram no apartamento, os dois sentaram no sofá, abriram os notebooks quase em sincronia, e o único som audível era dos dedos digitando nos teclados.

Pois é, recorrer ao Google não era *mesmo* uma boa ideia. Era preciso dar razão à dra. Bennett nesse caso.

O prognóstico para uma pessoa com fibrose pulmonar idiopática era uma sobrevida de três a cinco anos. E, depois de um transplante de pulmão, caso não haja complicações, mais cinco anos. Só que esse tipo de transplante era arriscado.

Então, no melhor dos casos, Lauren *poderia* chegar até os quarenta.

Mas provavelmente não.

Ela se sentiu atordoada. Aquilo era um sonho? Sua vida toda seria um sonho, com um marido maravilhoso e toda aquela felicidade, um apartamento lindo, a lua de mel, a viagem a Paris? Ela acordaria em sua cama de criança, grogue e confusa, com seu pai ainda vivo?

Lauren juntou as mãos e apertou com força, porque se beliscar era clichê demais. Se sua mente estava ocupada com clichês, então aquilo não podia ser verdade, certo? Além disso, a almofada da poltrona à sua frente precisava de uma boa afofada. E ela estava com fome. Um queijo quente, talvez? Então ela não poderia ter uma doença fatal. Provavelmente não estava morrendo.

As palavras da tela do computador flutuavam no seu cérebro. *Última rodada de tratamento. Terminal. Incurável. Respirar se torna impossível. Três a cinco anos. Qualidade de vida.*

Três a cinco anos.

Na semana anterior, eles tinham ido andar de trenó com Sebastian. Jen contou que ia tentar engravidar de novo, e então elas ficaram rindo e comentando sobre os nomes dos bebês de celebridades. E, obviamente, Lauren ficou sem fôlego de tanto rir. Mas até aí... Pois é, não. Foi só ela mesmo.

Por um instante, ela se transportou para aquele momento, para o calor da casa de sua irmã, o chocolate quente, as risadas... o ar que não chegava direito aos seus pulmões.

Porque seus pulmões estavam se enchendo de tecido fibroso.

Ah, nossa. Deus do céu.

"Vamos para a cama", Joshua sugeriu, e ela teve um sobressalto ao ouvir a voz dele. Eram duas da tarde, mas ele estava certo. A cama era a única opção. Eles ficaram só com a roupa de baixo e entraram debaixo do edredom fofinho, depois se abraçaram com tanta força que até doeu.

Estavam ambos tremendo.

Sem palavras. Não naquele momento. Nenhum dos dois estavam chorando. Não naquele momento. Não ainda.

A verdade se instalou no quarto com eles, sombria e pesada, esperando para entrar em suas vidas, em sua cama.

Lauren morreria jovem. Josh seria viúvo.

Ela não melhoraria.

Tinha uma doença terminal.

E o que ela queria de verdade era um bebê.

# 23

## JOSHUA

*Oitavo mês, carta nº 8*
OUTUBRO

*Josh,*

*Espero que você esteja bem, querido. Oito meses é muito tempo. Espero que esteja se sentindo mais feliz e energizado ultimamente.*

*Por isso a tarefa desse mês é bem simples e direta. Faça alguma coisa pela sua carreira profissional e tente alguma coisa que te dê medo.*

*Você consegue. Eu confio em você.*

*Com amor,*
*Lauren*

Ora. Que cartinha chinfrim. Ele tinha se trocado e servido meia taça de vinho para isso? Josh começou a andar de um lado para o outro, quase sem fazer barulho com os pés descalços. Pedrita dormia no sofá, ignorando seu estado de humor.

"Uma carta de merda, Lauren", ele disse em voz alta. "Desculpa aí, eu estava te tomando muito tempo?" Ela estava ocupada demais para escrever mais que meia dúzia de frases? Ele estava virando uma responsabilidade grande demais, e ela só tinha um estoque limitado de chavões para oferecer?

A raiva tomou conta dele, vermelha e pegajosa, borrando todo o resto e, antes que Josh conseguisse se situar melhor, antes que pudesse ligar para sua mãe ou para Ben, antes que pudesse descer para a academia para bater no saco de pancadas, antes que um *jabuti xereta visse cegonhas felizes*, a névoa vermelha se espalhou por todo canto e o envolveu por completo. Uma parte distante e ainda tranquila de seu cérebro o guiou até os armários. Ele ouviu o som de algo quebrando e de gritos, e uma dor no pé, uma dor distante, e então sua cabeça bateu no chão e tudo ficou escuro.

Acordou com Pedrita lambendo seu rosto. O hálito dela era horrível. "Oi, menina", ele disse, sentindo a garganta dolorida e seca. E também tinha alguma coisa grudando nas suas costas.

Ele estava deitado no chão da cozinha.

Sentou fazendo uma careta e levou a mão até a parte de trás da cabeça. Havia um galo de tamanho razoável ali. E cacos de porcelana por todos os lugares.

Porcelana decorada com bolinhas.

Ele pegou um pedaço e olhou melhor. A caneca de café de Lauren. Ela usava toda manhã. Na verdade, tinha comprado quatro, porque, de acordo com ela, todo mundo iria adorar. E era verdade. Até a mãe dela gostou, e Donna não era o tipo de pessoa que se importava com canecas. Ele se lembrou da manhã de um fim de semana quando Lauren recebeu suas "três mães" para comer bolo de café, e todas elas usaram aquelas canecas.

Pela bagunça ao seu redor, ele tinha quebrado todas. Pois é. Havia quatro pequenas alças espalhadas em meio àquela destruição com aspecto ironicamente festivo.

Houve uma batida na porta. Ele foi atender, mancando de leve, e abriu. Era a Charlotte Abusada.

"Ei, eu ouvi um barulho. Você está bem?" Ela o olhou de cima a baixo. "Você está sangrando, sabia?"

"Vê se para com isso de ficar se oferecendo para mim, Charlotte."

Por um momento, ele se perguntou se a mulher mencionada por Gertie poderia ser Charlotte. Nesse caso, pediria seus quinhentos dólares de volta, por favor. Ele bateu a porta na cara dela, voltou para a cozinha e avaliou o estrago.

*Bom trabalho, imbecil.*

Se Pedrita pisasse em um daqueles cacos, poderia cortar a pata. Ele a fechou no quarto de hóspedes para mantê-la em segurança, apesar do olhar de decepção no rosto dela. "Desculpa, querida. Eu já volto."

O corte na sola de seu pé era bem profundo. Ele limpou com peróxido de hidrogênio, gostando do ardor que ganhou como castigo, e envolveu o pé em gaze. Em seguida limpou a cozinha e as pegadas sujas de sangue.

O resultado do seu acesso de raiva foi que as canecas de Lauren não estavam mais lá para submetê-lo a mais uma provação diária, e havia um novo arranhado no piso.

Josh teve mais acessos de névoa vermelha naqueles últimos anos do que na vida inteira. Depois que a raiva passou, ele se sentiu envergonhado. Lauren tinha que se esforçar para continuar vivendo, então qual o problema de a carta ter sido curta? Ele era um marido — ou melhor, um viúvo — de bosta, um ingrato, por não valorizar mais aquelas mensagens, apesar de aquela não ter sido sua favorita. Ela estava ocupada tentando se manter viva.

Josh soltou um suspiro, foi buscar Pedrita e subiu para o jardim, tomando o cuidado para não olhar por cima da beirada. Em vez disso, olhou para cima. O sol estava quase se pondo. Os dias de outubro estavam ficando claramente mais curtos, e Josh se sentiu aliviado. Agosto tinha sido quente até não poder mais, e o calor e a umidade pareciam arrancar a cor e a vida de tudo e substituir por uma camada amarronzada de poluição ou obrigá-lo a se fechar na artificialidade do ar-condicionado.

Depois de ver Gertie, ele ficou muito mal. Queria se sentir diferente depois daquela consulta — *minha mulher está no céu e olha por mim!* —, mas isso não traria Lauren de volta. Existia mesmo um paraíso? Talvez. Ele esperava que sim, pelo bem dela.

Mas seu problema não era a vida depois da morte. Era o aqui e agora. Começou a faltar nas aulas de caratê por não querer arruinar o ambiente para as crianças com a sua melancolia, e mandou um e-mail para Asmaa dizendo que tinha um projeto grande para terminar, então não poderia ajudar no centro naquele mês. Ela respondeu com uma mensagem muito gentil, dizendo para ele ficar tranquilo e que seria um prazer recebê-lo de volta quando estivesse mais disponível.

Parecia fazer tempo demais que ele havia sido um homem casado. Que sentava no jardim do terraço com sua mulher, ou na casa de Cape Cod, ou no apartamento, na segurança do amor que sentiam um pelo outro.

Fazer alguma coisa por sua vida profissional e tentar alguma coisa que lhe causasse medo.

Ele suspirou. Pedrita se acomodou ao seu lado e apoiou a cabeça em sua perna. Ele acariciou aquela cabeça macia e se sentiu grato pela capacidade de perdão absoluto dos cães.

Anualmente, a Johnson & Johnson patrocinava um congresso gigantesco de medicina, ao qual ele comparecia sem falta desde os vinte anos, a não ser pela última edição, quando não quis sair de perto de Lauren. Ele poderia ir de novo; já andava inclusive pensando nisso, mais para respirar outros ares do que por qualquer outra coisa. Estava marcado para a semana seguinte, então seria possível atender ao pedido de Lauren para o mês. Mas a sensação não era a mesma das outras cartas... um sentimento de que ainda estavam em sincronia de alguma forma, de que ela era capaz de ler sua mente.

Quanto a "tente alguma coisa que te dê medo", ele não sabia ao certo o que aquilo significava. Já tinha dado palestras naquela conferência antes e, apesar de não ser fã de lugares lotados, não era fóbico nem nada do tipo. Só preferia ir embora quando a coisa ficava agitada ou ruidosa demais.

Seria isso o que Lauren tinha em mente?

Ele jamais saberia.

Alguns dias depois, Josh pegou o avião para San Francisco para o congresso. Ele deixou que o agora já familiar discurso do luto ocupasse seus pensamentos. *Da última vez que peguei um avião, Lauren estava...* Tinha postado no fórum a respeito, e era uma coisa bem comum; toda e qualquer experiência vinha acompanhada de uma recordação relacionada à perda. Durante cinco horas, ficou olhando pela janela, vendo os Estados Unidos passando lá embaixo.

Na chegada, pegou um carro até o hotel onde o congresso era realizado, fez seu registro, pegou o crachá e subiu para seu quarto, que era bem genérico e asseado, e no segundo andar, por requisição sua. Ele desfez a mala, passou a camisa e analisou a programação do congresso, marcando as apresentações e os palestrantes que queria ver. Josh sabia quem eram algumas daquelas pessoas. Da mesma forma, havia muita gente que o conhecia de nome, porque ele tinha uma reputação digna de nota para alguém de trinta anos. Quando viu que não poderia ficar enrolando por mais tempo, escovou os dentes e desceu para as salas de conferência e exibições.

Para sua surpresa, aquilo lhe proporcionou um alívio. Um monte de gente que não conhecia e que só queria conversar sobre trabalho, sobre as novidades no mercado, sobre as novas tendências de design, tecnologias inovadoras.

Durante dois dias, ele se viu imerso na área de atuação que adorava, a única em que já quis trabalhar. Compareceu ao almoço do palestrante principal, um inventor bilionário que defendia acesso à saúde em escala global e ampla preparação para eventuais pandemias. Nos workshops, foi recebido com respeito e reconhecimento. Duas vezes, viu seu projeto de leito para monitoramento neonatal nas apresentações, o que lhe proporcionou um discreto orgulho.

A Chiron Medical Enterprises, a empresa de Singapura que o contratou para projetar um bisturi inteligente para cirurgias de coluna, era uma das patrocinadoras do evento. Josh havia mandado o design final e as especificações do protótipo no mês anterior. Alex Lang, o CEO, e Naomi Finn, a COO, o encontraram entre os presentes e o convidaram para jantar. Ele aceitou.

Os três se encontraram no saguão e pegaram um carro até um restaurante luxuosíssimo perto da Bay Bridge, aquele cartão-postal menos badalado de San Francisco. Alex e Naomi o bajularam, falaram de trabalho, contaram histórias divertidas e em geral o elogiaram muito.

E, conforme esperado, ao final da segunda garrafa de vinho, veio a proposta. "Josh, nós adoraríamos tê-lo trabalhando para a companhia em regime de exclusividade", Alex falou. "Você poderia se mudar para Singapura ou continuar em Rhode Island. E, vou abrir o jogo aqui, nós aceitaríamos o salário e o pacote de benefícios que você propuser. Queremos você chefiando a equipe de projetos e estamos dispostos a fazer o que for preciso para isso acontecer."

"Eu fico lisonjeado", ele respondeu.

"Você já foi a Singapura?", Naomi perguntou. "É incrível. De verdade. Já morei em sete grandes cidades, inclusive Sydney e Paris, e Singapura é a mais bonita de todas."

Ele assentiu, lembrou de sorrir e, por alguns minutos, se permitiu imaginar que era o tipo de cara capaz de viver do outro lado planeta, que entraria cheio de entusiasmo em um escritório com paredes de vidro, com dois assistentes administrativos sob seu comando e um grupo de engenheiros para fazer a parte braçal de seu trabalho.

"Faça uma viagem até lá, por nossa conta", Alex sugeriu. "Conheça o lugar. Leve a sua... puxa, não sei nem se você é casado."

Aquilo o atingiu como um taco de beisebol na cabeça.

*Responda*, ele disse a si mesmo.

A pausa já estava se estendendo por tempo demais.

"Não sou", ele respondeu.

"Essa aliança é só para manter as interessadas à distância, então?", Naomi perguntou.

Eles não sabiam. *Não sabiam*. E, se contasse agora, veria a expressão deles passar do interesse para a pena, ou o choque, ou a compaixão. "É um lance cultural."

"Um dos grandes atrativos de Singapura é a multiculturalidade", Alex disse, e Joshua sentiu que havia escapado da parte potencialmente constrangedora da conversa enquanto os dois listavam os benefícios da cidade--Estado.

Quando a conferência terminou na tarde seguinte, Josh se sentia exausto depois de tanta interação com outras pessoas. Mas também ainda não queria voltar para casa. A ideia de estar em Providence naquele momento, no fim de outubro, quando as folhas já tinham caído sob chuvas pesadas e vendavais que deixavam a cidade cinzenta e escura... Ele decidiu fazer algo mais espontâneo e ficar por lá mesmo.

Cookie Goldberg, sua assistente virtual, remarcou seu voo e reservou o quarto de hotel por mais dois dias. Josh mandou mensagens para Jen, Donna e sua mãe. Jen respondeu dizendo que poderia ficar com Pedrita para sempre, pelo tanto que Sebastian era apaixonado por ela. Ela mandou uma foto do menino, que parecia adormecido, com Pedrita cochilando ao seu lado, a cabeça apoiada no travesseiro. Uma graça.

A não ser por outro congresso uns anos atrás, quando não pôs os pés para fora do hotel, ele nunca tinha ido a San Francisco, pelo menos não de verdade. Um pouco de turismo ajudaria a matar o tempo. Lauren havia ido para lá? Ele achava que não.

Nada de lembranças, então. Por um tempo, ele podia ser só um cara que não era casado nem viúvo. Podia ser uma pessoa normal.

A cidade era agradável, bonita e extremamente gentrificada. Muita gente sem-teto no meio de prédios com apartamentos brilhando de novos para quem tinha dinheiro para pagar. Ele pensou em projetar uma espécie de abrigo portátil que pudesse ser dobrado e movido de lugar, mas dez segundos de pesquisa no Google bastaram para ver que aquilo já tinha sido feito por inúmeros arquitetos. Ele foi conhecer Japantown e Haight-Ashbury. Comprou presentes para a família. Em Upper Filmore, ficou meia hora olhando a vitrine de uma loja de aquarismo com tanques belíssimos, cheios de plantas e peixes exóticos, e comprou um para ser entregue na casa de Jen e Darius como um presente de Natal para Sebastian.

Quando seu estômago roncou, almoçou no balcão de um restaurantezinho italiano e viu os Red Sox perderem para os Yankees. Se imaginou vivendo em várias casas em estilo vitoriano, bem diferentes do loft deles — ou melhor, dele. As pessoas que moravam ali seriam felizes, estando em um lugar tão bonito? Haveria alguém viúvo, chorando até desabar no chão?

Ele andou por um bom tempo, absorvendo a luz do sol, admirando os jardins e os cães — parecia que em San Francisco todo mundo tinha cachorro. Pedrita, com seu temperamento amigável, se daria muito bem ali. Ele se viu diante do letreiro da Ghirardelli e entrou na fila para comprar um sorvete de casquinha, que valeu a espera.

"Por favor", disse uma jovem de uns vinte ou no máximo vinte e cinco anos. "Você sabe como eu faço para chegar na Golden Gate?" Ela estava de mochila nas costas e tinha cabelos ruivos bem bonitos. Mas os olhos eram verdes, não da cor de uísque como os de Lauren. Com uma lente de contato colorida e um corte de cabelo diferente, as duas poderiam passar tranquilamente por irmãs.

"Desculpa, eu não sei", ele falou depois de um longo silêncio.

"Tudo bem, então! Tenha um bom dia!" Ela seguiu em frente, com os olhos grudados na tela do celular, provavelmente mandando uma mensagem para uma amiga dizendo que acabou de falar com um cara todo esquisitão.

Depois de um minuto, ele a seguiu. Não tinha nenhum destino em mente, e ao ver a luz do sol acentuar as cores do cabelo dela, tão parecidos com os de Lauren... foi como seguir na direção de um farol. Para onde ela estava indo mesmo? Ah, sim. À ponte Golden Gate.

Ele nunca tinha visto a ponte de perto. Tinha medo de...

*Tente alguma coisa que te dê medo.* Ele tinha medo de altura.

Esquecendo completamente da garota, ele chamou um Lyft para ir até à ponte, sentindo um desejo repentino de chegar lá o quanto antes.

A Golden Gate era mais bonita e elegante pessoalmente do que em qualquer foto. O sol brilhava em um céu de um azul profundo, e a ponte parecia reluzir. Se estendia por uma distância que parecia impossível por cima da água, até o condado de Marin. Veleiros e embarcações de carga se espalhavam pela água, os pássaros voavam acima da ponte, abaixo e entre os cabos.

Era uma estrutura absurdamente alta. De verdade. Era *desnecessariamente* alta. Com certeza seria melhor deixar aquilo de lado, beber alguma coisa no Top of the Mark e riscar esse item da lista, certo? Não seria mais fácil? Ele poderia só... pois é, não, ele já estava lá.

Seu coração disparou só de pensar em atravessar a ponte. Ele estava com vertigens? Um pouco? Um monte de gente caía daquela ponte, não? Não. Ninguém nunca caiu. Só... pulou.

Merda.

Sentindo o suor escorrer, ele começou a andar. Depressa. Estava com suas botas de trilha nos pés — a última vez que tinha usado foi com Lauren, quando eles viajaram até o Parque Nacional Acadia, no outono do ano anterior, mas Josh não conseguia pensar nisso agora. Estava ocupado demais sentindo pânico.

*Só continua em frente*, ele disse a si mesmo. *Chega do outro lado e pega um Lyft de volta para o hotel.*

Ele foi andando o mais depressa que podia, olhando apenas em frente, se concentrando nas pessoas. Os carros deveriam ser proibidos de subir naquela coisa. Era uma *péssima* ideia. Carros eram pesados! Os cabos da ponte já tinham estourado ou isso só acontecia no cinema? Merda. E se acontecesse um terremoto?

Deus do céu. Ele olhou para a esquerda, para se certificar de que a cidade não estava desmoronando, e viu a água. Lá embaixo, bem distante. Olhar para baixo foi um grande erro. Seus joelhos cederam, e de repente ele estava de quatro no chão, ofegante.

"Está tudo bem aí?", alguém perguntou.

"Está", ele disse, sentindo sua voz soar alta demais.

"Está tendo um infarto?"

*Provavelmente.* "É só medo de altura."

Ele conseguiria levantar? Não parecia. Seu coração estava mais do que acelerado dentro do peito, e a camisa, encharcada de suor, apesar da temperatura fria e do vento.

Josh sentiu o tremor chegando, a terra começando a tremer... não, era só uma picape passando. Mas e o vento? A ponte estava balançando? Estava prestes a se partir, e toda aquela gente mergulharia para a morte, gritando, tentando se agarrar a alguma coisa enquanto todos os veículos desabavam na baía, com um ruído retumbante e...

"Um passo por vez", disse a voz. "Você consegue, amigo. Você é capaz." Um carinha hipster de barba ruiva estendeu a mão e o ajudou a levantar. "Respira fundo, tá?"

"Tá", Josh falou. Isso ele sabia fazer, afinal, depois de tanta terapia respiratória com Lauren.

Funcionou. Seu medo caiu de um nível de dez para cerca de oito e meio. O hipster sorriu para ele. "Que incrível você estar fazendo isso. Muito bem. Ele tem medo de altura", o carinha acrescentou para as pessoas ao redor. A maioria o ignorou, passando direto, olhando para o celular ou tirando fotos. Josh agradeceu por essa falta de interesse.

"Precisa de companhia?", o hipster ofereceu. "Eu estou indo encontrar uns amigos lá do outro lado."

"Hã..." Ele não tinha muita escolha, né? Estava em cima de uma maldita ponte. Empacado. Lauren se veria com ele depois dessa. Em sua imaginação, pelo menos. Talvez fizesse bem ter uma briga com ela.

"Meu nome é David", disse o hipster. "Sou do Arkansas, mas a cultura aqui é tão intensa, e eu vim visitar um amigo uns meses atrás, sabe? E foi tipo, cara, eu vou ficar. Sério mesmo. O Arkansas não tem como competir com isso aqui. Sem contar que a erva é legalizada, né? Mais um atrativo."

A caminhada ficou *mesmo* ligeiramente mais fácil com David, que não parava de falar nem para tomar fôlego. Ele também estava superando uns problemas, e se saindo bem, comendo direito, e empolgado por conhecer tanta gente enfrentando seus medos e seu passado e futuro e, tipo, não era uma loucura o mundo ser tão lindo mesmo com um monte de merda acontecendo?

Josh tentava não olhar para mais nada além do chão sob seus pés, embora sua visão periférica registrasse os cabos que mantinham a ponte de pé. Algum iria estourar? E acertá-lo na cabeça e o arremessar lá de cima, ou o atingiria bem no pescoço e o faria sangrar até a morte, tentando conter com as mãos um gêiser de sangue? Isso causaria uma reação em cadeia que faria os carros baterem nos pilares e a ponte cair na água, com as pessoas gritando...

"Nós já estamos na metade, cara", David falou. "Vamos parar um minutinho para você apreciar a vista."

Josh deteve o passo. Estava tremendo violentamente, mas seus joelhos não fraquejaram de novo. Ele manteve os olhos grudados no chão. Se não levantasse a cabeça, a tarefa poderia ser considerada cumprida? Poderia, sim. Já estava, aliás.

Mas Lauren iria querer que ele apreciasse a vista. Ela adorava novas experiências. Adorava lugares altos, aquela mulher ridícula. Nunca recuava diante de nada, pelo menos não que ele soubesse. Aquela vez em La Jolla, quando voou de asa-delta, ela parecia tão feliz, tão *viva*.

Bem devagar, desgrudou o olhar do chão e o ergueu menos de meio metro para a frente, viu o brilho da água e logo abaixou a cabeça de novo. Se corresse, quanto tempo demoraria para chegar do outro lado? Os ciclistas passavam voando pela ciclovia. O que tinha acontecido com a ideia de *andar* de bicicleta? Aliás, e se um carro saísse da pista e o matasse? E, se no meio de tanta gente, alguém tivesse uma pulsão homicida?

*Reage, bobão.*

A voz de Lauren soou com tanta clareza na sua mente... o jeito carinhoso como ela dizia aquilo, fazendo-o aceitar cada desafio. Ele se segurou no gradil e se obrigou a levantar a cabeça e manter os olhos abertos. Por um instante, a paisagem oscilou diante dele, e parecia que iria vomitar, ou desmaiar, ou cair, mas então sua visão entrou em foco.

Os prédios de San Francisco, brancos e nítidos contra o azul do céu. Alcatraz. Marin. Embarcações e pássaros. Ele se virou e viu a vastidão do oceano Pacífico.

Aquilo era... deslumbrante.

*Espero que você consiga ver isso também, querida.*

Respirar fundo uma vez não adiantou. Ele repetiu o gesto mais uma vez. E mais outra, mais devagar. *Relaxa e respira*, Josh costumava dizer para Lauren. *Relaxa e respira, devagar e com calma.* Se ela conseguia, ele também conseguiria. Afinal, ela estava à beira da morte. Ele estava só sendo cagão.

O azul era tão intenso contra a ponte ensolarada que o ar parecia reluzir. "É lindo", ele falou, com os joelhos ainda tremendo.

"Né?", David concordou.

"É."

"Se liga só, cara. A neblina está chegando." David apontou para um ponto atrás dele, para o contorno dos prédios de San Francisco, e lá estava a lendária nuvem branca descendo. Em questão de segundos, apagou a vista ao redor e engoliu a ponte. Josh não conseguia ver a água, nem a cidade, nem o céu.

"É melhor a gente ir nessa, cara. Está indo para Marin? Eu posso te acompanhar, se quiser."

"Não, não. Eu vou voltar para a cidade. Obrigado."

"Está tranquilo?"

"Bem tranquilo." Josh estendeu a mão. "Obrigado, David. Isso foi muito importante para mim."

"Foi um prazer... hã, como você chama?"

"Joshua."

"Foi um prazer, Joshua! Se cuida, cara!"

Algumas pessoas eram simplesmente legais, não dava para negar. Radley. Jen. Darius. Aquele cara.

A caminhada de volta foi mais fácil. Moleza, já que ele não conseguia ver a que altura estava. Josh foi andando entre os demais pedestres, se desviando dos que tiravam fotos. Droga. Ele deveria ter tirado uma foto para Lau...

Não. Ele não podia mais tirar foto nenhuma para ela.

Esse pensamento o teria deixado sem chão alguns meses antes. Dessa vez, só o fez deter o passo por alguns segundos.

Então ele sacou o celular do bolso e tirou uma foto da ponte, com as partes superiores desaparecendo em meio ao céu agora cinzento. Ele enviou o arquivo para sua mãe, para Jen, para Radley e para Ben. E, depois de alguns segundos de hesitação, adicionou Sarah à mensagem também. O que Lauren diria?

Josh seguiu andando sobre a Golden Gate na maior tranquilidade. Adeus, acrofobia.

Ele reagiu. Tinha feito algo de que tinha medo.

Sua mulher teria ficado muito orgulhosa.

# 24

## JOSHUA

*Nono mês*
NOVEMBRO

Em uma tarde fria e escura de novembro, Sarah apareceu com uma carta.

"Eu tenho um encontro, senão ficaria mais", ela gritou enquanto Pedrita resmungava, latia e abanava o rabo. "Tchau!"

"Divirta-se", ele disse, pegando o envelope.

Um encontro, então? Ela estava bem bonita, com o cabelo todo reluzente, batom na boca. Ele sabia que Sarah tinha encontros por aí — Lauren costumava contar sobre suas desventuras, e teve também o cara do esquema de pirâmide que apareceu no primeiro e desastroso jantar que Josh deu. Mas nunca havia conhecido um *namorado* dela para valer. Tinha visto Sarah poucos dias antes, quando ela e Radley foram a sua casa para ver um filme. Ela não havia comentado nada, então talvez fosse só mais um candidato a primeiro encontro fracassado.

Enfim. Ele tinha uma carta da esposa para ler.

Josh manteve sua tradição pré-leitura — banho, roupas limpas e meia taça de vinho. Em seguida pegou o envelope, que segurou com cuidado, observou a caligrafia dela, a curvatura gorda do *J*, a perna comprida do *a*.

*Joshua, nº 9.*

Contando aquela, haveria apenas mais algumas à sua espera. Depois disso, ela desapareceria de vez.

Nove *meses* desde a morte dela. Como ele tinha conseguido viver todo aquele tempo sem Lauren? Pareciam nove anos, nove décadas. Todas as memórias eram preciosas, mas... bom, a não ser pelo último dia. Esse poderia ficar bloqueado por toda a eternidade, se dependesse dele.

Ele queria pensar *nela*, na vida real. Queria ouvir sua voz, sentir seu cheiro, não só descrever tudo isso para si mesmo. Já tinha visto os vídeos que tinham feito um com o outro. Cada um deles. O do casamento, havia assistido uma centena de vezes. Sem contar as milhares de fotos no computador.

Josh parecia uma pessoa diferente naquelas imagens. Parecia tão... jovem. Mesmo nas fotos em que ela estava usando a cânula ou em que estava no hospital, ele parecia feliz, confiante e apaixonado. Exuberantemente apaixonado e com a certeza de que era correspondido na mesma medida.

Pelo menos isso ele tinha conseguido dar a ela. Todo seu amor, seu coração por inteiro. Havia experimentado aquela felicidade, aquele amor todo santo dia. E as cartas eram um lembrete disso.

Respirando fundo, ele abriu o envelope devagar, com reverência.

*Olá, querido!*

*Como você está? Eu queria saber a época do ano, para passar coisas mais legais para você fazer... sabe como é, se eu soubesse que é inverno, poderia sugerir: "Faça um boneco de neve com umas crianças que nunca viu antes!". (Mas você poderia ser preso por suspeita de pedofilia, então talvez não exatamente isso.) Ou, se soubesse que era maio, poderia escrever: "Plante uma horta!". (Melhor ainda! Faça isso quando maio chegar!)*

*A "tarefa" do mês passado foi uma porcaria, e eu peço desculpas por isso. Estava tentando ser abrangente, e queria que você fizesse alguma coisa pela sua carreira. Pareceu o tipo de conselho que você encontraria em um biscoito da sorte. "Tente alguma coisa que te dê medo." Que vergonha, Lauren! (Mas, se você fez isso, estou MUITO ORGULHOSA!)*

*Então este mês vai ser melhor. Mas também vai ser pior. Só que melhor. Está pronto? Sim? Ótimo.*

*Beijar uma mulher. Não uma bitoquinha no rosto de Jen ou da minha mãe... beijar uma mulher com quem você não tem nenhuma relação familiar por parentesco ou casamento.*

Josh sentiu seu estômago se revirar de repente.

*Você consegue. Não precisa se encontrar com ela nunca mais na vida se não quiser, mas acho que está na hora. Faz nove meses. Já é tempo de eu não ser mais a última mulher que você beijou. A sua boca cria teia de aranha se você não usa. Todo mundo sabe disso. E vai ficar ainda mais esquisito se continuar adiando (presumindo que você não tenha dormido com metade da Costa Leste nesse meio-tempo). E, depois de um ano, pode se tornar uma coisa com um peso muito grande. Você entende o que eu quero dizer?*

Ele não entendia. Em nenhum momento havia pensado em beijar outra mulher desde a morte dela. E *com certeza* queria que ela fosse a última mulher que beijou. Para sempre. Pela vida inteira.

*Eu sei o que você está pensando... que estaria me traindo se beijasse outra pessoa. Mas não vai ser, porque você vai fazer o que eu pedi. Eu sou uma árvore agora, e você precisa começar a pensar no seu futuro, que, a não ser dessa forma, eu não faço parte. Essa é a verdade dos fatos, querido.*

*Eu sinto muito. Não é o que eu teria escolhido, mas, por outro lado, Josh, nós fomos tão felizes. Se a minha FPI ajudou a trazer à tona o que tínhamos... esse amor lindo e intenso... então talvez eu tivesse escolhido, sim.*

*Mas isso fica para outra carta. Enquanto escrevo esta, quero que saiba que estou feliz. Estamos na sala de estar na casa da sua mãe em um domingo de manhã, e ela está fazendo um rocambole de canela que está com um cheiro divino.*

*Eu amo a nossa vida. Acho que amo ainda mais por causa da FPI, porque, sim, todo dia é uma bênção (desculpa se estou sendo piegas). Eu saberia apreciar de fato tudo isso, do cheiro de canela à visão de você no chuveiro? Não sei. Gosto de pensar que sim, mas realmente não sei. O que eu sei MESMO é que amo você mais do que imaginava possível. Você acabou de me trazer uma caneca de chá de hortelã e de me dar um beijo, o que nos traz de volta ao assunto...*

*Lembra que tem uma música (provavelmente não), mas tem uma música com um verso que diz: "A kiss is just a kiss". Então, é só um beijo, não precisa ser um beijo maravilhoso nem uma coisa significativa. É só por beijar mesmo. Você pode até gostar, e isso seria fantástico, na minha opinião. Você beija muito bem, e esse talento não pode morrer comigo. Certo? Certo.*

*Mas, querido, nossa vida juntos terminou. Quero que você comece uma vida nova. Espero de todo coração que essas cartas estejam ajudando. Quem pode saber? Sua segunda mulher pode estar queimando todas elas na pia. Mas eu acho que não.*

*Eu amo você, querido. Quero que seja feliz, tão feliz quanto você me fazia.*

*Lauren*

Ele virou todo o vinho e serviu mais um pouco. E bebeu de um gole outra vez. Olhou para Pedrita. "Ela quer que eu beije outra pessoa. Uma mulher. Você não conta, desculpa." Ele passou as mãos pelos cabelos e começou a puxá-los.

Josh sabia como a mente dela funcionava e, na cabeça de Lauren, aquilo fazia todo o sentido. Um bom beijo para virar a página. O suficiente para — talvez — despertar algum sentimento, mesmo que fosse só luxúria.

Ele sentia falta de beijar. E como sentia. E também do sexo e dos abraços e do contato físico, e de rir com a boca colada aos cabelos dela, e da maciez da pele, e dos seios e das pernas e dos pés e do pescoço. Sentia falta de beijar cada pedacinho dela. "Não tem nada que me deixa com mais tesão do que uma maratona de beijos", ela costumava dizer, ofegante, com o rosto e o pescoço vermelhos, corada de amor.

Ele ligou para Radley. "Está livre para beber alguma coisa?", perguntou.

"Estou, sim! Onde?"

Uma hora depois, ele e Radley estavam no Eddy, o tipo de bar que servia coquetéis com clara de ovo e alecrim queimado e cubos de gelo com infusão de folhas de eucalipto, o que Josh sabia porque estava bebendo um naquele exato momento. Para tomar coragem e tudo o mais. Agora ele entendia por que Lauren e suas amigas adoravam drinques.

Radley, que tinha escolhido uma bebida bem mais masculina — bourbon Cooper's Craft, com gelo — achou a maior graça na tarefa da carta. "Nossa! Eu adoraria ter conhecido essa mulher! Ela parecia ser um anjo com um senso de humor sacana."

"Essa é uma descrição perfeita."

"E o que está achando disso?"

Josh deu uma encarada nele. "Por favor, sem terapia hoje à noite."

Radley caiu na risada. "Certo. Então por que estou aqui, além do fato de fazer você parecer mais descolado?"

"Você conhece alguém que me beijaria?"

"Eu te beijaria. Aqui e agora."

Josh deu risada. "É muita gentileza sua."

"Uma mulher, é?" Ele começou a batucar com o anel de metal preto que usava no dedo contra o copo. "Você gostou desse anel, aliás? Acho que é meio demais."

"Eu gostei."

"Certo, beleza. Você está ótimo, aliás, mas não precisa pôr a camisa assim tão para dentro da calça, para não ficar parecendo o meu bisavô." Ele estendeu o braço, puxou o lado esquerdo da camisa de Josh para ficar mais solto e deu um gole no uísque. "Só mais cinco meses de Banana Republic, e então vou ser um terapeuta certificado. Mal posso esperar. Vou ter um diploma e poder ganhar a vida ajudando as pessoas a resolver os problemas delas." Ele sorriu, e Josh também.

"Que maravilha, Radley." *Estou orgulhoso de você*, sentiu vontade de dizer, mas quem era ele para sentir orgulho? Não tinha nenhuma participação em nada daquilo. "Hã, é bem impressionante. Trabalhar e estudar ao mesmo tempo... é pesado." Ele fez uma pausa. "E, além disso, você é um ótimo amigo."

"É verdade", Radley murmurou. "Você pode me dar uma festa no seu apartamento incrível quando eu me formar?"

"Claro. Até faço a comida."

Radley sorriu. "Obrigado! Certo, voltando ao beijo. Eu conheço alguém, sim. Ela é muito legal, vem lá daquela área de Worcester, sabe? Tem um estilo meio gângster, meio *roller derby*... tatuagem, piercing, roupa de couro, o de sempre. Mas superbonita. Bem bonita *mesmo*. E uma ótima pessoa. Muito divertida."

"Qual é o nome dela?"

"Cammie. Quer que eu mande uma mensagem agora mesmo?"

Josh sentiu o suor brotar na sua testa. "Não, não. Hã... não. Eu preciso pensar mais um pouco."

"Deixa disso. Não tem hora melhor que o agora." Josh fez uma careta, mas não disse nada quando os polegares de Radley começaram a se mover em alta velocidade sobre a tela do celular. Ele ia narrando enquanto escrevia: "Oi, Cams, tenho um amigo com quem você ia adorar sair, sabe? Ele é uma graça, mas vai estar meio nervoso. Ficou fora do mercado por um tempo. Te amo, amiga!" Radley olhou para Josh. "Pronto."

"Estou até passando mal."

"Isso é um bom sinal!"

Segundos depois, o celular de Radley apitou. A expressão dele se acendeu. "Ela disse que topa e me pediu seu contato." Radley olhou para Josh, e passou o contato dele com mais alguns movimentos com o polegar. "Vamos pedir alguma coisa para comer? Estou morrendo de fome."


Cammie era mesmo muito, muito bonita. Inclusive, a boca de Josh ficou seca na hora quando ela entrou no mesmo bar quatro dias depois. Puta merda. Estava usando um vestido branco justo com um decote profundo na frente, sapatos vermelhos de salto alto e uma jaqueta de couro na mesma cor. Todos os olhares se voltaram para ela. Cabelo escuro e longo, cílios bem compridos, mas que pareciam naturais, batom vermelho. Tatuagem de arame farpado em torno do pulso e, de alguma forma, tudo isso formava um conjunto harmônico.

Ela era *incrivelmente* gostosa. Enfim. Objetivamente falando.

"Josh, certo? Como é que você tá?"

Ele fechou a boca e ficou de pé. "Oi, Cammie. Hã..." Seu cérebro não estava funcionando direito. "Legal... legal te conhecer. Hã... Cammie é um apelido de algum outro nome?" O que ele disse fez algum sentido? Ele achava que não.

"É de Cameron", ela respondeu. "Minha mãe era viciada naquelas séries com garotas com nome de menino. *Barrados no baile*, *Gilmore Girls*, essas coisas que todo mundo conhece." Ele não conhecia, mas assentiu mesmo assim. "E Josh, é um apelido de outro nome?"

Ele ficou hesitante. "Joshua."

"Ah, é mesmo." Ela estendeu a mão para ele... beijar, ao que parecia. Ele a pegou e a apertou com um gesto desajeitado, como se fosse a pata de Pedrita. "Prazer, Joshua", ela disse. "Fiquei animada quando o Radley me mandou aquela mensagem." Ela sentou, e Josh fez o mesmo. "Ele é ótimo, né?"

"É demais." Ele engoliu em seco.

"Como vocês se conheceram?"

"Ele... ele me ajudou na Banana Republic e nós... bom, nós ficamos amigos." Ele preferiu não contar sobre a parte do choro.

O garçom apareceu, com os olhos colados no decote de Cammie, que, para ser justo, era bem revelador. E *realmente* pareceria desperdício esconder aqueles seios. "Bem-vindos ao Eddy. O que vão querer?"

"Grey Goose com gelo e limão espremido", ela falou.

"Uma mulher que sabe o que quer", o garçom murmurou para o decote dela. E ainda levou mais um tempo para se virar para Josh. "E o senhor?"

"Ah, eu vou querer, hã..." Josh ficou olhando o menu. "Um Double Dutch de maçã?"

O garçom inevitavelmente revirou os olhos. Aquele era um dos drinques *mais* afrescalhados do menu. "E querem comer alguma coisa?"

"Uma tábua de frios, querido. Com um pouco de carne, um pouco de queijo, você escolhe pra gente", Cammie respondeu, e Josh gostou do fato de ela ser mandona e simpática ao mesmo tempo. O garçom se afastou, deixando-os a sós.

Ela sorriu. Uau. Seria possível que ele estivesse se sentindo atraído por ela? Realmente era muito bonita. Alta, cheia de curvas, pernas lindas, confiante. E também parecia legal. Não havia nada para desgostar até ali.

"Então, Josh, me conta um pouco mais sobre você, querido. Radley disse que você é um cara legal."

"Eu sou engenheiro médico." *Que coisa mais tediosa de se dizer*, ele quase conseguia ouvir a voz de Lauren falando.

"E o que isso quer dizer?"

"Eu projeto dispositivos médico-hospitalares." *Mais coisas tediosas.*

"Tipo o quê? Tipo... sei lá. Estetoscópios?"

"Bom, isso já foi inventado, mas sim." Ele mencionou alguns dos dispositivos mais fáceis de descrever — a agulha que detectava o fluxo sanguíneo, a cadeira para pessoas com mobilidade reduzida.

"Ah, que massa!", ela falou, batendo as mãos uma na outra. "Tipo, que incrível, Josh. Você deve ser superinteligente. Eu tenho um tio chamado Lou. Ele usa uma das suas cadeiras. Meu Deus do céu, aquele homem não sabe se cuidar mesmo. É diabético, mas parou de beber coca-cola todo dia e comer porcaria? Não. De jeito nenhum."

As bebidas e a comida chegaram, e o garçom sorriu de novo para o decote de Cammie. Josh deu um gole em seu coquetel, que era mesmo delicioso.

Cammie deu uma mordida delicada em um pedaço de queijo. "Então, me conta, Josh, por que um cara bonitão como você precisa de... como eu posso dizer... de uma ajudinha para essas coisas?"

Era chegada a hora. Ainda era uma coisa difícil de dizer. "Minha mulher... ela morreu no inverno passado."

"*Puta merda.* Sinto muito, querido."

"Pois é. Obrigado." Ele deu um bom gole no drinque, apreciando o calor e a leveza que o álcool espalhou pelo seu corpo. Fosse ou não um drinque de mulher, estava dando conta do recado.

*Ânimo, Josh. Reage, bobão.*

Cammie se inclinou para a frente e deixou a mão sobre a sua. Os olhos dela eram inacreditavelmente azuis. De um azul cintilante. As pessoas ainda usavam lentes de contatos coloridas ou ela simplesmente tinha sido agraciada com olhos azul-turquesa de verdade? "Então você anda se sentindo sozinho", ela comentou.

Uma frase tão simples. Mas mesmo assim fez sua garganta se fechar. *Não vai chorar agora, bobão.* Mais um gole do drinque de maçã. Ele assentiu, e então encolheu os ombros, tentando sorrir.

"Ah, querido, coitadinho de você. Claro que você precisa de uma ajuda, então. Para voltar a sair com outras pessoas. Radley fez a coisa certa ao escrever para mim."

Sua bebida tinha acabado, assim como a dela. E sua cabeça parecia um pouco desconectada do corpo, mas, quando ela pediu mais uma rodada para o garçom, ele não protestou. "De onde você é?", Josh perguntou.

"Worcester." Na pronúncia dela, "Wistah", e não "Wooster", como para todo o restante da Nova Inglaterra, o que assinalava alguém nascido e criado lá. O garçom trouxe a segunda rodada e mais comida. O drinque de Josh parecia ainda melhor agora.

"Então, o que você faz, Cammie?", ele quis saber.

"Um pouco de tudo, para ser sincera", ela respondeu. "Trabalho meio período como cabeleireira."

"Seu cabelo é mesmo *bem* bonito", ele comentou. "Muito brilhante." Aquilo era uma coisa idiota para dizer? Provavelmente.

Ela sorriu. "Obrigada!" Talvez não, então. Ela pegou mais um pedaço de queijo e mordiscou com seus dentes perfeitos. De alguma forma, ela não sujou o queijo de batom, nem a taça com a bebida, aliás. Mulheres e sua magia. Seu cheiro gostoso e seus cremes e seus produtos de cabelo.

Ele gostava de mulheres.

Josh percebeu que estava meio bêbado. O que não era necessariamente ruim naquele caso, em termos de socialização, e como tinha ido a pé a questão de dirigir não seria um problema. "Qual seria o seu emprego dos sonhos?", ele perguntou, surpreendendo até a si mesmo. *Obrigado, álcool!*

"Ai, meu Deus, não acredito que você me perguntou isso. É uma ótima pergunta! A maioria dos homens só quer saber de... enfim. Você sabe." Ela se ajeitou melhor na cadeira. "Eu *adoraria* ter o meu próprio negócio. Um salão de beleza, mas que também seria um bar e serviria uns coquetéis, sabe? Mas veja bem. Só para mulheres."

Josh se recostou na cadeira para ouvir melhor (e para não correr o risco de cambalear).

"A pessoa ia entrar, sabe, e fazer as unhas e o cabelo" — Cammie começou a gesticular amplamente — "e teria um balcão de maquiagem, sabe tipo o da Sephora? Só que não aquela coisa bagunçada. Tudo arrumadinho. E você ia lá se produzir pagando só uma taxinha depois de fazer as unhas ou o cabelo, com a ajuda de uma consultora ou não. A escolha é sua. E depois — e esse é o toque de gênio da coisa — pode ir até os fundos, ou talvez na frente mesmo, e tem um bar com coquetéis bacanas e um bartender gatinho!"

"Incrível!", Josh exclamou.

"Né? Então você pode conversar com as suas amigas, conhecer pessoas novas, talvez, e ficar lá curtindo, numa boa." Ela se recostou na cadeira, satisfeita com a apresentação. "Acho que o nome ia ser Shine, porque, bom, é um lugar onde as suas unhas, o seu cabelo *e* a sua personalidade podem brilhar."

"Uma grande ideia", ele falou, com toda a sinceridade. "Eu iria lá. Quer dizer, se fosse mulher."

"Eu sei! Me diz a verdade! A sua mulher teria adorado um lugar como esse, não?"

"Com certeza absoluta. E as amigas dela também."

"Está vendo? Eu só preciso economizar mais algum dinheiro para fazer acontecer. É preciso pensar grande, como minha mãe diz. Então, enquanto isso, faço uma coisinha aqui, outra ali. Estou juntando o dinheiro." Ela abriu um sorrisão.

Ele gostou dela. Bastante.

Eles sorriram e beberam e conversaram e, apesar de o chão estar começando a balançar, Josh na verdade estava se divertindo.

"Me conta mais sobre a sua mulher", ela pediu, e foi isso que ele fez. Contou sobre o quanto foram felizes, sobre as coisas divertidas que faziam, sobre os lugares que visitaram, e mencionou inclusive que, até no auge da doença, Lauren nunca deixou de ser uma pessoa positiva, bondosa e perfeita.

Cammie estava com lágrimas nos olhos. "Eu bem que queria conhecer alguém como você algum dia, Josh", ela falou, o que era estranho, porque eles estavam ali para isso, não?

"Ela deixou umas cartas, para eu ler uma por mês depois de sua morte", ele contou, mais uma vez surpreendendo a si mesmo. "Queria me guiar durante o meu primeiro ano sem ela."

"Ai, meu Deus." O queixo de Cammie começou a tremer, e ela pegou um guardanapo da mesa e passou cuidadosamente sob os cílios. "Que lindo."

"Eu também achei."

"Seu anjo da guarda."

Ele detestava esse termo, mas... "Exatamente. E todo mês ela me passa uma coisa para fazer, para eu não ficar só fechado no apartamento, perdido na vida."

"Sério mesmo? Que tipo de coisa?"

"Bom, a primeira foi só uma ida ao supermercado. Depois, aquelas coisas, sabe, convidar umas pessoas para jantar. Comprar um sofá novo. Consultar uma, hã... uma médium."

"Ai, meu Deus! E como é que foi? Foi uma experiência impressionante? Porque eu acredito cem por cento."

"Foi totalmente incrível", ele admitiu.

"Eu tenho uma prima que tem uns flashes desses, sabe? Totalmente aleatórios, mas o tipo de coisa que deixa a gente de boca aberta. Teve uma vez, sabe, que ela falou que a minha avó tinha feito meu vestido da primeira comunhão. Tipo: 'A vovó está me mostrando o vestido que fez para a sua primeira comunhão'. E eu fiquei, tipo: 'Ai, meu Deus, eu amo esse vestido'." Ela abriu um sorriso afetuoso ao se lembrar. "Tinha até bolsos. Aí minha mãe disse que minha prima sabia disso porque a vovó fez o vestido de primeira comunhão de *todas* as netas, mas mesmo assim, né? Ela sabia até dos bolsos."

"Pois é", Josh falou, sem saber ao certo se era a resposta apropriada. "Aquela senhorinha foi bastante... detalhista."

"É um tremendo dom. Que Deus abençoe essa mulher." Ela fez o sinal da cruz, e Josh acompanhou a mão dela enquanto subia para os cabelos reluzentes, e depois para aquela beleza de decote, e então ia para a esquerda e para a direita e... ei! Seus olhos estavam ficando um pouco rebeldes, não? Meio atrevidos, esses olhos.

A segunda rodada de bebidas tinha terminado, o bar inteiro estava girando um pouco e Josh decidiu contar para ela. "E, para este mês, a minha mulher queria que eu beijasse outra pessoa. Uma mulher."

Ele provavelmente não precisava ter acrescentado essa última parte.

"Jura? Foi isso que ela te pediu?"

"Foi."

Os olhos faiscantes de Cammie ficaram marejados de novo. "Acho isso tão... generoso. Porra, é muito romântico."

"Eu também", Josh respondeu, apesar de não saber ao certo se era a resposta apropriada, já que não lembrava exatamente qual tinha sido a última frase dita por Cammie. Era melhor parar com as bebidas.

"Eu geralmente não beijo os meus clientes, mas vou abrir uma exceção para você."

"Obrigado." Ele sorriu. Um instante depois, a ficha caiu. "Espera aí. O que... o que você acabou de dizer?"

"Vou abrir uma exceção para você, querido. Porra, com certeza."

"Você me chamou de..." Qual era a palavra mesmo? "Cliente?"

"Claro." Ela deu de ombros. "Mas não vejo por que não podemos virar amigos também."

Tão simpática! "É verdade." Do que eles estavam falando mesmo? "Hã... então, essa parte de ser o cliente."

Ela inclinou a cabeça, fazendo os cabelos caírem para um dos lados. "O que é que tem, querido?"

"Por que eu sou... seu cliente?"

Ela franziu a testa. "Ah. O Radley não contou?"

"Contou o quê?"

Ela revirou os olhos e sorriu. "Tá." Ela baixou o tom de voz. "Eu sou uma profissional."

"Eu sei. Você corta cabelos."

"Isso. E faço *outras coisas* profissionalmente também." Ela deu uma risadinha, um som bem agradável.

Mas o cérebro enevoado de Josh não conseguiu fazer a ligação entre as coisas...

"Eu faço parte da profissão mais antiga do mundo", Cammie explicou, claramente se divertindo com aquilo.

As dicas não estavam ajudando muito. Ele não estava entendendo, e desconfiava que talvez fosse melhor não entender.

Ela se inclinou para a frente. "Eu trabalho com sexo", ela murmurou.

"Ah." Josh falou. Um segundo depois, lembrou de fechar a boca. "Radley... O Radley sabe disso?"

"Claro! Foi por isso que ele me escreveu, Josh."

"Ah." Ele esfregou as mãos no rosto. "Pensei que isso fosse um... um encontro."

"Mas é, querido. A única diferença é que no final você vai ter que me pagar."

"Ah." Ele estava dizendo muito isso.

"Eu não tenho chefe pegando no meu pé e ganho um bom dinheiro", ela explicou. "Em mais um ano, já vou ter juntando uns cem mil para abrir o Shine."

"Uau. Isso é... uau."

"E eu gosto desse trabalho", ela acrescentou, dando uma piscadinha. "Você tem alguma coisa contra as mulheres que ganham a vida assim?"

"Isso não é ilegal? Tipo, você não está infringindo a lei neste exato momento?"

"Não é cem por cento legalizado. Mas eu pago meus impostos. Declaro no imposto de renda que sou consultora. O que, se você pensar bem, eu sou mesmo."

"Entendi." E *ele*, não estaria cometendo uma contravenção legal naquele exato momento?

"A conta, por favor", Cammie pediu, e o garçom se aproximou. Josh percebeu que estava piscando os olhos sem parar. Ele sacou a carteira e deixou uma bela gorjeta.

"A gente vai para a sua casa?", Cammie perguntou.

"Aí é que está", Josh começou.

"Vamos conversar lá fora", ela murmurou. "Para o caso de ter algum agente à paisana por perto."

Ele foi atrás dela, porque não sabia o que fazer. Um policial à paisana? Isso seria péssimo! Ele seria preso! Minha nossa, o que sua mãe iria pensar? Ela o mataria. Jen nunca mais o deixaria ver as crianças de novo, e...

Era uma noite fria, e o ar gelado ajudou a desanuviar seus pensamentos. Eles foram caminhando pelo beco, como qualquer outra prostituta com seu cliente. Mais ou menos na metade do caminho, Josh deteve o passo.

"Cammie, não sei como isso funciona, mas...", ele começou.

"Tudo bem, querido. Podemos fazer o que você quiser. Você só precisa me transferir três mil pelo Venmo."

Deus do céu. Era um bom dinheiro mesmo. Não que ele já tivesse feito sexo pago antes, mas aquela era uma cobrança de honorários bem salgada. *Vê se não perde o foco, idiota*, ele pensou consigo mesmo. "O que eu quis dizer é que não preciso saber como funciona, porque... eu não quero dormir com você." Ele sentiu seu rosto ficar vermelho, com medo de ter magoado os sentimentos dela. "Além disso, acho que eu posso estar cometendo algum tipo de contravenção legal aqui", ele complementou. "E isso é uma coisa que não costumo fazer."

"Ah. Um bom menino católico?"

"Luterano."

"A maioria dos meus clientes é de católicos. Afinal, estamos em *Rhode Island*."

"Pois é."

Cammie ficou pensativa por um instante. "Certo. Vamos fazer o seguinte. Você é uma graça. E está se sentindo muito solitário. Adorei a sua história e te achei bonitinho. Posso te beijar de graça. Mas, se quiser qualquer outra coisa, vai ter que pagar."

"Eu *não quero* mais nada. Não porque você não seja linda ou... ah, enfim. Você é muito meiga e gente boa. E linda. É que eu..." Ele engoliu em seco. "Eu ainda sou apaixonado pela minha mulher."

Essas palavras ganharam um peso gigantesco ali naquele beco.

"Ah, querido. Eu entendo. De verdade." Ela se encostou na parede de tijolos. "Eu mataria para ter alguém assim tão apaixonado por mim."

"Com certeza tem *um monte* de gente apaixonada por você", ele falou com toda a sinceridade.

Ela encolheu os ombros, com um sorriso. "É verdade. Eu só não encontrei a minha cara-metade, como dizem por aí. Enfim." Ela inclinou a cabeça. "Está pronto para o beijo?"

"Ah. Hã. Claro." Seu rosto ficou quente, e suas mãos estavam suadas.

"Você quer de língua?"

"Não, obrigado."

"Nossa. Como você é educado." Ela sorriu, se inclinou para a frente e o beijou, grudando bem os lábios nos seus. As mãos dele foram direto para a cintura dela. Os lábios de Cammie eram macios e firmes, e foi... bom. Muito bom. Adorável, na verdade. Ele não odiou. Só foi uma coisa... nova.

Ele se afastou. "Obrigado."

"Por nada. Eu é que agradeço, querido." Ela limpou o batom do canto da boca dele. "Nós podemos ser amigos, sabe."

"Eu adoraria."

Ela bagunçou seus cabelos. "Beleza. Eu tenho um outro encontro às dez, então se não estiver precisando mais de mim..."

"O que você fez já está ótimo. Obrigado."

"Beleza. Quer que eu chame um Uber para você? Eu vou pegar um."

"Eu vou andando mesmo. Se cuida, Cammie."

Ele começou a caminhar na direção do rio, mas então deu meia-volta. "Ei, Cammie."

"Oi?"

"Se quiser um investidor para a Shine, me avisa."

Ela cruzou os braços e abriu um sorriso afetuoso. "Ai, você... Você é a coisa mais fofa do mundo. Olha que eu vou cobrar, hein?"

Ele acenou com a mão e se virou de novo para ir embora. A caminhada ajudaria a clarear sua mente. Tinha tomado um coquetel e meio a mais do que deveria, ele pensou. Em seguida sacou o celular e apertou o nome de Radley.

"Oi, oi!", Radley atendeu.

"Cammie é uma profissional", ele disse.

"Eu sei. E como foi?"

"Você marcou um programa para mim com uma prostituta."

"Pensei que tivesse deixado isso bem claro."

"Não deixou, não."

"Ops. Hã... você está muito bravo?"

"Não", ele respondeu. "Ela é ótima. Muito espontânea."

"E rolou..."

"Um beijo? Sim. E mais nada."

"Entendi. Vamos tentar ser mais claros um com o outro daqui para a frente, certo?", Radley falou.

"Mas fui eu que..."

"Eu tenho um encontro daqui a pouco. Preciso desligar. Tchau!"

Todo mundo tinha um encontro naquela noite, ao que parecia. Jen havia perguntado se ele podia cuidar das crianças para sair com Darius (sua mãe agarrou a oportunidade quando Josh falou que estaria ocupado). Sarah tinha mencionado que ia a um bastante raro segundo encontro. E agora Radley. E Cammie, apesar de no caso dela ser um compromisso profissional.

Bom, ele teve um encontro também. Ou quase isso.

Cammie não era seu tipo, obviamente. Seu tipo era Lauren. Ele só tinha se apaixonado uma vez. E poderia nunca acontecer de novo.

Mas havia beijado uma mulher naquela noite, e foi bom. Não ficou tomado de tristeza nem ansiando por mais. Acima de tudo, estava contente por ter acabado logo com aquilo.

Lauren estava certa. Era melhor tirar isso do caminho e seguir em frente. "*Você* sabia que ela era uma trabalhadora sexual?", ele perguntou em voz alta para ela.

Josh apostava que ela estava rindo em algum lugar do Além.

Ou torcia por isso. Ela tinha a risada mais gostosa do mundo.

# 25

## LAUREN

*Trinta e cinco meses restantes*
MARÇO

Papai,

*Eu estou muitíssimo bem-casada. E adorando cada segundo. O casamento é o máximo, e nem acredito no quanto somos felizes. Tudo aconteceu há cinco semanas, e cada dia é como um sonho que virou realidade.*

*Nosso casamento... nossa, pai, quer saber como foi a cerimônia e a festa? Ah, quer? Legal! Sei que você estava lá em espírito, mas essa é a minha comunicação oficial para você, presumindo que possa ler aí do Além.*

*Todos os sinais apontavam para um fiasco. Primeiro, peguei uma tosse de um dos catarrentinhos do Hope Center, porque estou fazendo um trabalho voluntário de leitura e projetos de arte por lá. Enfim, fiquei um mês tossindo. Depois, segundo consta, perdi três quilos (tossir queima muitas calorias) e precisei mandar ajustar meu vestido. Então caiu uma tremenda tempestade dois dias antes do casamento, e a previsão era de mau tempo em Rhode Island para o fim de semana inteiro, e talvez neve ou chuva, ou as duas coisas. Esse é o lado ruim de decidir casar no Dia dos Namorados.*

*A tempestade se desviou para o mar. Obrigada por isso, pai! E a minha tosse pareceu sumir do nada. Você é um ótimo anjo da guarda.*

*Então... eu fui para a igreja mais cedo para o ensaio na noite anterior. Estava muito frio, mas também tinha aquele cheiro bom de igreja, sabe? Velas e incenso, lustra-móveis e boas intenções.*

*Eu fiquei lá esperando por uns bons minutos e pensei em você, papai. Faz* seis anos que você se foi, e não consigo acreditar que tanta coisa já aconteceu comigo sem você. Principalmente isso. Você iria adorar o Josh. Ia fingir que não no começo, mas depois ia gostar dele como um filho. Ele não me pediria em casamento sem ter sua permissão antes, e você daria um sermão nele, dizendo o quanto eu sou especial, e depois o abraçaria e tentaria não chorar.

E, no casamento, você me levaria até o altar. Tentaria sorrir e daria um tapinha na minha mão, com lágrimas nos olhos. Teria me chamado de sua garotinha e me dito como eu estava linda. Teria apertado a mão de Josh e falado para ele cuidar bem de mim.

Então, enquanto estava lá na igreja, sozinha, fingi para mim mesma que você estava lá também, e que estávamos de braços dados, e caminhei até o altar como se estivesse ao seu lado, e chorei até não poder mais.

Como eu poderia estar casando sem a sua presença? Por que você não pôde viver mais tempo, pai?

Você foi o melhor pai de todos. O melhor.

Por um instante, pensei que fosse ficar um trapo no meu próprio casamento, melancólica e chorona, como a mamãe. Mas acho que consegui dar a volta por cima e, quando Josh chegou, ele percebeu que eu estava chorando e falou que você estaria orgulhoso de mim. E me contou que foi até o cemitério e prometeu para você que cuidaria bem de mim e faria com que eu me sentisse amada o tempo todo.

Está vendo, papai? Eu escolhi um campeão. Sei que você o adora, pai. Sei que tenho sua aprovação.

Tá, voltando à parte feliz. No dia do casamento, eu estava MUITO feliz. Me sentia flutuando, pai! E também estava maravilhosa, se me permite dizer. Darius me levou até o altar. (A mamãe recusou o convite quando pedi para ela. Pois é.) Mas Darius é o melhor cunhado do mundo, e Jen tem muita sorte também. Sebastian foi o pajem, e estava a coisa MAIS LINDA!

Meu vestido era tão bonito... Tentei escolher um modelo que a minha filha fosse querer usar algum dia, e não uma coisa que a faria cair na risada. (Nós queremos ter pelo menos duas filhas, como você e a mãe, porque o que seria de mim sem Jen?) Então eu estava fabulosa, em um nível Audrey Hepburn, como você com certeza viu. Josh estava de terno — sempre achei que ele ficava lindo de calça cargo, mas MINHA NOSSA. Eu olhei para cara dele e pensei: Que sorte eu tenho. Ele me ama. Ele me ama!

*A mãe dele chorou de felicidade o tempo todo. Foi tão fofo. Nunca imaginei que ela fosse de chorar, mas era! E me mandou um beijo quando passei por ela no altar.*

*Papai... quando fizemos nossos votos, a voz de Josh estava tão suave e... perfeita. Nenhum de nós dois chorou. Era um momento quase importante demais para haver lágrimas. Olhei nos olhos dele e nunca fui tão sincera como quando disse que iria amá-lo, respeitá-lo e valorizá-lo todos os dias da minha vida.*

*A festa foi muito divertida. Até a mamãe curtiu. As pessoas fizeram discursos na hora do brinde, e Jen chorou e foi engraçada ao mesmo tempo, e nós dançamos até não aguentar mais. Sério, teve uma hora que pensei que fosse desmaiar, o que é o lado ruim de usar vestido de noiva. Mas teve um momento, quando estávamos dançando uma música lenta, que Josh murmurou; "Sabe o que eu quero?", e eu perguntei: "O quê, querido?", e ele respondeu: "Quero levar a minha mulher para casa".*

*E, pai, isso foi tudo para mim. Mulher. Marido. Casa. Nós.*

*Sim, ele me carregou para dentro no colo.*

*Foi perfeito. Estou muito feliz, pai. Quero que você saiba disso. E sinta. Sua garotinha está muito feliz.*


Olhando em retrospecto, o incidente ocorrido na lua de mel foi o primeiro grande sinal de alerta.

A casa que eles alugaram ficava no alto de um penhasco enorme, com vista para o mar, e era inacreditavelmente linda. As flores, os galos selvagens cantando a qualquer hora, as chuvas fortes e repentinas, sempre seguidas de um arco-íris, e o tempo bom e quente... era um verdadeiro paraíso. Como as pessoas conseguiam ir embora depois de conhecer o Havaí? Lauren não sabia.

Além disso, teve todo aquele sexo de recém-casados. Havia uma sensação de segurança agora, um conforto e uma segurança que a fizeram deixar de lado todas as inibições, sabendo o que era estranho ou bobo ou o que simplesmente não funcionava (por exemplo, sua patética tentativa de falar putaria), e eles riam, seguiam em frente e iam aprendendo as coisas juntos. Muitas horas na cama, andando sem roupa pela casa, comendo abacaxi e manga, se sentindo uma deusa naquela utopia tropical com seu homem... aquela felicidade a levou às lágrimas algumas vezes.

*Para sempre. Todos os dias da minha vida. Sem me entregar a mais ninguém.* As lindas palavras da cerimônia de casamento continuavam ecoando na sua cabeça, tão carregadas de promessas e significados, reeditadas toda vez que faziam amor, toda vez que conversavam. Eles tinham diálogos profundos sobre suas infâncias, e ela descobriu coisas que nunca soube sobre Josh, e contou coisas que nunca havia falado com ninguém antes, e o amor entre os dois só cresceu ainda mais com isso.

À noite, se ele dormisse primeiro, ela ficava olhando para seu lindo rosto, com o coração palpitando de amor. Ela cuidaria muito bem de Josh. O faria muito feliz. Ele merecia tudo, seu marido esforçado, honesto, brilhante, quietão, bondoso e às vezes meio esquisito, e era isso que ela lhe proporcionaria.

Eles comiam sushi e poke e tentavam pronunciar corretamente umas palavras havaianas enormes. A praia ficava a uma curta descida da casa no penhasco, e a volta era um bom exercício físico, suficiente para deixá-la ofegante e suada. Todos os dias, eles nadavam e brincavam nas ondas, deitavam na areia e riam quando chovia e simplesmente ficavam esperando o sol reaparecer, alguns minutos depois. Eles tentaram surfar... Josh tinha um físico perfeito, mas era adoravelmente desajeitado, e Lauren até conseguiu pegar algumas ondas, ficando eufórica ao sentir o impulso da força do mar.

Um dia, eles pegaram o carro e foram até o lado oeste da ilha, para conhecer o parque estadual Nāpali e talvez a cachoeira de Hanakapi'ai. A trilha era acidentada, mas os dois adoravam esse tipo de caminhada. Levaram comida e bastante água, e se jogaram no paraíso. Andando de mãos dadas quando possível, atravessando a mata cerrada, espantando mosquitos. O som do canto dos pássaros era quase ensurdecedor.

Na base da queda d'água, observaram assombrados a cachoeira de noventa metros, com a névoa reluzindo ao redor, os paredões dos morros repletos de musgo e samambaias que cresciam diretamente na pedra. Eles nadaram na água gelada, rindo e se abraçando. Depois fizeram um piquenique com a comida que levaram, e então ficaram em silêncio, envoltos em um contentamento e maravilhamento absolutos sob o sol.

Mas a subida não tinha sido fácil; uma chuva rápida transformou a trilha em um lamaçal. Eles pararam para descansar algumas vezes, e Lauren ficou tão cansada que sentiu que podia deitar e tirar um cochilo ali mesmo. Seus braços e pernas estavam pesados e doloridos, mas que escolha ela tinha? Quando finalmente chegaram até o carro, os dois molhados de suor, sua respiração estava acelerada e pesada. Josh, aquele maldito, recuperou o fôlego quase imediatamente. Ela não deveria estar tão ofegante, foi o que pensou. Estava em boa forma, bebeu bastante água, comeu duas barras de cereais, um sanduíche e fatias de manga e... ops, sua visão estava escurecendo e ela parecia estar desabando na direção do chão, como a cachoeira.

Quando foi ver, estava caída no chão, olhando para uma flor, porque naquela ilha havia flores por toda parte. Tão lindas. Eles deviam se mudar para lá. Mas também não estava fácil respirar. Aquela maldita asma. Era como se tivesse um cinturão de couro comprimindo seu peito, ficando mais apertado a cada segundo.

"Querida! Lauren! Querida!" Josh estava lá, e ela tentou sorrir, mas seu peito doía, e sua respiração chiava.

"A bombinha", ela murmurou. Ele já estava remexendo na mochila, e não demorou para encontrar o remédio e lhe entregar. Ela tomou uma dose, e depois outra, e a respiração desacelerou um pouco.

"Sua boca está roxa", ele comentou, com a voz trêmula.

Uma pequena plateia havia se juntado. "Querem que eu chame uma ambulância?", alguém perguntou.

"Não", ela respondeu ao mesmo tempo que Josh disse que sim. Ele a pegou no colo e a levou até a lateral da estrada para esperar.

"Graças a Deus que... você malha, amor", ela disse, ainda ofegante. "Seria uma vergonha... se precisasse me arrastar até aqui." Mais uma respiração profunda. "Para você, quer dizer. Não para mim." Ele sorriu, mas não conseguiu enganá-la. Estava preocupado.

Boca roxa. Aquilo era novidade. Seria uma friagem residual por causa da água? A altitude? Alguma reação alérgica bizarra às frutas?

Os socorristas lhe deram oxigênio e disseram que desmaios não eram incomuns depois de descer aquela trilha, principalmente se a pessoa não estivesse muito em forma.

Que grosseria. Ela estava em *ótima* forma. Só tinha asma. "Passeio de ambulância, confere!", ela disse quando a deixaram no hospital. "Foi muito legal. Obrigada, pessoal! Mahalo!" Eles fizeram aquele cumprimento bacana com o polegar e o dedo mindinho e desejaram melhoras.

Josh estava bem sério, mas ela o tranquilizou. O médico do pronto-socorro não pareceu muito preocupado. Receitou cinco dias de prednisona, auscultou seus pulmões e disse que era o som de alguém com asma. "Provavelmente foi o esforço, combinado com a umidade mais elevada, mas parece estar tudo bem", ele falou. "Beba bastante água e se alimente bem na hora do jantar. Sua saturação de oxigênio está em noventa e cinco, que é baixa, mas dentro do normal. Você deve estar um pouco anêmica, o que acontece na menstruação e pode causar uma queda na saturação. Você disse que está em lua de mel, mas, se estiver exagerando nos *mai tais*, é melhor parar, porque o álcool desidrata, e isso não ajuda em nada."

"Corta barato", Lauren comentou. Os *mai tais* eram o novo amor de sua vida. Mas enfim. Havia o tempo certo para tudo.

Josh passou as vinte e quatro horas seguintes monitorando se ela ia desmaiar de novo. Lauren era obrigada a admitir que até gostava de ser tratada como uma orquídea delicada. A lua de mel prosseguiu sem maiores incidentes... só amor. E diversão. Josh ficou bronzeado. O nariz de Lauren ficou um pouco vermelho. Eles fizeram um passeio por um antigo canal de irrigação de uma fazenda que atravessava a floresta tropical. Mergulharam em meio a tartarugas e peixinhos coloridos. Andaram de jet-ski e viram golfinhos saltando e brincando bem perto deles antes de voltarem para o mar azul. Uma noite, comeram em um restaurante construído como uma cabana de palha e ouviram um cantor havaiano, e a música era tão gostosa e animada que Lauren até virou as costas para Josh, e o cantor dedicou uma canção "ao jovem casal da mesa quatro". Foi muito, muito romântico.

O melhor de tudo era voltar para aquela casinha alugada toda noite, dando as sobras de comida para o gato de rua que percebeu que os dois tinham coração mole, e assistir ao pôr do sol de mãos dadas.

Foi difícil ir embora.

"Nós vamos voltar", Josh prometeu. "Uma vez a cada dois anos, que tal? Sempre para esta casa. Talvez até dê para comprar se resolverem vender."

Às vezes ela esquecia que ele era rico. Na verdade, *eles*, depois do casamento. Josh fez questão de casar em regime de comunhão de bens, mesmo sabendo que Lauren não se importaria de assinar um acordo de separação parcial. "Isso seria um sinal de descrença no nosso futuro", ele disse com aquele seu jeito sério. "E a minha confiança no nosso futuro é absoluta." Lauren pediu a opinião de Stephanie, que sorriu e disse: "Eu nunca tive motivo para não confiar nas escolhas de Josh. E não é agora que vou começar".

Então, sim, uma casa no Havaí não estava fora de questão. E ela também tinha um bom salário. Também poderia contribuir.

Quando voltou para casa, a tosse seca retornou. Depois de algumas semanas, foi a uma consulta médica, fez os exames de sangue de rotina e tudo deu negativo e normal.

Então ela não se preocupou.

Pouco antes do casamento, eles tinham se mudado para um apartamento maior na mesma fábrica convertida em prédio residencial onde Lauren vivia. Era um lugar com mais personalidade do que o prédio de Josh, então ele vendeu o seu imóvel e os dois compraram uma unidade de três quartos com acesso ao jardim do terraço.

Ah, que alegria foi deixar aquele lugar bonito e acolhedor — era sua especialidade, afinal. Ela transformou um dos dormitórios em um escritório para ele e pôs duas espreguiçadeiras e uma mesa no jardim lá de cima. Ele precisava sentar sempre no meio do terraço, por causa do medo de altura, o que Lauren achava bonitinho. O segundo quarto foi decorado para receber hóspedes, mas combinaram que mais tarde iriam querer uma casa. Por ora, o apartamento era absolutamente perfeito. Eles podiam receber os amigos como adultos de verdade. Em um domingo, deram um jantar para suas mães e para Jen, Darius e Sebastian, que já estava chamando Joshua de "Titi Josh". Vê-lo brincar com o sobrinho era como acompanhar as cenas de um próximo capítulo. Ah, ele seria um ótimo pai. Talvez até tão bom quanto o dela.

Mas Josh era workaholic. Lauren o fez limitar o tempo diante do computador nos fins de semana para que pudessem cozinhar juntos, fazer caminhadas, ir à feira dos produtores locais e comprar cogumelos e tomates lindos e frescos. No trabalho, tudo ia bem — Bruce, o Poderoso e Generoso, a adorava e lhe passava projetos importantes. Ela o recebeu para um jantar certa noite, junto com Tom, seu marido, e a relação entre chefe e funcionária evoluiu para uma amizade.

Em sua avaliação anual de desempenho, ganhou um bom aumento e uma sala particular, o que deixou Lori Cantore fumegando de inveja. Lauren nem ligou; Lori era assim mesmo, e ela tinha seus amigos no trabalho, Louise e Santino. A primeira coisa que pôs sobre sua mesa nova foi uma foto com Josh, tirada no lindo jardim da casa em Kauai, com um pôr do sol glorioso como pano de fundo.

Toda quinta-feira à noite, ela trabalhava como voluntária no Hope Center, e também ajudava no evento aberto à comunidade que ocorria por lá no primeiro domingo de cada mês. Josh tinha doado uma impressora 3D e conseguiu convencer a Escola de Design de Long Island a conceder uma bolsa de estudos para uma criança de lá. (A direção da faculdade ignorou Lauren quando ela pediu, mas, para o menino de ouro da instituição, não negavam nada. Mas era para uma boa causa, então que diferença isso fazia?) Ela se encontrava com a irmã para almoçar uma vez por semana, e ela e Josh cuidavam de Sebastian quando Jen e Darius queriam sair juntos.

Duas vezes por mês, fazia algum programa com as amigas — Sarah, Mara, às vezes Asmaa e Louise também. Não queria ser o tipo de mulher que desaparecia depois de casada e, embora ficar com Josh fosse sua coisa favorita no mundo, era preciso deixar bem claro para si mesma e para ele que havia outras pessoas que amava na vida.

Toda manhã, Josh preparava seu café da manhã. E o jantar uma vez por semana; ela adorava cozinhar, e ele não, mas era a intenção que contava. Para aliviar a leve melancolia da chegada da segunda-feira, ele mandava flores para ela no escritório toda semana, então havia sempre um buquê de flores em sua sala, mas nunca lírios, que lhe davam dor de cabeça. O fato de se lembrar disso era tão romântico quanto as flores em si.

Mesmo assim, ele continuava trabalhando muito, e na maioria das vezes levantava quando ela ainda estava dormindo. Nas noites em que fazia alguma coisa sem ele, Josh ficava trabalhando, e se ela dormia assistindo a um filme em um domingo à tarde, quando acordava o pegava no notebook, desenvolvendo um projeto para salvar a humanidade de seja lá qual problema estivesse determinado a resolver.

276

Uma noite, depois que fizeram amor e estavam abraçados na cama, acalmando os batimentos cardíacos, ela perguntou: "Lembra de quando nos conhecemos pela primeira vez? Você me disse que eu era bonita e fútil demais. Mal olhou para mim".

Ele a encarou com um meio-sorriso. "Lembro, sim."

"Eu era tão ruim assim?"

Ele encolheu os ombros. "Você era tão... diferente de mim. Confiante e popular e... cheia de desenvoltura no convívio social. Mas acho que, desde essa época, eu sabia."

"Sabia o quê?"

"Que você era sinônimo de encrenca para mim." Ele levou a mão às suas costelas, para fazer cócegas nela.

Nossa, como ela o amava. E os dois como *casal*. Os dias de ermitão de Josh tinham ficado no passado, graças a Lauren, e ele havia aprendido a viver mais como um ser humano e menos como um guaxinim selvagem. Agora ele esvaziava a lixeira antes de começar a transbordar e tentava (ainda que sem sucesso) deixar as bancadas da cozinha impecáveis de limpa. Dizia que a amava todos os dias, e ainda ficava vermelho às vezes ao falar isso. Jogava conversa fora com sua mãe e dava um abraço desajeitado em Jen quando sua irmã os visitava. E, quando a olhava com aqueles olhos faiscantes, ela o sentia com todas as células de seu corpo.

A vida, como costumam dizer por aí, estava perfeita. Todos os dias eram plenos, e tranquilos, e cheios de alegria e contentamento. Quando pensava no futuro, Lauren sentia até seu sangue ferver. Bebês. (Eles seriam *tão* lindos! Talvez Josh pudesse fazer um teste de DNA para descobrir mais sobre sua ascendência étnica pelo lado do pai, já que Steph afirmava não saber.) Eles tirariam férias juntos. Comprariam uma casa. Formariam uma família e envelheceriam um ao lado do outro.

Acima de tudo, ela adorava pensar nisso... aquele desenrolar infindável dos dias.

Havia as coisinhas irritantes também, claro. Quando estava mergulhado em um projeto, Josh aparentemente perdia a capacidade de audição, e ela precisava acenar com a mão na frente do rosto dele para fazê-lo dizer um oi para sua mãe. Ele jogava nas costas dela absolutamente tudo o que dizia respeito à vida social dos dois, fosse um cinema na sexta à noite ou decidir onde passar o Natal. Não tinha nenhum amigo — pelo menos não amizades de verdade como as dela, e às vezes Lauren achava que seria bom para ele ter um jogo de pôquer pelo menos uma vez por mês para poder ficar sozinha no apartamento.

Mas eram coisas insignificantes.

Ela ainda sentia falta do pai, queria mostrar tudo o que estava fazendo para ele, todos os projetos em que trabalhava, fosse uma nova parada de ônibus ou um pequeno parque à beira do rio. No seu aniversário, sentiu muita saudade dele, e não se conformava que estava fazendo vinte e seis anos sem seu amado pai ao seu lado.

Acima de tudo, sentia muito por Sebastian não ter um dos avôs... e por seus futuros filhos também. Pelo menos o pai de Darius ainda era vivo, mas Josh não conhecia o dele. Não haveria um vovô para seus filhos, a não ser o simpático Ben Kim, que já tinha se oferecido para fazer esse papel quando chegasse a hora. Havia momentos em que, quando voltava caminhando do trabalho, ela olhava para o céu e perguntava: *Está me vendo, papai? Você ainda está aqui?* Escrever aquelas cartas para ele... aquilo a ajudava a sentir que ainda o tinha por perto.

Quando começou a se sentir ainda mais cansada, pensou que pudesse estar grávida, mesmo tomando anticoncepcionais. Foi praticamente saltitando até a farmácia para comprar um teste. Não disse nada para Josh — só mostraria para ele se desse positivo —, e fez o xixi no palito no trabalho.

Negativo.

Droga. Ainda não chegou a hora. Mas tudo bem. Eles ainda eram jovens, ainda queriam fazer muitas viagens antes de terem filhos. Mas o cansaço não passava.

Ela começou a se alimentar melhor — espinafre algumas vezes por semana, para ingerir mais proteína —, o que ajudou um pouco. Mas, quando batia a fadiga, não era como um sono normal... era como se seu corpo fosse feito de chumbo. A tosse continuava lá, persistente, ainda que esporádica, e ela notou que tinha a necessidade de pigarrear com mais frequência. Seu clínico geral lhe disse que ela estava com bronquite e refluxo, além de alergias crônicas. Ela tomava antialérgicos e antiácidos, e às vezes corticoides nos acessos de asma. Estava testando outro tipo de bombinha. Até que funcionou. Começou a fazer musculação além da ioga e das caminhadas. Mas a corrida parecia agravar a asma.

Quando estavam casados havia sete meses e o outono encheu o mundo de cor ao seu redor, Lauren sofreu outro desmaio, dessa vez em um canteiro de obras, e bateu a cabeça em um poste de concreto. Bruce, o Poderoso e Generoso, surtou quando viu o sangue e desmaiou também — não foi exatamente o melhor momento do Pearl Churchwell Harris como empresa. Os dois foram levados para o hospital e colocados em observação lado a lado no pronto-socorro.

"Você sempre diz que é para causar uma impressão impactante", Lauren disse, pressionando uma gaze contra a cabeça.

"Eu estava imaginando uma coisa um pouco menos sanguinolenta", ele respondeu.

"O meu corte foi feio?", ela perguntou, levantando a gaze. Uau. Quanto sangue.

"Não me mostra isso! Meu Deus do céu! Quer ser demitida?"

"Como você é frouxo", ela comentou. Josh já estava a caminho. Ela mandou uma mensagem para Jen, caprichando no estilo melodramático. *Tô sangrando LOUCAMENTE na cabeça*, foi o que digitou.

"Se nós perdermos esse cliente, a culpa vai ser sua", Bruce resmungou. "Vê se come alguma coisa no café da manhã, pelo amor de Deus."

"Mas eu *como*. Proteína, carboidrato e fruta fresca todo santo dia. É que eu tenho pressão baixa." Ela olhou para o monitor acima da cama. Sua pressão estava *mesmo* baixa, nove por cinco. Saturação de oxigênio em noventa e três por cento, e oitenta e oito batimentos cardíacos por minuto, tudo tranquilo. "Trata de ser bonzinho comigo ou vou jogar essa gaze em você."

"Enfermeira? Você pode dar um sedativo para ela ou alguma coisa do tipo?" Ele cobriu os olhos com a mão.

A residente apareceu e fechou a cortina que ficava entre seu leito e o de Bruce. "Está na hora de grampear esse corte", ela disse, toda animada.

"O meu chefe pode ver?", Lauren perguntou.

"Para com isso!", Bruce mandou. "Eu sou muito sensível."

A médica explicou o que ia fazer — limpar o ferimento, passar lidocaína e grampear —, mas de repente Lauren se sentiu sonolenta. Quanto sangue tinha perdido? Os grampos entraram facilmente, repuxando um pouco seu couro cabeludo.

Josh entrou correndo na sala. "Querida! Ai, meu Deus, amor, o que aconteceu?"

Ela abriu os olhos e sorriu. "Oi, amor. Desculpa deixar você preocupado."

"A sua mulher estava sangrando como uma Romanov", Bruce falou.

"Oi, Bruce", disse Josh. "Lauren, o que aconteceu?"

"Eu desmaiei e bati a cabeça no poste."

Ele sentou na beirada da cama e beijou sua mão. "Coitadinha." Era tão bom ver o rosto dele, todo cheio de preocupação e amor. Talvez ele topasse deitar também e aninhá-la para um cochilo.

"E eu?", Bruce questionou. "Precisei ver o sangue escorrer da testa dela como uma torneira aberta."

"Coitadinho de você também, Bruce", Josh falou.

"E fui heroico, além de tudo", Bruce acrescentou.

"Isso também."

"Não foi assim *tão* feio", Lauren falou, e baixou o tom de voz para um sussurro nada discreto. "Todo mundo sabe que o Bruce é um bebezão."

A médica já tinha terminado com os grampos. "Só vou chamar meu supervisor, ok?", ela disse. "Volto rapidinho."

No linguajar do pronto-socorro, *rapidinho* aparentemente queria dizer *quando você estiver um ano mais velha*, porque demorou horas para o médico responsável aparecer. A essa altura, Bruce não estava mais lá, e tinha dado o dia seguinte de folga para Lauren, além de ordens para nunca mais sangrar na presença dele.

"Pode ser que você... sabe como é. Esteja grávida?", Josh perguntou, com um brilho nos olhos.

"Tudo é possível", Lauren respondeu, apertando sua mão. O outro teste de gravidez tinha sido dois meses antes, e às vezes ela esquecia de tomar a pílula.

"Espero que seja isso." E lá estava, aquele amor sem reservas e sem filtros. Ela sentiu o coração pular dentro do peito com tanta força que ficou surpresa por não ter caído no seu colo.

"Bom. Eu posso parar de tomar a pílula quando quiser."

Ele ficou pensativo por um instante, seu marido, sempre tão sério. "Na verdade, eu estou pensando em uma surpresa para o Natal. Não que uma gravidez obrigue a um cancelamento nem nada assim."

"E o que é?"

"Uma surpresa. Não me pergunta. E não me olha assim. Tá bom. Você venceu. Nós vamos passar o Natal em Paris."

A fadiga evaporou do corpo dela. "Paris! Ai, meu Deus, Josh, sério mesmo? Está falando sério?" Ele assentiu, e ela o beijou, passando os dedos pelo seu cabelo sedoso, sentindo seu sorriso com a boca colada à sua.

Natal em Paris! Uau, que romântico! E elegante! Não devia ter bonecos de neve espalhados pelos bulevares parisienses, de jeito nenhum.

"Com licença", disse uma voz. Era o médico responsável, com a residente atrás dele, sorrindo. "Só precisamos auscultar seu peito. Sua saturação de oxigênio está um pouco baixa."

"Eu sou asmática", ela explicou. "E sofro de bronquite de tempos em tempos."

"Humm", ele disse, pondo o estetoscópio nas orelhas. "Respire fundo e prenda. Pode soltar. Inspire. De novo. De novo. Agora uma tossida, e depois inspire de novo. Uma respiração bem funda agora. Muito bem."

Quando terminou, ele nem sequer olhou para ela. "Eu recomendo que você procure um especialista, só por precaução", o médico anunciou. "Eu posso indicar uma pneumologista para você. Dra. Yoshi, pegue o número de Kwana Bennett."

"As bombinhas dela nunca funcionam por muito tempo", Josh contou. "E ela tem uma tosse seca. Disseram que era alergia, depois por causa de mofo, além da asma. Ela tem ficado cansada com facilidade."

"Ora, quantas reclamações, hein?", Lauren murmurou.

"Muito bem", disse o médico, que era caloroso e acolhedor como uma placa de mármore em um dia de neve. "Procure a dra. Bennett. Prazer. Cuide-se."

"Quanto carisma", Lauren murmurou quando ele saiu, e a dra. Yoshi, que estava mexendo em um tablet, deu uma risadinha de deboche. Ah. Uma aliada.

"Tem alguma coisa que eu preciso saber?", Lauren perguntou para a jovem.

"Eu só estou aqui para tratar do seu ferimento na cabeça e ainda estou no primeiro ano de residência. Volte em dez dias para nós tirarmos os grampos." Ela não olhou para Lauren nem para Josh.

"Por que ele veio examinar os meus pulmões? Algum problema?"

"A sua saturação de oxigênio está baixa. Menos de noventa e cinco por cento."

"Mas noventa e três por cento é bom, né? Quer dizer, ainda é uma nota A." Lauren sorriu.

A dra. Yoshi não sorriu de volta. "É um pouco baixa. É uma boa ideia consultar a pneumologista, além do seu médico de sempre." Ela fez uma pausa. "Se você usa medicação para asma, deveria estar melhor, então provavelmente precisa ajustar a dose."

Muito bem. Não havia nada com que se preocupar.

Mas um calafrio de medo a percorreu mesmo assim.

Josh também parecia preocupado. Ela apertou a mão dele, que repetiu o gesto.

Mas no dia seguinte ela estava bem, e no outro também, e o medo se foi. Ela ligou para a dra. Bennett e marcou uma consulta para dali a três meses.

Outubro era um mês maravilhoso, com as folhas amarelando e o céu bem azul dando um verdadeiro espetáculo. O Dia de Ação de Graças era sempre festivo e ruidoso na casa de Jen.

No Natal, eles foram mesmo a Paris passear por suas ruas antigas e molhadas de chuva, impressionados com a arquitetura, as estátuas, as creperias. Alugaram bicicletas e pedalaram sentindo o vento frio à beira do Sena, e deram uma espiada na reconstrução da catedral de Notre-Dame. Ela comprou presentes para Sarah, Jen e Asmaa no Boulevard Saint-Germain, e uma gravata para Darius na Dior. Eles comeram e fizeram amor em seu charmoso quarto de hotel, e beberam café ao ar livre, junto aos aquecedores. O único lado negativo era que na França todas as cafeterias só ofereciam bebidas acompanhadas de leite, nunca creme.

Na última noite, eles fizeram um passeio de ciclo-riquixá pelo vilarejo de Natal montado na Champs-Élysées, encantados com as luzes e os cheiros, já pensando em onde iriam comer depois de subirem no Arco do Triunfo. Eram cinco ou seis lances de uma escada estreita e sinuosa, e Lauren se sentiu um pouco ofegante e zonza lá em cima. Culpa da asma. E do ar gelado.

Mas ela não queria pensar nisso com as luzes da Torre Eiffel acesas logo adiante, e o vilarejo de Natal que se estendia até os Jardins das Tulherias, sendo que os dois eram jovens, apaixonados e tinham meios para fazer uma viagem como aquela.

Eles ficaram lá em cima, admirando a paisagem da Cidade-Luz, abraçados um ao outro. "Nós temos mesmo muita sorte", Josh disse.

Não muito longe deles, um jovem se apoiou sobre um dos joelhos diante de uma moça bonita e ofereceu a ela uma aliança. Ela foi às lágrimas e o abraçou. "*Oui! Oui! Bien sûr!*", foi sua resposta, rindo de alegria.

"Espero que eles sejam tão felizes quanto a gente", Lauren disse, e beijou seu marido. Estava com lágrimas nos olhos. Lágrimas de gratidão, simplesmente. Gratidão e encantamento com tudo o que a vida tinha a oferecer. Ela preferia ignorar aquela pequena pontada de ansiedade. Não seria certo deixar aquilo se infiltrar em sua vida perfeita.

# 26

## JOSHUA

*Décimo mês*
DEZEMBRO

Sarah tinha entregado a carta de dezembro mais cedo, porque iria passar uma semana no Arizona visitando o pai e a multidão de meios-irmãos que tinha.

A tarefa do mês foi um choque, e Josh não sabia como se sentir a respeito. Pela primeira vez, chegou a questionar Lauren.

Em primeiro lugar, porque aquilo não era da conta dela.

Em segundo, porque poderia magoar sua mãe.

Em terceiro, porque era bem mais difícil que a de qualquer outro mês.

*Olá, meu querido!*

*Espero que tenha dado tudo certo com a tarefa do mês passado e que você não seja mais um viúvo que não beijou ninguém desde a trágica morte da esposa. (E espero que tenha sido ótimo, aliás.)*

*Então neste mês vou propor uma coisa diferente, e você pode não gostar, e eu entendo. Então vamos logo ao assunto.*

*Vá conhecer seu pai.*

*Você me disse uma vez que não saber quem ele é — por culpa dele, claro — sempre fez com que se sentisse meio desprezado. E eu entendo isso, querido. Se eu tivesse conhecido seu pai, a primeira coisa que faria seria dar um chute no saco dele. Talvez você mereça essa chance, de enquadrar o cara (e dar um pontapé nele). Ou então só ver como ele é.*

*Eu posso estar errada a esse respeito, Joshua. Se não gostou da ideia, é só não fazer. Só quero que você tenha algum tipo de resposta. Nós conversamos sobre isso na lua de mel. Lembra?*

*Mesmo se for alguém completamente diferente de você, talvez — talvez — essa experiência possa ser como encontrar a peça que faltava em um quebra--cabeça. No mínimo, vai proporcionar uma distração, um projeto. E, no melhor dos casos, pode proporcionar a você a sensação de uma questão pessoal resolvida.*

*Você sabe que só quero o seu melhor, Joshua, meu grande amor. Mas essa decisão fica por sua conta.*

*Amo você, querido.*

*Lauren*

Ele lembrava, sim, daquela noite, daquela conversa, e seu coração disparou por causa de uma lembrança que ainda não tinha revisitado, e foi invadido por uma onda de amor e saudade tão profunda que dava para sentir a sensação se irradiando da medula e se espalhando pelos músculos e tendões até chegar à superfície da pele.

Eles tinham passado o dia nadando e praticando stand up paddle e brincando na praia em Hanalei, um dos lugares mais lindos que já haviam visto na vida. A água estava translúcida, e as ondas, grandes o suficiente para causar fortes emoções. Os dois nadaram durante toda a manhã, tiraram um cochilo sobre uma canga à sombra das palmeiras, almoçaram em um quiosque e voltaram para a água, tudo isso parecendo o epítome de duas pessoas recém-casadas — apaixonadas, jovens, carinhosas, risonhas. Desfrutando da alegria de não saber o que o futuro reservava.

Mais tarde, voltaram para a casa no penhasco para assistir ao pôr do sol. Houve dois arco-íris naquela tarde, e depois uma chuva que era tão frequente na ilha-jardim. Então eles foram para a cama, como um bom casal em lua de mel, e fizeram amor sem pressa por um bom tempo. Dava para sentir o cheiro de protetor solar na pele dela e o resquício de seu perfume cítrico, e de sal e suor, e enquanto ficaram deitados, ele falou algo que vinha pensando desde o quarto encontro entre os dois.

"Nunca pensei que fosse encontrar alguém que me conhecesse como eu sou de verdade e me amasse mesmo assim."

Essas palavras ficaram pairando no ar, e Lauren se manteve em silêncio.

Então ela se apoiou sobre o cotovelo e olhou bem para ele. "Por que, querido?", Lauren perguntou, com um tom todo gentil.

Ele deu de ombros.

"Sei lá. Eu nunca... amei ninguém antes de você. Parecia que tinha alguma coisa errada comigo. Alguma coisa que não conseguia... se conectar."

"Todo mundo se sente assim, eu acho."

"Você também?", ele quis saber. "Ou só estava esperando pela pessoa certa?"

Ela o beijou no ombro, e ele sentiu os cabelos frios dela em sua pele. "Eu estava esperando por você."

Ele a puxou para si, ainda maravilhado com o fato de aquela mulher linda e sorridente ser sua. "Acho que sempre acreditei que seria a pessoa errada. Para qualquer um."

"Mas você cresceu com tanto amor", ela falou, e esse era um de seus pequenos defeitos... Lauren detestava ver as pessoas com sentimentos negativos e queria mudar isso. "O único filho da sua mãe, Ben e Sumi diziam que você era a criança predileta deles..."

Ele pensou por um instante. "É verdade. Mas... eu tinha dois pais. E um não ficou por perto por tempo suficiente nem para me ver. Nunca me escreveu, nunca ligou, nunca fez uma visita, nunca pediu uma foto." Ele encolheu os ombros. "Isso fez com que eu me sentisse um... um pouco..." Ele se interrompeu, como sempre fazia quando tentava descrever seus sentimentos. "Um tanto dispensável. Desimportante. E crescer sem um pai, nem mesmo um pai de merda que só aparecia uma vez por mês... isso me marcou como alguém diferente. Além disso, Rhode Island não é um estado com muita diversidade étnica. As outras crianças sempre me perguntavam o que eu era, se era latino, ou asiático, ou árabe, e eu nunca soube o que responder. Minha mãe se recusava a tocar no assunto."

"Os suecos e seus segredos."

Ele abriu um sorrisinho. "Pois é."

Ela o beijou carinhosamente no ombro, com os cabelos se espalhando sobre seu peito. "Ah, querido. Eu queria ser sua amiga quando você era pequeno. Ia bater em todo mundo que te deixasse mal."

"Não era bem isso, na verdade. Era mais... um buraco que existia na minha vida onde deveria estar um pai. Um vazio."

"Você já tentou ir atrás dele?", ela perguntou.

"Não."

"E vai fazer isso algum dia?"

Ele pensou a respeito. "Acho que não", Josh disse. "Não a essa altura da vida, pelo menos."

Ela aninhou a cabeça em seu ombro, apoiando o braço frio sobre sua barriga. "Você tem um coração enorme", Lauren disse. "Vai ser um ótimo pai. Vamos ter os filhos mais lindos do mundo. E os mais inteligentes também. E vão adorar você."

Era exatamente isso que ele precisava escutar para aplacar seu receio secreto de que houvesse uma parte dele que fosse inacessível, que estivesse esquecida e morta. Lauren deu um beijo em seu peito, e outro em seu pescoço.

"Que tal treinar um pouco esse lance de fazer bebês?", ele sugeriu, sentindo um sorriso se abrir em seu rosto. "Para saber direitinho o que fazer quando chegar a hora?"

"Sim, por favor, meu marido." Ela de uma risada, que era um som tão lindo quanto o dos pássaros da manhã.

Tinha sido um dia perfeito. Lindo e perfeito. Ele sempre amaria aquele dia, a prova de que poderia ser total e absolutamente feliz.

E então, lembrando daquela conversa, guardando a memória no coração, ele percebeu que tinha dado a ela uma razão para achar que gostaria de conhecer seu pai.

Ele sabia o nome do sujeito... estava em sua certidão de nascimento. Christopher M. Zane. Mas, primeiro, era preciso conversar com sua mãe.


No dia seguinte, Josh estava na casa onde passou a infância. Sua mãe tinha feito uma carne de panela para ele, Sumi e Ben. Às vezes, ela fazia questão de cozinhar, já que Sumi se encarregava disso na maior parte do tempo.

Eles sentaram todos para comer, com Sumi tirando disfarçadamente um saquinho de tempero da bolsa e despejando em seu prato, e depois no de Ben, quando Stephanie virou as costas. Josh sorriu, e ela lhe passou um pouco de tempero também. Ah, pó para acrescentar ao *bulgogi*, a magia da páprica, do alho, do gengibre e do açúcar mascavo. Era uma pena que, mesmo depois de viver trinta anos ao lado dos Kim, sua mãe não havia se tornado uma cozinheira melhor. Como a boa luterana que era, encarava as refeições como pouco mais que um mal necessário.

"Está uma delícia, mãe", ele falou, com uma piscadinha para Sumi.

"Temos boas notícias", Sumi anunciou. "Hana está grávida de novo. De cinco meses! Achamos que ela estava velha demais para isso, mas adivinha só? Ainda tinha alguns bons óvulos para fertilizar."

Ben deu uma risadinha. "O mais velho dela está no último ano do ensino médio. Ela pode dizer adeus à aposentadoria, mas um bebê é sempre uma bênção."

Houve uma pausa na conversa.

"Que *maravilha!*", Stephanie exclamou, com uma ênfase exagerada, tomando o cuidado de não olhar para Josh.

Então ficou tudo bem claro. O momento em que os Kim entenderam que Stephanie não seria avó, e Josh não seria pai, e Lauren ainda estava morta.

Sumi baixou os olhos para as mãos. Ben limpou a garganta.

"Meus parabéns", disse Josh, levantando para dar um beijo no rosto de Sumi e um tapinha no ombro de Ben, como Darius teria feito. Como uma pessoa normal faria.

"Obrigada, Joshie", Sumi respondeu, mas com um tom de voz mais controlado. "Estamos muito felizes."

"Eles estão torcendo por um menino, uma menina ou tanto faz?", ele perguntou, para transformar a gravidez em uma conversa pessoal com amigos, e não deixar a tristeza invadi-lo como uma onda.

Ele e Lauren queriam quatro filhos. Quando não sabiam da crueldade da doença e dos escombros que deixaria para trás... como se fosse possível ir até o balcão de uma lanchonete divina e fazer um pedido. *Queremos quatro crianças, por favor. Duas meninas e depois dois meninos. Todos saudáveis, por favor. Ah, e dá para incluir um* golden retriever?

"Ah, não, são seis e cinquenta e dois!", Sumi exclamou. "Precisamos ir para casa assistir *Jeopardy!*"

288

"Vocês podem assistir aqui", sua mãe falou.

"E levar uma surra de você e do Josh? Não, obrigado", respondeu Ben. "Um homem precisa preservar alguma coisa de seu orgulho."

Josh sorriu. Ele e sua mãe geralmente acertavam *mesmo* todas as respostas, a não ser nas categorias relacionadas à música pop. Com Lauren na equipe, eles se tornavam imbatíveis. Além disso, ele tinha avisado Ben que queria conversar a sós com a mãe.

"E eu também comi demais e quero trocar de calça", Sumi acrescentou.

"Amo vocês", Josh falou. "Até a próxima."

"O que está te incomodando?", sua mãe perguntou assim que ele fechou a porta. "Foi a conversa sobre o novo netinho deles?"

"Não. Mas você ficou incomodada com isso?"

"Não", ela mentiu. "É uma notícia maravilhosa. Por que eu ficaria incomodada?"

Eles ficaram se olhando por um tempo, com o assunto dos bebês pairando no ar. *Tudo bem falar sobre os seus sentimentos*, Lauren diria. Por outro lado, aquela era sua mãe. Com ela, não havia muita conversa sobre sentimentos.

Mas enfim, por que não? "Claro que eu fico triste por não ter tido filhos com Lauren", ele disse.

"Bom. Teria sido uma irresponsabilidade, considerando a condição dela." Sua mãe baixou os olhos para não encará-lo. A lógica era estratégia para tudo. Josh ficou em silêncio.

"Quer sobremesa?", ela perguntou. "Fiz um bolo de maçã. E um leite com xarope para acompanhar?"

"Claro." Ela se saía melhor nas sobremesas do que nos pratos principais.

Sua mãe cortou o bolo, que serviu com uma colher de chantili, e então o leite com xarope saborizante para pôr no café, a estranhamente deliciosa bebida mais popular de Rhode Island. Ela sentou pesadamente ao seu lado. Ainda era uma mulher atraente, sua mãe, com seu cabelo loiro e olhos azuis penetrantes. Os dois tinham o mesmo nariz e a discreta covinha no queixo. Caso contrário, ele seria a cara do pai. Quando Josh era pequeno, não era incomum pensarem que Ben era seu pai biológico, por causa dos cabelos pretos lisos e os olhos escuros.

"Então o que foi, Joshua?" Ela sempre conseguia decifrá-lo melhor do que ninguém.

A não ser Lauren.

"Bom, mãe... eu queria que você me falasse sobre o meu pai."

Ela fez uma careta e deu uma garfada raivosa no bolo. "Quando você começou a jogar bombas no meio das conversas?"

Durante toda sua vida, quando ele perguntava sobre o pai, Stephanie respondia assim. Com uma frieza que bastava para deixar claro que era um assunto indesejado. Que seu interesse provocava irritação (ou mágoa). Aos dez anos, mais ou menos, Josh parou de perguntar. Só sabia que eles namoraram por um tempo, sua mãe engravidou e seu pai biológico sumiu no mundo para nunca mais voltar, nem ligar, nem escrever.

"Desculpa, mãe. Eu sei que você não gosta de falar nisso, mas..."

"Ora, esse assunto surgiu do nada, e eu não me preparei para falar a respeito."

Ele assentiu. "Mas existe um jeito fácil de tocar nessa questão?" Aquela era sua *mãe*. Ela devia saber que as sutilezas do convívio social não eram o seu forte.

Ela encolheu os ombros e abriu as mãos. "É, acho que não mesmo." Ela soltou um suspiro. "Muito bem. Coma o seu bolo. Eu preciso de um minutinho." Ela deu um gole no leite, olhando feio para ele.

Josh obedeceu. Uma garfada. Duas. Um pouco de chantili, uma lembrança da infância. Três.

"Tá", ela disse por fim. "Ele era alto, moreno, bonito, irresponsável. O que mais você quer saber?"

"Vocês se conheceram na faculdade, né?"

"Sim. Ele fazia pós-graduação em Boston."

Josh deixou que o silêncio permanecesse por mais um tempo. "Mais alguma coisa?"

"Você não tem um formulário que eu possa preencher, não? Seria menos desagradável do que isso."

Ele quase deu risada. "Vou gostar de ouvir qualquer coisa que você tenha a dizer."

"Você está doente? Precisa rastrear seu histórico familiar?" Ela franziu a testa de preocupação.

"Não. Nada disso. Não é doença."

Ela soltou um suspiro. "Ele me abandonou com quatro meses de gravidez, Joshua. E sabia muito bem o que estava fazendo. Eu contei assim que descobri, e ele fez essa escolha consciente... como é que vocês jovens dizem mesmo? Ah, sim, ghosting. Ele *não* é o seu pai. É um doador de esperma não remunerado que abandonou nós dois."

"Eu sei disso, mãe." Ele suspirou. "A questão é que estou com um monte de coisas na cabeça. Sinto falta da Lauren." Sua voz ficou embargada. "Eu não tenho muita... muita gente próxima. Fora você, Bem e Sumi, tenho só dois parentes que conheço — sua prima e a filha dela. Eu só queria... queria saber de onde eu vim, geneticamente falando."

"Ah, então você quer *mesmo* ir atrás dele! Já entendi tudo!" Ela largou o garfo, que caiu ruidosamente sobre o prato. "Você acha que, depois de trinta e um anos, ele vai levar você a um jogo de futebol e ensinar a chutar bola?"

"Não. Eu só queria conversar com ele. Pelo menos uma vez." Ele só teve certeza disso quando aquelas palavras saíram de sua boca.

Sua mãe ficou em silêncio, e talvez tenha bufado uma vez. Em seguida continuou comendo a sobremesa com ar irritadiço, espetando o pobre bolo com o garfo como se quisesse matá-lo, e mastigando com força antes de dar mais um gole no leite.

"Mãe", ele disse baixinho, "você é a pessoa que eu mais admiro no mundo. Junto com a minha mulher. Isso nunca vai mudar. O que você fez, me criando sozinha enquanto ainda estava na faculdade, e depois trabalhando em um ramo tão competitivo, me educando para ser uma boa pessoa... isso foi incrível. *Você* é incrível."

As feições dela se amenizaram um pouco. "Isso é verdade."

"E o amor e o cuidado com que você cuidou da Lauren... e de mim... não pense nem por um segundo que algum dia vou esquecer disso."

Ela desviou o olhar por um instante, com a boca tremendo um pouco, o que no seu caso era o equivalente a cair em prantos.

"Mas eu gostaria de conhecer o meu pai. Isso não vai mudar nada. Eu só quero... saber."

Ela enxugou os olhos com um guardanapo. Depois deu outra garfada no bolo, e mais um gole no leite. "Você sabe o nome dele."

"Sim. Christopher Zane."

"Ele era de Indiana. Os pais tinham uma fazenda por lá. Ele estava fazendo pós-graduação em... nossa, o que era mesmo? Engenharia ambiental. Ou engenharia agronômica. Alguma coisa do tipo. Estava no MIT, e eu, em Harvard. Tinha feito o bacharelado em Notre Dame, e no nosso primeiro encontro ficou bravo comigo porque eu não sabia quem eram os Fighting Irish." Ela revirou os olhos.

A cabeça de Josh começou a girar enquanto memorizava aqueles fatos. Aquilo era mais do que sua mãe tinha dito a vida toda sobre seu pai.

"Nós ficamos juntos por seis semanas. Eu era uma luterana praticante e achava que sexo antes do casamento era coisa de piranha, mas me empolguei e acabamos transando sem proteção. Eu fui idiota e estava em negação, então achei que minha menstruação estava atrasada, só isso." Ela levantou a cabeça. "Não me entenda mal, Joshua. Você é a melhor coisa que me aconteceu na vida. Eu não me arrependo nem por um segundo."

"Eu sei disso."

"Ótimo." Ela deu um tapinha em sua mão, depois continuou a destroçar o bolo. "Quando não dava mais para fingir que não estava acontecendo nada, fiz o teste e voilà! Grávida. Contei para ele. Nós brigamos. Um aborto estava fora de questão, pelo menos para mim. Chegamos até a conversar por uns dois segundos sobre casar, mas estava na cara que não ia dar certo. Ele disse que ia 'cumprir sua parte'." Ela fez um sinal de aspas no ar. "E então foi participar de um projeto qualquer, um programa de verão, disse que me ligava quando estivesse devidamente instalado, e eu nunca mais tive notícias dele. Mandei uma carta para o endereço dele no MIT, o único que eu tinha. Acabou sendo devolvida pelo correio. A conta de e-mail dele tinha sido cancelada. Eu liguei para o telefone que ele me passou. A linha estava desconectada. Em setembro, liguei para o MIT, e me disseram que ele não estava mais matriculado lá."

O silêncio tomou conta da cozinha. Do lado de fora, a chuva começou a bater na janela.

"E foi isso, querido", ela disse, com um tom de voz mais suave do que o do início.

Josh sentiu um aperto desagradável no peito. Que tipo de gente vira as costas para a namorada grávida e simplesmente desaparece? Por décadas?

"Ele ainda está vivo?", Josh perguntou.

"Sei lá." Sua mãe suspirou. "Coloquei o nome dele na sua certidão porque queria ter provas materiais, eu acho."

"Por que você não tentou ir atrás dele para exigir que pagasse pensão?"

"Eu não queria. Sinceramente, preferia morar debaixo de uma ponte a fazer isso." Ela encolheu os ombros. "Mas meu pai estava vivo na época e cuidou de tudo. Eu me transferi para Brown, que me concedeu uma ajuda de custo, e isso somado ao que seu avô dava para nós era suficiente."

"Você chegou a pesquisar sobre ele no Google? Só por curiosidade?"

Ela fez uma careta. "Sim. Uma vez, quando você tinha uns dez anos. Ele dava aula na Northwestern e morava em Chicago. Isso uns vinte anos atrás. Então é isso. Não sei de mais nada. Ele nos abandonou completamente. Sem olhar para trás. É com isso que você vai ter que se virar para planejar seu feliz reencontro."

"É só por curiosidade, mãe. E para ter o que fazer."

"Você pode cavar valas. E limpar banheiros. Fazer trabalho voluntário em um abrigo para mulheres vítimas de abuso."

"Tudo bem, tudo bem. Já entendi. E eu já faço um trabalho voluntário, lá no Hope Center. Além disso, acabei de passar para a faixa vermelha no caratê. A mãe de todo mundo estava na cerimônia de troca de faixa. Pena que você não pôde ir."

Pronto. Um sorriso. Ela tinha rido muito quando ele contou sobre a aula de caratê com as criancinhas.

Mas o sorriso logo desapareceu. "Josh... Eu mantive a minha caixa-postal em Cambridge ativa por dez anos. Sabe como é. Para o caso de ele resolver entrar em contato comigo e querer saber de você." Os olhos dela se encheram de lágrimas.

Ele respirou fundo, segurou o ar por um instante, e então expirou. "Ele parece ser um cuzão."

"Eu é que não vou dizer o contrário."

"Você sabe mais alguma coisa, mãe?"

"Não." Ela sacudiu a cabeça e enxugou os olhos. "O azar é dele, Joshua. Você é o melhor filho do mundo."

Ele levantou e a abraçou, sua mãe viking e implacável. "Eu te amo, mãe." Ela retribuiu o gesto com força e deu um beijo estalado em seu rosto.

"Eu te amo também. Pode fazer o que for preciso."

"Obrigado."

"Por nada. Agora termine o seu bolo."


Joshua encontrou Christopher M. Zane com quatro cliques no Google depois de digitar o nome e o histórico educacional do seu pai junto com a palavra *engenheiro*.

E lá estava ele. Com foto e tudo.

Christopher M. Zane tinha cabelo grisalho, pele morena e olhos castanhos, um rosto quadrado de feições pronunciadas, nariz aquilino e um incisivo esquerdo torto que aparecia claramente quando ele sorria. O incisivo esquerdo de Josh também era torto. Daquele mesmo jeito.

Em termos objetivos, Josh era capaz de admitir que seu pai era um homem bonito. Meio parecido com George Clooney, mas não tão gato, como Lauren diria.

Ele ficou olhando para a foto.

E concluiu que era bem mais parecido com o pai do que com a mãe. *Muito* mais.

Josh sempre se surpreendia quando se destacava pela aparência, já que passava tanto tempo perdido na própria mente. Seu modo relapso de se vestir, antes de Lauren e antes de Radley, privilegiava o conforto, mas quando fazia um esforço para melhorar nesse sentido — por exemplo, quando comprou o terno que usou ao pedir a mão de Lauren —, se sentia bem. Ele ficava uma graça quando estava arrumadinho, como Sumi lhe dizia.

Mas agora, olhando para seu futuro na tela do computador... talvez seu apreço por sua aparência tenha caído um pouco. Não que aquele homem tivesse feito alguma coisa relevante para sua vida além de uma ejaculação. Bom, e um abandono também.

Christopher M. Zane, um ph.D., dava aulas de engenharia civil e ambiental na Universidade de Chicago. Formado em Notre Dame, tinha "estudado no MIT", concluído o mestrado na Universidade de Chicago e o doutorado na Northwestern. Agora era professor titular da Universidade de Chicago e conferencista visitante em várias outras instituições. Havia tirado um período sabático na África do Sul três anos antes. Era casado e tinha três filhos.

Então Joshua tinha irmãos. Era uma informação nova.

Ele não deixou que as emoções o atrapalhassem. Era como se estivesse trabalhando, e sua visão em túnel entrou em ação. Ele comprou uma assinatura em um serviço de localização de registros públicos e, vários minutos depois, conseguiu o endereço atual, o celular e os endereços anteriores do pai. Christopher M. Zane tinha levado uma multa por excesso de velocidade em 2018. Foi sócio de um café que não existia mais em Wicker Park. Havia uma foto dele na inauguração, abraçado à mulher e aos três filhos. "Christopher Zane, sua esposa Melissa e seus filhos, Sawyer, Ransom e Briar" — a julgar pelo nome, eles queriam que os três trabalhassem no ramo de rodeios — "na inauguração do Deep, Dark & Delicious, o novo café da região mais badalada de Chicago."

Um meio-irmão e duas meias-irmãs com nomes de caubóis. Ele observou o rosto dos três. Melissa era loira de olhos azuis, e dois dos filhos também, mas Ransom era a cara do pai.

Que estranho, ver alguém que sem dúvida se parecia com ele depois de trinta anos achando que era filho único. Trinta e um, para ser mais exato.

O café tinha fechado dois anos depois. Enfim.

Ele digitou o endereço do pai no Google, entrou no modo *street view* e descobriu que Christopher morava em uma casa antiga e elegante em estilo vitoriano em Oak Park. Um bairro ótimo. Josh viu as janelas do quarto principal, e as dos dormitórios menores e aconchegantes dos meios-irmãos. Eles tiveram que dividir um quarto, e provavelmente isso gerou algumas brigas. A cozinha era espaçosa. Havia um solário com vista para o quintal.

Era uma bela casa. Muito boa. Do tipo que ele e Lauren teriam comprado.

Acrescentando mais alguns termos à busca, Joshua encontrou informações sobre seus avós paternos, Mike e Kerry Zane, donos de uma fazenda enorme de gado de leite em Rolling Prairie, Indiana. Duas mil vacas, todos os equipamentos e instalações necessários, tudo moderno e brilhando de novo. Havia uma linda casa antiga na propriedade também, com uma varanda que dava a volta na residência, quatro quartos e um estábulo com lugar para seus cavalos.

O valor de venda da fazenda foi de 12,2 milhões de dólares, catorze anos atrás.

Era engraçado saber que seus ancestrais eram ricos.

Catorze anos antes, Joshua foi obrigado a escolher entre as faculdades com base nas bolsas de estudos e ajudas de custo que ofereciam. Stephanie era econômica e havia começado a juntar dinheiro para sua educação assim que ele nasceu, mas seu salário só deixou de ser bastante modesto poucos anos antes, quando sua condição financeira se tornou mais confortável. Antes de engravidar, sua mãe pretendia se formar em medicina. Estava fazendo um mestrado à distância só agora, trinta e um anos depois do nascimento do filho.

Ele voltou a clicar nas duas fotos do pai.

Em seguida, ligou para Cookie Goldberg. "O que você deseja?", ela perguntou quando atendeu.

"Vou para Chicago amanhã", ele respondeu. "Marque um voo para mim e reserve um quarto de hotel em um lugar tranquilo, ok?"

# 27

## JOSHUA

*Décimo mês*
AINDA DEZEMBRO

Dezessete horas depois de ligar para Cookie, Joshua estava sentado em um banco diante do prédio onde Christopher M. Zane, ph.D., trabalhava. O sol estava forte, e o céu, azul, apesar do frio. O banco era de ferro, mas ele mal notou a temperatura congelante. Não. Ele estava vigiando a porta do prédio onde seu pai dava aulas e cumpria as demais obrigações relacionadas a seu emprego.

Graças a Deus que Sarah tinha entregado a carta de dezembro mais cedo. Caso contrário, ele perderia aquela janela de oportunidade, já que o semestre letivo terminaria em poucos dias.

Ele só esperava que seu pai usasse a entrada principal quando fosse embora. Tinha imprimido a foto do site da universidade e a da família dele no café, e estava de olho na porta. Jovens entravam e saíam do prédio, protegidos contra o frio. O tempo era gelado ali, e bem diferente de Rhode Island — um frio seco e penetrante que atravessava todas as camadas de roupa que Josh vestia. Tudo bem. Ele não se importava.

"Posso ajudar?", uma voz perguntou. Ela sorriu e ajeitou a mochila nas costas.

"Estou esperando o professor Zane", ele respondeu.

"Ah, ele está trabalhando na sala dele. Tenho aula com ele."

"Sério?"

"Sim. Ele é legal. Um dos melhores do meu curso."

Josh não respondeu. Ela inclinou a cabeça, e ele lembrou que precisava falar. "Que bom saber disso."

"Enfim. Boas festas."

Ele assentiu. "Para você também."

Quando ela foi embora, ele voltou sua atenção para a porta e, bem naquele momento, um homem saiu, usando uma parca pesada de inverno. Se segurou no corrimão para descer a escada, com movimentos um tanto rígidos. Era alto e segurava uma maleta em uma das mãos. O cabelo era grisalho. Ele era parecido com George Clooney.

O homem acenou para um estudante, virou à esquerda e saiu andando na direção oeste.

Josh levantou, pegou sua bolsa de couro e saiu correndo atrás do homem. "Professor Zane?", ele chamou com um tom de voz tranquilo. Não estava nervoso. Na verdade... não estava sentindo nada. Apenas uma vaga curiosidade.

"Sim?" Seu pai se virou. De perto, parecia mais velho que nas fotos, com olheiras e a pele do rosto começando a ficar flácida. Mas ainda era boa-pinta.

"Joshua Park." Ele não estendeu a mão.

"Nós nos conhecemos? Você é um aluno ou ex-aluno?"

"Não." Ele fez uma pausa. "Eu sou seu filho."

Aquela expressão... *ele empalideceu completamente*. Joshua notou. O rosto de Christopher M. Zane ficou sem cor. Ele arregalou os olhos e se dobrou ao meio, apoiando as mãos nos joelhos. "Meu Deus. Meu Deus."

Josh não ofereceu nenhuma ajuda. Ficou só esperando e, depois de alguns segundos, seu pai levantou, com a respiração pesada. Ele deu um passo para trás, soltando vapor pela boca no frio congelante. Os olhos estavam marejados, Josh percebeu, e as pernas dele pareciam bambas.

O que não fazia diferença nenhuma, obviamente.

"Ei, professor Zane! Está tudo bem?", um estudante perguntou.

"Ah, sim. Sim, estou bem, obrigado." Ele sacudiu a cabeça de leve, respirou fundo e se voltou para Josh. "Meu Deus", ele repetiu, e as lágrimas começaram a cair. "Meu Deus."

"Podemos ir até algum lugar para conversar?", Josh perguntou. "Ou você precisa de uma ambulância?"

"Não, eu estou bem... é que... meu Deus. Eu nunca pensei... Jamais esperava que..."

"Tem um café ou restaurante aqui perto?" Ele sabia que sim. Cookie havia feito uma pesquisa e indicado quatro lugares. Não sabia o motivo para sua visita e provavelmente preferia morrer a perguntar.

"Sim. Hã, é por aqui."

Eles se mantiveram em silêncio, mas de tempos em tempos alguém dizia "Oi, professor", ou "Olá, professor Zane!", e o pai de Joshua nem sequer percebia. Talvez não tivesse nem ouvido. O tempo frio devolveu um pouco de cor ao seu rosto, e a todo momento ele olhava para Josh, que retribuía os olhares sem perder a tranquilidade. Ficou esperando que as emoções viessem à tona. Nada aconteceu. Provavelmente em algum momento os sentimentos aflorariam. Mas, por ora, ainda não.

No quarteirão seguinte havia um pub irlandês. Christopher Zane abriu a porta e a segurou para Josh. Estava quente e escuro do lado de dentro.

"Chris! Como vai?", falou o bartender.

"Tudo bem, Tim, tudo bem." Então ele era um cliente assíduo. Mas não apresentou Josh. "Ei, nós vamos sentar naquela mesa lá do fundo, certo?" Ele se virou para Josh. "O que você quer beber?"

"Café."

"Um café e uma água com gás, Tim", ele disse para o bartender. "Vamos poupar seu trabalho e levar as bebidas nós mesmos."

Um interminável minuto depois, eles estavam com as bebidas nas mãos.

Eram quase quatro da tarde, e já estava escurecendo. Josh seguiu seu pai até a mesa mais distante do balcão. Eles tiraram os casacos e sentaram. Era um pub legal. Bem comunzinho, mas aconchegante.

"Então, isso é... uma grande surpresa", Christopher falou, respirando fundo.

"Com certeza."

"Quanto anos você tem, Joshua?"

"Fiz trinta e um em 14 de outubro." O pior aniversário de sua vida. O primeiro sem Lauren. O primeiro como viúvo.

"Jesus do céu. Meu Deus. Eu..." Ele deu um bom gole na água com gás. "Acho que preciso perguntar o que você quer... fazer. Ou dizer."

"Eu queria conhecer você. E perguntar algumas coisas."

"Certo. Certo. Claro." Ele passou uma das mãos no rosto. "Desculpa, é que foi um choque." Mais um gole ou dois na água. "Hã... como está a sua... a sua mãe?"

"Está viva. Isso é tudo o que você precisa saber."

Christopher sentiu o baque. "Certo, é justo."

"Eu sei que você é casado e tem três filhos com nomes de caubói. Sei onde você foi criado, onde estudou, que tem uma irmã chamada Eileen. Sei que seus pais venderam a fazenda em Indiana e agora vivem no Arizona. E que você teve um café em Wicker Park."

"Minha nossa, a internet tem tudo sobre a nossa vida mesmo." Ele soltou um suspiro. "Você quer dinheiro?"

Josh não conseguiu segurar uma risada amarga. "Está meio tarde demais para pagar pensão alimentícia."

"Quer dizer, eu devo isso para você. E o dinheiro *existe*. Agora. Mas nem sempre. A fazenda foi vendida..."

"Eu sei, e isso não me interessa. Eu quero saber como você foi capaz de abandonar uma jovem de vinte anos com um filho na barriga."

Christopher M. Zane se recostou na cadeira e olhou para o teto por um longo minuto. Quando se voltou para Josh, estava com os olhos marejados.

"Eu não tenho uma boa resposta para isso. Não existe uma, a não ser que eu era um bosta, um garoto idiota..."

"Você tinha vinte e cinco anos."

"E a cabeça de um moleque tonto de dezesseis." Ele virou o restante da água. "Só me deixa escrever para a minha mulher avisando que vou chegar mais tarde. É rapidinho."

Josh ficou aguardando.

Christopher mandou a mensagem, desligou o celular e guardou no bolso do casaco. Josh gostou disso. Seu pai respirou fundo de novo. "Então, eu não tenho como justificar o que fiz. Sumir daquele jeito. Não foi nada planejado. Eu estava participando de um projeto de verão em Austin naquele ano e tinha toda a intenção de voltar para Boston. Então dei uma passada em Indiana. Não tinha contado para os meus pais sobre... você. Ou Stephanie." Ele olhou para as próprias mãos. "Eles... os meus pais... eles ficaram tão felizes em me ver."

Josh ficou em silêncio, só esperando. "Meu pai veio do Paquistão para cá aos dezessete anos." Ah. Então era daí que vinham os cabelos e olhos escuros de Josh. "Ele trabalhou noventa horas por semana como faxineiro e lavrador para conseguir comprar seu primeiro pedaço de terra. Cinco hectares. E acabou com mais de três mil. Eu fui a primeira pessoa da família a fazer faculdade. Minha mãe não terminou nem o colégio."

Christopher parou de falar, para dar uma chance para Josh absorver a informação. Ou então se acalmar um pouco, talvez. Uma coisa Josh precisava admitir: o cara não estava de enrolação nem tentando arrumar desculpas esfarrapadas.

Josh não estava lá para ouvir a histórias de avós que nem conhecia e seu sonho americano, mas aquilo era interessante. Paquistão. Ele era descendente de paquistaneses. Legal. Precisaria aprender um pouco mais sobre a cultura e a história do país. Afinal, não foram seus ancestrais distantes que abandonaram sua mãe.

"Sua mãe também é paquistanesa?", Josh quis saber.

"Não. Ela é branca. Os pais dela não aprovavam seu namoro com um... enfim, eles usavam umas palavras bem feias para se referir ao meu pai. Então ela foi expulsa de casa, e eles casaram bem jovens."

"Você acha que eles aprovariam isso de abandonar uma namorada grávida?", Josh perguntou, em um tom quase amigável.

"De jeito nenhum. Eu nunca contei. Eles... estavam tão orgulhosos de mim. Era para eu ser a prova de que tinham feito todas as escolhas certas. E não um idiota que engravidou uma garota."

"Mas foi isso o que você fez."

"Pois é. Joshua, eu não tenho como me justificar. Estava assustado e agi como um moleque egoísta, mimado e fraco. Não podia voltar para o MIT, então abandonei os estudos. Eu..." A voz dele ficou embargada. "Eu simplesmente fiquei em casa. Como um covarde. Um babaca egoísta."

Ele enxugou os olhos. Josh não se comoveu.

"Quanto mais eu ficava, mais fácil a coisa se tornava. Eu dizia para mim mesmo que a sua mãe tinha voltado para a Suécia."

"Por que ela iria para a Suécia?", Josh questionou. "Ela foi criada no interior de Nova York. Passou só um semestre na Suécia. É nascida nos Estados Unidos. Deve saber no máximo dez palavras em sueco."

"Ah. Eu... Eu pensei que ela fosse sueca *de nascimento*, por alguma razão."

"Nada a ver."

"Enfim. Isso não justifica o que fiz. Mas foi o que eu disse a mim mesmo. Que ela tinha voltado para lá, e na Suécia... hã, o sistema de saúde era melhor e, puta merda, fui idiota e egocêntrico a ponto de me agarrar a qualquer esperança. Pode chamar isso de pensamento mágico ou autoengano ou uma ilusão minha de que ela tinha partido para uma vida melhor, para virar médica. Com o tempo, comecei a acreditar nisso. Imaginei sua mãe na Suécia, tendo o bebê — você — por lá, e te criando lá."

"Ela se mudou para Providence. Pediu transferência para Brown, porque a ajuda de custo era melhor do que em Harvard. Eu nasci no Hospital de Rhode Island. Ela não estudou medicina. Não teria como, porque precisava cuidar de mim." Ele esperou um pouco o sentimento de culpa se assentar. "Ela manteve a caixa-postal em Princeton ativa, para o caso de você entrar em contato algum dia."

Houve um longo silêncio.

"Eu nunca fiz isso", seu pai reconheceu.

"Isso eu já sei."

Christopher M. Zane tinha dificuldade em manter o contato visual. "Eu quero que você saiba que... essa decisão sempre foi um peso para mim. Mas não fiz nada para lidar com isso além de beber. Fiquei com *ódio* de mim mesmo. Levei bomba no mestrado e tive que recomeçar do zero no ano seguinte. Eu sabia que estava sendo um fraco, mas..." Ele sacudiu a cabeça. "Mas, quanto mais tempo passava, mais difícil se tornava desfazer o estrago que fiz. No fim, eu me convenci de que vocês estavam melhores sem mim, sem eu aparecer implorando perdão, porque isso que eu fiz foi... imperdoável."

"Você pelo menos sabia que eu era um menino? Teve algum interesse em descobrir?"

Seu pai o olhou, piscando algumas vezes. Mais lágrimas escorreram de seus olhos, e Josh continuava o observando com uma expressão impassível. "Não", respondeu Christopher M. Zane. "Depois que um certo tempo passou, eu me convenci de que era melhor assim."

"Para você, claramente foi."

"Não sei. Acho que virei uma pessoa pior por isso. Vivi carregando essa vergonha por trinta e um anos."

"Que bom. Você devia se envergonhar mesmo."

Seu pai assentiu.

Então estava tudo explicado. Seu pai era idiota, egoísta e irresponsável. Josh bebeu seu café, que a essa altura já estava morno, e pensou que talvez fosse bom projetar algo para resolver esse problema. Um aquecedor que esquentasse o café ou o chá sem deixar com gosto de velho, como um micro-ondas fazia. Sério mesmo, se já não houvesse uma coisa como essa no mercado, ele poderia criar uma e vender a patente em um estalar de dedos.

Era reconfortante se imaginar em casa, sentado à sua mesa, em vez de estar ali, diante de um homem que não sabia nem como e quando ele tinha nascido.

"Se eu pudesse voltar atrás, teria feito diferente", Christopher M. Zane disse baixinho. "Quando tive o primeiro bebê com a minha mulher, eu fiquei muito..." Ele suspirou. "Eu estava muito mal. Sempre que pensava no quanto amava o meu filho, lembrava que tinha me afastado de você e sentia medo de amar o meu garoto."

Josh sentiu a primeira fagulha de empatia surgir. O garoto não tinha culpa nenhuma, afinal de contas.

"Eu não podia contar para a minha mulher e... comecei a beber de novo. Ela ameaçou me expulsar de casa, então fiquei sóbrio, fui fazer terapia. Então nossa filha nasceu, e depois nossa segunda menina, e isso ajudou. A essa altura, eu já acreditava que era tarde demais para procurar você e Stephanie. Já tinha passado muito tempo."

"Você poderia ter tentado."

"Sim. Pode acreditar que eu sei disso. Faço de tudo para ser um bom pai para eles, mas nunca vou deixar de sentir que tenho uma dívida a pagar por causa do que fiz com você. Se o universo decidir levar um deles, provavelmente seria um castigo merecido para mim." A voz dele ficou embargada.

Que dramático. Mas mesmo assim. Ou era um ator digno do Oscar, ou realmente ficou abalado com a aparição súbita de Josh, porque as lágrimas continuavam a cair.

"Acho que o universo não funciona dessa maneira", Josh comentou.

"Eu sinto muito", seu pai disse. "Sinto muito, muito mesmo."

Josh inclinou um pouco a cabeça, assimilando aquelas palavras.

Seu pai limpou os olhos com um guardanapo, assoou o nariz, e entrelaçou os dedos sobre a mesa, e Josh reconheceu com um sobressalto que aquelas eram *suas* mãos, da forma como seriam dali a vinte e cinco anos. O mesmo formato, a mesma posição das articulações, o mesmo contorno dos dedos.

"Você ama os seus filhos?", Josh quis saber.

Os olhos do seu pai se encheram de lágrimas de novo. "Sim."

"Que bom." Ele achou que talvez devesse acrescentar alguma coisa. "Eles têm uns nomes bem incomuns."

"Foi minha mulher que escolheu. Eu não achava que... ai, meu Deus, estou aqui só tagarelando sobre mim. Mas não achava que tivesse o direito de escolher o nome de ninguém. Se meus filhos tivessem nomes de cachorros ou fazendas, tudo bem. Eles estão bem. São bons meninos."

Josh quase sorriu.

"E eu, posso fazer algumas perguntas para você, Joshua?"

"Claro." Por que não?

"A sua infância foi... boa?"

Josh assentiu. "Foi, sim. Muito feliz. Com certeza minha mãe precisava de ajuda, mas conseguiu se virar sozinha."

"Ela era uma mulher brilhante."

"Ainda *é*. Mas não restou nenhum amor por você."

"Eu entendo perfeitamente." Ele hesitou. "Ela chegou a se casar?"

Josh pensou em não responder. Mas, de novo, por que não? "Não."

Christopher balançou a cabeça, com os olhos voltados para a mesa. "Eu esperava que... eu imaginei que ela estivesse casada. E torcia para que você tivesse um bom padrasto."

"Não." Mas ele teve Ben. As lembranças de Ben, ensinando-o a andar de bicicleta e a fazer aviões de papel, provocaram um aperto em seu peito. Ele teve, *sim*, um pai. Um ótimo pai. E ainda tinha.

"Ela precisa de dinheiro? Ou você?", Christopher perguntou.

"O seu dinheiro? Só se for para pôr fogo", Josh retrucou.

"Se vocês precisassem, isso era o mínimo que eu..."

Um brilho vermelho começou a se insinuar no olho esquerdo de Joshua. "Professor Zane, nós não precisamos do seu dinheiro. Mesmo se estivéssemos passando fome, não aceitaríamos."

Seu pai assentiu. "Eu entendo. E respeito isso." O brilho vermelho se apagou.

Eles ficaram em silêncio por alguns minutos. Mais algumas pessoas haviam entrado no pub, mas estavam no balcão. Trechos de conversas e risadas flutuavam pelo ambiente como fumaça.

"Hã... e em que você trabalha, Joshua?"

Era só pesquisar no Google que ele poderia descobrir o que quisesse, então não fazia diferença responder. "Eu sou um engenheiro de dispositivos médico-hospitalares."

"Sério? Que incrível! Então... hã, qual é a sua área de especialidade?"

"Pediatria, principalmente. Alguns equipamentos cirúrgicos. Adaptações para minimizar a invasividade e a dor."

"Isso é maravilhoso. Incrível mesmo, filho." Ele fez uma careta. "Me desculpe. É força do hábito. Eu chamo até alunos meus assim. É uma coisa do Meio-Oeste."

"Tudo bem. Eu sou seu filho, afinal. Biologicamente, pelo menos."

"Dá para enxergar um pouquinho do meu pai em você."

"Por favor, não faça isso."

"Verdade. Desculpe. Não é fácil encontrar a coisa certa para dizer."

"Eu entendo. É uma situação fora do comum."

"Você é sempre assim tão... contido?", seu pai perguntou com um leve sorriso.

"Na maior parte do tempo, sim."

O sorriso de seu pai se abriu mais um pouco. "Que bom para você." Mais uma pausa. "Onde você estudou?"

"Escola de Design de Rhode Island, Brown, MIT."

"Uau. Então você herdou a inteligência da sua mãe." Nenhum dos dois comentou o fato de terem estudado na mesma instituição. Stephanie não abriu a boca a esse respeito quando surgiu a oportunidade de Josh ir para o MIT.

"E onde você vive hoje, Josh?"

"Em Providence."

"Você e sua mãe são próximos?"

"Somos."

"Que bom. Fico contente de saber." Ele hesitou um pouco. "Você é casado?", perguntou em seguida, apontando com o queixo para a mão esquerda de Josh.

Ele olhou para sua aliança. "Minha mulher morreu há dez meses. Fibrose pulmonar idiopática."

Seu pai assumiu uma expressão de desolação. "Ah, não. Eu sinto muito."

"Pois é. Eu também."

O que Lauren faria em um momento como aquele? O que iria querer que ele dissesse? Se estivesse ali, como tornaria a situação menos desconfortável? Ela queria que ele tivesse algum tipo de esclarecimento sobre essa parte de sua vida, para que deixasse de ser um incômodo.

"Então, professor Zane..."

"Ah, não, por favor. Pode me chamar de Chris. Ou... ou o que você quiser."

"Ok. Chris." Aquele nome soou estranho na sua boca. Ele fez uma pausa, tentando organizar os pensamentos. "Olha só. Não ter tido nenhum contato com você... isso deixou uma marca em mim. Nunca tive raiva de você nem nada, e minha mãe nunca tocou no seu nome para dizer o que quer que fosse, a não ser que tinha ido embora antes de eu nascer. Mas sempre me senti meio... descartado."

Seu pai assentiu, com o queixo tremendo. "Eu sinto muito", ele murmurou.

"Mas tive uma vida muito boa. Minha mãe é o máximo, e eu tenho... tenho o meu pessoal. A minha mulher, ela era..." Seus olhos começaram a arder. "Ela era incrível, e nós fomos muito felizes." Ele limpou a garganta. "Então você não arruinou a minha vida. Nunca fez parte dela, então não teria como. Mas sempre me perguntei por que eu fui... simplesmente ignorado desse jeito."

Chris balançou a cabeça. "A questão não era você", ele sussurrou com ferocidade. "Não mesmo. Eu fui egoísta. Não me preocupei com ninguém além de mim mesmo. A explicação é essa. Eu escolhi o caminho mais fácil e covarde possível. Deixei sua mãe na mão, tendo que resolver tudo sozinha, e acredito que algum dia vou ter que responder por isso. É uma culpa que carrego comigo. Todos os dias da minha vida, Joshua." A voz dele ficou embargada.

Eles ficaram em silêncio por alguns minutos. Tim, o bartender, perguntou se queriam mais uma rodada, e ambos disseram que não.

Havia um *H* perfeitamente simétrico entalhado na mesa, que Josh contornou com o dedo indicador. Um trabalho de profissional, com a serifa na base da letra feita com perfeição. Muito bem-feita.

"Por que você não para com isso?", ele perguntou ao pai.

"Parar com o quê?"

"De se sentir culpado." Ele levantou os olhos do *H* e encarou seu pai. "Não estou dizendo isso por mal, mas provavelmente foi melhor para nós você ter sumido."

Chris assentiu, com uma expressão de sofrimento no rosto.

"Ao que parece, você é um homem melhor agora do que era na época."

Seu pai abaixou a cabeça. "Não consigo nem dizer o quanto é importante ouvir isso de você", ele murmurou.

Josh o olhou. Era estranho pensar que metade de seu DNA tinha vindo daquele desconhecido. Ele estendeu a mão. "Eu perdoo você."

Seu pai abriu um pouco a boca antes de apertar com força a sua mão. Josh retribuiu o aperto, e os dois ficaram assim por um tempo antes de Josh recolher o braço.

"Você... quer conhecer a minha família?", Chris perguntou. "Seus... irmãos?"

"Ah, não, nada disso. Não vejo por que jogar esse peso sobre eles."

Josh não conseguiu determinar se seu pai tinha ficado aliviado ou decepcionado. "Certo. Hã... quer ver umas fotos deles?"

"Hã... tudo bem." Eles tinham isso em comum. Essa hesitação na hora de falar quando não sabiam ao certo como responder a uma situação.

Seu pai pegou o celular, ligou o aparelho, bateu com os dedos na tela algumas vezes e entregou para Josh. "Esse foi o Natal do ano passado", ele disse.

Josh olhou para a tela — três crianças, as meninas de vestido vermelho, e o garoto, alto e magro, com uma blusa de lã azul de gola redonda.

307

A menina mais velha — Ransom — parecia ser levada, e Josh abriu um leve sorriso ao pensar nisso. Ele tinha uma meia-irmã espertinha que era parecida com ele. Na semana anterior, não fazia ideia disso.

"Eles parecem felizes", ele respondeu, devolvendo o celular.

"Obrigado", murmurou Chris.

"Que tipo de coisa vocês fazem juntos?", ele perguntou.

"Ah, nós, hã... bom, nós gostamos de jogos e filmes, então uma vez por semana fazemos uma noite em família. E jogamos boliche às vezes. Ransom e Sawyer adoram beisebol, então vamos a um jogo dos Cubs uma vez por ano, por aí. Hã... e nós cuidamos do jardim juntos. E às vezes vamos ao lago. Nós, hã... temos uma casinha lá no norte. Em Wisconsin."

"Parece ótimo."

Os olhos de seu pai se encheram de lágrimas de novo. Bom, estava ali uma coisa que Josh não havia herdado. Ele não era chorão. Às vezes, desejava ser. "Não precisa contar para eles sobre mim", ele disse.

"Eu... talvez eu conte."

"A escolha é sua. Não tenho a menor intenção de visitar você de novo, Chris. Não preciso de um pai. E acho que é tarde demais para termos alguma importância na vida um do outro."

"Eu procurei você. No Ancestry.com. Pensei que talvez você tivesse... se colocado lá para me encontrar. Um dia, os meus filhos provavelmente vão descobrir que têm um irmão."

"Meio-irmão." Josh fez uma pausa. "Vai ser uma conversa bastante difícil."

"Vai mesmo." Seu pai olhou bem para o seu rosto. "Tem *certeza* de que não quer nada de mim? Eu faria qualquer coisa para tentar pelo menos oferecer alguma compensação. Para começar a fazer isso, que seja. Foi um tremendo choque, mas estou feliz de conhecer você. De verdade."

Josh respirou fundo. "Obrigado. Eu só queria te conhecer. Saber como você era. Que tipo de gente você é." Ele fez uma pausa. "Minha mulher achava que eu devia fazer isso. Achou que seria bom para mim. Acho que ela estava certa."

O rosto de seu pai se contraiu, mas ele conseguiu se controlar. "Tudo bem. Mas, se quiser alguma coisa, é só entrar em contato... pode ser o que for. Qualquer coisa mesmo. Se mudar de ideia ou se vier a Chicago algum dia, nós podemos..."

"No momento, a resposta é não. Mas obrigado."

"Quer ficar com o meu cartão, para o caso de mudar de ideia?"

"Tudo bem."

Chris pegou a carteira, retirou um cartão de visita e anotou um número de telefone no verso. Enquanto fazia isso, Josh registrou o rosto dele na memória.

Se não ter um pai deixou uma marca em Joshua, ter abandonado um filho deixou uma cicatriz em Christopher M. Zane. Ele parecia mais velho do que realmente era, desgastado pelo estresse.

E pelo menos teve a decência de assumir o que fez sem tentar arrumar justificativas.

Eles levantaram, e Josh notou que a mão de seu pai estava trêmula enquanto subia o zíper do casaco. Aquilo foi estranhamente comovente.

Chris pegou a carteira e pôs uma nota de vinte sobre o balcão. "Já está indo, assim tão cedo?", perguntou Tim, o bartender.

"Ah, sim. Tim, esse é Joshua. Joshua Park."

"Prazer", disse Josh.

"Tim", continuou Chris. "Você pode tirar uma foto nossa? Se você não se importar, Josh."

Ele ficou hesitante. Mas sua mãe poderia querer ver, talvez. E, se não quisesse, pelo menos ele teria uma e, em certo sentido, não lá muito importante, seria bom ter uma foto sua com seu pai, por mais desimportante que ele tivesse sido em sua vida até então.

Lauren teria gostado de ver.

Seu pai entregou o celular para o bartender, e Josh fez o mesmo. Eles ficaram lado a lado. "Certo, olhem para cá e sorriam", Tim pediu. Josh obedeceu e sentiu o braço do pai sobre seus ombros. "Agora no outro celular... três, dois, um, pronto. O que acharam?" Ele devolveu os celulares.

"Tim... esse... ele é meu filho", Chris falou, com a voz trêmula.

Era a primeira vez que Josh ouvia uma voz masculina dizer aquelas palavras. E sentiu um estranho e não exatamente desagradável aperto no peito.

Tim levantou as sobrancelhas. "Uau. Que legal te conhecer, cara."

"Digo o mesmo."

Josh olhou no celular. Lá estavam eles, pai e filho, lado a lado. O incisivo torto entregava tudo.

"Você tem...", Chris apontou para seu dente torto.

"Pois é." Eles se olharam e sorriram, e o aperto no peito de Josh cresceu.

Já era noite a essa altura, e estava mais frio do que nunca. As lâmpadas dos postes projetavam poças de luz sobre a rua a intervalos regulares. "Precisa de carona?", Chris ofereceu.

"Não, obrigado", Josh respondeu. "Eu vou andando."

"Tudo bem." Seu pai ficou parado diante dele, pouco menos de cinco centímetros mais alto que Josh. "Posso te dar um abraço?", ele perguntou, com a voz trêmula.

"Não sou do tipo que gosta de abraços."

"Ah, sim, claro. Desculpa. Quem sou eu para pedir, aliás?"

*Reage, bobão.*

"Ah, que se foda. Por que não?", ele falou, e deu um abraço forte no pai, sentindo o homem ser sacudido pelo choro. Por um instante, eles ficaram nos braços um do outro.

Então Josh o largou. "Se cuida, pai", ele disse. Em seguida abriu um sorriso, se virou e saiu andando pela rua, seguindo o caminho iluminado.

# 28

## JOSHUA

*Ainda no décimo mês*
AINDA NO INTERMINÁVEL MÊS DE DEZEMBRO

Josh estava ignorando as festas de fim de ano. Era difícil se esquecer disso ao sair para o mundo real, então ele ficava em casa o máximo possível, ainda se acostumando com a ideia de ter conhecido o pai, ao mesmo tempo em que tentava ignorar o Natal.

Lauren era fanática pelo Natal. Parecia grotesco que aquele feriado pudesse acontecer sem ela.

Quando Jen perguntou se podia visitá-lo em um sábado à tarde, Josh aceitou no mesmo instante. Tinha saudade dela, percebeu. O apartamento estava uma bagunça, apesar de ele ter contratado uma faxineira, uma mulher simpática que Asmaa conhecia do Hope Center e lhe indicou, mas ele estava trabalhando demais, e havia embalagens de comida pronta espalhadas por toda parte. Pedrita estava soltando pelos, o que não ajudava, então ele passou o aspirador no chão e arrumou a cama. Depois tomou um banho, vestiu roupas limpas, pôs um café para passar e saiu à procura de biscoitos na despensa. Ah. A sra. Kim tinha trazido uns biscoitos de gergelim da Coreia e, pelo que ele lembrava, Jen adorava aqueles. Sim. Com certeza adorava mesmo.

Ele não conversava com Jen sem Darius e as crianças fazia um tempão. Eles haviam sido uma equipe quando Lauren estava doente, as duas pessoas que mais a amavam no mundo.

Josh pensou por um instante em seus meios-irmãos em Chicago. Era estranhamente agradável saber que eles estavam lá. Sua mãe tinha visto a foto, dado de ombros e dito: "Como ele está velho". E o assunto foi encerrado. E Josh tinha guardado o cartão do pai na mesma caixa com as cartas de Lauren, como uma forma de comunicar a ela o que havia feito. Provavelmente não iria querer ver Christopher Zane nunca mais, porém era impossível garantir.

Ao ouvir a batida na porta, Pedrita enlouqueceu. Ela gostava de todo mundo, mas recebia Jen com uma alegria única. Talvez soubesse que era a pessoa mais parecida com Lauren com quem poderia conviver. Talvez as duas tivessem o mesmo cheiro, as irmãs Carlisle.

"Pedrita! Oi, bebê! Oi! Que saudade!"

Josh ficou esperando, já acostumado com a ideia de que a cachorra recebia os cumprimentos primeiro. Por fim, Jen ficou de pé. "E aí, como você está?", ela perguntou com um abraço. "Que bom te ver. Ah! Gostei do que você fez aqui! Essa mesinha de centro é nova?"

"Não. Mas o sofá é. Você já veio aqui depois que eu comprei. Mas o tapete é outro." Ele tinha visto aquele em um site de leilões em que Lauren era cadastrada e achou que ficaria bom no piso antigo do apartamento. "Quer café? Uns biscoitos? Nós... eu tenho o seu favorito hoje. Os biscoitos de gergelim da Sumi, sabe?"

"Ah, sim! Mas o café eu dispenso. Tem leite? Ou leite de soja? De amêndoas? Eu sou bem fácil de agradar. Ah, uau, este sofá é bem confortável. Gostei."

Era sua forma de dizer que não se importava por ele ter mudado a decoração. Ele trocou algumas coisas de lugar, e tirou outras de circulação. O vaso que eles compraram no Havaí. Uma tigela de pedras ovais e cinzentas da praia em Cape Cod, meticulosamente escolhidas por Lauren. Ele não conseguiria se livrar daquilo, mas não precisava ficar bem diante de seus olhos o tempo todo.

Josh pôs os biscoitos em um prato, serviu um pouco de café para si e de leite de soja para Jen e levou tudo para a sala de estar, se acomodando ao lado dela. "Você está ótima, Jen. Como vão as coisas?"

"Tudo bem", ela disse, mas seus olhos logo se encheram de lágrimas. "Um horror. Eu morro de saudade dela o tempo todo. É como um buraco no meu peito, dá até para sentir o vento me atravessando, juro."

Ele pôs a mão sobre a dela e não disse nada.

"Eu fui me consultar com a sua médium", Jen contou. Ela comeu um biscoito com uma bocada só.

"Como foi?"

"Foi bom. É bem chocante. Escuta só. Quando eu entrei, não sabia o que estava fazendo lá, só que estava com *saudade* dela..." A voz de Jen ficou embargada, e ela deu um gole de leite. "E imediatamente Gertie disse: 'Sua irmã está me mostrando um bebê recém-nascido. Você está grávida?'" Jen começou a chorar. "E eu estou, Josh. Não faz nem um mês, mas estou. Você é a primeira pessoa para quem eu conto, a não ser ela e Darius."

Ela se virou para ele e afundou o rosto em seu peito, aos soluços, e ele a abraçou. "Estou muito feliz por você", ele murmurou enquanto Jen chorava. "É uma ótima notícia."

Lauren jamais conheceria aquela criança, nunca a pegaria no colo, nunca a beijaria, nunca teria sequer uma foto com ela. Ele entendia as lágrimas de Jen. E as suas estavam se misturando ao cabelo dela.

"Eu detesto isso da minha vida estar seguindo em frente sem ela", Jen disse em meio às lágrimas. "Detesto."

Ele queria concordar, porque sabia exatamente qual era a sensação. Segurou Jen pelos ombros e a fez encará-lo. "Isso é maravilhoso, e ninguém ficaria mais feliz que Lauren. Talvez só eu." Josh estreitou os olhos para ela. "Quer saber, acho que Josh é um belo nome. Está na hora de eu ganhar um xará, e estou totalmente disponível para ser padrinho."

Josh não era bom em consolar as pessoas, de forma nenhuma. Mas estava tentando. Não podia deixar que Jen sentisse que não havia nada além de alegria irradiando dele. Precisava cuidar dela. Era sua família.

"E se for uma menina?", ela perguntou, soltando um suspiro entrecortado, indicando que já tinha parado de chorar.

"Josie? Joshilyn? Joss? Nós podemos pensar em alguma coisa."

Ela deu risada, e Josh sentiu o coração apertar. Lauren teria gostado disso. Se sentiria grata por ele ter feito sua irmã sorrir.

"Jen", ele disse, "essa coisa de você ser minha cunhada e de eu ser seu cunhado..."

"O que é que tem?", ela perguntou, franzindo a testa. "Não vai dizer que você tem uma quedinha por mim."

"Bom, *claro* que eu tenho", ele falou, embora isso nunca tivesse passado pela sua cabeça, mas era assim que as pessoas se conectavam, Josh entendia, com essa coisa de flertes inconsequentes e complicações. "Mas é uma coisa complicada, explicar a ligação que existe entre nós. Talvez eu..." Ele hesitou. "Talvez eu pudesse te chamar logo de minha irmã."

Mais uma vez, os olhos dela se encheram de lágrimas. "Você é o máximo, Josh", ela disse, pegando outro biscoito. "O máximo mesmo. Sempre quis ter um irmão mais novo. Eu vestia Lauren com roupas de meninos, você sabia disso?"

Algum tempo depois ela foi embora, levando todos os biscoitos por insistência dele, e Josh foi para o quarto, olhou para o corniso, que estava obscenamente saudável, e chorou até cansar.


Graças a Deus que existia a internet. Josh comprou presentes para as crianças, para Jen e Darius (um vale-presente para um restaurante bem legal, com seus serviços de babá incluídos), para sua mãe, para Donna, para Radley e para Sarah. Teve que sair para comprar café uns dias antes, e todos os casais pareciam rosados e saudáveis e apaixonados, e todas as famílias estavam tomadas pelo espírito natalino, exalando felicidade como lixo radioativo.

Não que ele estivesse amargurado.

Deus do céu, ele estava *muito* amargurado. Um ano antes, Lauren precisava dosar suas energias com cuidado, mas mesmo assim eles cumpriram todas as tradições natalinas, assaram dezenas de biscoitos, ouviram músicas de Natal até não aguentarem mais, usaram as almofadas de rena e as canecas de Papai Noel. Ninguém disse para ele que seria o último Natal dos dois juntos. Nem para ela.

Ele se sentia como um papel velho e ressecado que poderia se desintegrar se fosse tocado. Manteve o máximo de distância possível das pessoas. Mas não havia como evitar completamente o Natal.

Ele e Radley foram para o Eddy — em algum momento depois de seu encontro com Cammie, os dois começaram a sair para beber toda quarta-feira à noite. Naquela semana, porém, isso tinha sido um erro — o bar estava cheio de gente empolgada com o Natal, e tinha músicas e decorações natalinas por toda parte, além dos drinques especiais. Josh contou sobre o encontro com seu pai, precisando quase gritar por causa do barulho e, minha nossa, ele estava prestes a começar a berrar e a cutucar as pessoas com o palito de dente chique que vinha espetado no cranberry que enfeitava sua bebida.

*Se concentra em outra coisa e reage, bobão*, ele conseguia imaginar Lauren dizendo. "Você tem planos para as festas de fim de ano, Rad?", ele perguntou.

"Quer dizer, além de sobreviver ao inferno que o shopping se transformou?" Ele deu um gole em seu bourbon e acenou para alguém que conhecia.

"É, além disso."

"Não. A minha ideia é pedir comida chinesa e ver filmes de terror."

Sortudo. Josh deu um gole no seu martíni de toranja defumada. "Por que não vai para a casa da minha mãe na véspera de Natal? Ela dá uma festona. Os suecos adoram o Natal."

"Sério?"

"É. Ela iria adorar. Está louca para te conhecer." Ele ficou hesitante. "E eu ficaria muito... grato por ter você lá."

"Eu *adoraria*. Obrigado, Joshua." A expressão do rosto de Radley era absolutamente sincera.

"Comprei um presente para você", Josh contou. "Posso entregar agora? Na casa da minha mãe vai estar uma loucura."

"Claro! Eu adoro presentes!"

Joshua tirou uma caixa de sua bolsa de carteiro. "Desculpa não ter embrulhado", ele falou.

"Você tem o direito de estar com raiva do Natal este ano, Josh." Ele abriu a caixa para revelar uma pulseira feita de tiras de couro presas com três anéis de aço. Cada um tinha uma palavra estampada em caracteres de *hangul*.

"É coreano", Josh explicou. "Meu amigo Ben me ajudou. Este aqui diz 'amigo', este outro, 'pessoa bondosa', e este aqui, 'irmão'." Ele ficou à espera da reação dele, torcendo para não ter exagerado na dose.

Radley o encarou por um instante e então pôs a mão sobre os olhos para esconder as lágrimas. Josh constatou que tinha feito a coisa certa.

"Nossa, eu amei", Radley falou, colocando a pulseira no braço. "Ai,

315

meu Deus, Josh, é perfeita. Tem certeza de que você não é gay? Sério mesmo, obrigado." O queixo dele tremeu um pouco. "Na maior parte do tempo eu procuro não pensar na minha família, sabe, mas as festas de fim de ano são... enfim. É uma época difícil. E isso..." Ele fez um gesto para a pulseira. "Isso significa muito para mim. Obrigado."

"Por nada. Você foi muito bom comigo." Ele lembrou daquela noite no provador da Banana Republic. Radley tinha sido mais que gentil. Foi praticamente um anjo da guarda. "Além disso", ele complementou, "eu sempre quis ter um irmão."

Radley levantou e o abraçou, e Josh retribuiu o gesto, contente por ter um amigo, constrangido com a demonstração de afeto. Radley limpou os olhos e voltou a sentar, e Josh se sentiu grato quando o rumo da conversa passou a ser o cruel professor de Comportamento Humano de Radley. Essa era uma das melhores coisas nele, Josh pensou enquanto o via falar, todo animado. Ele conduzia a conversa noventa por cento do tempo.

Quando estavam indo embora, Radley falou: "Só me deixa dar um oi para aquele cara ali". Josh pagou a conta e tentou abrir caminho até a saída do bar lotado. O ambiente estava ensurdecedor, e ele detestava aglomerações. Sua ansiedade disparou, mas ele se tranquilizou pensando que logo estaria em casa, no sofá com Pedrita, sem nenhuma decoração natalina por perto.

Ele parou atrás de uma garçonete, que estava simplesmente bloqueando sua passagem. Josh tentou passar pela esquerda — não deu. Pela direita — sem chance. Tentou fazer contato visual com as pessoas à mesa, mas estavam todos olhando para ela como se fosse um ser iluminado, um Buda com a resposta para todas as questões da vida.

Estava demorando um *tempão*. Ele tentou passar de novo, mas a garçonete pelo jeito não tinha visão periférica, porque também parecia ignorar sua presença. Ela estava explicando o complicado cardápio de drinques do Eddy. "Hã, esse aí tem, hã... humm... Wild Turkey amanteigado, bordo, St. Pierre... e... hã... raspas de chocolate, será que é isso? Não, bitter de cacau. Parece meio nojento, mas, hã, ouvi dizer que é uma delícia."

O maître olhou feio para ela. Não era mesmo um discurso vendedor. Josh tentou passar mais uma vez, mas não, ela devia ser totalmente cega do olho esquerdo, e as pessoas à mesa ainda não o tinham visto ali.

Ele suspirou e ficou olhando para os cabelos longos e escuros da garçonete, que estavam presos em uma trança que, se fosse cortada, daria uma boa corda.

"Certo", disse a garçonete, "então você quer canela no seu, só que não queimada? Hã, vou perguntar. Claro. Certo. Mas com Chopin, e não Grey Goose. Anotado. Chopin é gim? Não, não, claro que não. É vodca. Entendido. E vai querer limão? Espremido ou em rodela? Entendi."

Josh duvidava muito. Aqueles clientes estavam sendo ridiculamente específicos, ainda mais considerando a lotação do lugar.

Finalmente ela se mexeu, dando de cara com ele. "Desculpa, eu estava no caminho? Ah, ei! É você! Oi! Como você está?"

Era a mulher da corrida, a que estava empurrando o cachorro velho no carrinho de bebê e o ajudou quando Josh desmaiou. "Oi", ele respondeu. "Sim, sou eu mesmo. Lá da corrida."

"Pois é. Você desmaiou! Como você está? Bom, está na cara que sobreviveu. Mas já está bem?"

"Sim. Eu fiquei um pouco desidratado, só isso."

"Que bom, fico feliz." Ela continuou imóvel por um minuto, sorrindo para ele.

"Você vai levar o nosso pedido? Tipo, ainda hoje?", perguntou um dos clientes à mesa. O Natal trazia o que havia de pior nas pessoas, Josh observou.

"Sim! Desculpa! Eu vou. Agora mesmo." Ela sorriu de novo para Josh.

"Como está o Duffy?", ele perguntou, um pouco chocado por ter lembrado o nome do cachorro, mas se contorcendo de vergonha por dentro. O bichinho já devia estar morto àquela altura.

"Está ótimo! Obrigada por perguntar! O veterinário deu uns suplementos e uns corticoides para ele. Virou um cachorro novo em folha. Sério mesmo. É como se tivesse voltado a ter treze anos."

*Quantos anos* tinha aquele cachorro, afinal? "Que bom. E o seu irmão?" Ele tinha aquela doença que fazia as articulações se desconjuntarem. Ehlers-Danlos.

"Ai, minha *nossa*, que gentileza sua lembrar disso. Ele está bem! Obrigada."

"Muito bem. Boas festas para você."

"Para você também! E um feliz Ano-Novo!"

"Você estava *conversando* com uma *mulher*?", Radley perguntou quando enfim chegaram à calçada.

"Sim. Nós vamos ao mesmo veterinário."

"Ora, que bom para você, Joshua", Radley comentou. "Ei, está nevando! Que lindo, né?"

"É mesmo."

Lauren adorava neve. Ela ficava olhando pelas janelas do apartamento com as luzes apagadas, bebendo chocolate quente.

As lembranças dela estavam por toda parte.

"Vejo você na véspera do Natal, certo?", ele falou. "Vou te mandar uma mensagem com o endereço da minha mãe."

"Obrigado, irmão", Radley falou. Ele mostrou o pulso. "Nunca mais vou tirar isto aqui."


Na véspera de Natal, Radley chegou à casa de Stephanie pontualmente às cinco e meia, usando um terno elegante como seria de esperar de alguém que trabalhava em uma loja de roupas masculinas. Seus braços estavam lotados de presentes.

"Que alegria te conhecer!", Stephanie gritou, tirando o avental. Estava usando sua camiseta que dizia ABRAÇOS GRÁTIS DE MÃE e um coração com arco-íris, para o caso de alguém duvidar que era uma pessoa acolhedora, e abraçou Radley bem forte. "Que bom que você está aqui! Obrigada por ser amigo do meu filho! Eu sei o peso que ele é." Ela lançou para Josh um olhar presunçoso de quem diz: *Eu adoro fazer você passar vergonha na frente dos seus amigos.*

"Uau, mãe", Josh comentou, mas com um sorriso. Estava tudo tão normal.

"Eu estava ansioso para te conhecer, sra. Park. Josh diz que você é a melhor mãe do mundo. É verdade?"

"É, sim! Ah, Josh, obrigada, querido. Mas tem uma coisa, Radley, você precisa me chamar de Steph. Ou de mãe, se quiser, querido. Joshua falou que sua família mora longe, é isso? Que coisa mais triste na época do Natal."

"Bom, ao contrário de vocês, eles são uns cretinos homofóbicos, então não é assim tão triste." Os olhos dele se voltaram para Josh, que assentiu, mostrando que entendia a mentirinha. Era triste, *sim*. "Mas Joshua me adotou oficialmente como irmão, então acho que *com certeza* você é a minha mãe."

"Que tal outro abraço, então?", Stephanie falou, e Radley ganhou um segundo abraço, mais longo. Quando os dois se separaram, Radley estava com lágrimas nos olhos. Josh deu um abraço breve nele, só tocando os ombros, e o apresentou a quem ainda não conhecia seu amigo.

Os convidados eram numerosos — os Kim, cujos filhos chegariam no dia seguinte; Jen, Darius, Sebastian e Octavia; Donna e seu agora namorado firme Bill; e Sarah com um cara qualquer que tinha arrumado (e ele já estava vendo que o lance dos dois não iria durar); além de três pessoas do laboratório de sua mãe que não tinham parentes na região.

Bill estava segurando Octavia e, apesar de parecer um cara legal à primeira vista, deixou Joshua meio incomodado. Sentindo aquela familiar e contagiante tristeza por não ser o pai de Lauren que estava lá, e que o namorado de Donna jamais conheceria a filha dela.

"O lendário genro", Bill falou, ajeitando a bebê no colo para poder apertar a mão de Josh. "Ouvi falar muito bem de você. Feliz Natal."

"Muito prazer em conhecê-lo", Josh falou, com um entusiasmo fingido. "E, hã... eu digo o mesmo! Só ouvi coisas boas."

A casa estava lotada e barulhenta; Sebastian estava animadíssimo, o que deixou Octavia agitada também. As pessoas desconhecidas do laboratório eram bem falantes e extrovertidas. Darius e Radley aparentemente estavam competindo pelo posto de filho favorito de sua mãe, fazendo de tudo para ajudá-la e elogiá-la. Donna e Bill se encarregavam de tentar manter Octavia contente, Jen estava ocupada vigiando o céu com Sebastian à procura do Papai Noel, os Kim tentavam convencer sua mãe a viajar com eles nas férias e dizendo para Donna que ela também podia ir.

Pelo jeito, estavam todos na fase de aceitação.

De repente, a névoa vermelha tomou conta de sua visão. Como eles *ousavam* estar felizes? Aquele era o feriado de *Lauren*. O primeiro Natal sem ela, droga. Ele queria desabafar sua raiva e sua dor aos berros; queria dar um chute em Darius, que estava contando uma história que fez metade da sala cair na gargalhada; queria que Sebastian acalmasse a porra do facho; ficou com raiva de sua mãe por seguir a mesma rotina de sempre para a véspera de Natal. Onde estava o espaço para pensar em Lauren? Para reconhecer a existência dela? Josh não queria seguir em frente. Ele queria... quebrar alguma coisa.

Ele se imaginou debaixo de um chuveiro frio, acalmando a raiva. *Um pequeno jabuti xereta viu dez cegonhas felizes. Um pequeno jabuti xereta viu dez cegonhas felizes.* Água gelada. Sim. A cachoeira no Havaí que eles encontraram naquela trilha. A água fria, Lauren em trajes de banho, rindo enquanto se abraçava nele.

*Ah, Lauren.*

Ben se aproximou. "Está precisando tomar um ar, filho?", ele murmurou, pondo uma mão firme sobre seu ombro.

E, do nada, a névoa vermelha sumiu. Josh estava sendo um imbecil egoísta. Todas aquelas pessoas o amavam, e ele estava prestes a dar um chilique como uma criança que não tinha dormido bem. Josh olhou para Ben e meneou a cabeça. "Desculpa. Eu só... me deixei levar pelos sentimentos."

"Isso é compreensível, Josh. Estamos todos pensando nela. E fazendo o nosso melhor."

"Eu sei."

"Querido, você pode pôr o *gubbröra* nessa tigela vermelha?", sua mãe pediu, lançando um olhar para ele que dizia que estava entendendo tudo.

"Claro, mãe."

Ele assentiu para Ben e obedeceu.

Durante o jantar, a gravidez de Jen foi anunciada e todos beberam champanhe, a não ser a futura mamãe e as crianças, que ficaram no suco de maçã.

Então Jen ergueu sua taça e falou: "À minha irmã", e eles beberam de novo, e Jen começou a chorar, o que fez Donna chorar também, e Octavia, e logo todo mundo estava aos prantos.

A não ser Josh (e o pessoal do laboratório). As lágrimas não vieram. Ele não conseguia falar por causa do nó na garganta e da dor no peito. Balançou a cabeça para todos na mesa, pegou Octavia e foi com ela até a árvore de Natal.

Estava se sentindo tão cansado. Cansado do fato de Lauren estar morta. Cansado de ficar de luto. Cansado das condolências e dos abraços e de uma família sem Lauren.

Sarah se aproximou e envolveu Josh e Octavia nos braços. Ela não falou nada, só apoiou a cabeça em seu ombro, e o aperto em seu peito virou a estocada de uma faca cega e serrilhada que estava prestes a matá-lo aos poucos.

Que bela bosta de Natal.

"Obrigado, Sarah", ele murmurou. Vendo as luzes da árvore de Natal brilharem, Josh sentiu como se tivesse cem anos de idade.

Ele foi esperto o bastante para recusar os convites para o dia de Natal, embora sua mãe tivesse insistido para acompanhá-la à igreja, e Jen, para que fosse ver as crianças abrirem os presentes (às seis da manhã). O fórum dizia que ele poderia fazer o que quisesse nas primeiras festas de fim de ano sem ela, e então, sem pensar muito, Josh se viu viajando para leste pela rodovia interestadual I-195. Pedrita dormia no banco traseiro, levantando de vez em quando para colar o focinho à janela.

O céu estava cinzento, mas não havia neve no chão. Quando passaram por New Bedford, quase não havia carros. Todos já estavam onde deveriam. Todos menos ele.

Cape Cod estava tranquilo naquela baixa temporada, e a casa que alugaram no verão anterior, desocupada. Com as persianas fechadas, dava uma sensação de melancolia e solidão. Ele estacionou na entrada e, quando desceu, o cheiro do mar o atingiu com força. A arrebentação pesada das ondas o transportou de volta para a última vez que havia estado ali. Quando ainda era um marido. Quando sua missão de vida era cuidar da esposa.

O código da fechadura ainda funcionaria? Ele deveria dar uma espiada na janela? Não. Seria doloroso demais ver a casa vazia, sem as risadas, o sorriso e a vivacidade de Lauren.

Pedrita correu toda animada ao redor da casa, fez xixi e então desceu correndo a trilha inclinada até a praia. Josh a seguiu. O cheiro salgado estava forte, e o mar estava bravo e lindo, graças a uma noite de lua cheia e uma tempestade tropical perto da costa. As ondas quebravam até onde suas vistas podiam alcançar, uma espuma branca em movimento e um rugido incessante. Pedrita perseguiu sem sucesso uma gaivota, depois encontrou um graveto e ficou correndo com aquilo na boca, brincando sozinha, se jogando nas ondas, e depois correndo de volta.

Josh sentou na areia molhada e ficou contemplando a vista.

Ele poderia entrar no mar e morrer de hipotermia em relativamente pouco tempo. Ou se afogar, apesar de preferir a hipotermia. A temperatura da água devia estar congelante, e ele não tinha muita gordura corporal. Se nadasse para longe o bastante, a natureza se encarregaria dele. E não seria bem apropriado morrer ali? Lauren apareceria para ele como imaginava que seu pai faria com ela? Os dois enfim voltariam a se reunir?

O que ele tinha na vida que realmente a fizesse valer a pena?

Muita coisa, ele sabia, lembrando do corpo macio e quente de Octavia em seu colo, do amor de Jen, da estabilidade de sua mãe. Ben e Sumi. Radley. Darius. Sarah. Todos eles. Pedrita, que poderia segui-lo para dentro do mar e acabar se afogando, o que ele não deixaria acontecer.

Mas continuou olhando para as ondas mesmo assim.

Imaginou que subia para a casa de novo, mas que, em vez de estar vazia e gelada, estivessem todos lá. Lauren, saudável e grávida, junto com a família toda, e a dele também. Um lugar cheio de alegria. Porque era isso que Lauren fazia. Deixava o mundo mais feliz. Todo mundo que a conhecia se sentia melhor por esse simples fato. A casa estaria com um cheiro delicioso, e eles dariam boas risadas, ele a abraçaria e colocaria a mão em sua barriga, e quando todos fossem embora a levaria para o quarto, e os dois fariam amor ao som das ondas.

Ele abaixou a cabeça. *Sinto sua falta*, ele pensou. *Sinto demais a sua falta. Não quero mais viver sem você, Lauren. Fiz um bom trabalho, não? Por favor, volta. As cartas estão acabando, e preciso de você. Não aguento mais viver sem você. É difícil demais.*

Josh levantou, foi até a beira da água e ficou ali de pé. Uma onda molhou seu sapato, e o contato com o mar primeiro provocou um ardor, depois um amortecimento. Ele deu um passo à frente, e seus tornozelos e suas canelas gelaram imediatamente. Pedrita latia de alegria, pulando ao seu lado. Mais um passo, para que as ondas quebrassem logo abaixo de seus joelhos. A correnteza estava forte e, quando começou a puxá-lo, ele recuou.

"Vamos lá, Pedrita", ele disse, e ela obedeceu. O vento estava forte, e suas orelhas doíam de frio. Ele também não queria que Pedrita ficasse gelada demais. E muito menos que fosse puxada pelo mar.

Eles voltaram pela trilha até a casa. Josh deixou Pedrita entrar no carro, e ela considerou que aquele era o momento ideal para se sacudir. Com os sapatos cheios de água e a calça ensopada grudando na perna, ele ligou o motor e pegou o caminho de volta enquanto a escuridão se aprofundava.

# 29

## LAUREN

*Cinquenta e um meses restantes*
NOVEMBRO

**Papai,**

*Espero que esteja assistindo a tudo, porque você vai ser sogro muito em breve! Claro, claro, Darius é perfeito, mas tenho dez mil por cento de certeza de que você vai gostar de Josh tanto quanto.*

*Estou apaixonada, papai! Pela primeira vez na vida, sem contar Orlando Bloom (que sempre vai ter um lugarzinho no meu coração, claro). Mas tudo o que eu quis da vida tenho aqui com Josh. Tudo. Com ele, eu me sinto segura. Admirada. Linda. Nada de ruim pode acontecer quando estamos juntos.*

*Olhe por nós, papai. Eu sei que vou ter sua aprovação.*

*Com amor,*
*Lauren*

Destino. Anjos da guarda. Cartas de tarô. Vodu.
Fosse qual fosse o caso, Lauren sabia que a fase do namoro com Joshua Park era só uma formalidade. Assim que o viu no Hope Center, ela soube — simplesmente *soube* — que ele seria importantíssimo para sua vida. O primeiro encontro só confirmou isso. Ela ainda tinha muito o que descobrir sobre a vida dele, mas Josh era, como diziam, sua cara-metade.
Os dois eram extremamente diferentes. Ele trabalhava sozinho, diante

do computador, com fones nos ouvidos, falando com uma porção de colaboradores terceirizados com quem quase nunca se encontrava pessoalmente. Tinha uma única funcionária, uma assistente on-line chamada Cookie, que nunca conheceu, mas que cuidava de coisas como suas viagens, sua agenda de reuniões, suas contas a pagar e outros assuntos misteriosos. Seu cartão de visita dizia apenas JOSHUA PARK, ENGENHEIRO BIOMÉDICO.

Nos anos que se passaram desde seu primeiro encontro nada agradável, Joshua havia feito um mestrado em ciências com foco em design biomédico na Universidade Brown *e* um doutorado em engenharia mecânica pelo MIT. Sabe como é. Simples assim. Uma coisa que ele havia projetado aos dezoito anos, no segundo ano de Escola de Design de Rhode Island, porque obviamente começou a faculdade bem jovem... era uma cadeira especial para pessoas que precisavam passar longos períodos sentadas por causa de problemas de mobilidade. A cadeira monitorava os batimentos cardíacos, o nível de oxigênio e o peso do usuário; tinha um sensor de umidade em caso de incontinência, excesso de suor ou edemas; e contava com um mecanismo vibratório para estimular a circulação das extremidades inferiores. Também poderia aquecer ou refrescar a pessoa que a usava, além de ajudá-la a levantar, se fosse preciso, e a sentar de volta também. Ainda por cima era confortável e divertida, o que Lauren sabia porque era uma das duas únicas cadeiras no apartamento de Joshua.

A patente do projeto foi vendida por quase dez milhões de dólares. Uau.

"O que você fez com esse dinheiro?", Lauren perguntou quando, depois de um ou dois meses saindo juntos, ela soube desse valor.

"Paguei de volta para a minha mãe o que ela gastou com a minha faculdade. Guardei uma parte para a pós-graduação. Investi no banco. Comecei meu plano de previdência. Criei uma bolsa de estudos. Essas coisas, você sabe como é."

"Não sei, não, porque nunca ganhei dez milhões de dólares." Ela sorriu. "Você fez alguma coisa divertida?"

Ele pensou a respeito. "Paguei uma viagem de férias para a minha mãe", foi a resposta.

Na verdade, tinha sido para sua mãe e os melhores amigos dela, Sumi e Ben Kim, uma viagem de *um mês*, com passagens de primeira classe e hospedagens inclusas, para que pudessem visitar a Coreia, a Tailândia e a Austrália. Com passeios guiados privativos em grandes cidades e um cartão de crédito para pagar as despesas.

"Eles gostaram?", Lauren perguntou, com as mãos diante do peito.

"Gostaram, sim." Ele não falou mais nada, mas sorriu, e seus sorrisos diziam mais que dez mil palavras.

Joshua Park era proprietário de seu apartamento — um lugar sem personalidade, mas caríssimo, com dois quartos em um prédio novo perto do rio. Era um contraste tremendo com o loft pequeno, mas lindo, de Lauren em uma fábrica convertida em prédio residencial, com detalhes típicos de construções antigas, como tábuas do piso que rangiam e paredes de tijolos. O que o apartamento dela tinha de aconchegante e charmoso, o de Josh tinha de sem graça, apesar da vista para o belíssimo domo do capitólio estadual. Na cozinha ele tinha uma mesa, mas sem cadeiras, dois pratos, dois garfos e dois copos. Na sala de estar, a cadeira médico-hospitalar, um sofá, uma TV enorme e uma escrivaninha gigantesca com cinco computadores diferentes. No quarto, uma cama com um único travesseiro. Nenhuma obra de arte, nem tapetes ou almofadas. Ele não tinha carro, mas sua aposentadoria já estava planejada.

Além de comprar comida, ela não sabia em que ele gastava dinheiro, além de só usar bermuda cargo e camiseta, o que o fazia parecer um menino de dezessete anos.

"Ser um mão-aberta não é um problema então, né?", ela brincou.

"O dinheiro está lá se eu precisar", ele respondeu. "Mas não consigo pensar em nada que esteja precisando no momento."

"A não ser o amor de uma boa mulher", ela disse. "O que o dinheiro não pode comprar, obviamente."

"Isso eu já tenho", ele retrucou, fazendo o coração dela disparar, porque os dois ainda não tinham se declarado. Então ele sorriu. "A minha mãe. Ela é uma mulher *muito* boa." E, como ele era sempre tão sério e calado a maior parte do tempo, essa piadinha valia muito mais.

Ah, ela estava caidinha mesmo.

A segunda patente, concluída quando ele ainda estava na faculdade, era uma agulha com um sensor que media o fluxo de sangue sob a pele de recém-nascidos e crianças pequenas, o que minimizava a necessidade de intravenosas e os hematomas (além do sofrimento). Ele poderia ter vendido aquela também; mas, em vez disso, disponibilizou o projeto sem custo, assim como Jonas Salk havia feito com a vacina contra a poliomielite. Além disso, participou do projeto de uma ferramenta elétrica movida a bateria que substituía os antiquados martelos que os cirurgiões ortopédicos usavam em cirurgias de colocação de próteses nas articulações, e depois ainda adaptou o design para pacientes pediátricos. Naquele momento, estava trabalhando em um leito aquecido para bebês prematuros com um sensor para quedas de batimento cardíaco e frequência respiratória.

Ele era incrível. Brilhante, generoso, trabalhador, focado, motivado, bondoso.

Mas também perdia a noção do tempo, passava dias sem tomar banho e tinha hábitos alimentares atrozes — pedia comida pronta quase o tempo todo e muitas vezes acabava jantando apenas um pacote de Doritos porque simplesmente não ouvia o interfone nem via as mensagens do serviço de entrega no celular. Fazia vários bules de café por dia, mas acabava ficando absorto no trabalho e dava no máximo um gole ou outro na bebida, o que resultava em diversas canecas espalhadas pelo apartamento e um cheiro amargo de café velho no ar.

Em resumo, era um ermitão. Um lindo eremita com um cabelo sem corte e roupas horrorosas.

"Por que você não abre uma empresa?", ela perguntou certa noite no apartamento sem vida dele. "Sabe como é, um prédio ecologicamente correto, com salas de meditação, massoterapeutas circulando pelas mesas à procura de ombros carregados de tensão. E com direito a creche, retiro corporativo no Himalaia..."

Ele sorriu. "Você poderia projetar esse espaço para mim."

Aquela era *mesmo* a profissão dela, afinal. "Fechado. Eu até te daria um desconto."

"Isso realmente não faz o meu tipo. Eu gosto de ficar sozinho." Ele ficou um pouco vermelho. "Mas gosto quando você vem aqui."

Ela sentiu seu coração acelerar. "E por quê?"

Ele encolheu os ombros, escondendo o sorriso. "Você tem um cheiro bom."

"Melhor que o de café velho e pizza passada?"

"Não vamos exagerar." Então ele a beijou, com sua boca quente e sem pressa, e mãos excelentes para um cara que não costumava sair muito — e, sim, ela estava apaixonada.

Como Josh praticamente não tinha uma vida social e se comunicava apenas através de dispositivos tecnológicos e só quando havia necessidade, ela tentou abri-lo um pouco mais para o mundo. Ele não era agorafóbico... só trabalhava demais e era um pouco tímido. Era um caso de falta de traquejo social, não de fobia social. Ele detestava coisas barulhentas, como fogos de artifício e motos com aqueles motores enormes, e ficava agitado em ambientes assim — dizia que o excesso de som fazia seu cérebro doer. Quando se reunia com algum grupo, interagia só por um determinado tempo antes de emudecer como um celular sem bateria — meia hora no começo, depois uma hora, à medida que ela o incentivava a sair mais. Mas ele também dizia que se divertia depois que conseguia relaxar um pouco. Ele contou sobre a questão do espectro autista e explicou que não era muito bom em interpretar sinais muito sutis. "Então, se eu estiver sendo um babaca, por favor, me fale", ele disse uma noite na cama, depois do sexo.

"Combinado", ela respondeu, acariciando o cabelo escuro dele. Aquela sinceridade... era difícil não se deixar conquistar. "E, por falar nisso, você foi maravilhoso nesta última hora."

Ela o levou para fazer caminhada em trilhas e ficou surpresa ao ser deixada para trás por ele, que ao que parecia só se exercitava indo da mesa de trabalho para a cozinha ou o quarto. Por outro lado, sua asma a atacava mais em determinadas épocas do ano. Mas, se ela ficava sem fôlego, ele parava e a olhava com aqueles olhos escuros que refletiam a luz ao redor, e Lauren se sentia tão *vista*, protegida e amada que talvez o problema não fosse a asma. Talvez fosse o amor que a estivesse deixando sem fôlego.

Amor à segunda vista. Apesar de ele tê-la insultado anos antes, quando era uma caloura tagarela, ela era obrigada a admitir que ele estava certo. Lauren era *mesmo* fútil. Mensurava o próprio valor em termos de beleza, bom humor e popularidade.

Só que não mais. A morte de seu pai, a mudança de personalidade de sua mãe, o nascimento de Sebastian, seu envolvimento com projetos como o centro comunitário, seu desejo de se destacar no trabalho... ela havia amadurecido.

Queria ser digna de uma pessoa como Joshua Park.

Três dias depois de terem se cruzado por acaso no Hope Center, quando ela corajosamente assumiu as rédeas do próprio destino e o chamou para sair, Lauren estava em um compromisso sério. Simples assim. Não houve nenhuma conversa ou discussão — eles simplesmente viraram um casal. Conversavam o tempo todo. Trocavam mensagens sem parar. Se viam algumas vezes por semanas, depois quase todos os dias. Ela acordava sorrindo por causa dele e, apesar de ser uma pessoa feliz em termos gerais, agora entendia o que estava faltando em sua vida.

Ele.

A voz calma e profunda de Josh causava uma reação física, fazia seu estômago se contorcer. Quando o via, se sentia compelida a se jogar nos braços dele com alegria e uma tonelada de endorfina.

O amor não era difícil. Não era complicado. Eles não precisaram conversar sobre monogamia e comprometimento. "Eu quero ver você de novo o quanto antes", ele falou no primeiro encontro, tão direto e vulnerável que despertou nela uma necessidade de protegê-lo.

Lauren saberia cuidar muito bem dele. Josh era tão puro, e ela teria uma vida maravilhosa ao seu lado. Por ele. Por causa dele.

E ele também cuidava dela. Admirava seu trabalho e entendia a complexidade do que ela fazia, ao contrário da maioria das pessoas, que pensavam que Lauren era uma decoradora ou paisagista, e não uma designer que definia como um determinado espaço seria usado. Ele prestava tanta atenção quando ela falava nisso que, no começo, Lauren ficou até com vergonha. Aquele cara salvava *vidas* com seu *intelecto*, então não era fácil competir com isso. Mas ele perguntava sobre sua visão a respeito das coisas, admitindo sem rodeios que não entendia o que fazia de um parque um lugar bonito ou o propósito de uma praça pública, nem o que significava fluxo de pedestres. E ouvia as respostas quando ela dizia que os espaços públicos podiam ser a alma de uma cidade ou um campus universitário, que era o tipo de coisa capaz de transformar o aspecto de um lugar desolador, como um parque industrial, ou melhorar a qualidade de vida em um bairro pobre.

A atenção dele, tão concentrada e singular, a fazia se sentir banhada por um sol quente e dourado. Nenhum outro cara com quem já tivesse se relacionado havia demonstrado tanto interesse por ela. A maioria só ficava esperando sua vez de falar, ou a interrompia, ou começava a querer explicar para ela coisas que não precisavam ser explicadas a ponto de obrigá-la a encerrar a conversa. Outros só lhe davam atenção pelo tempo necessário (em geral quinze minutos) para descobrir se ela toparia transar com eles naquela noite.

Mas Josh *via* quem ela era, ouvia cada palavra, e a fazia se sentir... importante. A pessoa mais importante do mundo.

E, se fosse para ser bem sincera, aquela não era uma experiência rotineira na vida de Lauren. Jen era a filha estrela, o que ela nunca contestou. Quando era criança, sua mãe pressupôs que a segunda filha estava bem, o que até era verdade. Sua mãe era professora, e sua paciência com crianças se encerrava antes mesmo de chegar em casa. Jen era uma garota incrível, e Lauren era sua maior fã. Já seu pai achava que ambas as suas meninas eram o máximo.

Os homens da idade de Lauren... a maioria agia como adolescente, não importava qual fosse sua data de nascimento.

Então, ter aquele homem brilhante e lindo inclinando a cabeça para ouvi-la falar, com a sobrancelha franzida, sem perder uma palavra...

Ter aquele homem gentil e bondoso pedindo para segurar sua mão e a beijando, e mais tarde desabotoando sua camisa...

Receber um convite para jantar com a mãe dele, porque "ela está ansiosa para te conhecer"... tudo aquilo era como um sonho. Nada da afetação dos hipsters, nem do cinismo dos millenials, nem da arrogância dos machos-palestrinha, apesar de ele ser reconhecidamente um gênio que estava de fato tornando o mundo um lugar melhor.

No quinto encontro, ele contou que tinha dúvidas de que algum dia conheceria alguém. Que jamais pensou que fosse casar, porque o transtorno do espectro autista tendia a afastar as pessoas. Que as mulheres não tinham paciência com ele. Que não era alto o suficiente. Que não sabia flertar.

Lauren o achava uma companhia maravilhosa por causa dessas coisas, e não apesar delas.

Além disso, ele tinha mesmo dito a palavra *casar*? Lauren não pediu maiores explicações, mas repetiu aquilo em sua cabeça umas dez mil vezes.

Ela não se perguntava se eles deveriam ir mais devagar com as coisas. Nem se não haveria outra pessoa melhor para ela. Desinstalou os aplicativos de encontros do celular logo na noite de inauguração do Hope Center.

A pessoa certa para ela era ele. E vice-versa.

Josh era incrível e esquisito na mesma medida. Amava incondicionalmente a mãe, que o criou sozinho depois de ser abandonada pelo namorado. Josh ia jantar com ela e com os Kim toda quarta-feira à noite. Se sua mãe mandava um vídeo de gatinho, ele assistia e *adorava*. Sim, Josh perdia a noção do tempo, vivia se atrasando, não tinha uma reação pavloviana ao receber uma mensagem, ela precisava explicar todas as coisas relacionadas à cultura pop, e ele só assistia dois programas na TV (*The Great British Bake Off* e *Star Trek*). Sim, ele precisava desesperadamente de um bom barbeiro. Mas isso não importava. Ele já tinha participado de uma videoconferência com pessoas como Bill Gates e Bono — Bono Vox! — e dava palestras e workshops sobre o futuro do ramo da biotecnologia. Várias vezes, quando eles saíam para dar uma volta, figurões da reitoria da Escola de Design de Rhode Island e da Universidade Brown literalmente saíam correndo para alcançá-los só para poder cumprimentar seu menino-prodígio.

Joshua também abria a porta para ela e a levou para comer nos restaurantes mais bem ranqueados no Providence.com (ele pesquisava antes de fazer qualquer coisa). E não tinha o menor pudor em dizer que ela era linda, cheirosa, que tinha uma pele macia. Mandava flores para ela no trabalho e em casa, e duas vezes por dia até, quando esquecia que já tinha mandado antes.

Ele tinha um trabalho importantíssimo e era maravilhoso, mas, se dependesse dele, ficaria fechado no apartamento pelo resto da vida, perdido na própria mente. Então Lauren fez um cronograma para ele, que colocou no celular, para mandar um lembrete uma hora antes de que era preciso tomar banho e atender à porta quando ela tocasse o interfone. Mandava mensagens dizendo para ele se alongar, beber um copo d'água e comer alguma coisa saudável, ao que Josh respondia com uma foto de uma cenoura e um agradecimento.

Eles faziam caminhadas no ar frio do inverno, iam às exposições dos estudantes no Clube de Arte de Providence e na Escola de Design, onde Josh era sempre (justificadamente) bajulado e Lauren era (irritantemente) ignorada. Ela cozinhou para ele e o apresentou à maravilha do brócolis grelhado, que Josh nunca tinha comido antes.

E havia *muita* troca de olhares. Podia parecer piegas, mas era... como voltar para casa. Os beijos eram a melhor parte. Longas e ousadas sessões de beijos em vários móveis diferentes ou no banco do jardim botânico do parque Roger Williams.

E o sexo... ah, nossa, o sexo era... era divertido e incrível e tinha momentos de total... reverência. Porque aquele era o último homem com quem ela transaria. Era o sexo com o homem que seria seu marido. Aquele era o pai de seus futuros filhos, que ela, aliás, já amava.

Quando ele a convidou para conhecer sua mãe e o casal Kim, Lauren ficou nervosa como nunca antes na vida. Afinal, Josh amava poucas pessoas na vida, e pelo menos metade delas estaria naquele jantar. Ela usou um vestido discreto, tentou parecer perfeita e natural em termos de cabelo e maquiagem (o que levou horas) e ligou para sua irmã oito vezes para pedir dicas sobre como impressionar seus sogros em potencial.

Mas não precisava se preocupar com nada disso. Stephanie, uma loira alta e bonita que não se parecia em nada com Josh, abriu a porta, escrutinou Lauren com o olhar e disse: "Está aprovada. Pode entrar".

Ela entrou e arregalou os olhos para Josh, que simplesmente encolheu os ombros.

Os Kim, por outro lado, a cobriram de atenções. "Finalmente!", Sumi gritou. "Joshie fala coisas ótimas sobre você! Ah, querida, como você é linda! Stephanie, imagine os filhos que eles vão ter!"

"Vamos com calma", Ben falou com uma piscadinha.

"Ela só precisou de..." Josh olhou no relógio. "Dezesseis segundos. Lauren, essa é minha mãe, Stephanie Park, e nossos melhores amigos, Sumi e Ben."

O álbum de fotografias veio a seguir. Stephanie, que parecia se divertir com a ideia de "conhecer a namorada do meu filho", apareceu com as fotos de Josh quando bebê e contou a história da mudança para aquela casa, grávida de oito meses, depois de se transferir de Harvard para Brown. Os Kim praticamente a adotaram; Sumi havia sido a doula de Steph.

"O bebê mais lindo de todos!", ela disse, batendo as mãos uma na outra. "Sem querer ofender os nossos quatro."

"Eles eram meio esquisitinhos, é verdade", comentou Ben.

Lauren foi absorvendo as imagens — os Kim fazendo para o bebê Josh um *Baek-il*, para comemorar seus cem primeiros dias de vida. Steph rindo enquanto Josh comia papel de presente na manhã de Natal. Josh de terninho na Páscoa. Josh andando de bicicleta, com o rosto todo concentrado enquanto Ben corria ao seu lado. E uma no casamento de uma das filhas dos Kim. A formatura do colégio. Fotos dele no campus no primeiro ano de faculdade.

Parecia uma vida muito feliz e plena.

Stephanie era diretora do laboratório do Hospital de Rhode Island, responsável por uma equipe de umas vinte pessoas. Quando Josh fez oito anos, passou a ir todos os dias à casa dos Kim depois da aula, o que explicava a razão de ele falar coreano. Os Park eram incluídos em todas as celebrações na casa deles.

Um círculo familiar pequeno — sem nenhuma menção ao pai ausente e inútil —, mas amoroso e feliz mesmo assim.

"Conte um pouco sobre você, Lauren", Stephanie perguntou durante o jantar.

"Eu sou projetista de espaços públicos, o que significa que elaboro o design desde pontos de ônibus até consultórios médicos. Tenho uma irmã mais velha, Jen, que é casada e tem um menininho. Minha mãe ainda trabalha como especialista em alfabetização e letramento em escolas públicas, e meu pai..." A voz dela ficou embargada de repente. "Meu pai morreu quando eu tinha vinte anos."

"Que tristeza", Sumi falou, dando um tapinha em sua mão. "Você gosta de comida coreana?"

Lauren sorriu. "Adoro."

"Eu posso ensinar você a cozinhar, assim como fiz com Joshua!"

"*Eu* não vou ensinar você a cozinhar", Stephanie falou com um sorriso. "Mas sou uma jardineira até que razoável. E sou boa com sobremesas."

"Espera só para ver as peônias da minha mãe na primavera", Josh falou, o que a deixou toda alegre. Ainda faltavam meses para a primavera, mas ele planejava que Lauren estivesse por lá.

Mais um suspiro.

"Josh nunca trouxe uma garota para casa antes", Ben murmurou, se inclinando para mais perto. "Nós ficamos um pouco surpresos, para ser bem sincero. Mas foi uma surpresa boa, claro." Ele sorriu, e Lauren ficou toda contente. Eles gostaram dela. Graças a Deus.

Depois que todos terminaram de comer, Lauren praticamente teve que brigar com Sumi pela honra de limpar a mesa. Ela e Josh colocaram a louça na máquina e lavaram juntos as panelas e frigideiras.

"Você está se saindo muito bem", ele murmurou, em um raro momento em que captou algo que não havia sido dito explicitamente.

Ela soltou um suspiro. "Estou supernervosa."

"Minha mãe gostou de você. E os Kim *adoraram*."

Depois do chá e do café, Josh anunciou que era hora de ir — seu timer para "tempo passado com os entes queridos" pelo jeito havia tocado. Stephanie deu um abraço em Lauren, que ficou até um pouco surpresa.

"Nós podemos sair para almoçar um dia desses", ela disse. "Para nos conhecermos de verdade."

"Eu adoraria", disse Lauren.

Quando chegaram ao carro, Josh se virou para ela. "Tudo bem?", ele perguntou.

"Estou ótima. Eu adorei todo mundo. Eles são muito legais, Josh."

"Pois é." Ele sorriu.

"Ouvi dizer que você nunca tinha levado uma garota para casa."

"Não. Pelo menos não uma com quem eu queria casar", ele respondeu.

Mais uma vez, lá estava aquela certeza. Ele a olhou por um bom tempo, e então a beijou de leve na boca. A alegria a preencheu como uma luz dourada e radiante.

"Eu te amo", ela disse, e os dois riram, se beijaram e depois se beijaram mais um pouco. Os olhos de Lauren estavam cheios de lágrimas de felicidade.

Ele pediu sua mão no dia 1º de maio, quando as macieiras estavam tão floridas que pareciam cobertas de chantili cor-de-rosa. Josh foi buscá-la no trabalho, e eles caminharam de mãos dadas às margens do rio Providence, passando pela Escola de Design. Josh contou que teve uma reunião naquele dia, e era por isso que estava com um terno que Lauren nunca tinha visto. A luminosidade do céu estava suave e dourada, e a brisa carregava as pétalas rosadas quando ele se apoiou sobre um dos joelhos com uma caixinha de veludo na mão.

A aliança tinha um diamante de lapidação esmeralda ladeado por dois diamantes menores, e era deslumbrante em sua beleza sem afetação.

"Você aceita casar comigo?", ele perguntou, e ela o olhou com um sorriso e mais amor no coração do que algum dia considerou possível.

"Pode apostar que sim", Lauren respondeu. *Claro* que ela aceitava. Aquilo era só uma formalidade. Ela havia nascido para ser a esposa dele, que estava destinado a ser seu marido.

Enquanto os dois se beijavam, ela fez um juramento para si mesma. Faria tudo o que estivesse a seu alcance para construir uma vida bonita, feliz e significativa com ele. A última coisa que queria era partir o coração daquele homem.

# 30
## JOSHUA

*Décimo primeiro mês*
JANEIRO

A carta já estava lá fazia alguns dias, latejando como uma ferida em sua mente. Ele estava com medo de ler. E morrendo de vontade ao mesmo tempo. Mas, depois daquela, haveria só mais uma e, quando as cartas parassem de chegar, ele não sabia como iria encarar o futuro. Seria possível que ela tivesse deixado mensagens para dois anos? Cinco? Dez?

Por fim, com um suspiro, ele sentou, bateu no sofá para Pedrita se acomodar ao seu lado e abriu o envelope.

*Olá, querido.*

*Se você ainda está lendo essas cartas, acho que ainda quer saber o que tenho a dizer. Fico contente, Josh. De uma coisa eu tenho certeza. Mesmo depois de morta, eu nunca deixaria você completamente. Não sei como estão as coisas agora, mas lembro de sentir a presença do meu pai comigo. Espero que você consiga me sentir ao seu lado às vezes, só o suficiente para deixá-lo mais tranquilo.*

*Certo, então já faz um bom tempo que eu morri. Espero que o seu novo normal não seja muito isolado ou triste. Detesto a ideia de ter deixado a sua vida mais triste. Foi um puta azar essa coisa de FPI, mas por outro lado foi muita sorte podermos ter ficado juntos.*

*Eu venho pensando bastante aqui em Cape Cod, ouvindo o som do mar, tentando imaginar como sua vida seria onze meses depois da minha morte.*

*Espero que você pelo menos tenha pensado em conhecer seu pai biológico. Se decidir fazer isso, eu torço e rezo para que dê certo. Espero que, seja qual for sua decisão, você saiba que a última coisa que você poderia ser era alguém desprezado.*

Ele precisou respirar fundo por um tempinho. Ela estava certa sobre aquilo. O encontro com o pai lhe proporcionou algumas coisas. Um rosto. Uma história para preencher um vazio. Uma sensação de paz. E reforçou a certeza de que Ben Kim era o homem mais admirável que Josh já tinha conhecido. Josh passou a se sentir ainda mais próximo dele depois de conhecer o pai biológico.

*Ando pensando em quando conheci seu apartamento, a bagunça que era. Espero que eu tenha ajudado a romper com esse hábito e que nosso apartamento esteja arrumado e limpo.*

"Está, sim, querida", ele disse.

*Lembro que você passava dias sem sair e nunca subia no terraço a não ser que eu mandasse. Lembro que, quando nós namorávamos, eu era a única pessoa com quem você conversava em vários dias.*
*Eu não quero que essa seja sua vida, Josh. Então...*
*Acho que você devia comprar uma casa. É essa a minha tarefa do mês para você, querido. Comece a procurar uma casa para comprar. Com um quintal para Pedrita, um gramado para você aparar, um jardim para plantar tomates, porque você adora tomates fresquinhos e ainda quentes do sol. Quero que você tenha vizinhos para cumprimentar e que limpe a entrada da casa de alguma velhinha quando nevar. Quero que as criancinhas toquem na sua campainha no Dia das Bruxas. Quero que você saia para pegar a correspondência na caixa de correio e converse com o pessoal simpático que mora do outro lado da rua. Nosso apartamento foi ótimo para nós, mas é muito isolado, e nem eu consegui fazer amizade com aquele casal do segundo andar. Além disso, a Charlotte Abusada ainda é uma preocupação para mim (se ela for sua segunda esposa, eu mato você, já vou logo avisando).*

Ele deu risada em voz alta. Charlotte Abusada tinha aberto a porta uma noite dessas, quando Josh estava subindo para o apartamento depois de sair para correr. Usando só uma toalha. "Foi você que bateu?", ela perguntou.

"Não mesmo", ele respondeu, correndo escada acima antes que a toalha "escorregasse". Ele com certeza tinha ficado melhor nessa coisa de ler as pessoas no último ano.

*O que você acha, amor? Não precisa comprar um imóvel agora (mas você tem dinheiro para isso, não esqueça). Pode só começar a procurar. Leve Sarah com você. Ela adora ver casas à venda.*

*É uma forma de começar a pensar em uma vida longe do lugar onde vivemos e fomos tão felizes. Porque essa vida agora é passado. Está na hora de fazer coisas novas.*

*Eu amo muito você, muito mesmo, Joshua Park.*

*Lauren*

Ele ficou pensativo por um instante.

Procurar uma casa para comprar... claro. Seria divertido. Ele gostava de visitar imóveis à venda, assim como todo mundo.

Mas sair do apartamento? Aquela vida não era o passado! Ela estava enganada. Sua vida era ali, no lugar onde eles viveram. Ele tinha comprado o sofá e a cama, como ela pediu.

Só que ainda *não era* hora de ir embora.

Ele amassou a carta e a arremessou para o outro lado da sala, e Pedrita saiu correndo para pegar. Josh soltou um palavrão, levantou e tirou a folha da boca cheia de baba dela, alisou e ficou olhando para o papel. Uma parte da caligrafia de Lauren acabou ficando borrada, o que o fez se sentir um merda.

Em seguida, pegou a tábua e o ferro de passar para alisar melhor a folha. "Me desculpa", ele disse. Pedrita latiu e abanou o rabo.

Josh sabia que Lauren só queria o melhor para ele. Também sabia que muitas das sugestões dela haviam lhe feito bem. Ver seu pai amenizou alguns sentimentos. Beijar Cammie tinha sido uma experiência agradável. Comprar roupas novas foi o que trouxe Radley para sua vida.

Mas sair do apartamento onde os dois tinham vivido juntos? Onde fizeram amor e cozinharam e viram filmes e planejaram o tratamento dela? Isso ele não conseguia imaginar. Não queria se sentir *ainda mais* distante dela.

Um sofá e uma cama eram uma coisa. Mas uma casa nova? Todos os cantos daquele apartamento estavam infundidos da energia de Lauren. Era um altar, em certo sentido — as fotos dela, as pinturas que ela escolheu, as toalhas, os guardanapos. Tudo servia como uma lembrança de sua perda, mas também de sua mulher. As coisas novas também estavam lá em sua memória — *Comprei isto aqui seis meses e quatro dias depois da morte da minha esposa. Isto eu comprei para pendurar no lugar onde ficava nossa foto de casamento.* Nada daquilo havia servido para apagá-la, de forma nenhuma; só tornou sua ausência ainda mais perceptível.

Era hora de descer para o saco de pancadas.

"Eu não quero viver em nenhum outro lugar", ele falou para Ben, algumas horas depois.

"Pois é, o estado das suas mãos já mostra que tem um problema aí", Ben respondeu com um sorriso gentil. "Da próxima vez, tenta fazer a bandagem antes."

Eles estavam no porão da casa dos Kim, o recanto pessoal de Ben durante todos aqueles anos, um lugar onde Josh havia passado muitas horas construindo coisas com os pedaços de metal e madeira que Ben lhe dava. O ar ali dentro tinha um leve cheiro de especiarias, com um toque de fumaça da lareira logo acima. Era um dos lugares onde Josh se sentia mais seguro no mundo.

Mas não naquela noite.

Ben lhe deu um pedaço de arame, fino o bastante para que Josh pudesse entortar e torcer. Sim, era bom ter alguma coisa para fazer com as mãos. Melhor que um fidget spinner, aliás. Ben o conhecia.

"Você nunca vai se sentir pronto para isso, filho. Mas vai fazer do mesmo jeito. E, depois de algum tempo, não vai parecer mais tão errado."

"Eu não quero que o tempo passe", Josh admitiu em voz baixa, sem erguer os olhos. "Cada dia é como um passo para mais longe dela." Sua voz ficou embargada, só um pouco. A imagem do último dia de vida de Lauren surgiu em sua memória, mas logo foi afastada. Ele contorceu o arame. Entortou. Enrolou como uma argola. Ela na praia, na cama, no dia do casamento. Tudo menos aquele último dia.

Ben não disse nada, mas logo em seguida Josh sentiu a mão dele sobre seu ombro.

Tinha razão. Não havia nada a dizer. O tempo passaria. O tempo já o estava deixando para trás. Ele entregou o arame, que àquela altura havia se tornado uma caixinha com tampa, e ficou de pé. "Você tem razão. Obrigado, pai", ele disse, e por um instante — uma mera fração de segundo — conseguiu sentir o perfume da esposa. Ele tomou o caminho da porta.

"Ei." A voz de Ben o deteve. "Você não pode me chamar de pai e ir embora sem me dar um abraço."

Josh não era muito de abraços. Bom, pelo menos no passado. Ao que parecia, estava se tornando muito bom nisso. Os olhos de Ben estavam marejados quando os dois se afastaram. Ele deu um tapinha no rosto do Josh, que sorriu.

Era bom ter alguém com quem não era preciso trocar muitas palavras. Era bom ter um pai que o entendia tão bem.

Frank, o corretor de imóveis, ficou animadíssimo quando ouviu o orçamento de Josh, expresso com as palavras "provavelmente nada acima dos dois milhões".

"Eu tenho *muita coisa* para mostrar", Frank disse, ficando até ofegante. "Quando você tem tempo?"

Josh ligou para Sarah e Radley para ver se queriam ir junto. "Ai, meu Deus, com certeza", Radley falou. "Essa é a única chance que eu tenho de ver essas casas bonitas por dentro."

Sarah também ficou empolgada. "Eu adoro ver a casa dos outros", ela falou quando eles se aproximavam da primeira parada.

"Que lance mais voyeur", Radley comentou.

"Exatamente."

"Olá!", disse o corretor, se aproximando para recebê-los. "Joshua Park? Que prazer conhecê-lo pessoalmente! Eu sou o Frank!"

"Gay", murmurou Radley. "Já está me comendo com os olhos."

"O que ele está comendo com os olhos é a conta bancária do Josh", murmurou Sarah.

Josh ignorou as crianças malcomportadas e desceu do carro, apertou a mão do corretor e apresentou seus amigos. "Eles são..."

"Nós vamos casar, e Josh está comprando uma casa para nós!", Radley exclamou, segurando o braço de Sarah. "É muita generosidade!"

"Sério mesmo, Josh, você não precisava fazer isso. Mas nós somos muito gratos!", Sarah acrescentou, segurando a mão de Radley para tornar a encenação mais natural.

"Uau, que máximo!", exclamou Frank, o pobre coitado, parecendo um tanto confuso.

"Vamos entrar", Josh sugeriu, e então murmurou para os amigos: "Por que vocês estão mentindo?".

"É mais divertido assim", Radley cochichou de volta. Eles se aproximaram da casa monstruosa, uma das beldades vitorianas de College Hill. Josh sempre pensou que aquilo parecia um museu, na verdade.

"Então, esta é uma casa de seis quartos com uma cozinha totalmente reformada, sótão utilizável, garagem independente e..."

"Nós vamos dar uma olhada e fazer as perguntas à medida que surgirem", Radley disse. "Vem, amor, vamos lá ver." Ele levou Sarah lá para dentro, segurando a mão dela como um servente dedicado conduzindo sua rainha.

A casa era linda, sem dúvida. Enorme também. Tinha um hall de entrada imenso e uma escadaria impressionante, uma sala de jantar de um lado e uma de estar do outro, gigantesca e revestida com lambris.

"Olha essas escadas!", Radley exclamou. "Eu desceria com um roupão todas as manhãs. Essas escadas foram feitas para o glamour."

"E você poderia me carregar lá para cima toda noite", Sarah falou.

"E *devorar* você completamente!", Radley disse. Ele tentou pegar Sarah no colo, mas, como não conseguiu (ele era frágil e magricela), os dois subiram correndo feito hienas.

Josh e Frank ficaram para trás. "São quinhentos e dez metros quadrados de área interna", Frank informou. "Cinco banheiros, dois lavabos, ar-condicionado central, uma suíte realmente deslumbrante..."

Ele parou na porta da suíte. Radley e Sarah estavam rolando na cama king size como dois cachorrinhos.

"Eita que eu *adoro* um colchão duro", Radley falou com um sotaque sulista.

"Eita que eu *adoro* um homem todo duro", ela respondeu, e os dois caíram na risada.

"Hã... eles são tão... apaixonados", Josh falou.

"Você quem diz", Frank disse, com um tom de descrença na voz.

A casa tinha um escritório, uma cozinha linda e nova em folha, sala de jantar, sala de TV, biblioteca, copa (o que quer que fosse aquilo), sala de visitas e os já citados cinco quartos.

"O quintal é meio pequeno", Josh falou, olhando pela janela dos fundos. "E acho que a casa é meio grande."

"Vocês planejam ter filhos?", Frank perguntou para Radley, ainda mantendo o profissionalismo.

"Ah, sim", disse Sarah. "Se Deus quiser, vamos ter oito."

"Estamos esperando o casamento para consumar nossa união", Radley complementou. "Sarah não queria, mas eu fiz questão. Eu queria me manter puro para a minha noiva." Eles saíram correndo do quarto, e foi possível ouvi-los gargalharem, parabenizando um ao outro por serem tão engraçados.

"Desculpa. Eles são uns idiotas, mas são meus amigos", disse Josh. "O que mais você tem para me mostrar?"

"Você quer continuar em Providence?"

"Acho que sim", Josh respondeu. "Para ser sincero, só comecei a pensar nisso há pouco tempo."

A casa seguinte era de uma beleza impressionante, e mais ou menos trinta por cento menor que a anterior. Mas o quintal era minúsculo. Pedrita não poderia correr para lugar nenhum.

Talvez Lauren tivesse razão. Viver em um bairro residencial seria bom para ele. O prédio da fábrica era maravilhoso e, apesar de Josh ser cordial com os vizinhos, mal os conhecia (e não via motivos para mudar isso agora).

Mas, cuidando de um jardim ao ar livre, cumprimentando os vizinhos enquanto passavam... bom, isso podia acontecer. Principalmente com a companhia dos seus dois amigos bobalhões. Eles ajudariam a quebrar o gelo. Josh imaginou Octavia e Sebastian lá, Darius grelhando umas salsichas na churrasqueira, Jen com o bebê novo no colo. "Talvez alguma coisa com um pouco mais de espaço do lado de fora."

Eles conheceram uma terceira casa, mas era perto do capitólio, bem ao lado da estação de trem, e Josh enlouqueceria com tanto barulho. Além disso, era uma construção nova, destinada a novos-ricos, o que ele na verdade era, mas não do tipo que sentia necessidade de se gabar dos puxadores de vidro veneziano dos armários ou do tampo de mármore carrara da ilha da cozinha. "Não aguento mais essas cozinhas todas brancas com azulejos no estilo metrô", Radley falou. "Mas essa ilha, amor. Imagina as coisas *obscenas* que nós podemos fazer aqui."

"Aah. Pica esses vegetais do jeito que a mamãe gosta", Sarah falou com uma voz sussurrada.

Mais risos, mais pedidos de desculpas de Josh.

"Você está mesmo interessado em comprar uma casa ou só está querendo gastar um tempo?", Frank perguntou. "Porque, se for isso, tudo bem. As pessoas fazem isso o tempo todo."

"Não, é que... eu acabei de começar a procurar. Esses dois só estão aqui para tornar a coisa mais divertida. Minha mulher morreu em fevereiro, e eu... eu acho que preciso de uma mudança de ares."

"Sinto muito", Frank falou.

"Obrigado." Por sorte, seu tom deixou claro que não queria estender mais aquela conversa.

"Então descreva para mim a casa que você acharia perfeita", Frank sugeriu, sentando na ilha e gesticulando para Josh fazer o mesmo.

A casa perfeita teria Lauren. E os filhos dos dois.

*Reage, bobão.*

Josh respirou fundo e soltou o ar com força. "Eu não quero uma mansão. Isto aqui é muito... imponente. É tudo muito bonito, mas também... estéril demais. E as outras casas pareciam museus." Ele ficou pensativo por um momento. "Eu quero uma casa onde possa receber a minha família. Com um quintal grande para a minha cachorra. Uma cozinha decente. Eu gosto de cozinhar." Ou melhor, gostava de cozinhar para os outros. Cozinhar para si mesmo era entediante e deprimente até não poder mais.

"Entendi", Frank falou. "Eu tenho um lugar em mente. Não fica em Providence, é logo depois da divisa, em Cranston. O fundo do terreno dá para a baía de Narragansett, e é uma casa antiga, com um madeiramento de primeira e umas janelas com vitrais. É grande, mas nada exagerado. Precisa de alguns reparos, mas a estrutura é ótima. Quer fazer uma visita?"

"Com certeza." Radley e Sarah iriam querer, sem dúvida.

Vinte minutos depois, eles chegaram à casa, espaçosa e antiga, não exatamente em estilo vitoriano, nem Artes e Ofícios, nem Tudor... era um pouco estranha, na verdade, com os telhados bem inclinados e janelas com vitrais. Um quintal grande. E, nos fundos, uma escadaria levava a um atracadouro com vista para a baía de Narragansett.

Tinha cheiro de mar e de pinheiros.

Eles subiram os degraus da espaçosa varanda da frente, que contornava um dos lados da casa. Devia ficar bem sombreada e agradável no verão, ele imaginou. Frank se embananou um pouco com as chaves.

"Desculpa por ficarmos agindo feito crianças", Radley falou com um sorriso. "Nós somos amigos dele. Este cara aqui vale ouro, mas precisa se divertir mais de vez em quando."

"As crianças se comportam muito melhor que vocês dois", Frank falou, com uma olhada para Radley. Talvez estivesse *mesmo* comendo seu amigo com os olhos. Josh não entendia muito bem essas coisas.

Frank encontrou a chave certa, abriu a porta da frente, uma relíquia de carvalho maciço ladeada por dois vitrais, e eles entraram.

"Puta merda", Sarah disse. "Isso é... uau."

Eles percorreram o imóvel em silêncio, com Frank sabiamente deixando que vissem tudo por si mesmos.

Um belo madeiramento, vitrais e vigas aparentes os receberam logo na sala de estar, que claramente foi mantida intocada desde a construção — a qualidade e o estilo do trabalho remetiam a uma outra era. Estava com um cheiro meio úmido, mas não no mau sentido... era só uma coisa de casa antiga mesmo.

Quem tinha morado ali por último devia gostar de papéis de parede e cores feias de tinta. A sala de estar tinha um tom violento de roxo, mas uma bela lareira; a cozinha era de um amarelo queijo cheddar, com os armários originais com portas de vidro pintadas de azul. Em algum momento, o proprietário tinha revestido as bancadas de fórmica, e o piso era de vinil barato.

A casa não acabava nunca... havia um pequeno escritório com estantes de livros de nogueira do chão ao teto e as paredes pintadas de laranja. As lareiras e varandas estavam por toda parte. Havia até um solário, revestido com um papel de parede com um padrão que parecia de manchas de sangue e, acompanhando o tema de cores de secreções corporais, um carpete felpudo verde-vômito.

O andar de cima era ainda mais feio... os proprietários anteriores tinham feito umas reformas meio inexplicáveis — dividindo um quarto em dois com uma parede malfeita, instalando um boxe do tamanho de um caixão em um banheiro e, por alguma razão misteriosa, construindo um closet em torno de uma banheira com pés de metal. Três dos banheiros eram acarpetados. Todas as janelas do pavimento superior precisariam ser trocadas, e algumas teriam que ser feitas sob medida. Tinha quatro quartos, além de uma suíte bacana no sótão, com um local para pôr sofás e poltronas e um teto inclinado e janelinhas estranhas, além de um quarto de bom tamanho com banheiro completo. "Aqui eram as dependências de empregada. É o lugar perfeito para um adolescente", Frank comentou.

Do lado de fora, o quintal amplo e arborizado se estendia até a beira da água. Havia uma sala grande em cima da garagem, com janelas com vista para a baía que, no verão, devia ficar coalhada de veleiros, sem dúvida.

"O Iate Clube Edgewood fica logo ali", Frank informou, "se você tiver interesse em velejar."

Ele imaginou Lauren sentada no convés de um veleiro com um chapéu enorme, sorrindo para ele. "Eu não sou muito chegado em barcos", Josh murmurou.

A casa poderia ser vendida a qualquer momento — e provavelmente com lucro, depois que ele se livrasse do carpete horrível, reformasse a cozinha e renovasse os banheiros. A paisagem natural ao redor do imóvel era até agradável, assim como o fato de não ser exatamente de um determinado estilo. Havia nichos e cantos e armários escondidos por toda parte, além de belas balaustradas e um porão sinistro.

Era um tanto como ele, Josh pensou. Estranho por fora, mas bacana por dentro, para quem estivesse disposto a investir algum esforço. A casa era para Josh o que Josh foi para Lauren — precisava de melhorias, mas tinha muito potencial.

Ele apostava que ela adoraria essa analogia.

Era possível imaginar Sebastian e Octavia brincando na varanda com seus carrinhos e caminhõezinhos e bichinhos de pelúcia, e vendo de lá a queima de fogos de Quatro de Julho. O quintal tinha espaço de sobra para uma cachorra, e até mais de uma. Darius e Jen poderiam visitá-lo e se hospedar lá; ele quase conseguia ouvir a risada escandalosa de Darius enquanto fazia churrasco. Havia espaço de sobra para todo mundo.

E, no escritório com a lareira quebrada, uma garotinha poderia sentar junto à janela e ler o dia todo. Ela poderia pintar seus livros de colorir no solário e montar sua casinha de fadas sob os bordos enormes, como Lauren contou que tinha feito quando criança. E ajudar Sumi e Ben a fazer *kimchi* na bancada da cozinha.

Aquela garotinha... ela não era Octavia. Era... sua.

Sua futura filha. Tímida como ele, cabelo preto, olhos bonitos. Ela adoraria ler e construir coisas. Poderia dormir no quarto da frente, aquele das janelas altas, e descer correndo a escadaria ornamentada na manhã de Natal. Poderia usar a banheira com pés de metal na hora do banho, e ele poderia afastar o cabelo do rosto dela quando a pusesse para dormir à noite e...

"Eu vou comprar", ele disse para Frank. "Só me dá licença um minutinho."

Ele saiu da casa e ficou parado sob as árvores desfolhadas, olhando na direção da água. Seu coração batia como uma britadeira dentro do peito e, por alguns segundos, sua visão ficou borrada, mas dava para pôr a culpa no ar gelado. Não era a névoa vermelha. Era algo parecido com um pânico. Sua respiração estava muito acelerada. *Um pequeno jabuti xereta viu dez cegonhas felizes. Um pequeno jabuti xereta viu dez cegonhas felizes. Jabuti xereta.*

"Eu sinto muito, Lauren", ele disse em voz alta. "Sinto muito." Ele se apoiou em um pinheiro, sentindo a aspereza da casca do tronco contra suas costas.

Aquela garotinha foi o primeiro elemento que ele imaginou de um futuro sem sua esposa que não fosse desolador e solitário. Era a primeira vez que ele contemplava a possiblidade de ser feliz sem Lauren. De amar alguém sem nenhuma relação com ela. A primeira vez que imaginou ter uma filha que não era dela.

Ele respirou fundo e soltou um suspiro, e depois outro. Enxugou os olhos.

*Reage, bobão*, ele quase conseguia ouvi-la dizer. *A ideia é exatamente essa.*

# 31

## JOSHUA

*Décimo segundo mês*
FEVEREIRO

A empolgação da compra da casa o acompanhou por algumas semanas. Ele havia mostrado o imóvel para Jen e companhia. Sebastian a definiu como "a melhor casa do mundo para brincar de esconde-esconde, tio Josh!", e Donna comentou que parecia uma extravagância excessiva, "mas você merece, claro". Sua mãe simplesmente disse que estava orgulhosa e escolheu o quarto em que gostaria de ficar "quando Sumi, Ben e eu viermos passar duas semanas aqui todo verão". Ben falou que era o lugar perfeito para Josh.

Depois do negócio relâmpago, Josh voltou para ver melhor a casa com Radley e Sarah. Era uma vizinhança tranquila; ele supôs que algumas das casas fossem residências de veraneio, que ficariam mais cheias em julho e agosto. Os antigos proprietários aceitaram incluir uma parte da mobília no acordo, o que era ótimo... alguns móveis eram bem legais, e era uma casa grande demais para ele decorar sozinho.

Josh considerou que seus dois amigos eram as pessoas certas para dar conselhos sobre onde pôr cada coisa... e ajudá-lo a se sentir menos perdido naquele casarão. Ele só pretendia se mudar dali a algum tempo, embora Frank tivesse lhe dito que o mercado estava aquecido para lofts como o seu e que se encarregaria com prazer de cuidar da venda para Joshua.

Mas aquele apartamento era onde ele e Lauren tinham vivido. Josh sentia que *nunca* o venderia. Não era preciso tomar uma decisão imediata, mas ele tinha que se mexer para ganhar mais dinheiro.

A Chiron Medical Enterprises, a empresa de Singapura, tinha mandado uma caixa de vinhos e um reforço ao convite para recebê-lo, fosse qual fosse sua decisão sobre a oferta de emprego, que ainda estava de pé.

No momento, Radley estava bombardeando Sarah com perguntas sobre por que ela escolhera o serviço público, em vez de procurar um trabalho mais lucrativo no setor privado.

"Eu queria estar onde a necessidade era maior. As crianças que caem no sistema... a vida delas vira um horror. Na maior parte do tempo, são tiradas de casa em um momento terrível e levadas para um lar adotivo provisório. Por mais legal que seja a família que as recebe, é um acontecimento traumático. Então, se eu puder ser uma amiga, ou um porto seguro para elas durante esse momento..."

Era uma resposta muito nobre.

"Você não acha que pode acabar tendo um burnout?", Radley perguntou.

"Com certeza. É o que acaba acontecendo com todo mundo lá no departamento. Mas, por enquanto, eu estou bem." Ela deu um passo atrás para avaliar o posicionamento da mobília.

"Quando você passar para os atendimentos particulares, nós podemos ser parceiros."

"Isso seria bem legal, Radley." Ela sorriu para ele, e então olhou para Josh. "E então, como estamos nos saindo? Está gostando de onde estamos colocando as coisas?"

"Sim", ele respondeu, sem nem ao menos olhar.

"Legal! Bom, eu preciso ir. Tenho um encontro."

"Calma lá", disse Radley. "Eu quero detalhes."

"Ele trabalha com telemarketing", ela respondeu, envergonhada. "Vende propriedades compartilhadas."

"Ai, meu Deus, querida", Radley falou, fazendo uma careta. "A situação está tão crítica assim por aí?"

"Pois é."

"Tem alguma luz no fim do túnel?", Radley perguntou.

"Acho que, se eu continuar minerando o esterco, posso acabar encontrando um diamante."

"Você merece um cara incrível, Sarah", Josh falou, surpreendendo até a si mesmo. "Deveria se valorizar mais."

Ela inclinou a cabeça ao encará-lo. "Hã... obrigada?"

"Merece mesmo. Esquece o cara do telemarketing."

"Ei. Ele tem um emprego fixo, ao contrário de metade dos caras que eu conheço."

"Talvez você saia com esses caras péssimos só para ter uma desculpa para continuar sempre solteira", ele rebateu.

"Josh!", interveio Radley. "Você precisa aprender a trabalhar esse seu filtro, querido." Ele olhou para Sarah. "Mas ele tem razão, né."

"Ah, vão se foder vocês dois", ela falou, mas com um tom carinhoso. "Eu escrevo para vocês mais tarde. Milagres acontecem. Ele pode ser uma ótima pessoa. Até mais."

Ela foi embora, e Radley suspirou. "Se eu fosse hétero, casaria com ela."

"Sério?"

"Claro. Talvez. Ou não. Sei lá. A ideia de transar com uma mulher fez as minhas bolas se retraírem. O que nós vamos fazer agora, Joshua?"

"Eu estava pensando", ele disse. Seria uma boa ideia tentar usar algum filtro para o que ele queria dizer a seguir? "Hã... você gostaria de morar aqui? De repente? O terceiro andar poderia ser só seu. E, quando você começar a ter pacientes, poderia montar o consultório em cima da garagem. Mas, se não quiser, tudo bem."

Radley arregalou os olhos. "Isso não é pouca coisa. Tem certeza?"

"Claro. A casa é grande demais para uma pessoa só."

Radley se recostou em um móvel. "Então, Joshua, é muita gentileza sua. Mas você não vai ficar sozinho para sempre. Vai encontrar alguém de novo."

"Não tão cedo... só faz onze meses e meio." Ele engoliu em seco. "Eu adoraria ter você aqui. Se não for você, vou ter que procurar outra pessoa. Um inquilino ou coisa do tipo. Eu... eu posso precisar passar mais tempo viajando a trabalho no futuro, e seria bom ter alguém aqui quando estiver fora. Para cuidar da cachorra e... esse tipo de coisa." Ele fez uma pausa. "Para ter companhia."

Radley ficou em silêncio por um instante. "Meu contrato de aluguel vence em março. A gente teria que estabelecer umas regras sobre privacidade e tudo mais. Você pode acabar cansando de mim."

"É verdade." Seus lábios se curvaram em um sorriso.

"De repente nós podemos fazer um teste. Uns seis meses. Se não estiver dando certo ou se algum dos dois não estiver se sentindo à vontade, sem ressentimentos. Quer dizer, eu também preciso ter meu próprio espaço. E faço questão de pagar aluguel. Um valor simbólico, mas mesmo assim."

"Certo."

Eles se olharam, e então Radley ficou de pé em um pulo e o abraçou. "Ai, meu Deus, isso é demais! Posso ir ver o meu andar?"

Josh deu risada, e Radley saiu correndo escada acima. "Essa casa é linda pra caralho!", ele berrou.

Ótimo. Ele não estaria sozinho. Radley nunca comentava a respeito, mas Josh sabia que dinheiro era um problema para o amigo. Seria uma boa solução para os dois.

Como sempre, ele pensou em Lauren. *Você gostaria muito dele*, Josh pensou. *É o meu melhor amigo, além de você.*

Em duas semanas, seria o seu aniversário de quatro anos de casamento. E, logo em seguida, o primeiro aniversário da morte dela.

Um ano. O luto acabaria em um passe de mágica? Ou a tristeza se tornaria pior? Ele precisaria esperar para ver.


No dia 14 de fevereiro, Josh estava bebendo vinho já ao meio-dia. Era engraçado que, um ano antes, ele era um abstêmio. Bom. Os viúvos mereciam tomar uns goles, principalmente em um dia de merda como aquele. Estava escuro lá fora e caindo uma garoa gelada, uma atmosfera perfeita para ficar na fossa. Não havia nada como o inverno miserável da Nova Inglaterra para acentuar esse tipo de estado mental. Ele foi até o quarto, levou o corniso para a sala de estar e sentou ao lado da árvore no sofá.

"Vamos ver nosso vídeo de casamento", ele praticamente rosnou. Que ótimo. Ele estava ressentido com a árvore agora. E por que não estaria? Aquela coisa estava se alimentando da sua mulher morta.

Ele pôs o vídeo para passar na tv. Era uma tradição assisti-lo no dia do aniversário de casamento. Três vezes seguidas. *Obrigado por matá-la, Deus. Se você existe, é um puta de um babaca. Pode vir, me leva também. Eu estou pronto.*

351

Viu Darius, sorrindo como um pai orgulhoso enquanto levava Lauren para o altar. A mãe dela estava aos prantos, Jen sorrindo de orelha a orelha, e a mãe de Josh com os olhos marejados. Ben estava todo elegante como padrinho.

E Lauren, tão cheia de vida e de luz que parecia realmente brilhar. Não houve lágrimas para ela naquele dia — só sorrisos. Era bonito olhar para ela, que tinha uma expressão solene, mas alegre, quando o encarou e disse as palavras: "Eu, Lauren Rose Carlisle, aceito você, Joshua Stellan Park, como meu marido".

A voz de Josh também saiu firme e certa naquele dia, e ele lembrava que cada molécula em seu corpo sentia que aquela era a coisa certa a fazer. O lugar deles era um com o outro.

A primeira dança do casal não foi lenta e romântica. A música escolhida foi "For Once in My Life", de Stevie Wonder. Alegre, animada, uma canção que pôs um sorriso no rosto de todos, e os convidados batiam palmas enquanto Josh e Lauren giravam e riam e faziam palhaçadas na pista de dança. Não foi nada ensaiado, não mesmo. Só uma alegria pura e desmedida.

E agora estava sozinho, bebendo em plena luz do dia e chorando. Ele puxou Pedrita para o colo e deixou as lágrimas caírem sobre sua pelagem macia enquanto ela lambia seu rosto. Apenas um ano antes, Lauren tinha deixado uma trilha de velas até o quarto. No fim, acabou sendo a última vez que fizeram amor.

Um *ano*. Uma porra de um ano inteiro sem ela. Josh não estava orgulhoso de si mesmo por ter sobrevivido. Teria morrido de bom grado se dependesse dele. Deveria ter sido atropelado por um ônibus, e o quanto eles ririam no Além se isso acontecesse...

Ele nunca amaria de novo da mesma forma como havia amado Lauren.

Josh demorou um tempo para reparar no envelope vermelho que tinha sido passado por baixo da porta.

Tinha a caligrafia de Lauren. *Feliz Aniversário de Casamento*.

Um bilhete amarelo tinha sido colado no envelope, com uma letra diferente.

*Só tem mais um depois deste. Se cuida. — Sarah.*

Ele abriu com as mãos trêmulas. Era um daqueles cartões caríssimos cheios de fru-frus de papel, praticamente uma escultura. Dois corações entrelaçados, e todas as cores do arco-íris na intersecção.

Quando ele abriu, havia apenas uma frase, com a letra redonda e bonita dela.

*Eu sempre vou te amar.*

"Eu também te amo", ele disse, com a voz rouca de emoção.

Ele se sentia muito, muito grato por ela ter pensado mais adiante, por ter pensado nele sem ela.

Mas a saudade era *grande*. Era tamanha que seus joelhos cederam, e ele sentou no chão e apoiou a cabeça na porta.

Não demorou muito para Pedrita chegar, balançando o rabo, lambendo, choramingando, cutucando-o com o focinho. "Tudo bem, tudo bem", ele disse, limpando os olhos com a manga. "Mensagem recebida." Ela lambeu seu rosto inteiro. "Você é uma boa menina", ele falou, abraçando-a. "Uma ótima cachorra."

Ele voltou para o sofá e olhou no relógio: 13h16. Só faltavam dez horas e quarenta e quatro minutos para o aquele dia infindável terminar.

No dia 22 de fevereiro, Joshua realizou uma cerimônia *jesa* em homenagem à esposa no aniversário da morte dela.

Vinha conversando com mais frequência com Ben desde que conheceu seu pai biológico. Aquele dia precisava ser marcado, e Ben, como sempre, soube o que fazer, sugerindo aquela tradição coreana de homenagem aos mortos. Em geral era reservada a ancestrais, Ben explicou, mas e daí? Ele tinha explicado a cerimônia nos mínimos detalhes e, para Josh, parecia perfeita.

Ele havia ido à casa dos Kim no dia anterior, e sua mãe tirou um raríssimo dia de folga para ajudar na cozinha. Prepararam comidas coreanas e alguns dos pratos favoritos de Lauren de outras culinárias, em uma espécie de ordem criada para homenagear sua vida.

Agora toda aquela comida estava distribuída em cinco fileiras na mesa de centro de Josh — a das sobremesas, com castanhas, peras, maçãs e caquis, além de tangerinas, a fruta favorita de Lauren, e *yakgwa*, os biscoitos de mel que ela tanto adorava. Donna tinha trazido cookies com gotas de chocolate, os favoritos da infância de Lauren, que Josh acrescentou também. A fileira seguinte continha arenque em conserva (outro dos favoritos de Lauren), *kimchi*, camarões e mariscos recheados. Então vinham as sopas — de peixe, de legumes, canja de galinha com macarrão. A fileira seguinte tinha o frango com molho que ela adorava, e *jeon*, as panquecas com legumes. A última fileira, a mais distante de Josh, tinha uma tigela com arroz e um outro tipo de sopa — de carne com nabo, a sopa tradicional dos coreanos para os mortos, e outra com areia.

Ben havia trazido uma pequena tela de papel de arroz, que foi posta do outro lado da mesa de centro. A ideia era que o espírito de Lauren viesse e sentasse do outro lado. Sobre a mesa, havia uma foto dela no dia do casamento, com um brilho nos olhos, a pele perfeita, a boca curvada em um sorriso cheio de amor. Ao lado da mesa estava o corniso, quase meio metro mais alto que no ano anterior.

Josh sabia que faria essa cerimônia apenas uma vez. Que, depois daquele dia, o primeiro ano terminaria, com todas as coisas que ele fez pela primeira vez sem ela. Mas era preciso marcar a data de alguma forma, e o ano inteiro que havia passado. Ele convidou todas as pessoas próximas dela — Jen e sua família, Donna e Bill, Sarah, Radley, Asmaa e Bruce, o chefe dela. Além de Sumi, sua mãe e Ben, claro.

Quando todos chegaram e se posicionaram na sala de estar, ele abriu a janela para deixar o espírito entrar. Alguns segundos depois, ele a fechou. *Espero que tenha conseguido entrar, amor*, ele pensou, engolindo o nó na garganta.

O rosto de Jen já estava banhado de lágrimas, e Sebastian estava com os olhos arregalados e uma expressão solene. Octavia dormia no ombro de Darius. Donna e Bill estavam de mãos dadas, e os olhos dela estavam vermelhos. Sarah e Radley ficaram lado a lado. Asmaa estava de braços dados com Bruce. Ben abraçava Sumi. Todos observavam tudo em silêncio.

Josh ajoelhou na frente da mesa e acendeu o incenso — o que era irônico, pois era uma coisa que Lauren detestava. *Não vai querer se mandar por causa disso*, ele pensou, quase sorrindo. Jen lhe entregou uma taça de vinho de arroz, que ele circulou sobre a mesa. Ele havia passado a semana toda estudando as anotações de Ben sobre a cerimônia, mas se errasse alguma coisa, com certeza Lauren o perdoaria. Ele derramou um pouco de vinho na areia três vezes, depois cravou um par de hashis na tigela de arroz.

Ele se virou para Donna e fez uma mesura para ela, a mãe, e depois repetiu o gesto para Jen, honrando a família dela. Estavam todos com lágrimas nos olhos a essa altura, e não havia nenhum som na sala a não ser o das pessoas fungando.

Josh levantou e olhou para a foto da esposa, sentindo um aperto enorme no coração. "Lauren Rose Carlisle Park", ele disse, com uma voz surpreendentemente firme, "eu chamo seu nome agora que um ano passou, e o dia da sua morte chegou. Vou amar você para sempre e nunca vou esquecer do seu amor, grande e vasto como o céu. Em sua homenagem, humildemente ofereço esta refeição." Então ele se ajoelhou diante da mesa, olhou para a foto dela por um instante e se prostrou até encostar a testa no chão frio.

Ele ficou nessa posição por um instante, com as lágrimas inundando os olhos. Tanto amor, tanta tristeza. *Eu sinto a sua falta*, ele pensou. *Por favor, esteja bem. Por favor, esteja feliz.*

Quando ele levantou, sua mãe lhe entregou um lenço de papel e balançou a cabeça em um gesto de aprovação, apertando seu braço.

"Obrigado por terem vindo", ele disse, com a voz embargada, e então Jen o abraçou, e depois sua mãe, e Donna e Sarah e Darius, e Sebastian passou os bracinhos em torno de sua perna, todos juntos e unidos pelo amor... não só por Lauren, mas por ele também.

"Nós te amamos, Josh", Jen falou com a voz grave.

"É verdade, irmão", Darius falou.

"Eu te amo, titio Josh."

"Eu te amo, filho." *Eu te amo. Nós te amamos. Nós te amamos.*

Josh começou a chorar e se rendeu aos prantos, soluçando sob aquele abraço amoroso. Eles não estavam lá apenas por Lauren, mas por ele também.

"Nós podemos comer", ele disse por fim, e todos deram risada.

"Que bom. Estou morrendo de fome", Jen disse, apertando-o com mais força antes de soltá-lo.

Ele sabia que havia uma forma correta de servir a comida, porém não estava mais disposto a formalidades. Aquilo já bastava. Seus convidados se serviram, e sua mãe e Sumi distribuíram pratos, garfos e hashis. Donna serviu o vinho e Darius abriu cervejas. Josh foi até a janela e olhou para fora, sentindo o toque agradável do ar frio contra a pele.

Sarah se aproximou e segurou sua mão. "Ela ficaria muito orgulhosa de você", murmurou. "Sempre ficava. Você conseguiu, Josh. Sobreviveu ao primeiro ano."

Ele assentiu e a abraçou. "Obrigado por ter ficado do meu lado."

Ela balançou a cabeça e soltou um suspiro trêmulo.

"Como foi seu encontro?", ele perguntou.

"Tão ruim quanto vocês previram", ela respondeu, enxugando os olhos. "Uma das perguntas que ele fez para quebrar o gelo foi: 'Se você fosse me matar, como faria isso?'."

Ele deu risada. "Uau."

"Mais um para a lista de rejeitados", ela comentou. "Ei, tudo bem se eu ligar uma musiquinha? Alguma coisa que a Lauren gostava?"

"Seria ótimo", ela falou. Ela foi até o iPad e começo a bater com o dedo na tela.

Ben apareceu ao seu lado. "Você foi ótimo, filho. Ela era... era uma garota especial." Os olhos dele estavam marejados.

Josh o abraçou. "Obrigado, Ben. Por ser o meu pai. Por me ajudar."

"É uma honra."

Josh deu um tapinha no ombro de Ben. "Come alguma coisa."

"E você?"

"Eu já vou."

Era bom manter uma certa distância da aglomeração, mas ele estava felicíssimo por todos estarem ali. Não só no ano anterior, mas pelos dois antes dele, considerava a maioria daquelas pessoas como a família de Lauren.

Mas, no ano que passou, havia se tornado a sua também, alguns mais próximos que outros, porém todos o aceitaram em seu coração.

Josh tinha muita sorte. Teve a companhia deles para atravessar aquele ano longo e solitário. Tinha sorte até *demais*, não só por ter sido o marido de Lauren, mas também por ter todas aquelas pessoas na sua vida.

Nesse momento, ele notou uma movimentação no canto mais distante da sala, e seu coração disparou. Por apenas um segundo, Josh viu sua mulher, com o mesmo vestido longo cor-de-rosa que costumava usar com tanta frequência naquele verão em Cape Cod. Ela estava observando Sebastian e Octavia, que brincavam no sofá, com um leve sorriso nos lábios.

Em seguida se virou para ele e seu sorriso se abriu de vez — aquele sorriso que sempre o deixava desnorteado. Os olhos castanhos dela brilhavam de alegria, como na maior parte do tempo. Durante aquele único segundo, ele pôde rever todo o amor que ela sentia, toda a alegria.

Ele não desviou o olhar. Nem sequer respirou, torcendo para que aquele momento durasse para sempre. Então seus olhos se encheram de lágrimas e, quando Josh piscou, ela não estava mais lá.

# 32

## JOSHUA

*Décimo terceiro mês*
MARÇO

Ele não leu a carta que Sarah deixou em março.

Em vez disso, mandou um e-mail para Alex, da Chiron Medical Enterprises, perguntando quando seria uma boa ocasião para fazer uma visita. Em seguida ligou para Cookie, que marcou o voo, e viajou para Singapura na semana seguinte.

Na sede da Chiron, propôs seus termos a Alex e Naomi. Ele aceitaria o emprego, mas precisaria continuar em Rhode Island, com a possibilidade de passar duas semanas a cada dois meses em Singapura. Era uma boa forma de acumular milhas, aliás. Eles aceitaram a proposta imediatamente.

Josh foi apresentado a todos na empresa, fez um city tour de primeira classe pela linda cidade, foi convidado para jantar em um bom restaurante e conheceu a mulher que seria sua assistente em Singapura. Durante o jantar, contou a Alex e Naomi que era viúvo havia pouco mais de um ano. Eles expressaram suas condolências, e ninguém mais tocou no assunto.

O salário era inferior à quantia que ele havia ganhado em determinados anos como freelancer, mas era um dinheiro garantido, e o pacote de benefícios era atrativo, incluindo um plano de saúde de primeira linha e seis semanas de férias anuais (porque todos no mundo, menos os norte-americanos, compreendiam o valor de um bom tempo de descanso). Ele também ganharia bônus com base no aproveitamento de patentes e projetos. Alex e Naomi sugeriram a contratação de dois engenheiros e um assistente para trabalhar para ele em Providence.

Era chegada a hora de uma mudança.

# 33

## LAUREN

*Cinquenta e sete meses restantes*

Dois anos e um mês depois que seu pai morreu, e no dia em que se formou na Escola de Design de Rhode Island, Lauren Rose Carlisle fez uma lista.

Uma lista importantíssima.

Os vinte e cinco meses anteriores tinham sido turbulentos. Quando seu pai faleceu, na primavera de seu segundo ano de faculdade, ela foi arremessada em um poço sem fundo de caos e tristeza. Ele tinha sido o melhor pai de todos os tempos, e sua morte provocou um choque tão grande que transformou a visão de mundo de Lauren. O restante de seus anos de estudos foi passado em um estranho limbo marcado pelo sentimento de perda, com ela seguindo em frente, fazendo seus projetos e trabalhos da faculdade, passando o tempo com seus amigos e sua irmã. Às vezes ela se pegava rindo, e ficava quase surpresa. Às vezes, parava de repente no meio da calçada e se perguntava: "Eu estou acordada? Essa é mesmo a minha vida? É sério mesmo que *nunca* vou ver o meu pai de novo?".

O incrível Dave Carlisle, amado por todos, odiado por ninguém, marido dedicado, pai amoroso, excelente vizinho, fanático por cachorros — um homem gentil que corria mais de três quilômetros por dia e não comia açúcar, simplesmente caiu sobre a mesa em uma tarde, com um pote de iogurte de morango pela metade ao seu lado. Não houve tempo para últimas palavras. Nem de estar com a família para segurar sua mão, murmurando o quanto o amava.

Lauren *idolatrava* o pai. Homem nenhum era perfeito, claro... a não ser seu pai. Ele era divertido, bobalhão, indulgente e exigente em alguma medida, e vivia feliz, impressionado com sua sorte por ter casado com Donna, o amor da sua vida. E as filhas? O que poderia ser melhor do que duas garotas exemplares? Nada! Lauren sabia que era raro um pai conseguir fazer com que suas duas meninas sentissem que eram sua favorita. Quando Jen teve o lindo Sebastian, apenas cinco meses antes da morte precoce do pai, ele chorou ao ver o neto, e mais tarde mandou flores para a mulher e *ambas* as filhas, parabenizando-as pelo novo status na vida — avó, mãe, tia.

Aos vinte anos, Lauren precisava se esforçar muito para se lembrar de uma única ocasião em que seu pai a decepcionou, se mostrou impaciente com ela ou a viu com qualquer coisa que não fosse amor e admiração. Darius, o marido de Jen, tinha sido pronunciado "quase tão maravilhoso quanto o papai", e a reação dele foi dizer que ainda precisava melhorar muito para isso.

"Está brincando, filho? Você é fantástico", seu pai rebateu. "Agora é só cuidar bem da minha garotinha."

A própria Lauren tinha parâmetros absurdos em relação a namorados. Ela e Sarah até brincavam a esse respeito — Sarah achava que todo mundo merecia uma chance, enquanto Lauren... ela não tinha tempo a perder com alguém que tivesse demonstrado o mínimo sinal suspeito. Sabia como um homem de verdade deveria tratar uma mulher, e não queria nada menos que isso.

A autópsia de seu pai revelou um aneurisma fatal. Não era justo. Ele merecia uma morte melhor, o homem gentil que parava para ajudar quando via alguém com o pneu furado na rua ou na estrada, fosse quem fosse, que pagava as dívidas de uma família necessitada todo Natal. Dave Carlisle deveria ter tido uma morte heroica, entrando em um prédio em chamas para salvar bebês e cachorrinhos (e ele faria isso *mesmo*, e sem dúvida salvaria todo mundo). Deveria ter morrido com um sorriso no rosto, cercado pelas três mulheres que o amavam, com o netinho no colo, cheio de gratidão pelo amor que recebeu na vida.

Mas... "a vida é foda e merdas acontecem", como diziam as frases de para-choque de caminhão, e Lauren foi obrigada a engolir aquela desilusão — uma desilusão do tamanho do mundo — e seguir vivendo.

Às vezes o luto une uma família; mas às vezes faz cada pessoa se recolher para um canto. E às vezes as duas coisas. Ela e Jen sempre tinham se dado bem; Jen era cinco anos mais velha, e Lauren a idolatrava. Jen havia estabelecido um precedente ridiculamente alto com suas notas ótimas e sua carreira no direito ambiental, seu marido lindo e gente boa, seu bebê perfeito, e Lauren admitia isso de bom grado.

Mas, quando seu pai morreu, elas se aproximaram ainda mais, e a diferença de idade passou a ser menos relevante. As duas conversavam por celular mais de uma vez por dia, sussurrando sua tristeza e seu choque e chorando juntas. Lauren ia à casa dela o tempo todo, pegava Sebastian no colo, ria por ser um bebê tão lindo, e chorava porque seu pai não estava lá para ver. Conforme o tempo foi passando e o choque e a tristeza se amenizaram, elas só se aproximaram ainda mais.

Já o relacionamento de Lauren com a mãe ficou abalado. Donna sempre tinha sido uma mãe de família competente, enérgica, segura de si e sem medo de exercer sua autoridade, mas, com a morte do marido, acabou desmoronando. O que era absolutamente compreensível. O amor de Donna e Dave era de causar inveja em todos os que os conheciam. Donna não parecia se dar conta de que as filhas também tinham perdido alguém inacreditavelmente importante. Seu foco se voltou para si mesma, o que não chegou a ser surpresa, como Jen e Lauren constataram. Ela havia sido uma boa mãe, firme e confiável, mas não do tipo que prestava muita atenção nas filhas. Como trabalhava como professora, os alunos consumiam boa parte de sua paciência ao longo do dia. Ela não era cruel... a questão era que as filhas (e Lauren em especial) sempre vinham por último. *Marido, emprego, comunidade e, ah, sim, duas filhas também!*

Lauren sempre sentiu que se, por exemplo, fosse sequestrada, sua mãe demoraria mais ou menos uma semana para notar sua ausência. "Puxa, onde foi que a Lauren se meteu?", ela perguntaria, sem nem ao menos perceber o bilhete com o pedido de resgate colado na porta.

Mas seu pai... ele se encarregaria de resgatá-la.

Quando ele morreu, a família pareceu ter perdido bem mais de um quarto de sua composição. Era como se noventa por cento delas tivesse morrido junto.

O luto é um processo individual para cada um dos envolvidos. Sua mãe havia perdido o companheiro de vida. Jen não podia se dar ao luxo de se enlutar como Lauren, pois tinha um bebê para criar e precisava lidar com sua tristeza de forma fragmentada. E Lauren precisava conviver com o fato de que seu pai não estaria presente em marcos importantes de sua vida adulta — formatura da faculdade, emprego, primeiro apartamento, casamento, nascimento dos filhos. Ele simplesmente... não estava mais lá.

Esse tipo de pensamento poderia deixar uma pessoa prostrada.

Mas ela era filha de Dave Carlisle e, com a ajuda da terapia, do amor da irmã, da amizade inabalável de Sarah e dos novos amigos que fez na faculdade, foi seguindo em frente. Era uma chorona, graças a Deus, e por isso não tinha emoções reprimidas para corroê-la por dentro.

Ela queria uma vida de que seu pai pudesse se orgulhar. E de que *ela* pudesse se orgulhar. Pais morrem. Os desenhos da Disney lhe ensinaram isso desde o início da vida. Quando as lágrimas vinham, algumas previsivelmente, outras de surpresa, ela se permitia soluçar aos prantos por cinco minutos e então voltava ao que estava fazendo. Ela mudou sua área de formação. Conseguiu um estágio que mais tarde se converteu em um bom emprego.

E, no dia seguinte à formatura, fez sua lista.

As listas tinham poderes mágicos, na opinião de Lauren. Toda aquela baboseira sobre colocar por escrito seus sonhos e depois conferir como estava se saindo? Pois é, funcionava. Foi o que a impulsionou nos estudos, principalmente depois da morte do pai, mantendo o foco e a pontualidade.

Mas essa lista seria diferente. Seria sobre sua vida.

Ela abriu o notebook — afinal, quem era ela para escrever tudo à mão, Jane Austen? — e ousou sonhar alto. Afinal, ninguém veria aquilo, então por que não despejar tudo ali?

Quando terminou, estava se sentindo melhor. Com uma singular sensação de segurança. Ao longo dos anos seguintes, ela consultava periodicamente o que tinha escrito. E, em algum momento dessa trajetória, passou a escrever para o pai sobre as coisas da lista ou simplesmente sobre a vida em geral. Seu coração ficava apertado da forma mais dolorosa e maravilhosa possível com aquela pequena comunicação com o pai que estava no Além.

Ela recebeu três promoções nos dois primeiros anos no escritório de arquitetura Pearl Churchwell Harris, fazendo muitas horas extras e estabelecendo um bom relacionamento com o chefe, Bruce Churchwell, o Poderoso e Generoso. Depois do terceiro aumento, deixou o apartamento que dividia com outras três pessoas e conseguiu um espacinho só seu. Continuou sempre encontrando tempo para a irmã, a mãe e as amigas. Tinha encontros também, ainda que apenas casualmente. Começou a fazer trabalho voluntário em um centro comunitário e andava de bicicleta aos fins de semana.

E, então, a vida mudou com o tipo de força que faz o mundo parecer que parou por um instante, que permite à pessoa ouvir os suspiros das estrelas e do mar. O dia em que a pessoa reconhece que sua vida nunca mais vai ser a mesma.

Esse momento aconteceu em uma sexta-feira no início de fevereiro, quando uma nevasca no início da semana deixou Providence com uma aparência acolhedora e pitoresca, como um cenário de cinema. Enquanto caminhava para o Hope Center, Lauren ficou encantada com a beleza da cidade; na volta para casa, não lembrava de ter visto muita coisa.

Ah, não. Sua mente estava ocupada demais para isso, enquanto sua respiração se condensava no ar gelado ao sair da boca e os carros transitavam com cautela nas ruas estreitadas pela neve acumulada junto do meio-fio.

Era preciso documentar aquela noite, conversar com alguém que entendia o que isso significava, o dia em que ela viu seu futuro. Alguém que apreciaria a notícia que tinha a dar e que jamais diria a coisa errada, mas que saberia ver o brilho de algo muito lindo.

Seu pai, obviamente.

Ela chegou ao pequeno apartamento na antiga fábrica transformada em prédio residencial, acendeu a luz, tirou a capa de chuva e se livrou dos sapatos de salto alto, lindos, mas nada confortáveis. Em geral, ficava um tempinho admirando sua casa — ela era uma designer, afinal de contas —, mas naquela noite tinha outras coisas a fazer.

E queria fazer direito, porque sentia que era importante demais. Quase como se escrever para seu pai fosse uma forma de oficializar a coisa. Mas não queria apressar nada, então foi até a cozinha e pegou um vinho, tentando tornar tudo naquele momento especial e memorável. Ela tirou a rolha da garrafa e se serviu em uma das taças bem legais (e baratas) quer tinha comprado na Ikea. Em seguida, levantou a taça contra a luz para admirar a linda coloração dourada da bebida.

Ela bebeu no sofá de veludo que sua mãe havia dito para não comprar. ("Por que você vai querer um sofá vermelho? Parece que está encharcado de sangue.") Se ajeitou confortavelmente, deu um gole no vinho, pôs a taça sobre a mesinha de centro e abriu o notebook com uma expectativa crescente no peito.

Lauren tinha acabado de voltar da inauguração do centro comunitário onde trabalhava como voluntária. Dois anos antes, havia comentado com Asmaa Quayum, a diretora, que o lugar precisava ser revitalizado. Depois de quatro campanhas bem-sucedidas de levantamento de fundos, e incontáveis horas de trabalho pro bono de design e de trabalho pesado de dezenas de voluntários na construção, o Hope Center abriu suas novas e lindas portas para celebrar a transformação.

O evento estava lotado de doadores, membros da comunidade e crianças que haviam ajudado na pintura e na decoração. Os três diretores do Pearl Churchwell Harris estavam lá, com um sorriso de aprovação no rosto. Jen e Darius tinham ido (sua mãe não, mas provavelmente não faria diferença se fosse). Os estudantes de design de interiores da Escola de Design de Rhode Island também estavam lá, assim como alguns de seus antigos colegas de faculdade.

E, entre eles, um convidado surpresa.

Lauren respirou fundo, bebeu um gole de vinho e abriu a lista que havia começado três anos antes. Ela tinha atualizado essa espécie de caminho de vida mais de uma dúzia de vezes, quando se sentiu um pouco perdida e insegura, quando queria se sentir mais confiante, quando se sentia solitária ou temerosa... ou simplesmente quando queria se sentir mais próxima do pai. Algumas das coisas da lista eram previsíveis; outras, um pouco bobas; e outras, ainda absolutamente sinceras.

COISAS A FAZER NOS PRÓXIMOS CINCO ANOS

1. Conseguir o emprego dos sonhos.

2. Encontrar um ótimo apartamento.

3. Fazer a diferença na minha comunidade.

4. Ter criancinhas correndo na sua direção por te adorarem.

5. Fazer alguma coisa que deixaria Jen orgulhosa.

6. Comprar um vestido bem chique e usar em um evento importante.

7. Conhecer o homem com quem você vai casar.

Ela começou a digitar.

*6 de fevereiro*

*Papai,*

*Tenho novidades para você.*

*Hoje foi um grande dia. Meu primeiro projeto solo foi inaugurado! O Hope Center, um centro comunitário. Foi um evento importante não só para mim, mas também para Providence, pai. Precisamos de um lugar como esse e, apesar de já existir antes, tinha um aspecto meio sisudo e industrial, sem contar que era subutilizado.*

*Agora não mais!*

*Havia tantas famílias felizes por lá hoje... Admito que fiquei me sentindo meio que uma santa caridosa. Sério mesmo! Uma santa caridosa! Os pais agora têm um lugar legal para passar o tempo, fazer aulas, se conhecerem, e tudo de graça. Para as crianças, todo tipo de atividades — artes, dança, aulas de informática. Um espaço para os adolescentes. Uma brinquedoteca para os pequenos. E tudo tão lindo! Com luz natural, um ótimo fluxo, cores bacanas (nada daquele esquema de cores primárias e pesadas nas paredes, sabe como é?).*

*A festa foi incrível. Alguns restaurantes locais doaram comidas e bebidas*

— marisco recheado e cachorro-quente e um balcão de frutos do mar do Eddy. Tinha limonada Del's para as crianças e vinho e champanhe para os adultos.

Ah, pai. Se você estivesse lá, ia ficar muito orgulhoso. Pensei muito em você, sabendo que não perderia essa inauguração por nada. Por um instante, achei que consegui sentir sua presença lá. Juro que por um momento percebi um cheiro de Aqua Velva no ar. Obrigada por isso, pai.

Eu usei meu vestido chique. (Um Armani!!!! Não se preocupa, comprei na internet em promoção, e não esquece que eu estudei moda por um ano e meio.) Na noite de inauguração, eu queria caprichar no visual, parecer uma designer de interiores/ espaços públicos bem-sucedida que trabalha em uma ótima empresa e uma representante da comunidade de Providence. Porque, apesar de ainda me sentir um pouco surpresa, é isso o que eu sou.

Antes de você morrer, eu admito que estava um pouco perdida. Quer dizer, ser a vencedora do Project Runway era basicamente a única meta da minha vida. (Obrigada por me amar mesmo assim.) Fico muito feliz por fazer o que faço hoje, em vez de criar roupas. Ver aquelas famílias hoje à noite foi incrível, papai. Sentir que eles podiam contar com aquele lugar maravilhoso em parte por causa da minha ajuda... fiquei me sentindo realmente orgulhosa. E também mais humilde, e privilegiada, além de muito feliz. Que trabalho incrível eu tenho! Como próximo projeto, quero reformular uma ala de pronto-socorro, porque passei por lá algumas semanas atrás. (Pai. Eu tenho asma. Quem poderia imaginar?) Enfim, era um lugar tão horrível que quase me fez chorar. Quem está doente deveria poder ficar em um lugar que não pareça a cela de prisão do Jean Valjean.

Mas estou fugindo do assunto. Você sabe como eu queria que criancinhas corressem na minha direção por ter feito uma coisa incrível, né? Isso aconteceu. Asmaa, a diretora do Hope Center, fez seu discurso de boas-vindas a todas. Eu não sabia que isso ia rolar, mas ela falou coisas INCRÍVEIS sobre mim. Sobre o quanto eu me esforcei, sobre ter superado as expectativas e transformado aquele lugar em um segundo lar para tanta gente. E, sim, é verdade que eu praticamente não saí de lá no último ano, e que adoro criancinhas. Mas ela me surpreendeu com essa fala, e os meus olhos se encheram de lágrimas, e Jen me abraçou, e os meus chefes estavam com sorrisos de orelha a orelha, porque são muito legais, mas também porque foi uma ótima divulgação do trabalho do escritório.

*Então... para minha surpresa total... Asmaa me chamou ao microfone para dizer algumas palavras, e Jen me deu um abraço com lágrimas nos olhos, e todas as crianças que ajudaram a pintar as paredes ou que estavam sempre lá... todas elas vieram correndo até mim e disseram: "Vai lá, Lauren! Vai lá, Lauren!", e esse foi o momento mais feliz da minha vida. Eu não tenho ideia do que falei, mas isso não importa. Jen falou que foi um discurso perfeito, generosa que só ela.*

*Eu queria que você tivesse me visto lá, pai. Queria muito mesmo.*

Lauren levantou, assoou o nariz, se medicou com a bombinha de asma, já que chorar fazia seu peito se sentir comprimido, e percebeu que a maquiagem dos seus olhos estava no nível Guaxinim Assustador por causa das lágrimas agridoces. Ela lavou o rosto, vestiu o pijama, prendeu o cabelo em um rabo de cavalo e voltou ao notebook. Então deu mais um gole no vinho, se acomodou no sofá e decidiu que, quando terminasse de dar a notícia, comeria o bolo de coco da Pepperidge Farm, porque não tinha se alimentado direito na inauguração. E também para comemorar, porque... bom... uma fase importante estava sendo concluída. E, o que era ainda mais relevante, algo novo estava começando.

*Antes de passarmos para a última parte da lista, papai, queria contar uma história. Quando eu era caloura, nos bons tempos quando você ainda estava vivo, fui a uma festa. E, sabe como é, eu exagerava, mas, olhando para trás, graças a Deus que me diverti nessa época, porque a sua morte me deixou sem chão, pai. Então fico feliz de ter sido um pouco irresponsável enquanto ainda podia.*

*Enfim, eu estava em uma festa, e talvez estivesse bebendo antes de ter a idade legal para isso (estava mesmo, então pode me assombrar por isso, se quiser). E então começou um burburinho, uma onda de empolgação entre as pessoas... porque ELE estava lá, o rei da Escola de Design, o menino de ouro, o futuro zilionário Joshua Park.*

*Quem era esse jovem, você quer saber? Eu vou contar. Joshua Park é:*

*A) extremamente bonito, mas extremamente mesmo.*
*B) aparentemente um gênio, que pulou um ano do ensino médio.*

C) o inventor que projetou um negócio quando tinha DEZOITO ANOS e vendeu a patente para uma empresa de equipamentos médicos gigante por uma fortuna. E então continuou fazendo coisas assim. Ele doou a patente de um equipamento que pode salvar a vida de bebês prematuros e foi parar na CNN. Pelo que diziam, estava prestes a inventar a viagem no tempo.

No dia dessa festa, ele já era um aluno do último ano, e todo mundo olhava para o garoto como se fosse o príncipe Harry. Era a alegria e o orgulho da Escola de Design. E também havia boatos de que ele tinha doado um milhão para a faculdade.

Josh também é muito bonito (eu já mencionei isso, não?), e não se envolve em coisas como festa, então não é só um gênio que já estava fazendo um tremendo sucesso profissional... também tinha uma aura de bonitão solitário. Então ele apareceu lá, e um monte de gente se aglomerou ao redor do cara, como abelhas em torno de uma colmeia. Claro que eu fiquei de olho em tudo (todo mundo estava, e o nome dele estava sendo sussurrado como uma onda pela festa, Joshua Park, Joshua Park).

E então aconteceu uma coisa muito estranha. Eu senti vontade de... sei lá. Resgatar o garoto. Queria salvá-lo. Ele parecia tão tenso e desconfortável, piscando um pouco demais, como se tivesse passado uma semana fechado em casa e estivesse voltando a ver o sol só naquele momento, como um bicho entocado todo triste (e extremamente bonito). Meu coração se deixou atrair por ele.

E você me conhece, pai. Eu iria salvá-lo! Eu seria alguém com quem ele pudesse conversar e que o ajudasse a relaxar, e não ficar só interrogando para saber quanto ele tinha de grana. Quem não gosta da sua garotinha, certo? Eu sou adorável, charmosa e sei flertar muito bem (sua filha, resumindo).

Não tinha a menor intenção de atacá-lo, sequestrá-lo, roubá-lo ou dar um golpe do baú. Só achei que conheceria o Menino de Ouro e ficaria amiga dele e, claro, ver se o velho charme dos Carlisle ainda funcionava.

Não funcionou.

Eu fui abrindo caminho entre as pessoas, esperei que todo mundo comentasse o quanto ele era maravilhoso/ incrível/ brilhante e, por fim, tive a minha chance.

"Então você é Joshua Park", eu disse. "O homem, a lenda."

Ele não respondeu. Só me deu uma olhada e desviou os olhos.

"Sou Lauren Carlisle. Caloura, estudante de moda." Eu sorri e joguei meus cabelos para o lado (meus cabelos eram mais compridos na época e, repetindo, eu tinha dezoito anos).

Ele me encarou e revirou os olhos de leve.

"Que foi?", eu perguntei.

"Eu não sabia que a Escola de Design tinha um curso de moda", ele falou. Não, claro que não. Ele era erudito demais para se interessar por isso.

"Você tem alguma coisa contra roupas?", eu perguntei, me empertigando toda como um porco-espinho irritadiço.

"Não."

"Que bom. Achei mesmo que não, já que você está vestido. Quer dizer, tecnicamente são roupas, além de um crime contra a humanidade." Eu sorri (um sorriso charmoso, para dar a ele uma segunda chance). Ele estava com uma bermuda cargo bege e uma camiseta laranja de POLIÉSTER, além de meia até a canela e tênis.

Não recebi nenhum sorriso pelo meu comentário. Ele claramente estava procurando outra pessoa para conversar. Isso só me fez querer me esforçar mais.

"O que está achando do semestre até aqui?", eu perguntei, dando um gole na minha bebida.

Ele deu de ombros.

"Você não é muito de conversar, né?"

Então ele me olhou de cima a baixo e disse o seguinte, e sim, eu lembro de cada palavra. "Imagino que, por ser bonita, você acha que as pessoas não vão notar que também é fútil e não muito interessante."

Eu fiquei boquiaberta, meu querido pai. O chiclete que estava mascando até caiu da minha boca, mas consegui segurar. "Uau", comentei. "Que coisa mais ofensiva. Você nem me conhece."

"Eu não preciso te conhecer."

Acho que até joguei a cabeça para trás, como se tivesse levado um soco. Quer dizer, eu só estava sendo uma universitária normal, uma pessoa feliz e simpática. Nós conversamos por quinze segundos, e ele já tinha concluído que eu era fútil e sem graça? SEM GRAÇA? Eu podia ser muitas coisas, mas sem graça não era uma delas!

Enfiei o meu chiclete em um guardanapo e joguei na bebida dele, uma coisa de que me orgulho até hoje. "Alguém já falou que você é arrogante e condescendente?", perguntei.

"Não."

"Então, por favor, me deixa ser a primeira. Você é inacreditavelmente arrogante. Não é à toa que não tem amigos."

E depois fui conversar com a minha amiga Mara.

Cruzei com ele algumas vezes antes da formatura, naquela primavera, só que nunca mais conversamos.

Até hoje à noite. Já está percebendo onde isso vai dar, pai?

A inauguração estava a todo vapor, e de repente eu me senti em estado de alerta. Não por estar assustada, mas só... alerta. Da mesma forma que dá para sentir que tem uma tempestade chegando antes de ouvir um trovão que seja. Demorou alguns minutos, e então eu o vi, e o reconheci imediatamente. Ele não tinha mudado nada, apesar de terem passado seis ou sete anos. Ainda muito bonito. E ainda muito malvestido (com uma calça jeans que não servia direito e a camisa xadrez mais feia que eu já vi na vida).

Mas, dessa vez, estava sozinho.

Olhando para mim.

Ele ergueu o queixo em sinal de reconhecimento, e quando terminei de conversar com um vereador, fui até lá.

"Olá, Joshua Park", falei.

"Olá, Lauren Carlisle."

"Você lembra de mim?"

Ele segurou o sorriso. "Tem uma foto sua no hall de entrada."

Tinha mesmo, entre várias outras, penduradas lá como um agradecimento aos colaboradores e patrocinadores da reforma. "Bom, nós já nos falamos uma vez", eu disse. "Você me ofendeu em uma festa no meu ano de caloura."

"Tem isso também, eu te ofendi em uma festa no seu ano de caloura."

Então ele não conseguiu segurar o sorriso, e eu sorri também. "Este trabalho não parece ter muito a ver com design de moda", ele comentou, olhando ao redor. (Ele lembrava mesmo de mim!)

"Eu mudei de área no segundo ano."

"E veja só onde está agora."

Meu coração de repente pareceu grande e quente demais para caber no peito. Não só por ele ser (extremamente) bonito... tinha também... o reconhecimento. *Aquelas seis palavras... foram uma honra para mim. Quase como se ele estivesse impressionado.*

*"Gostei da camisa", murmurei, e em seguida limpei a garganta.*

*Ele olhou para baixo. "Ah, sim... eu... eu não lembro onde comprei. Pode ter sido a minha mãe. Eu não sabia qual era o* dress code *do evento." Ele ficou um pouco vermelho. Ai! Ele era uma gracinha.*

*"Não tem nenhum. Você está ótimo."*

*Então ele me encarou. Os olhos dele eram escuros e sérios, mas havia algo mais ali também, um brilho como o de uma vela em uma noite escura. De repente, senti que existia uma ponte entre nós, nos conectando, e, pai, eu tive uma percepção semiconsciente de que, se atravessasse aquela ponte, estaria no lugar mais lindo, feliz e seguro do mundo.*

*Então, infelizmente, houve uma interrupção, por cortesia de Elisabetta, umas das lindinhas que era uma frequentadora regular do centro, me puxando pela mão. "Lauren, Lauren, Lauren, Lauren, vem ver o que eu acabei de fazer! Mexi no computador sozinha, Lauren, e fiz um desenho para você."*

*"Pode ir, se quiser", Josh falou, e essas palavras me atingiram no meio do peito como uma marreta, porque pareceram... me pareceram tristes. Impregnadas de solidão. Aquilo não estava certo.*

*"Quer sair para beber um vinho um dia desses?", perguntei, ignorando Elisabetta, que estava pulando sem parar, praticamente arrancando o meu braço.*

*"Eu não bebo."*

*"Um leite com xarope, então? Um Dunkin'? Uma água? Um chá? Uma limonada Del's?"*

*"Hã... tudo bem. Sim. Eu iria gostar." Ele ficou vermelho de novo, mas não desviou os olhos.*

*"Eu estou te chamando para um encontro. Só para deixar claro." Porque era um momento tão importante e promissor que eu não poderia permitir que desaparecesse como uma pluma carregada pelo vento só torcendo para ele ter entendido a deixa.*

*A expressão de Josh não mudou. "Nesse caso, então com certeza."*

*Graças a Deus. A sorte favorece quem tem coragem e tudo o mais. "Certo. Hã... Elisabetta, querida, só um segundinho." Eu livrei a minha mão e peguei o celular.*

"Ela gostou de você", Elisabetta falou. (Obrigada por ser tão sutil, ami-guinha.)

"Eu... espero que você esteja certa", ele disse para a menina, e meu cora-ção, pai! Meu coração!

Pelo jeito eu não era mais só bonita e fútil.

Ele me olhava de um jeito tão... intenso, como se conseguisse ver aquela ponte também, e também quisesse atravessá-la.

"Seu número, senhor?", eu pedi, usando o último resquício de garota com uma vibe tranquila que ainda restava em mim.

Ele passou o celular dele para mim, e meu dedos tremiam enquanto eu digitava. Então levantei o aparelho e tirei uma foto dele. "Para não esquecer dessa camisa", expliquei.

Ele sorriu, e um raio de pura luz atravessou aquela ponte diretamente até minha alma, e presta atenção no que vou dizer, pai: eu nunca, jamais, nem mesmo uma única vez, tinha sequer pensado nesse tipo de coisa. "Obri-gada por ter vindo", falei.

"Eu estava passando aqui perto."

"Não estraga tudo. Me deixa pensar que você estava me stalkeando de um jeito fofo pelos últimos anos."

"Eu não estava."

"Shhh. Não estrague os sonhos de uma garota." E então... a coisa ficou meio constrangedora de novo. "Quer dizer, não que eu estivesse sonhando que você... e, obviamente, eu não sou mais uma garota. Sou uma mulher. Esquece. Tchau!" Então deixei que Elisabetta me puxasse para longe e olhei por cima do ombro.

Ele ainda estava olhando. Era um sinal bem positivo.

Então, pai, isso me leva ao último item da minha lista.

Conhecer o homem com quem você vai casar.

Pode considerar que esse item já está cumprido, papai. Está feito.

# 34

## JOSHUA

*Décimo quarto mês*
ABRIL

A carta estava em sua escrivaninha, onde tinha deixado desde que Sarah a entregou.

*Josh, nº 12.*

Ele ainda não havia lido. Afinal, por quê? Ele poderia manter a comunicação viva se não abrisse aquele envelope.

Um mês antes, Radley tinha se mudado para a casa em Cranston e estava arrancando os papéis de parede. Mandava notícias e fotos todos os dias, comentando sobre os flocos de neve que já estavam derretendo no gramado, sobre os narcisos que abririam em breve. Ficaria tudo lindo. Aliás, já estava.

Mas Josh ainda não tinha planos de se mudar para lá, porque a mudança... isso representaria o fim do período vivido no apartamento que dividira com a esposa. De repente, ele entendeu por que tanta gente no fórum transformava suas casas em altares para os cônjuges perdidos. Porque era reconfortante. Porque, quando vendesse aquele imóvel, ele nunca mais poderia voltar lá.

Só que as coisas estavam mudando, ele querendo ou não.

O apartamento não tinha mais o cheiro de antes. O gel de banho de Lauren tinha estragado (malditos produtos orgânicos), o que o obrigou a jogá-lo no lixo. O travesseiro dela não tinha mais o cheiro de Lauren, por mais que ele tentasse sentir. E Josh já tinha começado a dormir no meio da cama.

Além disso, havia o emprego novo. Estava se acostumando com a ideia de trabalhar com uma equipe, mandar atualizações diárias, delegação de tarefas, reuniões pelo Zoom (graças a Deus existiam o botão de mutar o microfone e fechar a câmera). Frank, o corretor de imóveis, tinha conseguido fechar o aluguel de um andar do Hanley Building para acomodar a nova equipe de Josh. Ele saiu para jantar com sua nova engenheira; Erika trabalhava em Singapura, mas tinha crescido na Costa Leste, e ficou muito contente em voltar a morar perto da família. Josh também tinha contratado um menino-prodígio — Mateo Cano —, oriundo do mesmo programa de doutorado que ele tinha feito no MIT, que começaria a trabalhar em junho. Para a função de assistente administrativa, ele ofereceu o emprego a Cookie Goldberg.

"Eu moro em Long Island", ela falou, com sua voz rouca. "O que você acha, que eu vou mudar de cidade por sua causa?"

"Era essa a minha esperança", ele disse.

"Eu tenho nove netos que moram em um raio de dois quarteirões da minha casa."

"Então me diga o que você prefere fazer."

"Acho que acabamos por aqui, então", ela falou e, por algum motivo, embora só tenha conversado com ela no funeral de Lauren, ele sentiu um nó na garganta.

"Obrigado por tudo", ele falou, limpando a garganta.

"Sim, claro." Ela desligou em seguida, dispensando a sentimentalidade, como sempre. Josh lhe enviou um cheque de rescisão de vinte e cinco mil dólares com um bilhete: *Faça uma viagem para um parque nacional com os netos, é por minha conta.*

Cammie, sua trabalhadora favorita, recomendou uma substituta, e assim Josh se tornou responsável por três pessoas — Erika, Mateo e Andrea, que tinha cinquenta e poucos anos e imediatamente se tornou a mãezona do grupo, lembrando a todos para se manterem hidratados e irem para casa na hora certa. Ela se encarregava de buscar o café e comprou quadros, plantas e artigos em geral para o escritório, para "deixar a coisa mais sexy por aqui". Em questão de semanas, Josh não sabia mais como tinha conseguido viver tanto tempo sem ela.

Quando os cartões de visitas chegaram, ele ficou olhando para o seu por um longo tempo.

Lauren ficaria orgulhosíssima.

### Joshua Park, ph.D.
*Vice-Presidente e Designer Principal de Engenharia Biomédica*
*Chiron Medical Enterprises*

Ele deu um para sua mãe, que prendeu na geladeira, como se fosse um desenho seu do jardim da infância. Também enviou um para Christopher M. Zane, com um bilhete — *Espero que esteja bem. Cordialmente, Joshua.* Talvez, algum dia, ele fosse a Chicago e conhecesse seus meios-irmãos. Talvez.

Ficar sozinho não era mais o que ele queria. A solidão não fazia mais sentido. Josh não tinha nenhuma vontade de voltar a ser o workaholic desajeitado e solitário que era quando começou a namorar com Lauren. Queria ser mais. Amá-la e depois perdê-la foi uma experiência transformadora, e não era seu desejo regredir.

Mas, mesmo assim, a carta continuava à espera. Ele sempre arrumava um jeito de fingir que não estava lá.

Sua vida estava preenchida naqueles dias, até certo ponto, apesar de tudo ter começado como uma forma de compensar a ausência de Lauren. Ele era um frequentador regular do Eddy, apesar de ninguém na equipe sempre em rotação saber seu nome. Encontrava Jen para almoçar por lá às quartas-feiras, e às vezes Darius ia também. Radley e ele iam lá com frequência e, como era perto do escritório, começou a ir com sua equipe.

Ele também liderava uma equipe de robótica no Hope Center, o que significava que as outras equipes estavam encrencadas. Chegou à faixa roxa no caratê e foi promovido à aula das crianças de nove anos. Visitava a casa em Cranston, que Radley estava louco para batizar com algum nome, e já havia se livrado das bancadas da cozinha, além de ter sentado a marreta no horrendo banheiro verde-limão da suíte principal. Radley já tinha mobiliado a sala que ficava acima da garagem, onde montaria seu consultório.

As cerejeiras floriram, enchendo a velha Providence de cor e alegria.

Sarah parou de marcar encontros com qualquer um, por sugestão de Radley.

E a carta continuava fechada.

E então, em uma noite em meados de abril, dois meses depois da data prevista, Josh serviu meia taça de vinho, chamou Pedrita para ficar ao seu lado e segurou o envelope nas mãos.

*Josh, nº 12.*

A última.

Durante um ano, ela o havia conduzido pelo luto. Durante um ano, ela o amou lá do Além, orientando-o, levando-o a experimentar coisas novas, fazendo-o se sentir amado, ouvindo a voz dela. Durante um ano, ele a teve consigo mesmo depois de perdê-la.

Estava na hora de ler a última coisa que Lauren tinha a lhe dizer.

"Você não concorda?", ele perguntou para Pedrita. Ela balançou o rabo. "Certo. Então vamos lá."

Ele abriu a carta. Era maior que as demais.

*Meu querido, maravilhoso e bondoso Joshua,*

*Eu te amo.*

*Imaginar esse seu ano foi uma coisa de partir o coração. Em diversos sentidos, acho que fiquei com a parte mais fácil dessa provação toda. Eu morri e precisei deixar você para trás para cumprir o papel dos vivos. Sei que tem sido uma experiência difícil, solitária e terrível. Sinto muito, querido, muito mesmo. A pior coisa dessa doença foi não saber quando ela me mataria. Fui eu que magoei você, a única coisa que jurei que jamais faria.*

*Eu sinto muito por ter te deixado, amor. Sinto muito por ter te magoado e te deixado triste e furioso e isolado. Se puder escolher, eu sempre vou olhar por você e te amar e sorrir quando te observar lá de cima. Acredito na sua bondade mais do que em qualquer outra coisa na vida.*

*Então, aqui vai a última coisa da minha lista... e a mais difícil.*

*Encontre alguém para amar.*

*Ai, Josh. Você está vivo, e é uma pessoa maravilhosa. Deixe que alguém possa amar você. Uma pessoa incrível. Quero que esse seu coração incrível se abra de novo. Quero que você seja amado. Quero que possa brigar e fazer as pazes transando. Quero que você seja pai. Quero que você ame sua segunda esposa tanto quanto me amou.*

*Não me faça ser a grande tragédia da sua vida. Me faça ser uma das melhores coisas que já te aconteceram. Uma das muitas melhores coisas que já te aconteceram. Faça com que o tempo que vivemos juntos possa ser uma época linda e feliz da sua vida que terminou, mas que também deixou espaço para mais felicidade, mais amor.*

*Você já lamentou o suficiente a minha perda e com certeza uma parte sua nunca vai deixar de sentir essa tristeza. Mas nada vai ser capaz de mudar os fatos. Minha vida acabou. A sua não. Você merece tudo, e principalmente amor, Joshua Park. É simplesmente a melhor pessoa que já conheci.*

*Está na hora de me deixar de lado e seguir adiante sem mim. Você consegue, querido. Já está fazendo isso, mesmo se achar que não. O tempo vai passando, os dias, as semanas. Você já está melhor agora. Já se curou da sua dor. Eu sei disso. E isso também não significa que vai me esquecer, só que chegou o momento de encontrar outra pessoa.*

*E sobre isso... Eu gostaria de sugerir Sarah como uma candidata.*

*Meu palpite é que vocês já viraram amigos e que você já consegue vê-la como realmente é — uma pessoa extremamente dedicada e trabalhadora, divertida, inteligente e bondosa. Aposto que ela ficou do seu lado para te dar apoio. E aposto que já te ama. Eu sei que ela tem um péssimo gosto para homens. Você já a conhece, então pode deixar de lado aquele papo de "onde você estudou" e tudo mais.*

*Além disso, ela te acha gato. E você é mesmo.*

*Pense em mim como uma casamenteira do Além. Se não der certo, você teria que começar de algum lugar de qualquer forma, não? (A não ser que já tenha casado com a mulher que beijou algumas cartas atrás, o que torna esta irrelevante.)*

*Acho que estou enrolando aqui, por saber que esta vai ser a última vez que você vai se comunicar comigo desta maneira. Estou chorando um pouco, Josh. Na verdade, estou aos prantos. Não sei como encerrar a carta, mas sei que preciso.*

*Cuide muito bem de si mesmo, querido. Seja feliz. Seja alegre. Isso é tudo o que eu sempre quis.*

*Obrigada pela vida que vivemos juntos. Eu fui muito feliz. Eu te amei com todo o coração, Joshua Park.*

*Nós vamos nos ver de novo algum dia, meu querido e maravilhoso marido.*

*Lauren*

Ele largou a carta, sentindo as lágrimas borrarem sua visão. Era o fim. Ela havia silenciado para sempre. De novo.

E então surgiu diante de Josh a única lembrança de Lauren que ele preferia manter reprimida. Não dava mais para fugir dela, nem soterrá-la em sua mente, nem evitá-la.

De repente, ele foi transportado de novo para lá.

O último dia da vida de Lauren...

A última hora...

Era chegado o momento de se lembrar daquele dia. Talvez fosse assim que conseguiria enfim aceitar a perda dela.

# 35

## LAUREN

*Nenhum tempo restante*
16 DE FEVEREIRO

A pneumonia chegou de forma rápida e devastadora, como um ladrão no meio da noite, roubando seu ar. Ela teve a vaga impressão de estar se sentindo muito mal, com o peito pesado. Dois dias antes, no dia de seu terceiro aniversário de casamento, estava ótima.

Em questão de horas, tudo mudou. Ela estava se sentindo cansada quando foi para a cama, verdade, mas em algum momento da noite a exaustão absoluta se estabeleceu. Lauren afastou as cobertas, pois estava com calor, e voltou a dormir, sentindo uma fadiga pesadíssima. Ela tossiu e teve um espasmo nas costas, mas nem essa dor lancinante bastou para mantê-la acordada. Seu peito se movia para cima e para baixo, tentando puxar o ar. Era possível ouvir o som da própria respiração — ofegante —, mas ela estava muito, muito cansada.

"Querida? Lauren?"

Com grande esforço, ela abriu os olhos pesados.

"Acho que você está mal", ele disse, e ela assentiu, sentindo a cabeça pesar como uma bigorna. Um dor aguda a afligia cada vez que inspirava. Ele prendeu o monitor de oxigênio em seu dedo indicador e observou a medição, pegando o estetoscópio em seguida para auscultar seus pulmões. "Puta merda", Josh disse. "Você consegue tossir, querida? Expelir um pouco de catarro?"

Afinal, aquela não era sua primeira pneumonia. Ele a colocou sentada, e ela tentou, tossindo em um lenço de papel. Credo. O muco era nojento e espesso, com cor de limo. Não era um bom sinal. Mais tossidas, acompanhadas de um espasmo terrível nas costas. Josh massageou o músculo e aumentou o fluxo de oxigênio do cilindro.

Depois de sua primeira pneumonia, eles tinham comprado um oscilador torácico de alta frequência, um aparato movido a bateria que parecia um colete salva-vidas. Josh a vestiu com aquilo, e a vibração começou; a função do equipamento era soltar o muco e ajudar a limpar seus pulmões. Parecia que ela estava sendo esmurrada, e Lauren quase caiu de cansaço. Ela tentou respirar fundo, mas uma dor aguda a interrompeu.

"Tente soprar o ar, querida", ele falou, já com o celular no ouvido. "Oi, dra. Bennett. É Joshua Park. Lauren está com pneumonia de novo, eu acho. A saturação de oxigênio está em setenta e nove, os pulmões estão com chiado e ela está suada e febril."

Lauren expeliu mais porcarias dos pulmões, mas era assustador ver o quanto de fluidos havia lá dentro.

Então ela dormiu de novo, mesmo com o colete vibrando. Estava consciente quando Josh a carregou até o carro, pois seria mais rápido que esperar a ambulância. Ele segurou sua mão enquanto dirigia; demoraram apenas alguns minutos para chegarem.

Ele parou diante da porta do pronto-socorro, desceu do carro e a carregou para dentro. "Minha esposa tem fibrose pulmonar, e ao que parece está com pneumonia. Ela é paciente da dra. Bennett, e precisa de um leito. Agora."

A equipe médica não fez questionamentos. Ela era uma presença constante no hospital.

Em pouco tempo já estava em uma cama, cercada de pessoas dizendo palavras já conhecidas — saturação baixa, temperatura alta, batimentos muito acelerados.

"Lauren? Nós vamos ter que intubar você, querida", disse Carol, uma de suas enfermeiras favoritas.

Lauren olhou para Josh, que estava com o rosto contorcido de medo, e estendeu a mão, mostrando o polegar, o indicador e o mindinho. *Eu te amo*, na linguagem de sinais. Em seguida, seu braço desabou sobre a cama.

Ele conseguiu forçar um sorriso. "Eu também te amo." Lauren sorriu também. Em seguida, sentiu a picada de uma agulha, e então começou a flutuar na escuridão.

Mais tarde, Jen estava lá também.

"Continua lutando, irmã", ela murmurou, os olhos cheios de lágrimas.

Lauren assentiu, apertou a mão da irmã e mergulhou de novo no nada da sedação. Ela estava morrendo? A pneumonia estava diferente daquela vez, mais pesada, mais forte.

Quando acordou de novo, viu sua mãe, com o rosto pálido e o cabelo bagunçado. Sarah murmurava alguma coisa e estava com um cheiro bom. Mais um mergulho no sono. E então Stephanie, abrindo um sorriso encorajador. "Você está aguentando bem, querida", ela disse. "Descanse."

E, como sempre, Josh, firme e tranquilo, toda vez que ela abria os olhos. Lauren notou a passagem do tempo por causa da barba por fazer no rosto dele. *Ah, Josh*. Ela o amava tanto. Queria saber a gravidade de sua condição, mas não havia como falar, então apenas ergueu as sobrancelhas e o encarou.

Ele ficou imóvel por um instante, e então assentiu de leve com a cabeça. "A situação é séria, querida."

Ela juntou as mãos para fazer um coração, e ele sorriu, mas com lágrimas nos olhos. Então o sono a puxou de volta para o conforto da escuridão.

Mais tarde, ela estava sonolenta, mas nem tanto. Flutuando. Havia alguma coisa grande e pesada em seu peito e, mesmo com o respirador mecânico jogando ar para seus pulmões, dava para sentir que não era suficiente. Ela estava cansada demais. Apesar do tempo todo que passou dormindo, estava exausta.

Seria o fim? Ela estava mesmo morrendo daquela vez? Queria que Pedrita estivesse ali, sua adorável companheira durante toda aquela provação. Queria ver as crianças, mas não queria assustá-las e nem... e então a escuridão voltou.

Mais uma vez acordada. Josh com uma camisa diferente. O tempo havia passado, então. Ela só queria olhar para ele, guardar sua imagem. Jen estava chorando, o que não era nem um pouco sua cara. Lauren ergueu o dedo do meio, sorrindo ao redor do tubo, e todos deram risada.

Josh beijou sua mão e... ah, aquele sorriso, aqueles olhos, aquele rosto bonito.

Sim. Lauren tinha quase certeza de que estava morrendo. O pânico a atingiu, mas o nada a sugou de volta.

Sono, vigília por alguns minutos, sono, sorriso, Josh apertando sua mão, sono. Sonhou com o Havaí, nadando nas águas inacreditavelmente azuis da costa de Nāpali. Estava na casa onde passou a lua de mel, e ouviu os galos. Sonhou que estava segurando Octavia ainda recém-nascida, e quando acordou sentiu a bebê aninhada nela, e o cheiro daquela cabecinha era muito bem-vindo em meio aos odores pungentes e desagradáveis do hospital. Ela acariciou a bochecha da sobrinha e dormiu de novo, sonhando com Octavia já adolescente, com cabelos bem escuros e lindos, e falando sobre uma festa e o que iria usar. Sebastian a beijava no rosto e brincava com a sua mão, na vida real ou no sonho. Ela sentiu um puxão. Era na vida real, então. Ela abriu os olhos para sorrir para ele e tocar seu rosto. Seu braço estava pesado como chumbo.

Ela sonhou com ele adulto, levando-a para a casa de Cape Cod, que estava diferente no sonho, mas era a mesma. Pedrita estava no banco de trás, e Josh a esperava no deque, com um sorriso e aquela camisa xadrez horrorosa da inauguração do Hope Center. Então estava no casamento de Sarah, e esqueceu que era madrinha e estava se maquiando já no altar. Josh limpou seu rosto com um pano quente e deu um jeito em tudo. Essas eram todas as coisas que perderia, ela percebeu. O pano parecia tão real.

Ela abriu os olhos. Josh estava *mesmo* limpando seu rosto. Lauren sorriu para ele, ai, Deus, seu peito doía demais, tudo doía, sua cabeça, sua pele, seus ossos, mas vê-lo era muito bom. Fazia com que se sentisse... segura.

Depois que sorriu para ele, a escuridão a puxou com mais força e tornou tudo melhor, mais fácil, aquele breu que envolvia tudo.

Ela não estava melhorando. Estava piorando.

A morte estava por perto. *Pai? Você está aqui?* Ela dormiu antes que pudesse esperar a resposta.

Acordada de novo. Josh. Jen. Mãe. Ben e Sumi. Então o sono.

Quando acordou de novo, a dra. Bennett estava de um lado, Josh de outro, acariciando sua mão, dessa vez de camisa azul. "Oi, querida", ele disse, com aquela voz grave e suave que ela adorava. "Nós precisamos... conversar." O rosto dele se contorceu de tristeza.

Merda. Seu coração disparou dolorosamente. Ela tentou apertar sua mão, e ele apertou de volta. *Não tenha medo. Não tenha medo. Não deixe que ele perceba que você está com medo.*

"Lauren? Ei, Lauren." A dra. Bennett também segurou sua mão, o que não era um bom sinal, longe disso. "Nós aliviamos a sedação para você conseguir falar. Está me ouvindo?"

Lauren assentiu. A dra. Bennett apertou o botão da cama e a levantou um pouco mais, para sentá-la. Deus do céu. Seu peito queimava e doía com os solavancos do esforço para respirar, lutando contra o ventilador mecânico. Ela tentou deixar a máquina respirar por ela, já que obviamente estava fazendo um péssimo trabalho. Então olhou para o monitor. Saturação de oxigênio de setenta por cento, batimentos em cento e quinze por minuto, pressão de dezoito por doze. Sua cabeça estava estourando. Quando olhou para as mãos, notou que as unhas pareciam um pouco... azuladas.

Isso não era nada bom. Não mesmo.

Seu corpo todo estava pesado, como se tivessem injetado ferro dentro dela.

A dra. Bennett — Kwana, como tinha pedido para ser chamada — sentou ao seu lado na cama.

"Lauren", a dra. Bennett disse, com olhos gentis e... marejados. Ela segurou sua outra mão. "A notícia não é boa. Seus níveis de gases no sangue arterial estão muito baixos. Os raios X mostraram que seus pulmões estão cheios de fluidos, e a saturação caiu muito, mesmo com o respirador mecânico." A médica esperou um pouco, para se certificar de que Lauren estava entendendo.

Ela estava, infelizmente. Apesar de saber o que estava acontecendo, a confirmação foi como um soco no estômago. Lauren não conseguiu olhar para Joshua.

"Você está tomando antibióticos, mas a pneumonia não retrocede. Sua função pulmonar está... muito baixa."

Ela assentiu. E apertou a mão de Josh. Seu peito estava subindo e descendo com força, mesmo com o respirador, e doía.

"Seus órgãos estão entrando em falência", a dra. Bennett explicou, "e não temos como... nós já esgotamos todas as opções."

Lauren fechou os olhos. Todas as opções estavam esgotadas.

Era o fim. Ela estava morrendo. Sua vida linda e feliz estava chegando ao fim. Ela sabia que isso aconteceria, mas agora que estava tão próximo... puta merda.

Ela abriu os olhos e se virou para Josh. O queixo dele tremia. Ele tentou sorrir, mas seus olhos se encheram de lágrimas. "Eu... eu sinto muito, querida", ele falou, mas logo em seguida perdeu a voz, e encostou a testa na sua.

Ainda não. Ainda não. Por favor, ainda não. Ela não queria fazer isso com seu marido.

*Coragem, querida.* Era a voz de seu pai. Ah, graças a Deus, ele estava ali.

*Josh. Ah, Josh. Eu sinto muito.*

As lágrimas escorriam de seus olhos, e ele segurou seu rosto para limpá-las, apesar de estar chorando também. Seu coração se encheu de tristeza por deixá-lo. O amor da sua vida. Da sua *vida*. Ela levou a mão aos cabelos dele, sentindo sua maciez. Acariciou o rosto dele antes que seu braço pesado caísse de novo na cama.

*Eu sinto muito, querido. Muito mesmo.*

"Está com alguma dor?", a dra. Bennett perguntou.

Lauren assentiu. Seu peito doía, como se levasse uma facada a cada vez que inspirasse. Flashes de luz piscavam em sua cabeça como relâmpagos, incômodos e agudos. Seu peito subia e descia sem parar, e ela sentia sua respiração chiar. Fome por ar. Que coisa feia e cruel.

"Vamos dar um pouco de morfina para você. Mas, Lauren, se você for extubada, o fim vai chegar bem depressa", a dra. Bennett falou e, apesar de estar com os olhos marejados, ela não estava chorando. "Você vai ter algumas horas, talvez menos. Se mantivermos você no respirador, o tempo vai ser cerca de um dia, talvez três. A escolha é sua."

Puta merda. Ela daria qualquer coisa por mais alguns dias... mas ficar no respirador também significava estar sedada. Era possível morrer assim, simplesmente se esvaindo, sem dor.

Joshua merecia mais.

"Sua mãe, Jen e Darius estão na sala de espera", Josh falou. "Sarah está vindo."

Ela apontou para o tubo e fez sinal para que fosse retirado. "Você quer ser extubada?", a dra. Bennett perguntou, e Lauren assentiu, olhando nos olhos de Joshua.

*Eu sinto muito.*

Depois de um longo instante, ele assentiu também, e levou a mão aos olhos.

Ela estendeu a mão, mas seu braço não conseguiu alcançá-lo, e ele a segurou, beijou e manteve os lábios contra sua pele por um bom tempo. Lauren sentiu as lágrimas caírem sobre sua mão. Ela apertou a dele, mas estava fraca demais, e não sabia ao certo se Josh sentiu.

Apesar do esforço para ficar acordada, ela dormiu de novo, com Josh ainda segurando sua mão. Vagamente, notou a presença de mais gente no quarto, ajustando-a na cama, movendo as coisas. O tubo foi tirado de sua garganta, e ela engasgou um pouco, e ganhou mais uma agulhada pelo esforço. Ela conseguia ouvir que estava ofegante, e seu peito se movia com muito esforço — e, puta merda, como doía. Lauren ouviu um gemido. Era seu, pelo que pôde presumir.

Alguém estava colocando alguma coisa em sua mão. "É só apertar este botão se precisar de mais alívio para a dor", disse uma voz feminina. Ela apertou e se sentiu envolvida por um calor que a fez flutuar. Morfina. Ah. Aquilo era bom. A dor de cabeça foi embora, e seu peito já não doía tanto, não estava mais se movendo a tão duras penas. Até a respiração estava mais fácil, graças a Deus.

"Isso mesmo, menina", disse a enfermeira, e Lauren abriu os olhos e sorriu.

Josh estava bem ao seu lado, com o rosto desolado.

"Oi", ela falou, com a voz rouca.

"Oi, querida."

"Eu te amo." Era difícil fazer as palavras passarem pela garganta.

"Eu também te amo. Demais."

A enfermeira a ajeitou na cama e, com enorme carinho, escovou seu cabelo e lavou seu rosto, além de lhe dar um copo d'água. "Obrigada", Lauren murmurou.

"Disponha, querida." A enfermeira pôs a mão no seu ombro. "Vou rezar por você." Ela estava chorando.

As enfermeiras eram pessoas incríveis. "Eu estou... bonita?", Lauren perguntou para seu marido, esboçando um sorriso. Até seu rosto estava cansado.

"Linda", ele respondeu, tentando sorrir, apesar das lágrimas nos olhos. "Você... quer que eu vá buscar todo mundo?"

Ela assentiu. "E depois manda embora... todo mundo. Só... nós." Eles já tinham conversado sobre isso. Lauren não queria que sua mãe e sua irmã testemunhassem o momento de sua morte. Não queria que elas ouvissem seu último suspiro.

"Só nós", ele falou e a beijou com aqueles lábios quentes e maravilhosos, e saiu do quarto.

Ela não queria que Josh passasse por aquele sofrimento — seus últimos minutos, talvez horas, mas sabia que ele não a deixaria. Até porque faria o mesmo se a situação fosse inversa.

Lauren tomou mais uma dose de morfina e fechou os olhos. Quando voltou a abri-los, sua família estava lá — sua mãe, Jen, Darius, Sarah, Stephanie, o casal Kim, todos com uma expressão séria de tristeza e medo e amor.

Darius estava segurando Pedrita com seus braços fortes. Ele pôs a cachorra na cama com ela, e sua mão na cabeça da cachorra. Pobre Pedrita. *Eu sinto muito querida*, Lauren pensou. Sua cachorra. Sua amiga durante tudo aquilo. Pedrita abanou o rabo, mas permaneceu imóvel, como se soubesse qual era seu trabalho ali.

"Eu amo... vocês todos", Lauren disse, ofegando um pouco e com a voz esquisita por causa dos dias de intubação. "Fiquem... felizes..." Ela não conseguiu terminar.

"Lauren quer que vocês fiquem felizes quando lembrarem dela", Josh explicou, com um tom de voz baixo e tranquilo, usando as palavras exatas.

"Fique em paz, minha menina querida", Ben disse, se inclinando para abraçá-la. Ele estava chorando.

"Cuide... dele."

"Eu vou. Sempre cuidei."

Lauren assentiu e conseguiu até abrir um sorriso. Sumi veio a seguir, chorando demais para conseguir dizer qualquer coisa, mas segurou o rosto do Lauren entre as mãos e a beijou na testa.

"Adeus, querida", Darius falou enquanto a abraçava, e ela conseguiu acariciar seu rosto. "Eu vou cuidar de todo mundo, não se preocupe." Ele tinha olhos tão bonitos, mesmo quando estavam vertendo lágrimas. Ele beijou sua mão e abriu espaço para Stephanie.

"Obrigada... por ter... criado alguém como ele", Lauren falou, quase em um sussurro. Sua sogra a beijou nas duas bochechas e na testa.

"Fico feliz que você tenha casado com o meu filho", ela disse, e foi um gesto tão generoso, tão *bondoso*, que Lauren sentiu as lágrimas escorrerem pelo seu rosto. "Que Deus te abençoe. Você é um anjo."

Então foi a vez de Sarah naquela triste e linda fila composta por sua gente, sua família, sua melhor amiga. "Você foi boa em tudo o que fez", Sarah falou. "Eu te amo. Vou sentir saudade demais." O rosto dela estava contorcido pelo choro.

"Amo... você."

Sarah abraçou, aos prantos, e beijou seu rosto. Então foi a vez de sua mãe.

Ah, mamãe. Coitada.

Sua mãe se inclinou sobre ela e segurou seu rosto entre as mãos. "Eu te amo, meu amor. Eu te amo. O seu pai vai estar com você. Não fique com medo." A voz dela soou surpreendentemente firme, e Lauren ficou contente. Ela parecia a antiga Donna, antes da morte de seu pai, a mãe formidável que tinha todas as respostas.

Lauren tentou respirar fundo para sentir o cheiro familiar da sua mãe. "Eu sinto muito", ela disse. *Sinto muito por fazer você perder uma filha. Sinto muito por provocar ainda mais sofrimento para você. Sinto muito por alguma decepção que eu causei.*

O rosto da sua mãe se contorceu. "Eu também sinto muito, querida. Demais."

"Te amo... mamãe. Aguenta... firme."

"Você é minha garota mais incrível. Tão forte. Eu te amo, querida."

Lauren tentou sorrir, mas a fadiga e a dor estavam falando mais alto, e as lágrimas escorriam pelo seu rosto. Um gemido baixo escapou sem seu consentimento, e ela tomou mais uma dose de morfina, mal conseguindo apertar o botão dessa vez.

Então foi a vez de Jen. Ah, Jen. Aquela era a despedida mais triste até então. "Eu te amo demais, Lauren", ela murmurou com convicção, abraçando-a com força, e Lauren conseguiu virar a cabeça e beijar o rosto da irmã duas vezes.

"A melhor... irmã. A melhor... amiga. Te amo."

Jen a agarrou com força e soltou um som de lamento terrível. Por um momento, Lauren não conseguiu suportar aquilo, tanta dor, e começou a se sentir dominada por uma tristeza insuportável.

Nesse momento, Josh afastou Jen. "Não deixa que essa seja a última coisa que ela vai ouvir de você, Jen", ele pediu com um tom firme, e Lauren se encheu ainda mais de amor por ele naquele momento. Tanta bondade, tanta força, tanta compreensão.

"Tem razão", Jen falou, aos soluços. "Que merda! Caralho. Caralho, caralho, *caralho*." Lauren não conseguiu segurar uma risada fraca, por mais que fizesse seu peito doer.

"Perfeito", disse Josh, e de alguma forma sua família encontrou forças para rir.

"Eu te amo, mana", Jen falou, com o rosto desmoronando. E então, como era a Super Jen, tão incrível e forte, ela se recompôs e abriu um sorriso radiante como o sol. "Vejo você do outro lado."

Lauren levantou o polegar e sorriu de volta.

Então Josh apontou para a porta.

Lauren ouviu os soluços baixinhos e os murmúrios. Seus olhos também estavam cheios de lágrimas. Ela era tão amada. E amava tanto todos eles.

Pedrita continuava quente ao seu lado, sua cachorra boazinha, com a pelagem macia sob a mão de Lauren.

Josh subiu na cama com elas e a envolveu com os braços. "Você foi muito bem, querida. Minha mulher, tão corajosa..." Senti-lo era tão bom. Ele era tão bom.

"Eu... te amo", ela murmurou.

"Eu também te amo. Com todo o meu coração. E pulmões, e fígado e pâncreas."

"Rins..."

"E os rins. Os dois."

Ela o sentiu chorar, as lágrimas quentes escorrendo contra suas têmporas. Sua respiração estava mais difícil, e ela tentou fazer o ar passar entre as cicatrizes, o tecido fibroso, o fluido. *Não fique ofegante. Não tente resistir. Nada de assustá-lo. Morra tranquila.* Mais uma dose de morfina para ele não a sentir arfando, nem seu corpo lutando para se manter vivo. *Me ajuda, papai.* A vontade de resistir passou.

"Eu tenho... muita sorte", ela conseguiu dizer, e Josh começou a soluçar.

"Eu te amo, Lauren. Te amo demais. Você é tudo para mim. Quem tem sorte sou eu."

"Uma vida... linda." Seu peito não conseguia mais puxar o ar. "Amo... você." Mais uma respiração. Só mais um pouco de ar, por favor, pai, para as últimas palavras.

*Vá em frente, amor.*

Com o que ela sentiu ser um esforço sobre-humano, Lauren encheu de ar seus pulmões destruídos e cansados, ouvindo o chiado e o som rascante, desejando que os últimos espaços livres que restavam lá dentro se abrissem. Ela olhou para o marido. "Muito... obrigada."

Afinal, o que mais havia para dizer?

E, embora os olhos dele estivessem cheios de lágrimas, ela viu aquele brilho no meio da escuridão, a intensidade dos sentimentos dele por ela, e *realmente* sentiu que tinha sorte, que era a mulher mais sortuda do mundo, por ter sido amada por Joshua Park.

"Tudo bem se você quiser partir", ele murmurou. "Você já lutou muito. Eu te amo. Sempre vou te amar, Lauren. Agora descansa, querida. Eu estou aqui do seu lado. Te amo. Te amo. Te amo."

Apesar dos olhos fechados, Lauren consegue ver aquela estranha luz, líquida e dourada, tão quente, tão viva. E escuta a voz do pai, se sente próxima dele. Sabia que ele viria. Sabia.

Ela consegue se ver, deitada na cama, abraçada por Josh, com Pedrita ao seu lado. Seu marido arrasado, puxando-a para si. E seu próprio rosto, Lauren repara, está pálido. Mas ela não está ofegando. Não está resistindo, nem com medo. Está... tranquila. Mas ainda não se foi.

Seu pobre corpo. Tinha se esforçado tanto. E se saído tão bem. Ela está orgulhosa, sentindo-se grata por seu corpo ter suportado tudo aquilo. Foram muitos anos saudáveis, muitos momentos felizes, andando, nadando, abraçando, dando colo. Se escondendo no armário de Jen para assustá-la. Empurrando Sebastian no balanço. Embalando Octavia. Nadando no mar com Josh. Agarrando Josh. Fazendo amor com Josh. Rindo com Josh.

Aquele corpo merece descansar agora.

Seu novo eu é forte e quente. Não existe dor, nem peso, nem fadiga, nem dor no peito.

*Eu fui muito feliz*, ela diz para o pai. Ele sabe disso.

Todo mundo deveria morrer assim, nos braços da pessoa que mais amou. O amor de Josh irradia dele. Lauren o observa quando ele afasta o cabelo de seu rosto e a beija na boca, e seu novo eu explode, preenchendo-a por inteiro, preenchendo todo o quarto.

*Eu te amo. Te amo. Te amo.*

É hora de ir. Seu pai também concorda.

Só mais um segundo, por Josh. Ela direciona seu amor para ele com a última batida de seu coração, e então se sente pronta.

Ela percebe que Josh sente. Ele contorce o rosto, deita a cabeça em seu peito. Seu antigo corpo está sem vida, mas ela está mais *presente* do que nunca.

Ele vai ficar bem. Ela sabe disso.

A luz se torna ainda mais forte, tão radiante que não é mais possível ver Josh, mas ela o sente com cada molécula sua, o pulsar da vida dele.

Ela *é* a luz agora e, embora seu antigo corpo não tenha mais vida, e seu antigo eu não exista mais, seu verdadeiro eu jamais o abandonaria.

Ele era, e ainda é, e sempre seria, o amor de sua vida.

# 36

## JOSHUA

*Décimo sétimo mês*
JULHO

Josh precisou de um certo tempo para digerir aquela última carta. E para recordar o último dia dela em cada detalhe lindo e torturante.

De certa forma, foi como perdê-la de novo. Mas, quando releu as cartas, viu o conjunto do que ela havia feito e se sentiu muito, muito grato por sua bondade, por sua capacidade de pensar no futuro. Lauren tinha passado seus últimos meses pensando em como seria a vida dele depois de sua partida, e em como ajudá-lo.

E foi isso o que fez. Por causa dela, tinha feito amizade com Radley. E tinha um emprego novo porque foi à conferência. E fazia parte da comunidade. Era o proprietário de uma casa que algum dia seria o lar de seus filhos. Sabia lutar caratê.

Josh se sentiu muito grato por, naquele primeiro ano sem ela, ter continuado a ser acompanhado pelo amor de sua mulher.

E estava *mesmo* melhor. Estava bem. Tinha convidado toda a família de Lauren para comer pizza no escritório uma noite, e empurrou Octavia e Sebastian pelo andar nas cadeiras de rodinhas, fazendo-os gritar de alegria. Na semana seguinte, quando Jen teve a terceira filha, visitou a cunhada e a nova sobrinha no hospital, e não chorou. Foi convidado para ser o padrinho de Leah Grace, e obviamente aceitou.

Algumas semanas antes, tinha viajado para Singapura e passado duas semanas lá, trabalhando com a equipe da empresa, comparecendo a reuniões, saindo para jantar com as pessoas. A companhia alugou um belo apartamento para ele, com uma varanda com vista para a cidade toda acesa, e avisou que o espaço era seu quando precisasse usá-lo. Ele foi apresentado ao projeto de um dispositivo ultrassônico guiado por um mecanismo de ressonância magnética que removeria pequenas porções de massa cerebral em pacientes com tremores persistentes. E havia o potencial para, com algumas modificações, tratar pessoas com epilepsia também. Em questão de uma hora, Josh aprimorou o design de modo a exigir menos peças móveis e assim ter um custo de produção muito mais baixo.

De volta a Rhode Island, ele desmontou o apartamento, guardando tudo, menos duas fotos suas e de Lauren, em caixas. As joias mais valiosas dela foram deixadas em um cofre, uma herança para Sebastian, Octavia e Leah. Ele guardou algumas coisas de sua vida de casado para levar para a casa nova e convidou os amigos de Lauren para pegarem o que quisessem — tapetes, abajures, quadros.

E então, em meio às caixas, quadros e o eco do apartamento agora vazio, tirou do dedo a aliança de casamento.

Josh mudou para a casa nova sem estar totalmente convicto de que era o momento certo. Mas, pelo menos, parecia ser. Toda noite, passava horas acordado, com uma sensação um tanto surreal de estar em um quarto novo, com sombras diferentes e sons desconhecidos. O vento sacudia as folhas, e era possível ouvir as ondas da baía de Narragansett quebrando nos fundos do terreno. Seus vizinhos davam muitas festas, e os sons de músicas e risadas eram carregados pelo ar. Eram sons alegres. Ele se acostumaria com aquilo.

Também se sentiu grato por ter Radley morando no terceiro andar. Eles jantavam juntos algumas vezes por semana e de vez em quando viam tv. Josh deu a festa de formatura que prometeu para Radley e conheceu seus colegas de classe e outros amigos, entre os quais estava Cammie, que lhe deu um grande abraço e o convidou para a inauguração do Shine.

Josh tinha perguntado se poderia convidar Jen, Darius e as crianças para a festa, e obviamente Radley disse que sim. Sarah foi convidada também, e ficou de olho nela naquele dia, observando como se sentia à vontade com Radley, e a maneira como pegava Octavia no colo e empurrava Sebastian no balanço.

Seria *mesmo* conveniente, ele admitiu para si mesmo, casar com a melhor amiga de sua mulher. Ele com certeza gostava dela. Até poderia dizer que a amava. Ela era bonita de um jeito bem diferente de sua deslumbrante esposa, e Josh considerou que isso era bom. Sarah deixaria espaço para a lembrança de Lauren. Poderia contar histórias da infância de Lauren... e da sua também. Ela gostava dele. Era generosa e trabalhadora. Isso poderia bastar.

Mesmo assim, ele precisou de mais um mês para chamá-la para sair. E fez isso ligando para ela, em vez de mandar uma mensagem; parecia uma coisa importante demais para ser feita sem ouvir a voz dela.

"Olá, você", ela disse. "E aí?" Era possível ouvir a voz de seus colegas de trabalho ao fundo e o som estridente de um telefone tocando.

"Eu queria saber se você queria sair para jantar comigo", ele falou, e não foi nada difícil dizer aquelas palavras.

"Claro! Quando?"

"Hã... sábado?"

"Tá. Onde?"

"Não sei. Preciso fazer a reserva ainda." Ele não havia pensado nisso. Um lugar romântico, talvez.

"Legal. Depois me manda uma mensagem certinho. Eu posso te encontrar lá."

"Não, eu vou te buscar." Ele fez uma pausa. "Sarah?"

"Oi?"

"Estou te chamando para um encontro." Uma vez, Lauren disse quase exatamente aquelas palavras para ele.

Houve um longo silêncio do outro lado. "Uau."

"Se for uma péssima ideia é só me dizer, tá?" Não havia passado por sua cabeça que ela pudesse não querer sair com ele; ele nem havia cogitado essa possibilidade. Afinal, era uma ideia de Lauren, que conhecia os dois muito bem.

Outra pausa. "Hã... não é uma péssima ideia, não. De jeito nenhum."

E mais nada. Mais um segundo se passou. E mais outro. E mais outro.

"Tá bom, te mando mensagem amanhã", ele disse.

"Ok. Legal. A gente se fala, Josh."

Ele foi buscá-la em casa no sábado à noite. Ela estava com um vestido florido que balançava sob a brisa, mostrando alguns vislumbres das belas pernas. Sarah sempre tinha sido magra e atlética, e suas pernas eram formidáveis.

"Oi", ele falou, se inclinando para a frente para beijá-la no rosto, como sempre fazia, enquanto ela fez um gesto para abraçá-lo, o que fez com que ele beijasse a orelha dela.

"Desculpa", ele disse.

"Não, não. Isso é meio esquisito, mas... é legal também." Ela entrou no carro e preencheu o ambiente com um aroma bem mais forte que o do perfume de Lauren. "Aonde nós vamos?"

"Mill's Tavern."

"Legal."

Ele saiu com o carro e dirigiu por Providence. Depois de um ou dois minutos, percebeu que precisava puxar conversa. "Como foi seu dia?"

"Ótimo! Bem relaxante. Fiz um pouco de jardinagem. E o seu?"

"Foi bom também. Fiquei trabalhando, mas levei Pedrita para dar um mergulho."

"Ah, ela gosta de entrar na água?", Sarah perguntou, com um tom mais afetuoso. Ela adorava aquela cachorra. Um ótimo sinal.

"Gosta, sim. Ela fica nadando e latindo feito uma louca. Acho que fica tentando pastorear os peixes."

Ela deu risada.

Aquilo poderia dar certo, ele pensou. Josh e Sarah. Sarah e Josh. Por que não?

Quando chegaram, foram conduzidos a uma mesa muito bem localizada. Josh tinha vestido uma roupa da Banana Republic pré-aprovada por Radley — calça social, uma camisa xadrez roxa e azul, sapatos sem meias (o que provocava uma sensação esquisita, e por isso ele nunca mais repetiria).

"Você está bonita", ele disse para Sarah.

"Obrigada. Você também."

A garçonete se aproximou. "Olá! Bem-vindos ao Mill's Tavern! Já podemos pedir as bebidas?"

"Eu ainda não. Mas pode ir pedindo a sua se quiser", Sarah respondeu.

Josh ergueu os olhos. "Eu vou querer uma taça de sauvignon blanc... ah, oi."

Era a mulher do veterinário e da maratona. E do Eddy. A dona de Duffy, o cachorro.

"Oi! Como é que você está?" Ela sorriu, claramente o reconhecendo.

"Bem", ele falou. "Muito bem. E então, Sarah?"

"Vou querer um Cosmopolitan", ela disse. "Com Grey Goose, um rosa bem clarinho, com limão espremido. Obrigada." Era um pedido bem específico, mas feito com firmeza. Sarah seria uma mãe muito boa, ele pensou.

"Pode deixar! Legal te ver de novo", a garçonete disse para Josh antes de ir levar o pedido das bebidas.

"Vocês se conhecem?", Sarah quis saber.

"Nós já nos encontramos por aí algumas vezes. Levamos os cachorros no mesmo veterinário. E, sabe como é, estamos em Providence."

"Não dá para dar dois passos sem encontrar uma pessoa conhecida." Sarah se recostou na cadeira. "Você não detesta quando dizem: 'Já *podemos* fazer os pedidos?'. Como se fossem jantar com a gente também?"

"Eu nunca reparei nisso."

"É uma coisa que me deixa louca. 'Estamos gostando de tudo?' 'Vamos querer uma sobremesa hoje?' Fico me sentindo como se tivesse três anos, ouvindo minha mãe falar: 'Nós adoramos brócolis, né? É nossa verdura favorita!'." Ela deu risada e, depois de um instante, Josh sorriu também.

A garçonete reapareceu com as bebidas em uma bandeja, pôs a taça de vinho diante dele e depois, bem devagar, tentou servir o Cosmopolitan de Sarah sem derramar uma gota. O copo estava cheio até a boca, e Josh ficou observando, quase hipnotizado, enquanto ela aproximava o copo da mesa. O líquido balançou, mas não caiu. Ela conseguiria administrar a tensão na superfície depois do contato?

Não. Quando depositou o copo na mesa, acabou derramando um pouco.

"Quase!", ela falou.

"Hã, eu não queria ser chata", disse Sarah, "mas eu pedi para ser um rosa bem clarinho. Tudo bem se eu devolver e pedir para fazerem outro?" Ela já estava entregando o copo para a garçonete.

"Não, não, claro que não. Eu peço desculpas."

"Não, a culpa não é sua. É do bartender." Sarah sorriu, mas Josh percebeu que era um sorriso falso. Houve um tempo em que não seria capaz de notar a diferença. Lauren havia lhe ensinado muita coisa. A garçonete se afastou para trocar a bebida.

"Então", Josh falou. "Algum... plano para o verão?"

"Além de visitar a sua casa? Não." Ela abriu um sorriso. Ele ainda não tinha pensado em convidá-la para passar um tempo lá. A casa estava uma bagunça. Seria muito grosseiro dizer que ela não podia ir?

Seria, sim. Ele assentiu, abriu um sorriso forçado e desejou ter escrito uns cartões com sugestões de assuntos.

"Com foi lá em Singapura?", ela quis saber. "Você só disse que tinha sido uma boa viagem. Me conta mais."

E foi isso o que ele fez, tentando dar mais detalhes, do jeito como Lauren tinha explicado que era para fazer. Contou que era uma bela cidade, que a sede da Chiron era imponente, falou sobre as orquídeas no jardim botânico, sobre a comida.

"Eu adoraria ir para lá algum dia", ela comentou. "Nunca consegui viajar muito."

A garçonete voltou, e dessa vez a bebida não foi derramada nem estava rosa demais. "Já podemos fazer os pedidos?", ela perguntou, e Sarah deu uma piscadinha para ele.

"Vou querer a salada Caesar, sem anchovas", Sarah falou.

"O molho leva anchovas", a garçonete respondeu.

"Eu sei disso. Mas não quero os peixinhos em cima da alface."

"Entendido."

"E vou querer o petite fillet, ao ponto, bem rosadinho e quente no meio." Sim, Sarah era uma mulher de opiniões firmes e instruções claras.

"E os acompanhamentos?", a garçonete perguntou.

"Em vez de batatas coradas, quero purê, e aspargos em um prato separado."

A garçonete anotou tudo antes de se virar para Josh. "E o senhor?"

"Vou querer a salada de toranja e o salmão", ele respondeu.

"Ótimas escolhas. E como estamos com as bebidas? Ah, é mesmo, acabei de trazer a de vocês. Desculpem. Me avisem se quiserem vinho com os pratos principais! Muito bem!" E lá se foi ela de novo, com o longo rabo de cavalo balançando atrás de si.

"Ela é simpática", Josh comentou.

"Meio empolgada demais", Sarah falou, revirando os olhos. Então deu um gole na bebida. "Isso não é Grey Goose", ela suspirou. "Qual é a dificuldade?" Mas fez isso sorrindo.

"Me conta sobre quando você era criança. Sempre quis ser assistente social?" Era uma pergunta bem idiota.

"Como estamos com as bebidas?", perguntou a garçonete, que havia voltado.

"Tudo ótimo", Sarah falou, com um tom bem seco. Por outro lado, fazia só trinta segundos que o drinque tinha sido servido.

"Que bom!" A garçonete andava saltitando como o Tigrão. Josh e Octavia tinham visto o filme do Pooh na semana anterior, quando ele ficou com os dois sobrinhos mais velhos. Foi uma noite divertida.

"Certo, você estava me perguntando se eu sempre quis ser assistente social." Ah, sim. Ele deveria estar conversando com Sarah. "A verdade é que eu nem sabia o que era isso quando criança. Na época de colégio, queria ser psicóloga, mas o doutorado ia custar caro demais, então em vez disso fiz mestrado em assistência social. Arrumei um estágio no governo municipal. Adorei. Odiei e adorei ao mesmo tempo, sabe como é? Quer dizer, ninguém lá no departamento realmente ama o emprego que tem, mas..."

Ela continuou falando, e Josh assentia de vez em quando, torcendo para que fosse o momento certo.

Lauren achava que isso seria uma boa ideia, ele lembrou a si mesmo. Os primeiros encontros eram sempre péssimos.

Bom. O dele com Lauren não. Mas comparações só serviam para roubar a alegria das coisas, como Teddy Roosevelt tinha dito uma vez (e Lauren sempre citava). Ela adorava aquele cara. E quem não?

"No que você está pensando?", Sarah quis saber.

"Ah. Hã, Teddy Roosevelt."

"Está entediado comigo?"

"Não! Desculpa. É que... esquece."

Sarah parecia ter acabado de falar sobre o trabalho. Talvez perguntasse alguma coisa para ele agora. Meio que era a vez dela.

"Você tem visto alguma coisa boa na Netflix ultimamente?", ela perguntou. A garçonete trouxe as saladas, sorriu e se retirou.

"Não. Eu não vejo muita TV." Era uma coisa que ele costumava fazer quando era casado. Era bem gostoso ficar trocando beijos no sofá, entregando lencinhos de papel para Lauren quando ela chorava, porque adorava filmes tristes e melosos. Ele preferiu não mencionar os dois primeiros meses de viúvo, quando viu milhares de horas de televisão. Mas precisava responder alguma coisa. "Basicamente reprises de *The Great British Bake Off* e *Star Trek*. A série original."

"Está falando sério?", questionou Sarah. "Ai, Josh. Aquilo é tão chato! Os novos filmes são muito melhores. Sabe aquele com Benedict Cumberbatch? Eu adorei."

"Como estamos indo com as saladas?", a garçonete perguntou.

"Tudo tranquilo. Ótimo", Josh respondeu, apesar de não ter tido tempo nem de pegar o garfo.

"Maravilha." Ela sorriu e se afastou.

Do que eles estavam falando mesmo? "E *você*, tem visto alguma coisa interessante?"

"Na verdade, sim. Um documentário. Josh, você iria adorar. É sobre um cirurgião plástico da Índia que cuida de casos bem extremos. Tipo, uma garotinha com dois narizes. Sério mesmo."

"Uau", Josh comentou. Aquilo era *mesmo* a sua área.

"E teve um outro cara com verrugas pelo corpo todo, que faziam as mãos dele parecerem raízes de árvores."

"O homem-árvore! Esse eu vi", ele comentou.

"Não é incrível?"

"Aqui vamos nós!", anunciou a garçonete tagarela, e Sarah tinha razão. Ela tinha um ar meio empolgado demais, inquieta e elétrica, como um pardalzinho curioso que não conseguia parar de saltitar... como se estivesse flutuando pelo salão, em certo sentido. "Me avisem se tiver alguma coisa que não estiver do seu gosto."

"Espere só um pouco", Sarah pediu, cortando seu filé ao meio. Ela inspecionou o ponto da carne, que estava rosada, e testou a temperatura com o dedo. "Tudo certo. Obrigada."

"Bom apetite!" Ela saiu esvoaçando de novo. Sim. Uma pardalzinha. Ele sempre gostou daqueles pássaros, com aqueles olhinhos pretos cheios de inteligência.

"E a sua mãe, como está?", Sarah perguntou, e sobre isso foi fácil falar, porque sua mãe tinha acabado de voltar de Sedona com Sumi e estava cheia de histórias engraçadas para contar sobre uma mulher que fazia ioga pelada. Bom, foi engraçado quando Stephanie contou. Agora nem tanto. Ele não era muito bom nisso. Ou então Sarah não achou graça.

Eles conversaram sobre a família, sobre a nova bebê de Jen. "De onde foi que eles tiraram esse nome, Leah? É um lance de família? Porque sempre me faz lembrar da princesa Leia."

"Bom, esse seria um ótimo exemplo a seguir, né?", Josh respondeu. "Mas não sei por que ela escolheu, não." Ele provou o salmão e desejou ter pedido outra coisa, e então lembrou de um fato aleatório. "Os judeus às vezes dão para os bebês um nome que começa com a letra de uma pessoa da família que morreu." O nome do meio de Octavia era o mesmo de Lauren (que tinha adorado isso), e Josh ficou se perguntando qual tradição Jen tinha em mente quando escolheu o nome da segunda filha menina.

"Mas a família dela não é judia, certo? E o Darius também não, é?"

"Eles frequentam a igreja do Sagrado Sacramento. Não sei muito sobre a família do Darius..."

"Moça?", Sarah chamou. "E o aspargo? Obrigada!" Ela baixou o tom de voz. "Desculpa. Eu queria avisar antes de começar a comer. O que você estava dizendo mesmo?"

"Acho que... não importa."

Ela era amiga de Lauren. Trabalhadora e leal. E engraçada (às vezes). Era bem implicante com comida e tratava mal as pessoas que estavam lá para servi-la. Tinha um cheiro bom. Era bonita e saudável.

Mas ele não estava sentindo nenhum tipo de atração. *Dá uma chance para vocês*, ele disse a si mesmo. *Lauren não teria sugerido isso se não tivesse a menor chance de dar certo.*

O aspargo chegou. "O que estamos achando da comida?", a garçonete perguntou.

"Ainda não sabemos", Sarah respondeu. "Ainda nem provamos os aspargos."

"Ah. Desculpa. Eu... me avisem se precisarem de mais alguma coisa."

Sarah provou e ofereceu um pouco para Josh. Ele deu algumas garfadas. Ela perguntou se ele tinha comprado mais móveis. Ele disse que sim e contou com detalhes sobre os novos eletrodomésticos.

Mas, a não ser quando falaram sobre programas de tv sobre doenças raras, a conversa não fluiu muito bem.

A garçonete mandou embalar o que Sarah deixou no prato, e eles pediram um crème brûlée de sobremesa para dividir.

"Ufa. Foi uma refeição e tanto", Sarah comentou em seguida. "Vou ter que correr para queimar tudo isso amanhã. Quer ir também?"

"Não, eu tenho umas coisas para fazer", ele mentiu. "Eu, hã, vou consertar uma coisa na casa da Donna." Agora ele teria que ir até lá e procurar alguma coisa para consertar, porque detestava mentir. "Ah, isso me lembrou de uma coisa. Quando Lauren e eu éramos pequenas..."

"E a sobremesa, como está?", perguntou a garçonete com um sorrisão, deixando a conta sobre a mesa. "Estamos gostando do crème brûlée?"

"Pelo amor de Deus!", Sarah gritou. "Você pode deixar a gente em paz por, tipo, uns dez minutinhos? Esse é o primeiro encontro dele desde que perdeu a mulher! Para de interromper!"

O restaurante inteiro ficou em silêncio, e a garçonete ficou sem reação. Literalmente, como se tivesse levado um soco de Sarah. "Ai, meu Deus", ela falou. "Mil desculpas! Claro que eu não..." O rosto dela se contorceu, e então veio o choro. "Mil desculpas, eu não queria chorar. Nem interromper. Nós precisamos conferir se os clientes estão satisfeitos. É a política da casa." A voz dela ficou trêmula. "Me desculpem por começar a chorar. É que... eu ando muito emotiva ultimamente. Meu cachorro morreu dois dias atrás."

"Meu Deus do céu", Sarah falou, largando a colher. "Você está comparando a mulher dele com o seu *cachorro*?"

"Não, não, nada disso, é que..."

"O Duffy?", Josh perguntou.

A garçonete pareceu surpresa por ele lembrar, e assentiu com a cabeça.

"Eu sinto muito", ele disse.

"Não, nossa... Quer dizer, sua *mulher* morreu, e eu aqui falando de um cachorro de dezessete anos de idade. Eu sou uma idiota mesmo. Tenham uma boa noite. Mil desculpas." Essas últimas palavras saíram com muito custo.

400

A garçonete se afastou, e Josh olhou para Sarah.

"Essa foi uma cena memorável", ela falou, sacudindo a cabeça em seguida. "Me desculpa se dei vexame. É que eu estou... sei lá. Nervosa."

"Por que a gente não vai embora, então?", Josh sugeriu. Ele pagou a conta em dinheiro, deixando uma boa gorjeta para a dona enlutada de Duffy, que estava levando uma bronca do gerente.

Eles saíram. O céu ainda estava claro, em um anoitecer perfeito de verão. "Vamos lá para a beira do rio", Sarah sugeriu, e foi o que eles fizeram. Ela o pegou pelo braço. A sensação não foi ruim.

Havia bastante gente na rua, aproveitando o bom tempo. Um resquício do pôr do sol ainda era visível mais a oeste. Josh e Sarah foram andando pela Canal Street até chegar ao gramado à beira do rio.

"Hã, Josh", ela falou. "Eu sempre achei você muito, hã, bonito. E, claro, o melhor marido do mundo."

"Obrigado."

"Por nada." Ela ficou à espera que ele dissesse mais, inclinando a cabeça, cheia de expectativa.

"E você é, hã, bonita. Muito bonita." Ela o encarou. Ele olhou de volta. "Será que posso te beijar?", ele perguntou.

"Vai em frente."

Ele se inclinou para a frente. Os lábios dela eram macios e firmes. Ela estava com gosto de carne. Fora isso... nada.

Então ela se afastou. "Desculpa, mas foi como beijar o meu irmão."

Ah, graças a *Deus*. "Pois é", ele admitiu. "Definitivamente..."

"Não rolou nenhuma química."

"Exato."

"Que merda", ela comentou. "Não existem mais homens como você, Josh. Seria bem conveniente se pudesse dar certo."

"Eu achei que você foi grosseira com a garçonete."

"Eu achei sua conversa chata e sem graça."

Eles se olharam e caíram na risada. "Um experimento fracassado", ela falou, dando um abraço nele. "Será que a Lauren ficou decepcionada? Acho que ela meio que esperava que a gente se entendesse."

"Pois é."

"Sei lá", Sarah falou. "Eu não sei se gostaria de ser comparada com ela pelo resto da vida, para ser bem sincera."

"Não, eu entendo."

Os dois suspiraram ao mesmo tempo e voltaram a rir.

"Sarah?", chamou uma voz feminina. Duas mulheres de roupas esportivas tinham parado ao lado deles.

"Oi, Helen!", ela respondeu. "Olá, Kelly!"

"Quanto tempo", a primeira mulher falou. "Estamos indo tomar um sorvete. Quer ir também?"

"Hã... esse é o meu amigo Joshua Park. Josh, essas são minhas colegas, Helen e Kelly." Josh as cumprimentou com um aceno de cabeça. "Helen teve bebê uns meses atrás, e a gente não se vê faz um tempo. Como está a princesinha?"

"Bem, muito bem", Helen respondeu. "Você ficou sabendo que eu tive que fazer uma cesariana de emergência?"

"Não! Deu tudo certo?"

"Foi pesado! Eu estava..." Ela olhou para Josh. "Quer saber, eu conto depois. Você está acompanhada."

Sarah olhou para Josh, que entendeu tudo. O encontro estava acabado, e por ele tudo bem. "Se quiser ir com elas...", ele sugeriu.

"Tem certeza?"

"Claro."

Ela sorriu, e talvez pela primeira vez na noite de modo sincero. "Ainda amigos?", ela perguntou.

"Com certeza." Ele a abraçou, acenou para as outras duas e se virou para subir a ladeira.

Sua mulher estava errada.

Interessante. Para tudo havia uma primeira vez. Ele torceu para que ela estivesse vendo tudo e se divertindo com aquele beijo todo desajeitado.

Enfim, era uma noite bonita, e a cidade parecia um lugar feliz. Não parecia certo ir para casa ainda. Ele foi subindo a Elizabeth Street, virou na North Main Street e passou pelo restaurante de onde tinha acabado de sair.

A garçonete tagarela estava sentada no balcão do bar, enxugando os olhos com o guardanapo.

Josh entrou e sentou no banquinho ao lado dela, que o olhou algumas vezes para conferir se era ele mesmo.

"Ai, me desculpa", ela falou. "Eu estraguei o seu encontro."

"O seu cachorro, hein?"

"Pois é. Foi uma coisa bem idiota para dizer, e não tem nem comparação uma coisa com a outra."

"Tudo bem", Josh falou. "Eu ficaria arrasado se perdesse a minha cachorra."

"A Pedrita?"

"É."

"É um nome muito fofinho." Ela sorriu para ele, enxugando os olhos de novo.

"Você foi demitida?", ele quis saber.

"Não. O pessoal daqui é bem bacana. O que é ótimo, porque já fui demitida de três lugares só esse ano. Eles só me tiraram do salão por hoje. E me disseram para me acalmar um pouco." Ela levantou um brinde com seu copo. "É gengibirra com um pouco de rum, porque não sou muito de beber." Ela olhou ao redor. "Cadê sua namorada?"

"Ah, não, ela não é... enfim. Ela é uma amiga. A melhor amiga de infância da minha mulher. Nós tentamos ver se rolava alguma coisa, mas... não deu."

"Que pena."

"É um alívio, na verdade."

"Aliás, sinto muito pela sua mulher. Aposto que ela era uma pessoa incrível."

"Era mesmo", ele falou. "Demais."

"Posso te pagar uma bebida?", ela sugeriu. "Eu te devo uma."

"Não, tudo bem", ele respondeu. "Eu também não sou muito de beber." Ele a olhou por mais um momento, analisando seu perfil. Tinha cílios bem compridos, e pareciam ser de verdade. O nariz tinha uma leve curvatura que lhe conferia bastante personalidade, e a pele parecia bem lisa. "Você sairia comigo um dia desses?", Josh perguntou.

Aquilo havia surgido do nada. Mas ele não se arrependeu de ter perguntado.

Não mesmo. Nem um pouco.

Ela arregalou os olhos e piscou algumas vezes. "Claro. Sim. Com certeza." O rosto dela ficou vermelho. Uma graça.

"Não se sinta obrigada a aceitar", ele acrescentou. "Sabe como é. Porque você arruinou o meu jantar, e porque eu sou um pobre viúvo." Ele estava flertando. Uau. *Flertando.*

"Não, não! Você é um gato. Ai, nossa. Desculpa. Eu podia ter dito isso? Bom, agora já foi, né? Quer dizer, você tem espelho em casa, então deve saber." Ela estava muito vermelha agora. "Sim, eu toparia. Você foi muito legal comigo na primeira vez que conversamos, lá no veterinário."

Ele sorriu e estendeu a mão. "Joshua Park."

Ela apertou sua mão, e ele sentiu uma eletricidade subir pelo braço. "Rose Connelly."

Josh ficou paralisado, ainda apertando a mão dela. "Rose?"

"É. Minha mãe adorou *Titanic*." Ela fez uma careta. "Mas, na verdade, eu também amo esse filme."

Ele soltou a mão dela. "Rose era o nome do meio da minha mulher."

Ela ficou ligeiramente boquiaberta. "Sério?"

Ele assentiu. Os dois ficaram se olhando por um longo momento. "Você me passa seu número?", Josh pediu, e ela apalpou o avental em busca de uma caneta, encontrou uma e anotou em um guardanapo. Um jeito bem antiquado de fazer as coisas.

"Muito bem, então", ela falou. "Isso foi... é. Foi muito bom ver você, Joshua."

"Foi muito bom ver você também, Rose."

Ele precisava ir embora. Se ficasse um minuto a mais que fosse, sua pose de bacana cairia por terra em dois tempos. Mas, por algum motivo, desconfiava que Rose Connelly não fosse se incomodar com isso.

"Ligo para você amanhã", ele disse.

"Eu vou adorar", ela respondeu.

*Vai embora antes que você estrague tudo*, ele disse a si mesmo, então foi isso o que ele fez, se sentindo... bom, se sentindo um pouco... eufórico. Esqueceu onde tinha estacionado o carro e ficou andando por um tempo, sentindo o ar suave do verão, o som da música que escapava para a rua, e o das pessoas, e o das sirenes, que se misturavam para formar uma espécie de canção.

Rose Connelly. Rose.

Para quem acreditava em coisas desse tipo, não passariam despercebidas as vezes em que Josh cruzou com Rose Connelly naquele ano e meio. Primeiro, no consultório do veterinário. Depois, no shopping, quando conheceu Radley e deu um soco em um cara, defendendo a honra dela sem saber de quem se tratava. E na maratona, onde foi a vez dela de ajudá-lo. E no Natal, quando ela literalmente ficou no seu caminho, impedindo-o de passar.

Gertie, a vidente, tinha mencionado rosas também.

Josh deteve o passo.

Puta merda.

E agora, na primeira vez em que cogitou namorar alguém que não fosse Lauren, Rose apareceu de novo.

Uma pessoa — um marido — poderia ver nisso um sinal. Poderia achar que sua mulher estava agindo de formas misteriosas para cuidar do homem que tanto amou.

"Muito obrigado", ele disse, olhando para cima. Aquelas tinham sido as últimas palavras que ela lhe disse. "Muito obrigado", ele repetiu. Ele sabia, simplesmente *sabia*, que naquela noite a havia deixado feliz.

E isso era tudo o que ele sempre quis.

# Epílogo

## JOSHUA

*Cinquenta e quatro anos restantes*

O jardim de Lauren no Hope Center tinha se tornado o lugar favorito de Josh em Providence. Inclusive, ele passava por lá quase todo dia, e na maior parte das vezes parava por pelo menos alguns minutinhos.

Mas essa era uma ocasião especial. Naquele dia ensolarado de primavera, a árvore de Lauren seria plantada, e o clima do mês de maio não poderia ser mais propício. O jardim cuidadosamente planejado estava cheio de cores e de vida, das flores rosadas das macieiras ao roxo pálido dos lilases.

Todo mundo que amava Lauren estava presente. Jen estava ao seu lado com os três filhos — Sebastian ficando mais alto e espigado, a pequena Octavia, toda lindinha com seu vestido azul, com uma nuvem de cachos emoldurando seu rosto perfeito. Leah, a essa altura com quase três anos, estava tentando descer do colo de Darius para aprontar alguma. Josh sorriu para ela; aquela menina lembrava muito Lauren. Ao lado deles, Donna e Bill, que tinham casado no ano anterior. Sua mãe e o casal Kim. Ben assentiu com a cabeça, sempre transmitindo confiança para ele.

Asmaa estava discursando sobre o jardim, um lugar onde as famílias plantavam juntas seus alimentos, ensinavam as crianças sobre botânica e transformavam aquele espaço em um oásis na cidade. Josh se sentia muito grato a ela por estar seguindo adiante com o trabalho que lhe proporcionou uma segunda chance de conhecer Lauren e, mais tarde, a oportunidade de retribuir o favor e sair de sua concha quando estava de luto.

Mara da Escola de Design também estava lá, além de Bruce, o Poderoso e Generoso, que havia doado dez mil dólares em nome de Lauren.

Radley, o melhor amigo do mundo, estava ao lado do noivo, Frank, o corretor de imóveis. Eles moravam juntos agora, pertinho de sua casa em Cranston. Sarah estava presente, também. A boa e velha Sarah. Estava namorando Mateo, um dos engenheiros que trabalhava com Josh, cinco anos mais novo que ela e que, ao que tudo indicava, estava completamente apaixonado.

E havia outra pessoa lá também. Uma que Lauren nunca conheceu e que estava ao lado de Joshua, segurando sua mão.

Sua mulher.

A linda Rose, com suas bochechas rosadas e seu cabelo escuro, agora mais linda do que nunca. Estava grávida, mas eles não queriam dar a notícia ainda, só depois que o primeiro trimestre passasse. Josh desconfiava que sua mãe sabia, porque, quando chegaram, deu a Rose uma garrafa com água e perguntou se ela queria uma cadeira.

Stephanie também olhou para ele e sorriu. Sim. Ela sabia. E tudo bem.

Josh olhou para o corniso, já com quase um metro e meio de altura. O tronco era reto e forte, e as flores que Lauren tanto adorava pareciam flutuar no ar, perfeitas em sua simplicidade, sua beleza.

A árvore cresceria bem naquele espaço.

"Vou passar a palavra para você agora, Josh", Asmaa anunciou.

Rose apertou sua mão. "Você consegue", ela murmurou. Ele a beijou na testa e foi até o microfone.

Fazia mais de três anos que cuidava com carinho da árvore de Lauren. Estava na hora de dar a ela um lar. Todas aquelas pessoas sabiam que aquele era o jardim de Lauren. E tinham ido ver a árvore. Um dia, Josh levaria seus filhos àquele jardim e eles brincariam ali.

Era bom pensar que Lauren os veria.

Ele sentia um nó na garganta, e todos os olhares sobre si. Verdade. Estava na hora de falar.

"Lauren era... única", ele falou, com uma voz firme e cheia de emoção. "A melhor irmã, filha, tia e amiga que alguém poderia ter. Eu tive muita sorte de ser marido dela."

Josh lançou um olhar para Rose, que abriu um sorriso com os olhos marejados e assentiu com a cabeça. A única coisa que ela já tinha dito sobre Lauren era que gostaria de tê-la conhecido. As duas tinham muito em comum. A generosidade. Uma capacidade imensa de amar.

"Lauren morreu cedo demais", ele continuou, "mas viveu cercada de amor e felicidade, de alegria e senso de propósito. Para mim, ela era perfeita." Ele se interrompeu e engoliu em seco. "Ela me ensinou como viver, mesmo quando estava morrendo. Mesmo depois de morrer — principalmente depois, aliás —, ela foi minha maior professora. É uma honra poder dedicar esta árvore à sua memória. Ela amava este lugar e amava todos vocês."

Todos aplaudiram, e fungaram, e enxugaram os olhos. Um jardineiro estava à espera ao lado da árvore e, quando Josh se aproximou, a colocou no buraco que tinha aberto e meneou a cabeça.

Todo mundo estava em silêncio. De costas para as pessoas, Josh enfiou a mão no bolso do paletó, tirou algo de lá de dentro e jogou no buraco.

Sua aliança de casamento. A que Lauren havia posto em seu dedo. Ficou brilhando ali, sobre a terra escura. Talvez se prendesse às raízes e se tornasse parte da árvore. Josh esperava que sim.

Então ele cobriu a aliança com terra e entregou a pá para Donna, que fez o mesmo gesto. A seguir foi a vez de Jen, de Sebastian e Octavia. Darius ajudou Leah, que falou: "Eu consegui, papai!". Todo mundo deu risada. A pá foi passada de mão em mão. Stephanie, Sarah, Asmaa, Ben.

"Você também, Rosie", Jen falou. "Você é da família. Não precisa ter vergonha."

Rose olhou para Josh, que assentiu. Seu rosto ficou vermelho, e ele soube que ela gostou de ser incluída.

Pouco depois, quando todo mundo já saía pelo portão do jardim, Josh ficou um pouco para trás. Estavam todos indo almoçar juntos, reunidos pela primeira vez desde seu casamento com Rose, alguns meses antes.

Quando não restou mais ninguém e Josh ficou sozinho no jardim, ele se virou para contemplar a árvore. Era como se sempre tivesse estado lá. Ele mal podia esperar para vê-la crescer.

Uma leve brisa soprou, balançando seus cabelos.

Por um instante, ele sentiu a presença de sua mulher, o amor dela o envolvendo. Lauren prometeu que sempre estaria ao seu lado, e Josh acreditava. *Eu te amo*, ele pensou. *Sempre vou te amar.*

Rose estava à sua espera na saída do jardim. "Tudo bem, amor?", ela perguntou.

"Está, sim." Ele a beijou de leve e, incapaz de resistir ao impulso, sem dar a mínima se alguém fosse ver, pôs a mão sobre a barriga dela. "Eu te amo", ele disse, porque era verdade. Então a pegou pela mão e os dois alcançaram os demais, e o sol pareceu brilhar um pouco mais forte naquele céu vasto e radiante.

# Agradecimentos

Eu não teria escrito este livro sem a benevolência, o bom humor e a generosidade de Charlene Marshall, que compartilhou sua experiência com a fibrose pulmonar idiopática comigo. Obrigado, Char. Apesar de ainda não termos nos conhecido pessoalmente, já somos amigas.

Minha equipe na Berkley é simplesmente a melhor, e divertidíssima também. Agradeço a Claire Zion, minha editora maravilhosa e engraçada, por ser minha colega de trabalho na tarefa de dar forma a este livro (e por chorar quando contei sobre a minha ideia, o que me fez perceber que estava no caminho certo). Para Craig Burke, Jeanne-Marie Hudson, Erin Galloway, Danielle Keir, Bridget O'Toole, Jin Yu, Anthony Ramundo e todo o pessoal dos departamentos de venda, de arte e de marketing, que fazem um trabalho tão incrível para levar os meus livros ao mundo... obrigada. É uma alegria tremenda trabalhar com vocês.

Minha agente, Maria Carvainis, e sua intrépida equipe — Elizabeth Copps, Martha Guzman e Rose Friel — são simplesmente as melhores do ramo, sempre dispostas a me orientar e me apoiar.

Como sempre, usei amplamente as informações disponibilizadas pela Clínica Mayo, pela Pulmonary Fibrosis Foundation e pela American Lung Association, além de centenas de artigos sobre essa doença tão complexa. Peter, Sophie e Richard, obrigada por compartilharem suas histórias sobre a neurodiversidade e o transtorno do espectro autista, e também ao Autism Speaks, pela quantidade de informações que oferecem. Qualquer erro cometido aqui é de minha responsabilidade.

Deixo também meu agradecimento pessoal a Jen, que me incentivou a ir adiante, e para Joss, Stacia, Karen e Huntley. Kwana Jackson, Sonali Dev, Susan Elizabeth Phillips, Robyn Carr, Jamie Beck, Xio Axelrod, Kennedy Ryan, Deeanne Gist, Nana Malone, Nancy Robards Thompson, Marie Bostwick... a lista é imensa e, minha nossa, como eu sou abençoada. Um agradecimento especial para a professora mestra LaQuette R. Holmes por seu brilhante curso, The Critical Lens.

Para Hilary Higgins Murray, minha queridíssima amiga e simplesmente a melhor pessoa para ter ao seu lado durante um apocalipse zumbi ou uma pandemia, obrigada por ser uma irmã perfeita.

Agradeço ao meu marido, Terence Keena, por... bem, por tudo, na verdade. Para meus filhos maravilhosos, divertidos e inteligentes, vocês são minhas pessoas favoritas neste mundo. Ficar sentada na varanda de casa com vocês (inclusive você, Mike-o!) é tudo o que eu poderia querer da vida.

Obrigada à minha querida cachorra Willow, que esteve ao meu lado pelos últimos dez anos, me fazendo companhia enquanto escrevia, me fazendo sorrir todos os dias. Vejo você do outro lado, sua fofa.

E por fim, obrigado a vocês, leitores. Pela dádiva e a honra de me dedicarem seu tempo.

TIPOGRAFIA Adriane por Marconi Lima
DIAGRAMAÇÃO acomte
PAPEL Pólen Natural, Suzano S.A.
IMPRESSÃO Gráfica Bartira, setembro de 2023

A marca FSC® é a garantia de que a madeira utilizada na fabricação do papel deste livro provém de florestas que foram gerenciadas de maneira ambientalmente correta, socialmente justa e economicamente viável, além de outras fontes de origem controlada.